ANDRÉ VIANCO

O SENHOR DA CHUVA

O senhor da chuva

1ª edição: Junho 2022

Autor:
André Vianco

Preparação de texto:
Jacob Paes

Revisão:
3GB Consulting

Projeto gráfico:
Jéssica Wendy

Ilustração e capa:
Raul Vilela

DADOS INTERNACIONAIS DE CATALOGAÇÃO NA PUBLICAÇÃO (CIP)

Vianco, André
O senhor da chuva / André Vianco. -- Porto Alegre : CDG, 2022.

416 p.

ISBN: 978-65-5047-137-8

1. Ficção brasileira I. Título

22-2825 CDD - B869.3

Angélica Ilacqua - Bibliotecária - CRB-8/7057

Produção editorial e distribuição:

contato@citadel.com.br
www.citadel.com.br

ANDRÉ VIANCO

O SENHOR DA CHUVA

2022

CAPÍTULO 1

– Droga de chuva! – praguejou Gregório ao olhar para o chão e notar que os sapatos estavam encharcados, deixando seus pés com temperatura próxima a zero grau.

Ele não sabia se ficava na calçada, onde a água respingava ainda mais e empapava a barra da calça, ou se partia para cima de dois degraus de concreto que terminavam bem no recorte de cimento e tijolos onde já havia sido uma porta e agora era simplesmente uma parede, da qual descia um fio de água gelada que também o incomodava, obrigando-o a trocar de lugar a cada dois segundos.

– Detesto chuva! Detesto frio! Quando descolar minha grana, vou me mandar pra Moçambique, para o Irã, sei lá... Algum lugar em que só chova a cada ano bissexto.

– Irã? – espantou-se Renan.

– É. Onde tem sol o ano inteiro, paz e sossego. Tem deserto lá, sabia? Tô de saco cheio desta cidade aqui, onde ninguém olha pra ninguém.

Os dois se agacharam e buscaram cobertura debaixo de um toldo, tentando se proteger melhor do aguaceiro. Gregório estava todo vestido de preto, desde os sapatos de cadarço, passando pela calça jeans escura, até a camiseta e o jaquetão de couro. Esfregava as mãos para aquecê-las, mas seu rosto, mesmo ressecado pelo frio, mantinha uma expressão vivaz, de garotão, fazendo seus 32 anos não parecerem tão distantes dos vinte de seu parceiro, que também soprava as palmas das mãos.

– É coisa grande, o lance de hoje? – perguntou o garoto.

– Não. Oito "g". Um carinha metido a esperto. Não gosto de trabalhar com ele. Você vai ver, é um tipo estranho... Deve ser um desses figuras que pagam de certinho, mas vivem aqui na boca.

– E polícia? Nunca pintou no seu canto?

– Pintou, sim – Gregório falou.

– E aí? Quanto tempo você catou?

– Eu? Deus me livre, mano. Nunca levei cana. Mas o policial levou... levou cinco pinos, bem pesados, e a grana toda da noite.

– Que foda... Mas tudo?

– Tudo, até o último centavo. Parece que alguém lá no alto olha por mim, hahahaha. Moleque, gente é tudo a mesma bosta, aonde quer que você vá. Deserto, manja? – reforçou Gregório, esfregando as mãos e dando um cutucão na testa de Renan. O mais velho colocou a mão no bolso interno da jaqueta, conferindo os pinos que estavam dentro de um saquinho. Tudo seco e a salvo.

Os dois se conheceram duas semanas antes, na saída de uma balada. O moleque ficou encarando Gregório por um tempo, observando o rapaz passar o produto para os clientes, e Gregório logo percebeu que aquele pivete olhava mais para o dinheiro do que para a freguesia. Estava ali para o jogo mesmo e contou que tinha um irmão em cana, por isso faria qualquer negócio para descolar uma grana – para tirar da cadeia o que tinha sobrado da família. Gregório titubeou, mas acolheu o rapaz. Essas coisas de irmão mexiam com ele.

– Quero mudar, moleque. Tá na hora do meu tudo ou nada. Vou dar um jeito de largar esta merda de vida com viciado e maluco pra todo lado.

– Vai largar isto aqui tudo, seu ponto, sua boca? – Renan perguntou, espantado.

Gregório apenas balançou a cabeça, em sinal positivo.

– Então eu fico com ela – completou o garoto.

Gregório encarou Renan. O moleque estava querendo se lascar todinho naquele trilho de vida que levava a lugar nenhum. Para se dar bem naquela porra, tinha que ter muito colhão e um coração podre. O menino não parecia ser assim, tinha a merda de um olho zoado, é verdade, mas Gregório conseguia enxergar dentro do moleque por aquela outra única passagem.

– Você é melhor que isto aqui, cara. Não fica querendo coisas que vão te matar.

Renan sorriu, para que o rosto emanasse alguma resposta e não contrariasse Gregório. Para ele, pouco importava se seria traficante ou pastor de igreja, ele só queria dinheiro. Se o cara estava prestes a deixar o caminho vago, queria ser amigo dele e ficar com o ponto. A chance era melhor do que pensara ao conhecer Gregório.

Um relâmpago rasgou a noite e um trovão roncou longe. As pessoas, fora da ruela, corriam com guarda-chuvas e sacolinhas na cabeça, sem imaginar que duas vidas jogadas nas sombras teciam esperanças sobre o deserto e sobre o pó.

A chuva apertou, fazendo um barulho cadenciado e gostoso. O vento entrava afunilado pela ruela e fazia as roupas molhadas congelarem. Renan também estava em um ponto de tudo ou nada, mas acreditava naquele sujeito à sua frente. Tinha se ligado a ele porque acreditava que aprenderia a ganhar dinheiro, que subiria na vida sabendo como vender bastante para gente que comprava muito. As coisas estavam ruins agora, mas sabia, lá dentro, que elas ficariam melhores. Ele ia aprender com Gregório a ser um bom traficante.

Vinte minutos de silêncio depois, um carro adentrou a rua escura. Era um Chevrolet surrado pelo tempo, uma barca que, no auge, já tinha sido de magnata, de gente rica. Mantinha o farol direito aceso, o esquerdo queimado, e movia-se lentamente em direção aos dois parceiros.

Gregório levantou-se e puxou Renan pela blusa, fazendo-o ficar em pé. Então, alertou:

– Esse aí é o cara. Não vacila, garoto. Fica na boa.

Trovões roncaram, parecendo praguejar contra a terra. Renan estremeceu. O frio mastigava sua pele, como se fosse um bicho escondido no escuro, e fazia tudo doer, como se monstros invisíveis cravassem os dentes de gelo em seus ossos. Era a primeira vez que traficava, e aquela sensação assombrada o deixou bastante nervoso. Não tinha pai nem mãe. A única família era aquele irmão mais novo, preso na Fundação Casa. Havia procurado emprego, mas sempre lhe ofereciam vagas que não pagavam nem um salário-mínimo. Era muito trabalho por nada. Queria conseguir dinheiro para alugar uma casa, tirar o irmão da cadeia e dar um jeito de recomeçar. Ter uma vida que nunca tinha tido, daquelas que ouvia falar no tempo em que ainda ia para a escola.

Queria a mãe levando-o ao cinema junto dos amigos; queria comer no McDonald's e ouvir as histórias dos livros de aventura antes de dormir, aquelas em que tudo acabava bem. Mas, no mundo duro em que vivia, o da realidade, desde cedo ele já tinha que saber quanto custava um advogado. E era um troço caro. Havia passado fome, e ninguém lhe estendera a mão. E, quando estenderam, a mão veio com drogas entre os dedos e uma arma na outra. Eram mãos de traficantes barra-pesada.

Ficou com muito medo. Era um passo e tanto, não podia com aquela situação; não tinha coragem de ser o que aqueles caras precisavam que ele fosse. Ele era só um moleque querendo viver mais um dia. Quando a mãe vazou com o tal Lecão, sem deixar sequer um bilhete, Renan caiu na rua com o irmão. Não iam ter como pagar o aluguel nem ter onde colocar as revistas de que o irmão gostava. E a porra da rua não contava historinha para dormir. Na primeira briga que entrou para defender o irmão, foi atacado com um caco de vidro e perdeu um dos olhos. Tinha o outro para se virar, mas agora não queria perder mais nada. Queria era ganhar.

Ouviu na rua que os pés de chinelo como ele podiam faturar uns mil contos por dia. Estava bom. Ouviu falar também de Gregório, traficante peixe pequeno, bom para começar. Conseguiu conversar com o cara, expôs sua condição, prometeu dedicação, empenho e, principalmente, fidelidade, para que o traficante ensinasse a ele os macetes da profissão – e o cara aceitou. Não tinha dito nada daquele papo de deserto e de largar o mundo da prestação de serviço, mas isso não era zica, desde que cumprisse o prometido e mostrasse de quem comprava e para quem vendia. Não tinha problema, mesmo. Gregório poderia viver onde quisesse.

O carro encostou. Gregório bateu a mão no pacote mais uma vez e olhou para o ajudante caolho. *O moleque está quieto, isso é bom*, pensou Gregório. As gotas da chuva ricocheteavam no capô do Chevrolet, batendo com rapidez. Um homem de terno desceu e correu desajeitadamente, dando a volta pelo veículo. Era um sujeito baixinho, gordo e de face corada, que parecia nervoso, meio agitado. Renan sabia o que era aquilo: a *noia*. O homem tinha um jeito afetado de movimentar os braços e as mãos e segurava um livro preto que parecia uma Bíblia. No rosto, mantinha um sorriso estranho, como se tivesse uma gargalhada entalada na garganta, prestes a explodir.

– Fala, Greg. Cadê meu bagulho?

Gregório tirou do bolso o saco de farmácia com os pinos, deixando-o à vista. O gorducho arregalou os olhos.

– Greg, Greg! Você nunca falha mesmo.

O cliente fez menção de agarrar a droga, mas Gregório esquivou o braço estendido.

– Calma lá, freguês. Primeiro a grana, depois você se entope com esta merda.

– Correto, correto. Cê tá certo – repetiu o homem várias vezes, empertigando-se e vasculhando os bolsos até encontrar um modesto maço de notas de cinquenta. Estendeu-as para Gregório, mas foram apanhadas por Renan, que conferiu a quantia. O cliente surpreendeu-se com a intromissão do rapaz e encarou-o de maneira estranha. Fungou fundo e parou olhando para a parede, mexendo a boca sem nada dizer. Tornou a olhar para Renan e disse para Gregório:

– Não gosto desse zoinho aí.

– Só tenho ele, Beiço, desculpa aê. Mas vai com calma nas carreiras, *bro*. Essa aí é daquela lá.

O gorducho balançou a cabeça com rapidez e benzeu-se. Gregório pegou o dinheiro conferido por Renan, enfiou no bolso e voltou a se encostar debaixo do toldo, como se o cliente não existisse mais. Renan imitou-o e murmurou, quando se afastaram do homem:

– Cara maluco esse aí, me dá medo.

– Relaxa. Esse aí é o mais manso.

Beiço ficou parado debaixo da chuva, olhando para os dois por quase um minuto, enquanto o terno se encharcava e mudava de cor. O rosto tinha uma expressão de deboche, que desaparecia toda vez que uma gota pesada lhe acertava em cheio um dos olhos. E, em seguida, a expressão voltava à face.

Gregório acendeu um cigarro e deu uma primeira tragada, longa e demorada. *Que diabos aquele cara queria?*

– E sua mãe? – perguntou Gregório. – Saiu do hospital?

Beiço balançou a cabeça, em sinal negativo.

– É câncer mesmo – lamentou ele.

– Por que então você não vaza, mano? Vai ver sua mãe. Some daqui.

– Preciso de um negócio.

Gregório tragou fundo e olhou para Renan, para a rua. Terminou encarando o cliente na chuva, quando finalmente soltou uma longa tira de fumaça e disse:

– Droga?

– É. Mais.

– Sei. Quanto?

– Muito mais que isto aqui.

Renan olhou calado para Gregório, querendo dar um grito. *Mais dinheiro!*

– Consigo – Gregório deixou algum nível de excitação escapar. – Desenrola aí que eu consigo.

– Quanto?

– Até onde sua grana aguentar, Beicinho.

O homem voltou a correr na chuva e entrou no Chevrolet. Abaixou o vidro do lado direito e colocou a cara gorda para fora.

– Se você conseguir arrumar mais, tenho um amigo que vai ficar muito contente. Você acertou na loteria, Greg. Nem sabe, mas acertou, sim! – o gorducho falou, gargalhando de modo eufórico por três segundos, e em seguida calando-se de maneira abrupta. – Toma. Este cartão tem o telefone dele. Conversa com o cara, fala que eu que indiquei. Ele vai saber que o negócio é certo e que você é barra limpa.

Gregório ficou olhando para o rosto do homem espremido pela janela. Aquele cara deveria estar no hospital, com a mãe, mas estava ali, na rua, querendo coisas que não deixariam nem ele nem a mãe melhores. Gregório sabia que estava no negócio errado.

– Quem diria, hein, Renan? O Beiço é um cara legal, no fim das contas – acabou dizendo para o companheiro.

Beiço deu a partida no carro, saindo lentamente. Gregório guardou o cartão no bolso e deu um tapinha nas costas de Renan, que olhava o carro se afastar.

– Fica frio, garoto, você está muito tenso, mais nervoso que eu na minha primeira transa, no meio do milharal. – Gregório viu o carro desaparecer no fim da rua e apagou o cigarro, atirando-o ao chão e pisando em cima. – Vambora, Renan.

Os dois começaram a caminhar com rapidez, deixando a rua escura para trás.

– Vamos comer alguma coisa. Desta vez eu pago – completou.

Entraram em um beco deserto. A chuva diminuía gradativamente. A cidade, imersa na noite escura, exalava um cheiro fresco e agradável depois do temporal, como se houvesse recém-saído de um banho refrescante. Silenciosa, relaxada e alheia a tudo o que acontecia naquele lugar.

CAPÍTULO 2

Faltavam apenas dois minutos para a meia-noite. Estendendo o magnífico par de asas, a criatura olhou para o quarteirão deserto e pousou no topo de um prédio vermelho de onde poderia observar perfeitamente a mulher, vendo-a voltar para casa, envolvida em uma aura de calma e paz. Permaneceu em pé sobre o parapeito da cobertura e olhou para baixo, verificando que aquela seria uma queda e tanto. Inspirou fundo o ar noturno, encantando-se com a chuva, que mudava o aspecto da paisagem. Era como se a água redimisse aquele lugar das insanidades, como se fosse um bálsamo para os humanos e para seus iguais.

A cidade estava limpa outra vez, refrescada, mas o silêncio era estranho. A criatura se intrigava com a repentina quietude daquela metrópole viva, pulsante e carregada de milhões de almas humanas em aflição, que navegavam pelo rio indômito que era a vida, sacudidas pelas águas contínuas e profundas, deixando apagar o brilho que receberam de presente no dia em que chegaram à carne, e que ia diminuindo cada vez mais com o balanço da água escura, tornando-os espíritos opacos, distantes da harmonia. O que crescia dentro deles não era mais a completude. Os filamentos que ligavam cada um deles aos outros e à vida que emanava da terra, subindo pelos troncos das árvores; que saltavam de galhos e faziam ninhos; que se tornavam outra coisa de onde minava leite para dentro da boca voraz de filhotes também de carne, e que continuariam a vida fora do concreto, dentro dos rios e dos mares, existindo até mesmo em profundezas abissais... Aquilo tudo se dissolvia.

Era como se aqueles fios etéreos e energizados pela sintonia com a criação houvessem se enfraquecido e se esvaído. Eles, os homens de carne, não olhavam mais para o todo e não acreditavam mais que as criaturas aladas, guardiãs da criação, estavam ali, vagando pelos céus, para eles. A fé estava morta, e, para a criatura alada, essa falta dava a sensação de que a luta da carne humana para que a alma durasse fazia dos homens cada vez mais barulhentos, mais raivosos e mais infelizes, gritando em seus aparelhos e agitando-se durante a noite, revirando-se na cama sem serem capazes de desligar, com os olhos presos às coisas que aconteciam durante o dia, mantendo a mente sempre ocupada e oprimida, aumentando cada vez mais o vazio, dando mais importância para o que imaginavam que aconteceria em vez de viver o que de fato acontecia a centímetros da pele de matéria.

Apenas o vazio do desligamento tiquetaqueava na alma dos humanos, e eram elas que sofriam. A porção invisível dos seres, que ainda se debatia dentro da carne, cega e surda, era devorada pelas necessidades mundanas. Então elas, as criaturas de luz, cada vez em menor número, mas ainda persistentes, combativas e prontas para aplacar o vazio, continuavam em luta. Buscavam aqueles de carne que ainda tinham a semente, a fé verdadeira dentro de si, que ainda ouviam e sentiam, e que acreditavam na harmonia da criação, na graça celestial.

E ele, o guerreiro de luz, também travava uma luta dentro de sua dor e temia que os iluminados desaparecessem, sobrando apenas as trevas. Thal evitava falar sobre seu medo para não contaminar os demais guerreiros de luz. Afinal, ele era o general, comandante de uma hoste que protegia os minguantes portadores da fé verdadeira. Mas a realidade brutal era que aqueles portadores existiam cada vez em menor número, eram difíceis de se encontrar e tão poucos que seus olhos de guerreiro de luz já buscavam por qualquer centelha naqueles de carne que lutavam contra o vazio, contra a angústia de terem se distanciado da harmonia e da naturalidade de poder se apoiar naquilo que seus olhos terrenos não viam. Muitas vezes, o guerreiro de luz se apegava ao menor movimento que um humano fizesse para mudar, para reverter o caminho da escuridão e da dissolução com a união. O caminho se invertia: Thal queria acreditar que aquele pequeno pedaço de carne desejava voltar para a luz, para a harmonia, para o lugar em que o corpo e os pensamentos não sentiriam mais dor, onde o vazio seria diminuído, nutrindo a alma e se conectando novamente à harmonia.

Muitas vezes, a luta não era contra os demônios que vinham das sombras, da espreita feita nas trevas da alma para aproveitar a carne machucada com uma ferida aberta, capaz de dar passagem e abrir caminho para se acreditar mais na escuridão que na luz. As luzes dos irmãos de Thal, o ritmo e a constante vigilância não pareciam surtir mais resultado, nesses casos. Somente os que ainda guardavam a fé verdadeira demonstravam ser capazes de percebê-los, escutá-los, adorá-los.

Thal temia o vazio. Nunca antes tinha sentido o hálito quente da borda das trevas chegando tão perto e fazendo sua pele se arrepiar. Não podia permitir que o vazio chegasse até ele, que era pura energia, pura harmonia, um metacorpo da graça e da glória derramadas sobre aquele mundo. Estava ali para que o Experimento Celestial vicejasse, contudo, envolto pela repentina escuridão do céu tomado pelas nuvens, cada vez mais compreendia o vazio que tomava os de carne por dentro. Aquele incômodo emanava dos filhos de Adão, e agora os filamentos rompidos e desligados da vida tinham se virado contra ele. O vazio vazava dos de carne e tocava a pele acobreada de Thal quando ele se distraía por um segundo, fazendo-o sentir medo e dor por eles.

Sentia-se unido aos de carne em sua melancolia e, para afugentar aquela ligação proibida, aquele sentimento clandestino, concentrava-se em acompanhar e proteger os que acreditavam na força do Senhor. Os que ainda tinham alguma fé. Os que acreditavam que os guardiões existiam, como se aquelas almas ainda acesas fossem a última centelha a ser vigiada para que a crença não se apagasse de vez e para que, no momento que os planos d'Ele se voltassem para os caminhantes da harmonia, Seu sopro chegasse àquelas brasas e a fé incendiasse, lançando faíscas com o objetivo de retomar a harmonia entre a humanidade e todos os seres ligados à vida.

A pele acobreada e luminescente da criatura absorvia da chuva um vigor e uma energia que o transformavam. Assim, os temores que vibravam dentro de seu corpo de luz se arrefeciam, e Thal podia se sentir em paz de novo, renovado. Com a bendita gota vinda do céu, triplicavam suas forças, iluminavam-se seus olhos e pensamentos, fazendo-o sentir a distância com o Criador desaparecer. Concentrava-se nessas sensações enquanto a água batia em seu rosto e em seu peito. A chuva o abastecia das coisas do céu, de onde Thal tinha vindo.

Era um ser divino, abençoado. Uma criatura alada, cujas asas eram dotadas de alvura inebriante aos olhos humanos e que se juntavam a um corpo robusto, grande, de um guerreiro. A face tranquila, agora segura, era iluminada por olhos, na verdade, duas brasas vivas, feitas de fogo amarelo. Uma túnica também branca descia dos ombros até os joelhos, e uma espada longa, embainhada, descansava na cintura, encimada por um pomo negro e dourado. Ao lado da arma existia uma trombeta curta e retorcida, feita de um chifre. Se não fosse o gritante par de asas, que volta e meia farfalhava movendo-se impacientemente, sua silhueta no topo do prédio poderia ser facilmente confundida com a sombra de um homem alto e de cabelos longos.

Havia muito os homens tinham perdido aquela pureza feroz, aquela autoridade favorecida por Deus, que permitia que vissem o guardião. A figura, lá no topo do museu, não era de um homem, mas de um guerreiro de luz, destinado a lutar pelos seres de alma pura para abrir caminho entre as trevas e garantir que a mente dessas pessoas continuasse ligada ao Criador. Empertigava-se com a presença do inimigo, aqueles que devoravam a luz e borravam o saber. Quando combatia demônios, aquela espada voava para fora de sua bainha e cortava o ar, partindo feras malditas, salvando as almas ameaçadas. Pelos inimigos era temido, e dos exércitos da luz era um encorajador. O rosto reto e vincado, a pele cor de cobre, os olhos chamejantes e penetrantes como os de uma águia lhe conferiam uma imponência impressionante. A criatura era o que os humanos chamavam de anjo. Um anjo de luz, anjo protetor, um anjo da guarda.

* * *

Ela sempre deixava o emprego por volta da meia-noite. Saiu pela frente do estabelecimento, um bar-lanchonete pequeno, encravado bem no meio de uma das maiores avenidas da cidade. Eloísa, a protegida, não era rica nem bonita, e trabalhava de segunda a sábado, folgando aos domingos. Ganhava pouco, mas o suficiente para se manter com a mínima dignidade. Com seus 59 anos, solitária, cativava por não ser amarga nem rabugenta e precisar de muito pouco para ser feliz. Dentro disso, estava a vontade de ir à escola dominical todos os domingos, para ensinar aos pequenos que o mundo tinha sido feito por uma força criadora, por uma potência de luz, responsável por criar todo o universo e também os homens; um Deus que tinha lutado por nós e que tinha um plano para cada um dos seres viventes. Amava ver os olhinhos brilhantes dos pequenos quando ela falava do Divino, das batalhas de Deus para que a luz ainda existisse e habitasse o coração dos seres humanos.

Quando perguntavam à professora Eloísa sobre onde Deus morava, ela abria um sorriso e apontava direto para a criança. Dizia que morava dentro delas, em cada um que acreditasse n'Ele. Que Deus, em Sua sabedoria, estava presente em cada coisa viva, do alto do céu até o fundo dos mares, para levar amor, afeto e a promessa de vida, de reunir a alma de todos os crentes, depois que passassem pela provação da carne; depois que toda a ignorância fosse varrida do nosso planeta e que nossas mentes estivessem livres para tudo saber. Quem acreditasse na luz e andasse no caminho do amor precisava acreditar no Senhor e nos anjos da guarda, que seriam os defensores de Deus, os soldados que combateriam as sombras e a ignorância, os responsáveis por libertar nossas mentes da grande maldição.

A tarefa de Eloísa era árdua, porque a maioria dos pequenos ria e perguntava como era possível que alguém estivesse em todas as coisas o tempo todo. Alguns diziam que os irmãos mais velhos contavam que aquela história toda de Deus e de anjos era uma tremenda baboseira, uma balela inventada para enganar os otários. Mas a mulher, com profunda paciência e amor pela alma dos pequenos, perseverava. Serena e compreensiva, falava sobre o amor dos guardiões de Deus, que sempre tinham olhos e armas para defender quem se direcionava para o bem. Eram os anjos intercessores que estavam sempre ao lado daqueles que acreditavam na harmonia e que buscavam o bem, o amor e a fraternidade. Na sala, duas ou três das crianças sempre ficavam com os olhos brilhantes e queriam saber mais.

Aquela senhora de alma iluminada vivia em um apartamento de quarto, sala e cozinha sem esperar visitas de filhos ou netos, que tinham se distanciado porque não acreditavam mais. Não se sentavam com ela para orar para os anjos intercessores nem tinham a fé verdadeira de que o Senhor voltaria um dia para o berço de onde tinha saído. Eloísa não os obrigava a acreditar no que ela conhecia e no que sentia como uma força palpável e reconfortante, sempre ao seu lado, mas percebia que seus parentes se incomodavam com a crença fervorosa.

Exceto por essa pequena tristeza de a família não a procurar mais, Eloísa seguia uma vida aparentemente normal, cumprindo mecânica e biologicamente as funções de pagar as contas com o dinheirinho apertado e de dobrar os joelhos para orar antes de dormir e ao despertar. Entretanto, essa normalidade é característica somente dos seres humanos que não conseguem enxergar um palmo diante do nariz. A grande maioria, quase a totalidade daqueles que caminham com os pés duros sobre o chão rígido, como tudo de que é feito o universo, não toca o outro lado, não conhece o que é feito de vibração da luz.

Sob a perspectiva dos que só enxergam a matéria, Eloísa não era comum. E, para o guerreiro alado, ela era muito especial, pois tinha fé. Fé na vibração e nos instintos, amor pelo Pai Criador e confiança em tudo o que estava escrito e no que aquilo representava. O anjo a amava. Era um amor fraterno e antigo, do tempo da Grande Guerra e de quando salvaram aquela terra das sombras do não saber. Aos olhos de Thal, aquela senhora permanecia envolta constantemente em uma chama viva de paz, amor e fé. Eloísa era iluminada e tinha o poder de aplacar a dor crescente que visitava a alma milenar da criatura, como um bálsamo. A mortal não sabia, mas era ela quem renovava a fé do anjo, não o contrário.

Com os olhos serenos, ele acompanhava o lento caminhar de Eloísa pelas calçadas. Volta e meia, Thal via um de seus irmãos cruzando os céus e logo montando sentinela no topo dos outros prédios. Com as asas cerradas, imóveis, permanecia concentrado em manter o protegido ou a protegida fora do alcance das feras do mundo inimigo. Dali, podia ver dois dos seus iguais. Abriu as asas e disparou em queda livre, ao encontro do chão, e pousou com delicadeza em um relógio de rua no canteiro central da avenida Paulista. Um dos irmãos de Thal se fora, abrindo as asas e transformando-se em uma bola de luz que desapareceu nas nuvens.

Em ritmo de passeio, Eloísa realizava lentamente sua caminhada, que já durava exatos vinte minutos. Thal olhou ao redor e voltou a incomodar-se com o estranho silêncio depois da chuva, que tinha deixado a cidade calma. Notou, na esquina do quarteirão, a presença de cinco jovens e, no meio deles, outro iluminado. Thal olhou para cima e acenou para Taguinel, que sobrevoava o grupo e desceu ao seu encontro, pousando em cima do mesmo relógio.

– Paz e perseverança, irmão – cumprimentou Taguinel.

– Paz e perseverança – redarguiu o anjo guerreiro.

Os jovens, alheios aos guardiões alados, riam alto e empurravam-se. Taguinel manteve o olhar sobre seu iluminado, um garoto que tinha um crucifixo pendurado no pescoço.

Thal olhou ao redor e não viu nenhum dos inimigos no quarteirão.

– Também está estranhando o silêncio? – perguntou o general.

Taguinel sorriu e colocou a mão no cabo da espada.

– Perseverança, sempre – finalmente tirou os olhos de seu protegido e encarou o general. – A chuva o alegra, é nítido.

– Eles não tentaram nada hoje, isso também me anima.

– Depois da última investida, senhor, perderam muitas criaturas e nos darão alguns dias de sossego.

– Talvez estejam tão cansados quanto nós.

Taguinel olhou para o general e suspirou, pois sabia do que o guerreiro falava. Era raro escutar sua voz metálica e poderosa soar tão baixo e tão vazia.

Uma mulher sentada em um banco de madeira, com uma criança no colo, chorava. Os anjos olharam para ela.

– Tenho pena da ansiedade dentro deles – murmurou Taguinel.

Thal farfalhou as asas, olhando para sua iluminada, que tinha parado o trajeto para conversar com a mulher que estava sentada e chorava com a criança no colo.

– Lembro-me de poucos anos atrás, quando o céu era sempre forrado por nossos irmãos. Eram centenas, por vezes milhares, todos acompanhando, protegendo e auxiliando os iluminados. Hoje, chego a me entristecer. Vê o céu? Onde estão nossos irmãos de luz? A fraqueza da fé humana também nos deixa enfraquecidos, torna nossos corpos penetráveis pelas espadas e dentes inimigos. Eles sabem e se aproveitam, pensam que estão vencendo, se fortalecem e se multiplicam em velocidade assustadora. Os homens começaram a cultivá-los sem saber, alimentando-os em abundância – disse Thal e remexeu as asas, empertigando-se.

– Não se aflija, irmão. Você mesmo nos advertiu: enquanto houver um iluminado, um escolhido do Homem, seremos fortes, e mais fortes que nossos inimigos – Taguinel saltou e alçou voo. – Nossa fé é poderosa. Somos homens do Homem – gritou, afastando-se no ar para acompanhar seu protegido.

Thal sorriu, um pouco mais animado pelas palavras de Taguinel. Farfalhou as asas e fez menção de seguir o soldado, atraído pela perseverança que emanava do igual, por querer ouvi-lo mais, mas tornou a olhar para Eloísa. Cada iluminado era importante e carecia de vigilância, pois os inimigos espreitavam, tentando apagar a chama da fé verdadeira naqueles que ainda carregavam dentro de si a crença na luz.

A senhora agora estava sentada ao lado da mulher, que tinha se acalmado e parado de chorar. Eloísa afagava o cabelo da criança e o anjo percebeu quando as mãos dela pararam sobre a testa da menina, os lábios começando uma oração. Eloísa pedia conexão com a criação e ajuda para aquelas duas. Era uma boa alma, que esparramava calor por onde passava, uma alma que fazia a luta continuar existindo.

Um vórtice de luz invisível aos olhos de carne abriu-se acima da cabeça da mulher e um fino jato de luz subiu ao céu, varando as nuvens e a noite, viajando pelas estrelas e se conectando à casa do Pai Celestial, intercedendo por aquela criancinha que sofria nos braços da mãe de carne. Thal notou uma aura azulada refulgir sobre a sua pele de guerreiro. A fé dos mortais alimentava a armadura dos anjos, que ganhava mais força para protegê-los.

Involuntariamente, o anjo levou a mão ao pomo da espada, e seus olhos desprenderam-se do fio de luz que a iluminada emanava e varreram mais uma vez o entorno. A luz chamava as feras das sombras e revelava o portador da fé verdadeira.

Quando Eloísa se levantou e se despediu da outra mulher, o vórtice de luz se apagou e o anjo também decolou de seu posto de vigília, aproximando-se dela, invisível, pousando em suas costas e acompanhando-a em seus passos com os atentos olhos chamejantes, que observavam o caminho. Eloísa estava prestes a seguir por outra rua.

Cinco minutos depois, ela estava no prédio. Thal parou em frente à porta dupla de ferro e vidro e a observou passar pela entrada, indo em seguida até as escadas. O anjo estava menos tenso agora. Tinham tido sorte, pois nenhum cão infernal tinha se interessado pela conexão de sua protegida. Sabiam que Eloísa era guardada pelo maior dos guerreiros da cidade e que ela estava fora do alcance das garras de um ingênuo ataque oportunista. Para atacar Thal, precisariam de um verdadeiro exército de feras.

A senhora subiu lentamente os sete lances de escada que davam em seu andar e vasculhou a pequena bolsa de couro à captura das chaves. Thal surgiu ao lado de Eloísa, varando o piso, enquanto a mulher parou com a chave na porta e olhou para trás. Thal continuou imóvel, secundando-a, e, pego em um momento de distração, sentiu seu âmago ferver. Os olhos da humana fitavam os seus diretamente, de maneira profunda. Então ele ouviu o que ela tinha escutado antes e relaxou: passos na escada.

Mas Thal tinha baixado a guarda e a mulher havia ficado exposta, vacilando, esperando as pessoas se aproximarem. Eram velozes, conversavam alto e animadamente. Thal percebeu a apreensão da mulher e pousou mais uma vez a mão no cabo da espada chamejante, pois intrusos conectados às trevas poderiam chegar acompanhados. Os dois adentraram o sétimo andar e alcançaram o corredor, ainda falando em voz alta. Eloísa respirou com alívio, pois conhecia um dos rapazes, que aparentemente estavam molhados da chuva.

Thal, no entanto, semicerrou os olhos, porque não gostava daquele homem; o vizinho de Eloísa atraía os que vinham das sombras. O anjo inspirou fundo, sentindo o poderoso cheiro da chuva que exalava dos dois a inundar sua alma. A dupla parou junto à porta ao lado do apartamento de Eloísa e o mais velho apanhou as chaves no jaquetão de couro preto.

Eloísa já estava com a sua porta aberta.

– Olá, Gregório. Como vai, meu filho?

– Tudo maravilha. Senti sua falta esses dias, dona Elô, principalmente do bolinho da tarde.

A velha sorriu, mostrando os dentes amarelados.

– Pois é, filho. Visitei uma irmã mais nova que está muito doente. Tem hora que não me reconhece, e às vezes nem sabe mais quem ela é.

– E seu filho? Ele veio?

A velha deu de ombros e balançou a cabeça, em sinal negativo. Olhou para o rapaz parado ao lado do vizinho e viu que o garoto tinha a cabeça baixa, com uma franja que tapava os olhos, como se ele estivesse acanhado.

– Ele anda muito ocupado – disse a senhora, enfim. – Abriu uma loja com minha nora, e as crianças já estão grandes. Eles não têm tempo para uma velha acabada como eu. Já a minha irmãzinha, coitada... Tá faltando minha companheira de conversa, sabe.

Gregório fitou a vizinha enquanto abria sua porta e deixava o cheiro mofado da casa sair pelo corredor. Dona Eloísa tinha envelhecido nos últimos meses, e ele a conhecia bem o suficiente para saber que aqueles olhos e aquelas sobrancelhas arqueadas diziam a verdade. Aquela mulher estava encharcada de tristeza e apreensão. Gregório soltou a maçaneta e andou até a vizinha. Renan, que continuava parado e calado no corredor, sentiu um arrepio subir pelos braços até a nuca. Jogou a franja de lado rapidamente para ver melhor o corredor e seu coração acelerou. Teve uma breve sensação de que tinha mais alguém ali.

Thal aproximou-se ainda mais de sua protegida, e sentiu que as vibrações que escapavam do vizinho eram confusas. Ele era das sombras, mas não queria mal algum àquela mulher. O anjo temia pela integridade da iluminada, por Eloísa ter sua energia espiritual drenada pelas sombras que envolviam aquele homem, mas a via melhorar e se fortalecer com o abraço do vizinho traficante.

– Eu lamento muito, dona Elô. Sei como a senhora gosta da sua irmã e entendo bem como é perder a família.

– Obrigada, filho. Ela vai melhorar, tenho fé. Eu só tenho medo que ela esqueça quem é e como é boa de alma.

Gregório assentiu com a cabeça, sem nada dizer. Eloísa passou a mão rápido nos olhos, colhendo as lágrimas, e forçou um sorriso no rosto.

– Tô chegando agora da rua e trouxe um bolo do trabalho. Toma – ofereceu ela, já depositando na mão de Gregório um saquinho. – Prometo que amanhã cedo faço um bolo fresquinho e dou metade pra você.

– Sou sem-vergonha demais para uma mulher tão gentil quanto a senhora ficar se preocupando comigo, me paparicando tanto. A senhora faz eu acreditar que existe gente boa neste mundo e me faz querer acreditar que tem algum sentido a gente estar aqui, um na frente do outro.

– Ué? Por causa de um bolo?

Gregório sorriu, erguendo o pacote com a guloseima.

– Não. A senhora faz a gente se sentir bem, faz a gente querer melhorar. Eu tenho vontade, sabe... de ser um cara melhor.

Dona Eloísa, surpresa com o desabafo do vizinho, retribuiu o sorriso e levantou a mão, tocando a face do rapaz, molhada de chuva.

Thal, o guerreiro, foi capturado por aquele instante. Era um ser que via muitas coisas, mas aquela conexão que os humanos eventualmente faziam, quando as almas realmente se tocavam, sempre lhe causava encanto.

– Pra mim, é uma alegria ouvir isso. Eu já te chamei um monte de vezes para ir à escola dominical comigo, como um menino. Um dia você me escuta e vai. Faça isso para esta velha, eu acredito em você, Gregório. Você é um bom homem – disse a senhora, baixando a mão e voltando a ficar séria ao entrar no seu apartamento. Mudando o tom de voz, disse: – Agora deixa eu descansar meu esqueleto. E, vocês dois, tratem de tomar um banho quente antes de deitar. Resfriado mata qualquer um, novo, velho, negro, branco... – sua voz foi sumindo atrás da porta que aos poucos se fechava.

Os dois também entraram, deixando o corredor silencioso e vazio. Gregório passou o ferrolho por dentro da porta, enquanto Renan andava em direção à sala e passava a mão na testa, jogando o cabelo para trás.

– Papo estranho, cara. A velha tava dando cima de você? – perguntou o moleque.

Gregório riu e balançou a cabeça.

– Deixa de ser besta, a dona Elô é uma das pessoas mais gente fina da galáxia!

Thal, o general, ainda parado no corredor do andar, estava com metade de seu corpo celestial para dentro do apartamento de Eloísa, mas o rosto de bronze do anjo encarava a porta por onde tinham entrado os traficantes. Aquele fim de dia terreno estava sendo estranho. Sua protegida e o traficante tinham feito Thal recuperar o rastro de por que lutavam tão bravamente contra o inimigo. Os humanos, ainda que cada vez mais desconectados do céu e uns dos outros, cada vez mais perdidos, de algum modo, ainda tinham representantes que estavam ligados à essência do Criador.

Pensando nisso, o anjo atravessou os andares até o topo do prédio e lá montou guarda.

CAPÍTULO 3

Samuel saiu da estrada e encostou o jipe na frente da porteira. Estava de calça jeans clara e botas, camisa xadrez azulada e camiseta branca por baixo. Tinha o rosto fino e definido, emanando o vigor e a determinação penetrante que um jovem líder fazendeiro precisava trazer nos olhos.

Desceu do veículo e abriu a porteira. O sol estava forte demais e ainda não eram nem onze horas da manhã. Enxugou o suor da testa com as costas das mãos, colocou um chapéu de palha e voltou para o carro. Percorreu dois quilômetros em uma estradinha de terra que beirava a plantação. O calor intenso com o céu sem nuvens castigava as ervas, comprometendo a colheita. Não chovia havia meses, e o sistema de irrigação da fazenda estava deficitário por culpa da estiagem.

Mais à frente, o homem encontrou um grupo de trabalhadores que adubava a terra, preparando-a para um novo plantio. Eles avistaram o jipe e acenaram para Samuel, que logo respondeu balançando a mão no ar, parou o veículo e desceu.

– Temos água pra mais dois dias de irrigação. Depois disso, acaba – gritou Samuel, aproximando-se devagar. – A gente precisava de dois açudes deste tamanho para dar conta de tudo aqui dentro.

– Tem que chover, Samuel. A terra tá seca demais, homem. Não sei se esse milho aí vai vingar... O milharal grande ainda tá verde e, se a secura continuar, é melhor nem plantar mais – reclamou o pequeno Tonico.

– É verdade. Deixa a sementeira preparada; às vezes, o tempo muda, Tonico. Mas, como seguro morreu de velho, se não chover em dois dias, a gente começa a colher. Algum dinheiro tem que entrar.

– Verde?! – espantou-se Ramiro.

Tonico tirou seu boné surrado e desfiado e também encarou o céu azul, apontando o dedo para o alto.

– Tem que ter fé, patrãozinho. Tem que acreditar lá em cima, porque a resposta vai vir de lá.

Samuel sorriu para os homens e fez um sinal da cruz no peito, beijando o dedo no final.

– Fé eu tenho, mas tenho gerente de banco também. Se eu não colher, a gente perde tudo – Samuel abaixou-se e apanhou um torrão de terra. Estava seco demais, esturricando nas mãos. Olhou para o sol inclemente e para o céu sem nuvens. Esfregou de novo a testa com as costas das mãos e disse: – Dá muita pena, mas pelo menos a gente consegue alguma coisa.

Samuel voltou para o jipe e partiu, deixando para trás uma nuvem de poeira e os homens calados, cada um aos seus afazeres, atrelando o arado ao trator e preocupando-se com a urgência do patrão.

Dentro do veículo, que sacudia na estradinha, Samuel via que tinha muita terra plantada no caminho. As espigas estavam começando a despontar, mas, sem chuva, o solo continuaria maltratado e fraco. As espigas cresceriam magricelas e sem valor, e eles acabariam tendo de colhê-las antes do tempo.

A vida era boa quando tudo estava encadeado, unido. Quando uma peça faltava, a desarmonia chegava. Ele estava preocupado, e isso se refletia nos homens e em Vera; todo mundo se enchia de ansiedade. O bom é quando tudo funcionava junto e nada faltava, quando o céu se enchia de nuvens e a água vinha e fazia seu trabalho. Gostava de contar com a chuva, com a ajuda da natureza.

Samuel olhou para o banco do passageiro e uma sensação de vazio tocou seu peito. Suspirou fundo e continuou pela estrada. Dez minutos depois, estava em casa. Estacionou o jipe ao lado do velho barracão, pulou para fora e caminhou desanimado, enquanto o vigor da manhã foi se diluindo com os pensamentos opressores; naquele momento, antes da hora do almoço, já estava se sentindo muito cansado.

Em seguida, o homem se sentou na escada da varanda, balançando o velho chapéu entre as pernas e vendo dois gatos, que rondavam a casa todos os dias, brincar no terreiro, pulando atrás de insetos. Tinham surgido havia dois meses e já tinham crescido, andando sempre juntos, parceiros em peraltices e emboscadas às galinhas que escapavam do galinheiro. Vera reclamava quando eles atacavam as aves, mas ele sabia muito bem que a esposa amava aqueles gatinhos irmãos, largados ali na fazenda pela mãe, que nunca mais tinha aparecido.

– Calma, fazendeiro. Logo, logo chove – murmurou a esposa ao pé do ouvido de Samuel. – A Mãe Natureza é sábia. Dá seus vacilos, mas é sempre sábia.

– Oi, amor – ele virou, encostando-se no batente. – Deus te ouça, querida. Deus te ouça.

Vera sentou-se ao lado do marido e afagou a cabeça de Samuel, como consolo. Muito bonita, tinha longos cabelos negros e a pele queimada de sol, salpicada por algumas sardas no rosto. Corpo esguio e bem-feito. Andava de shorts jeans desfiados e curtos, com os pés descalços.

A mulher olhou para o rosto queimado de sol do marido, que estava coberto por rugas de preocupação, e disse:

– Sonhei com chuva, é um bom sinal – sorriu, ao mesmo tempo se levantando para admirar melhor a plantação. – São tantos pés... cresceram tão rápido... você não vai perder tudo agora. A estiagem não vai durar, tem que perseverar.

A mulher, descalça, andou pelo terreiro em frente à casa, em direção à plantação. Os gatos pararam de seguir as borboletas e correram até ela, entremeando-se em seus passos cadenciados sem que ela tropeçasse. Vera parou e sorriu para os bichinhos, abaixando-se e afagando um de cada vez enquanto disputavam a atenção da mulher ronronando mansamente.

Samuel concordou, balançando a cabeça e acompanhando a esposa com os olhos. Ele amava Vera profundamente, assim como amava aquela terra. Ter a esposa ao seu lado fazia tudo ter sentido e tudo se acalmar no fim do dia. Sorriu ao se lembrar de uma brincadeira que fazia com ela, pois sabia que com a mulher era diferente. Ela amava mais aquela terra que o próprio marido.

Viu-a pegando um torrão do chão, esfarelando-o e soltando os grãos no ar, ao vento, fazendo os gatos saltitarem para trás. Então, a mulher deitou-se de bruços no chão, na terra, afagando-a e tocando o rosto no terreiro. Os gatos subiram em suas costas e andaram até suas ancas, parando, com as silhuetas felinas e enigmáticas eretas. O olhar dos bichos estava voltado para o sol; com um rastro de poeira iluminada circundando-os e formando uma visão hipnótica que manteve Samuel também estático, capturado pelo momento mágico por um longo instante.

Aquela lacuna de tempo em que tudo pareceu parar só foi rompida quando a mulher moveu o quadril bem-feito e os gatos saltaram de cima dela, fazendo Vera enfim levantar-se e espalmar as mãos. Seu sorriso estava ainda mais largo.

– Vai chover, fazendeiro, vai chover! Ela disse para mim.

Samuel abraçou a mulher quando ela subiu os degraus do alpendre.

– Ah, é? Minha bruxa está falando com o terreiro agora?

– Eu falo com todo mundo, querido. Falo com você, com meus gatos, com minhas galinhas, com minhas porcas, com meu vento, com minha lua. Sou toda ouvidos. Agora vem, vamos pôr alguma coisa nessa barriga que a comida está uma delícia.

Os dois entraram de mãos dadas, e Vera lembrou o marido sobre o conserto do barracão. Samuel prometeu começar as reformas na semana seguinte. Caso chovesse, teriam de estocar a colheita em lugar seco. Caso chovesse...

CAPÍTULO 4

Gregório entrou apressado no apartamento, indo até Renan, que babava no sofá.

– Acorda, guri! – ordenou, balançando com entusiasmo o corpo do rapaz.

Renan remexeu-se, puxou o cobertor para cima e virou-se para o lado. A sala estava na penumbra, e a cabeça do rapaz latejava. Gregório já estava na cozinha, falando alto, revirando os armários e contando com empolgação: havia telefonado para o homem do cartão.

– É um cara da alta. Já concorreu pra senador e essas porras todas. E adivinha? Não tá feliz com o que já tem e quer entrar pro ramo. Falou pouco, o pilantra. Não sei se era ele mesmo no telefone ou um funcionário, mas disse onde posso encontrar com ele quando estiver com a mercadoria.

Renan coçou a cabeça. Não tinha cheiro de coisa boa, mas o veterano devia saber o que estava fazendo.

Gregório continuava vasculhando o armário enquanto a água fervia.

– Não tô achando essa merda – reclamou.

Jogou a água pelo coador e logo o aroma da bebida quente encheu a cozinha. Era cheiro de infância, de um tempo em que sabia quem era, em que conhecia quem estava ao seu lado. Quando seu pai pedia para ele fazer um milhão de coisas logo de manhã, enchendo o saco para cumprir as tarefas.

Renan chegou ao cômodo bocejando, de bermuda e com o cabelo despenteado.

– O figura quer entrar pro ramo, e eu quero sair. Vamos nos acertar. Bebe aí – disse Gregório, servindo duas doses fumegantes de café em copos sujos.

– Você liga pro cara e pronto? É assim que funciona?

– Não quero mais traficar. Não quero mais viver com essa gente. Só preciso que esta parada dê certo, só esta. Só desta vez, e daí eu caio fora.

Gregório deu uma golada e fez uma careta. Havia queimado a língua.

– O cara tá começando rápido demais. Quer nove quilos. Nove quilos! – gritou Gregório, entusiasmado.

– Porra, mano! Isso dá uma boa grana?

– Boa grana? Este lance vai ser o meu passaporte pra sumir, começar de novo. Quero sair desta vida. Sei que meu lugar não é aqui. Quero colar num canto onde ninguém me conhece e onde eu possa ser eu mesmo.

– Mas, quando tu vender pra ele, vai sobrar uma grana pra eu segurar a bronca do meu irmão? Ele tá contando comigo, e eu tô contando contigo.

Gregório parou e ficou olhando para o garoto, que completou:

– Você disse que ia me ajudar... que ia me ensinar a me virar, Greg. Você é ponta firme, é meu mestre, cara.

– Eu sei que você tá contando comigo. Pode contar. Eu vou ajudar você e seu irmão. Esta é grande, bem grande. Pode falar com seu irmão.

Renan abriu um sorriso, estendeu a mão para Gregório e a apertou com força, o olho único brilhando.

– Você é muito firmeza. Me ensina a ser maneiro igual você.

Gregório bebeu o café e virou-se para a pia, olhando pela janela, para a cidade, com as nuvens cinzentas no céu de onde tinha começado a verter uma garoa fria.

– Você gosta do seu irmão, não é? – perguntou Gregório, virando-se para Renan.

O garoto jogou o cabelo para trás, balançando o rosto deformado em sinal positivo.

– Ele é meu *brother*. Ele só tem a mim aqui fora no mundo. Eu devo isso a ele e faço qualquer coisa pra ajudar aquele cara.

Gregório continuou observando, interessado, o rapaz. Um tipo de ciclope, com aquele olho esquerdo ainda irradiando positividade. Uma certa alegria. Renan tinha aparecido havia quanto tempo? Duas semanas atrás?

Naquele tempo "distante" em que ele, Gregório, queria mesmo um braço a mais para aumentar o campo de ação, alguém em quem confiar, alguém diferente para trocar uma ideia. Mas o moleque era bacana demais para aquilo. Aquele mundo sombrio do tráfico não era lugar para ninguém. Renan tinha um irmão internado na Fundação Casa e queria ganhar dinheiro para ajudá-lo a sair da gaiola. Só que, se não fizesse as coisas direito, corria o risco era de acabar lá dentro também.

Gregório foi até o quarto, seguido pelo garoto, que se incomodara com o silêncio do parceiro.

– Se o figura do zoio grande for pato, como penso que é, vendo mais caro e saio de circulação por um bom tempo. Deixo uma boa grana pra você e pro seu irmão. Mas quer saber? Sai dessa também. Isso não é vida. Dá pra ver na sua cara que você é um moleque da hora, firmeza.

Renan sorriu.

– Isso é porque tenho a cara zoada. Você ia gostar é do meu irmão, ele é da hora. Ponta firme mesmo, tem dois olhos e tudo. Hahahaha!

Gregório, que tirava coisas do guarda-roupas e enfiava em uma mochila, desacelerou um pouco ao ouvir o garoto, achando graça de seu espírito, fazendo piada consigo mesmo.

– Você tem irmão, mano? – perguntou Renan.

Gregório tirou um pequeno espelho que estava preso à parte de dentro da porta do móvel. Segurou a peça por um segundo, olhando para o reflexo antes de responder com um aceno positivo de cabeça.

– Ele é ponta firme?

– É. Ele é um cara decente, muito diferente de mim.

– Ih, mano, eu virei amigo do irmão errado, é isso?

Sem que os dois percebessem ou sentissem qualquer perturbação, o quarto foi invadido por um terceiro elemento, que não precisou da porta para entrar e parar entre os dois, escutando a conversa da dupla. Thal, o anjo, atravessou a parede, que para ele era etérea. A aura azulada luzia amena, como uma membrana.

– Tô zoando, Gregório. Eu sei que você é um cara maneiro. Eu tava perdido e você me deu um teto. Confiou em mim pra dormir aqui e quer ajudar meu irmão. Você devia ver seu irmão também.

– Eu vejo ele o tempo todo – resmungou o rapaz, colocando uma calça na mochila. Tinha poucas coisas, mas precisaria de pelo menos mais uma daquelas para guardar tudo e picar a mula quando a hora chegasse.

– Então ele mora aqui perto? Vocês almoçam e tal? Essas coisas de tiozinho?

Gregório sorriu de novo.

– Não. Eu caguei as coisas com ele. Ele não deve querer me ver nem pintado de ouro. Quando eu tinha a sua idade só fazia bosta.

O anjo continuava observando os humanos sendo o que sempre eram, perdidos em um poço de culpa e agonia.

– Mas estou querendo mudar. De verdade, Renan. Quero sair dessa. Sair dessas sombras, sabe? Nunca matei ninguém, mas, se eu viver fazendo isso, uma hora vou ter que puxar o gatilho. Se isso der certo, se alguma coisa neste universo tiver olhando por mim, prometo que largo esta vida. Posso até voltar a falar com meu irmão. Ele é um cara que acredita na vida. Eu já estava desistindo dela.

– Eu acredito no que tu tá falando, mano. Se você quer sair mesmo... se você quer... acredita, que vai dar certo. Meu irmão sempre rezava para o nosso anjo da guarda. Meu irmão disse que a gente nunca tá sozinho quando a gente quer mudar. Ele dizia que quem busca a luz, acha a luz.

Thal sentiu sua aura vibrar e o brilho aumentar levemente. O garoto tinha fé.

– Teu irmão é um cara muito esperto pra quem tá na cadeia.

– Volto pra minha cidade até a coisa dar uma esfriada, depois viajo por aí. Já falei, vou voar por aí.

Gregório jogou uma mochila em cima da cama enquanto Renan deu um passo para trás, abrindo a boca para responder, provavelmente com um xingamento, mas parou no meio da palavra quando a campainha tocou, chamando a atenção do trio para a porta do quarto. Gregório foi até o travesseiro e tirou uma pistola, engatilhando-a com destreza e seguindo para o corredor, falando baixinho.

– Fica na miúda, deve ser meu contato. Eu não tenho os nove quilos. Preciso levantar um pó pra fazer o negócio, e esse cara é casca-grossa.

Renan, apreensivo, seguiu Gregório até a sala. O anjo de luz, invisível aos olhos humanos, levou a mão ao cabo da espada e adiantou-se à dupla enquanto Gregório alcançava a porta e espiava pelo olho mágico, colocando a pistola na cintura e cobrindo com a camiseta.

– É a vizinha. Cobre o esqueleto aí que a velha merece respeito.

Renan foi até o cobertor embolado no sofá da sala e do meio dele tirou uma camiseta cavada, toda amarrotada, com um desenho do Yin-Yang bem no meio. Gregório puxou o ferrolho e destrancou a porta, abrindo-a com um sorriso falso nos lábios.

Eloísa entrou, apressada e sem cerimônias, como toda boa vizinha de mais de dois anos de porta e de convivência. Ela trazia um prato com bolo.

– Aqui está, garotos. Eu sempre cumpro minhas promessas.

– Obrigado, dona Elô. A senhora não existe.

Eloísa levou o bolo para a cozinha, colocando-o sobre o balcão da pia. Voltou apressada, despedindo-se dos rapazes.

– Vou indo. Tenho um mundaréu de coisas pra resolver. Estou levando guarda-chuva, porque parece que vai cair outro toró daqueles, de novo.

– É verdade, dona Eloísa – concordou Renan.

– Este aqui é meu sobrinho, dona Elô. Não apresentei ainda, né?

– Não. Vi que ele estava por aqui esses dias, e ontem com você, mas não quis ser indiscreta – disse a senhora, tocando o queixo de Renan. – Você é muito tímido, viu, sempre com esse rosto bonito escondido.

O rapaz estendeu a mão para a velhota, identificando-se e baixando ainda mais a cabeça, garantindo que a franja caísse sobre o olho vazio e disforme.

– Adorei seu nome. Renan... – disse Eloísa.

A mulher levantou a mão até a franja do rapaz, fazendo-o afastar a cabeça até que o cabelo caísse de novo. Eloísa contraiu os lábios e baixou a mão. Gregório assistiu àquilo calado, acompanhado pelo anjo da guarda da mulher.

– Não tenha vergonha disso, Renan. Coisas ruins acontecem com todo mundo. Não precisa se envergonhar de suas cicatrizes.

– Não tenho vergonha, não, senhora. Só não quero incomodar os outros. É muito esquisito.

– Se todo mundo pudesse olhar dentro da gente, né? Seria tão mais fácil – murmurou a senhora. – Mas já estou atrasada, deixem-me ir. Vou rezar por vocês hoje, meus amores. Fiquem com Deus.

Eloísa virou-se, fechando a porta do apartamento, e o anjo a viu desaparecer. Precisava segui-la, mas algo o reteve ali por mais um instante, olhando para aqueles dois sujeitos. Quantos como aqueles ele já não tinha visto em toda a existência como guardião? Milhares. Milhares de vezes já tinha assistido corações humanos no limiar. Aquele homem queria uma chance para sair das trevas, ele não sabia quem era e não decidia entre um deserto ou a reconciliação.

Thal ergueu a mão e deixou a energia iluminar a sala, atingindo os dois, e então atravessou a parede até o corredor, em direção à sua protegida, a que sabia quem era e o que queria, portadora de fé verdadeira.

Gregório e Renan se entreolharam, e o garoto começou a rir sozinho. Gregório deu um soco no ombro do rapaz.

– Ela é a única que presta neste prédio, moleque. Respeito com a dona Elô!

Passados alguns minutos, Gregório desceu e foi até um telefone público, observando o céu enquanto caminhava. Pablo estava atrasado. Detestava aquele cara, mas era o único que conhecia quem poderia fornecer a droga para atender ao senador. Os dedos foram até as teclas do orelhão, vacilantes.

Tinha algo dentro dele. O papo com o merda do Renan, aquilo tudo o tinha perturbado. O espelho que tinha colocado na mochila... o menino dizendo que Gregório era "ponta firme". Renan receberia, sim, sua parte na jogada. Gregório respeitava aquilo. Tão novo atrás de um jeito de tirar o irmão da cana... Mas tinha algo mais que o traficante não entendia e não via.

O dia estava cinza e frio, mais duas horas e estaria caindo uma bruta tempestade. Chuva, muita chuva. Os dedos percorreram o código e o telefone começou a chamar. Pablo tinha que vir lá da sua toca escura para escutar o que ele queria. Alguma coisa dentro de Gregório dizia que ele conseguiria. Que teria uma chance real de mudar completamente de vida.

* * *

Faltavam dez minutos para a meia-noite. Gregório estava com o rosto colado na janela do apartamento. Gotas de chuva tilintavam do lado de fora. Havia chovido o dia todo, mas agora o tempo parecia acalmar. O noticiário da noite alertava os motoristas para evitar as marginais: o rio Tietê havia transbordado, e também o Pinheiros, alagando as pistas expressa e local. Os engarrafamentos avançariam madrugada adentro.

Renan assistia a um *talk-show* na TV e sempre ria muito com o programa. Naquela noite, o apresentador entrevistava um sujeito engraçado, que colhia leite de jacaré macho para tomar, fabricar bebidas e fazer remédios. Muito provavelmente, era uma fraude, e a pessoa tinha que ser muito tonta para acreditar em uma coisa daquelas. Era igual falar de gnomos e unicórnios. *Um jacaré que dava leite!* Renan escutava o escárnio do apresentador, acompanhando-o nas gargalhadas.

Gregório mantinha-se à janela, esperando o convidado. Pablo era cristalino. Gregório tinha certeza disso. Às vezes, batia o olho nas pessoas e mergulhava lá dentro. Era como se uma parte de si pudesse andar para fora de seu corpo e entrar na cabeça da pessoa, sentir o que ela sentia, saber se dizia a verdade ou não. Julgava ter esse dom. Só não chamava de dom, mesmo, porque não acontecia sempre que queria. Era uma parada aleatória, e ele tinha medo daquilo. Quando mergulhara em Pablo, quis fugir lá de dentro. Não dava para ver nada, era pura escuridão no vasilhame daquele filho da puta psicopata arrogante. Tinha uma sensação... como se houvesse espinhos que o comprimiam por todo lado. E aquela risada lá dentro... O cara era doido e era do mal. Mas era o único que podia dar a Gregório o que ele tanto queria naquele momento.

A vida de merda estava precisando de sol. O coração cansado de Gregório queria voltar para um território do passado, onde ele podia ser chamado de "ponta firme" por gente que ele um dia tinha amado, não só por um moleque lascado, sem um olho, arrancado com uma garrafa por um pai bêbado. Não acreditava naquela baboseira de vida além da morte, de céu ou de inferno nenhum. A vida era aqui e agora, e o que ele sabia era que estava jogando a dele no lixo ao fazer coisas das quais não se orgulhava, apagando cada trilho de sua existência para não acabar morto ou na cadeia.

O coração de Gregório tinha gelado, mas, de alguma maneira, uma centelha de seu velho eu tinha pegado lá no fundo do peito – e essa faísca do caralho tinha acendido um fogo a ponto de deixá-lo otário o suficiente para fazê-lo se lembrar de uma antiga palavra muito dita na sua terra, em sua casa, pelo pai e pela mãe, que sempre a repetiam nos momentos de dor e necessidade de se buscar uma força que não se podia medir: fé.

A perspectiva de fazer aquela jogada e mudar de vida o fez fechar os olhos, encostar a testa no vidro e ter dado início a algo que não fazia havia mil anos: rezar, pedindo proteção por aquela noite e por uma chance de consertar a vida danificada. Sabia que era um idiota, porque não tinha lógica fazer uma merda daquelas para se dar bem, mas queria fazer uma merda daquelas para sair dali, para nunca mais ter que fazer aquilo. Pediu por ajuda, para que fosse iluminado e para que as trevas fossem afastadas, pelo menos por uma noite. Amanhã, quando o sol nascesse, estaria a quilômetros de distância. Tinha tomado uma decisão aquela tarde, e era hora de revisitar o passado e colocar os escombros no lugar, limpar o coração e, quem sabe, pedir uma ou duas desculpas para o velho e bom carma.

Do outro lado do quarteirão, no topo de um prédio azulado, Thal permanecia impassível. Em pé, robusto e altivo, observava sua protegida aproximar-se de casa. Fechou o gigantesco par de asas e, imóvel e soturno, recebeu a chuva que abrandou sua melancolia pelo céu vazio da noite. Cada vez que uma alma crente se apagava, um de seus irmãos também perdia a luz. O céu, que já havia sido fulgurante, era agora escuridão. Por conta disso, os guardiões vigiavam cada vez mais de perto aqueles que ainda acreditavam. Cada um deles era valioso e era o que mantinha o planeta unido à Criação.

Gregório, de sua janela fragmentada por gotículas, avistou Eloísa. Não conseguiu ver o anjo planando acima do prédio e descendo até encontrar-se com a senhora, que entrou no prédio com Thal às costas. Logo ela estaria em seu apartamento. Embaixo, um grande sedã azul-escuro parou em frente ao prédio. Do carro, desceram três homens que se ajeitaram e então entraram no edifício.

– Sobe logo, dona Elô! Que merda a senhora tá fazendo na rua a uma hora destas?

Gregório alertou Renan, que checou o revólver Taurus seis tiros, 38, cano curto. Foram dois minutos tensos. Gregório ouviu passos no corredor, espiou pelo olho mágico e viu dona Eloísa entrando em casa e trancando a porta. Agradeceu mentalmente aos céus pela vizinha ter chegado antes da gangue de Pablo. Gregório verificou a pistola, e Renan escondeu o revólver debaixo de uma almofada na poltrona, onde permaneceria sentado. Eles estavam demorando, por certo também checando suas armas no meio das escadas.

Thal entrou no apartamento de Eloísa. Da pele cor de bronze emanava seu espectro azul, que agora bruxuleava não mais como uma pele, mas como um rastro que era deixado para trás conforme o anjo se deslocava, como se a luz também tivesse vontade e vida, espalhando-se em fios que logo se apagavam. Então, esses tentáculos azuis que se esparramavam se retraíram subitamente, voltando a ser uma segunda pele do anjo. Thal estancou e empertigou-se, tenso: sua aura havia enfraquecido. Sentiu o odor acre de enxofre, sinal da denúncia do mal no plano da carne. Passos no corredor novamente foram ouvidos enquanto dona Eloísa fazia sua oração noturna em frente ao altar, grata por ter retornado íntegra para casa. Ao sentir um calafrio percorrer as costas, a mulher benzeu-se, olhando para seu anjo da guarda, mesmo sem enxergá-lo. Ele pousou a mão esquerda na espada enquanto a direita tocava o ombro da senhora.

– Obrigada, Senhor, por sempre me acompanhar – murmurou a senhora na oração. – Obrigada, amigo sempre presente, com sua espada de guardião que olha pela minha alma. Amo a ti e a ti confio todo o meu ser.

A película azulada de Thal se regenerou mais uma vez, com um rastro de luz saindo da nuca de Eloísa e sendo absorvido pela armadura energética do guardião. O anjo não prestava atenção àquilo, pois algo estava acontecendo. Tocaram a campainha do apartamento e Eloísa sobressaltou-se. *Quem seria àquela hora?* O anjo sabia que o mal rondava o prédio, e a mão de Thal, que já estava no pomo da espada, firmou-se ao cabo, pronta para o saque. As narinas estavam cheias do recado de um velho inimigo, de um cão malévolo, um oponente perigoso.

Gregório, nervoso, ouvindo a movimentação no corredor, observou pelo olho mágico.

– Droga! Estão batendo no apartamento errado! – destrancando a porta antes que a vizinha atendesse, Gregório acenou para os traficantes, convidando-os a entrar, e Pablo o reconheceu, fazendo seus dois homens entrarem primeiro no apartamento correto.

Quando Eloísa abriu a porta, com o anjo invisível às costas, de olhos amarelos chamejantes e expressão fechada e intimidadora, teve tempo apenas de ver Gregório fechando a porta dele. O humano tinha chamado a atenção dos invasores, tirando-os do caminho de sua protegida, ao menos os de carne. Thal sacou a espada de luz e apertou as mãos na empunhadura. Aqueles homens conectados às trevas tinham chegado com coisas mais perigosas que as armas de ferro que traziam na cintura. Algo tenebroso: cães infernais.

O anjo atravessou o corredor e invadiu a casa de Gregório. Na sala, além dos humanos, dois demônios em forma de cães enormes, exalando um cheiro de podridão misturado a enxofre incandescente, ergueram os olhos em brasa. As peles horrendas eram alaranjadas, quase vermelhas, e andavam sobre quatro patas, movendo-se como lobos. Ariscos com a presença de Thal, rugiram com empolgação e em tom de ameaça. Escancaravam as bocarras, exibindo fileiras triplas de horripilantes dentes afiados. O anjo permaneceu firme e impassível, com sua espada ereta, a lâmina apontada para a criatura mais próxima. Ao menor descuido, aquele demônio teria a cabeça partida.

Gregório finalmente abriu a boca.

– Vamos fazer negócio.

– Espero que seja coisa boa – disse Pablo. – Não é fácil sair lá do meu canto para visitar amigos que não têm coisa interessante para falar.

– Khel... – murmurou o anjo.

– Thal! – vociferou a besta avermelhada.

Os seres etéreos olharam-se, lançando chispas no ar. Velhos inimigos adoravam esses encontros desavisados. Khel passou a língua no lábio inferior, derrubando saliva espectral no chão da casa do traficante.

– É negócio bom, confia em mim – prosseguiu Gregório, nervoso, pois muita coisa dependia daquela negociação. – Talvez não seja grande coisa pra você, mas pra mim é um dos grandes. Sete quilos de coca, cliente bom.

– Confiar em você? – Pablo abriu um sorriso malicioso e olhou para o garoto nervoso e calado sentado no sofá atrás do dono da casa. – Quem é ele?

– Gente boa, posso assegurar. Tudo pago em dinheiro à vista, nada de trapaça.

– Seu cliente? Entendi. Eu tô cabreiro é com o pivete atrás de você.

– É meu primo, só isso. Tá querendo entrar pro trampo.

Pablo ficou olhando para Renan por um tempo, depois olhou para o capanga ao seu lado e meneou a cabeça em sinal positivo.

Gregório não estava gostando daquilo. Uma sensação ruim começava a crescer, como se garras começassem a se fechar em torno da cabeça e do pescoço. Precisava ser firme. Acreditar que ia conseguir o que queria com Pablo e acabar com aquilo o mais rápido possível. Precisava do diabo, mas ia precisar uma vez só.

Pablo voltou a encarar o dono da casa e tornou a falar, enquanto tirava uma carteira metálica do bolso. Ela fez um clique quando abriu e Pablo tirou um cigarro de palha ali de dentro enquanto falava:

– Sou igual você, bicho. Fico cismado com negócio fácil. Por que tá me chamando pra esta parada? – perguntou o traficante, acendendo um cigarro.

– Quero a droga. Não tenho dinheiro para bancar o investimento. Me empreste os sete quilos, te pago em 48 horas. Já fiz trabalhos pra você, mereço um voto de confiança, não mereço? – perguntou Gregório, injetando, ele mesmo incrédulo, um sorriso falso e forçado no fim da frase.

Pablo sorriu e olhou para os amigos dando uma baforada. Passou a mão no cabelo comprido e disse:

– Escute, amigo, sete quilos de coca, entregues assim, sem garantias... Não me leve a mal, Greg, mas os bicos que você fez pra mim... Até a gente construir uma ponte, acreditar mesmo, mas mesmo, um no outro, porra... – Pablo fez uma pausa, acendendo o cigarro de palha com um isqueiro e dando uma tragada longa; então tornou a falar, com uma voz esganiçada pela fumaça: – Vai contra os meus princípios. Já tive que apagar muitos caras, gente fina, gente que eu gostava pra caralho igual você, por causa dessas merdas... É treta, treta feia.

– Ei! Qual é? Nós já encaramos uma renca de paradas... A vida é uma só, meu velho. Surgiu esta oportunidade pra eu me dar. É peixe pequeno pra você, mas pra mim... dá pra eu ajeitar minha vida. Me dá um crédito, cara. – Gregório deu um tapa forte no ombro de Pablo, que deu um passo para o lado.

O capanga à esquerda deu um passo à frente, fazendo Gregório recuar em seu gesto forçado de camaradagem.

Pablo, por sua vez, levantou a mão, fazendo o capanga parar. Olhou para seus homens, de novo para Gregório e finalmente para Renan, que parecia uma estátua no sofá.

– Garantias, Gregório. Preciso de garantias – insistiu Pablo, demonstrando um princípio de irritação. – Quem me garante que você não quer pegar minha mercadoria e dar no pé? Hum?

– Qual é, Pablo?! Você me conhece, cara.

– Ninguém te conhece porra nenhuma, Gregório.

Khel aproximou-se, rosnando no ouvido de Pablo. O outro cão permanecia deitado, exalando enxofre pelas narinas, encarando o anjo.

Gregório voltou um passo para a frente, fechando as mãos e contraindo o rosto. Apertou os olhos. Sentia o coração acelerado e a carótida latejar no pescoço. Podia pegar a pistola. Renan teria tempo de atirar. Inspirou fundo, calculando o caminho infernal para onde aquilo conduziria, quando, então, Thal ergueu a mão esquerda, fazendo a energia azul construir um fio até Gregório. O rapaz respirou fundo e inspirou lentamente. As mãos se abriram. Queria uma chance de sair daquela vida. Queria uma luz. Queria sair daquele apartamento, sair daquele mundo. Para isso precisava de Pablo, e disparo de arma de fogo algum iria resolver aquele impasse. Assim que concluiu seu pensamento, o fio de luz emanado pelo anjo se dissolveu.

– Escute, Pablo. Se eu te enrolar, você sabe como me pegar. Sabe onde moro, eu nunca saio daqui do meu canto, adoro meu pedaço. Sei que não posso me esconder. Conheço suas histórias...

– Arrume a garantia. É minha palavra final – gritou o traficante, dominado por uma cólera súbita. – Não sou otário de entregar sete quilos da boa na mão de um merda e achar que você virou santo e não tá querendo me foder. Eu cheguei aonde cheguei por saber jogar com perdidos igual você, Gregório. Arrume a porra de uma garantia.

Pablo deu as costas e caminhava em direção à porta enquanto o capanga encarava os dois adversários.

Khel saltou até a porta e parou na frente de Pablo, que levava a mão à maçaneta, e sussurrou no ouvido do homem:

– Ele tem a garantia! Tá aqui.

Pablo parou e ficou imóvel, de costas para o grupo, olhando para aquela porta. A imobilidade e o silêncio de segundos pareceram uma eternidade. Criou-se uma ranhura naquele átimo de momento, espalhando uma sensação de estranheza e tensão pelo apartamento. O traficante virou-se novamente para a sala e deu dois passos no corredor.

– Ele, o moleque, vai ser a garantia. É teu primo, né?

Gregório olhou para trás enquanto o garoto se levantava.

– É, mas espera... Ele não tem nada a ver com a parada.

– Você disse que ele quer entrar para o trampo. Eu levo o moleque. Ele vai fazer um estágio comigo. Quando você trouxer o dinheiro, eu devolvo seu primo.

Pablo gesticulou para os capangas, que sacaram as armas e avançaram em direção ao garoto.

Thal adiantou-se. Khel rosnou, mostrando as presas. O outro cão levantou-se, rosnando também.

– Não interfira, anjo! São opacos, são nossos. Não interfira! – bramiu o demônio.

Thal ergueu a espada e permaneceu em silêncio, remexendo as asas, guardando posição e avaliando cada um dos oponentes. Bastou o movimento das asas para o segundo demônio assustar-se e se encolher. O tamanho e a imponência do guerreiro de luz davam medo. Ambos rosnaram ferozmente. O ódio crescia dentro daquelas criaturas.

Assustado, Renan mostrou a arma, tirando-a de debaixo da almofada.

– Deixem o garoto em paz – protestou Thal, ainda calmo. – Parem a sedução!

– Não interfira! – rugiu Khel, enraivecido.

Os homens continuaram empunhando as armas. Renan engatilhou o revólver e Gregório sacou a pistola da calça.

– Deixem o moleque em paz, é sério – exigiu Gregório, apontando a pistola para Pablo. – Conheço você. Ele não sai daqui.

– Ô, ô, ô, o negócio tá ficando bom aqui. Tá vendo? As máscaras estão caindo. Calma aí, amigo. É só uma garantiazinha... ninguém vai sumir com seu namorado.

Gregório irritou-se. Era um vagabundo, safado, era um traiçoeiro. Fazia jogadas sujas, mas nunca entregaria um moleque para a morte por causa de um punhado de drogas.

– Nada feito.

Thal chegou perto do capanga de colete, que apontava a pistola para Renan, preparado para disparar a qualquer movimento suspeito, e sussurrou-lhe ao ouvido:

– Proteja o garoto.

– Não se intrometa, Thal – vociferou Khel, irado. – São minhas posses! Vê? Já estão nas trevas. Estou colhendo almas.

O segundo demônio rugiu, xingou e saltou tentando abocanhar o anjo. Thal revidou, acertando-lhe a espada de chapa, golpeando seu focinho. O cão rolou no chão, grunhindo de dor.

O homem de colete suava frio. Sentia-se mal, perturbado, com um zumbido estranho arranhando seu ouvido, apertando-lhe a vontade. Uma coisa inundando o peito. Aquilo não estava certo. Repentinamente, virou-se, vacilante, apontando a arma para Pablo.

– Ei, cara... isso não tá certo... – murmurou o homem, transtornado, afrouxando a arma, deixando-a quase cair das mãos.

Pablo encarou-o, enfezado, jogando seu cigarro de palha no chão.

– Deixa de vacilo, mané! Tá ficando doido?

O homem de colete parecia atordoado. Pablo sinalizou para o segundo capanga, o de boné. Este, com a coronha da arma, acertou a cabeça do parceiro, derrubando-o instantaneamente.

O homem ferido rosnou de dor e ficou caído. Não sabia o que estava fazendo no chão. Não sabia por que sua cabeça doía e a razão de querer entrar na frente do menino. O rapaz não podia ser levado.

Khel estava acuado depois do ataque do anjo ao seu comparsa infernal. O cão ferido permaneceu deitado e imóvel, rosnando ferozmente, as costas arqueadas, preparando um bote, com seu nariz derramando um sangue escuro, fétido e viscoso pelo chão. Thal manteve a espada chamejante desembainhada, observando os dois demônios. O brilho dourado de sua arma cingia toda a sala.

Renan, assustado, ora apontava a arma para um, ora para outro.

– Ei, guri, largue esse negócio, você vai acabar machucando alguém – disse Pablo, e virou-se para Gregório: – Escute, isso é, ou melhor, *ele* é minha garantia de honestidade. Sei que não vai me roubar; você mesmo disse... Eu confio em você, parceiro. Só que sou um homem de negócios. Então, qual é o problema de o moleque vir comigo? Manda ele soltar essa merda, Greg. Sete quilos, porra!

Vacilante, Gregório abaixou a arma.

– Vim aqui pra fazer negócio com você, um conhecido. O que eu ganho? Um monte de armas apontadas para minha cabeça? Pensei que te conhecia – continuou Pablo, com a arma abaixada, andando pela sala, passando entre Khel e o anjo Thal. – Cê tá ligado que, se der merda, quem tem que tomar a bronca do Sofia sou eu. Não gosto de levar esporro daquele gordo maluco, e você não ia querer ver o Dimitri batendo aqui, na sua porta... Dimitri, treta pura, Santo Deus. – Ao repetir o nome do guarda-costas do Sofia, sardônico, Pablo fez um sinal da cruz e juntou as palmas das mãos com a arma no meio, os olhos voltados para cima.

Khel rugiu, enfurecido, e aproximou-se do traficante.

– Tá bem, eu vou – disse Renan, jogando a arma no chão.

Pablo sorriu.

– Você não tem que ir, Renan.

O garoto ergueu a cabeça, jogando a franja para trás. O malandro de boné fez uma careta, ainda com a arma levantada.

– Eu confio em você. Tô ligado que você vai fazer sua parada. Você quer fazer as coisas certas. Eu confio em você como um irmão – disse Renan.

Gregório balançou a cabeça, em sinal negativo. Não como um irmão. *Não diga isso, moleque*, pensou.

– Aqui é tudo família. Hahahahaha! – riu Pablo. – É só ninguém me sacanear que tá tudo certo. Já quem me sacaneia... eu não deixo quieto.

Pablo levantou a pistola e a apontou para a cabeça do capanga, ainda confuso, caído no chão. O homem esbugalhou os olhos ao notar o cano da arma e ergueu as mãos, começando a tartamudear. Gregório se colocou na frente e segurou o cano da pistola.

– Aqui não, pelo amor de Deus.

Pablo fechou a cara e puxou a pistola, encostando-a na testa de Gregório, que ergueu as mãos imediatamente.

Renan ensaiou um passo para a frente e teve outra arma apontada para ele também, pelo rapaz de boné.

– Que porra é essa, maluco? Quem você pensa que é?

Os cães infernais começaram a rugir e a avançar contra Thal, que levantava a mão para exalar a aura de guerreiro de luz. Contudo, Khel, mais afoito, partiu para cima da criatura de bronze, que precisou empunhar a espada com as duas mãos e girar a lâmina chamejante para debelar o ataque.

O segundo bicho, cheio de dentes, começou a se aproximar por trás, fazendo Thal atravessar a parede do corredor, onde encontrou mais cinco daquelas feras, exalando lufadas de fumaça amarela pelas narinas. O humano precisava dele naquele momento, e o ardil das feras infernais o estava afastando daquela sala. Precisava decepar a cabeça do líder dos cães, o odioso Khel, e era o que faria, se não tivesse escutado o trinco da porta de Eloísa girando. Sua protegida, a única portadora da luz, da semente da fé verdadeira, estava sentindo a energia de seu protetor, e Thal sabia que ela estava conectada a ele naquele momento, sentindo-se aflita. Por isso vinha para procurar por seu guardião, como fizera tantas vezes, olhando-o nos olhos, mesmo sem nunca ter conseguido vê-lo de fato. Eloísa era a portadora da fé verdadeira. Os malditos cães do inferno não poderiam vê-la.

Thal abriu as asas, assustando as feras e saltando para o alto, atravessando o teto do corredor. Estava sendo seguido, por puro ódio e sanha de sangue, pelas feras que tinham vindo com os traficantes. Os cães corriam em seu encalço, galgando os degraus das escadas sob suas quatro patas dotadas de garras pontudas, com suas bocarras abertas, salivando e grunhindo.

Dentro do apartamento, Gregório tinha o metal frio da pistola de Pablo marcando a testa.

– Quem você pensa que é? – repetiu o traficante.

Gregório balançou a cabeça, em sinal negativo. Ergueu os ombros.

– Eu não sei.

Thal continuou subindo, afastando-os de Eloísa e Gregório, varando o teto do telhado. Os cães galoparam escada acima, em uma velocidade sobrenatural, e estancaram no topo do prédio. Os sete demônios afastaram-se uns dos outros, com os focinhos erguidos, farejando o anjo. Mantinham as cabeças erguidas, fungando e rosnando, os olhos vermelhos como brasa, clareando o chão coberto de piche.

Thal surgiu do meio das nuvens que corriam ligeiras pelo céu e, em um voo rasante e surpreendente, trouxe a espada chamejante de dois gumes afiados, em um ângulo pronto para o ataque. Khel abaixou-se velozmente, mas, sem a mesma habilidade, três outros cães não tiveram sorte. A espada zuniu, e sua chama sagrada, junto ao fio cortante, atravessou o couro dos pescoços, fazendo a cabeça das bestas subir para o alto, com a boca aberta e os dentes serrilhados brilhando; os corpos pesados e musculosos desabaram sobre o piche. Antes que eles assentassem no telhado, os pescoços jorraram colunas espessas de fumaça amarela, até se tornarem grandes esferas de enxofre que encheram o céu negro.

Pablo puxou a pistola para trás e torceu a cabeça, encarando o patife à frente.

– Eu sou só um merda, um fodido que sempre fodeu tudo e um monte de gente. Eu só tô cansado disso, Pablo – disse Gregório. – Tô falando sério, vou fazer tudo direitinho agora. Quero endireitar, quero descobrir quem eu sou de verdade e voltar para minhas raízes. Eu ferrei meu irmão, larguei ele quando mais precisava de mim. Eu só queria voltar no tempo e consertar tudo. Me olho no espelho e não me reconheço mais, não sei quem é o cara no reflexo. Só preciso que o otário que quer sete quilos de droga compre esta porra pra eu pegar o dinheiro e...

– E? – estimulou Pablo, com a pistola encostada de lado no próprio peito. – E o quê?

– Até agora eu não sabia, mas parece que na hora que a gente sabe que tudo pode acabar... sei lá. Acho que eu queria voltar a ver meu irmão. Queria consertar as coisas com ele, mostrar que sou uma pessoa em quem ele pode confiar.

– E por que tá bancando o bom samaritano e entrou na merda da frente da minha arma na hora de eu resolver minhas tretas com quem me traiu? Eu não deixo barato, cara. Esse puto aí apontou a arma pra mim. Ele tá comigo há sete anos e nunca rateou. O que tá acontecendo aqui? Um festival da fogueira santa? É o dia nacional da redenção?

– Eu só quero mudar minha vida, cara. Quero ser alguém, não ser mais esse cara que eu vejo no espelho.

Pablo fechou os olhos, comprimindo-os com os dedos.

– Puta que meu caralho! Puta que meu caralho! – Pablo colocou a pistola na cintura e ergueu as mãos, girando em torno de si mesmo. – Vida de padre deve ser foda. Olha, eu nem sei por que vou fazer isso. Você sabe que quando pisam no meu rabo eu não deixo quieto, mas vou relevar. Esse corno aí é gente boa, não sei o que deu nele. Ah, que merda, cara! Que é que eu tô fazendo? – perguntou-se retoricamente, olhando para o comparsa de boné, que deu de ombros. – Ninguém morre hoje, pode crer. É o dia Nacional da Redenção essa porra, mas o moleque vai comigo. É minha garantia, não tem conversa.

Khel urrava de puro ódio, enquanto via os três irmãos restantes debandando, tomados pelo pavor de finalmente reconhecer a espada do general de luz, do guerreiro Thal. O anjo girou no ar, atravessando as nuvens de enxofre, e retornou com sua espada, agora mirando o maldito líder dos cães infernais.

Khel disparou a galope, saltando para o prédio vizinho e partindo na direção sul. O anjo pousou na borda do prédio, apenas observando a debandada das feras. Sua face dura via o inimigo desaparecer conforme se afastava. Não o perseguiria. Tinha de guardar Eloísa, mas agora o demônio tinha sido desafiado e não resistiria – iria querer se vingar. Khel era um bicho tinhoso, covarde e rancoroso. Sabia que aquela batalha com o líder da matilha não tinha acabado.

Thal deixou o corpo submergir no concreto, descendo até o apartamento da protegida, que, alheia a tudo, estava sentada em uma poltrona, cochilando em frente à televisão enquanto uma reprise de *A noviça rebelde* despejava sons e luzes na sala. Se ela tinha mesmo ido até a porta, havia desistido de abrir e acabara pegando no sono enquanto uma batalha no plano dos guerreiros acontecia.

Khel, bem adiante, espumava de ódio. Reuniria mais demônios agora que Thal tinha cruzado outra vez seu caminho, e não descansaria até que acabasse com ele.

Enquanto isso, lá para trás, na rua, Renan entrava no carro dos traficantes. O homem de colete, cambaleante, parecendo embriagado, foi o último a entrar. Pablo, da janela, pediu que Gregório se aproximasse.

– Estevão, conhece? – Apontou para o motorista, que retribuiu com um aceno. – Ele volta daqui a meia hora. Esteja aqui embaixo que ele lhe entregará seus sete quilos. Daqui a meia hora será uma hora e sete minutos da manhã. A partir daí começo a contar 48 horas para que você me pague. Dinheiro vivo, no preço do dia, mais uma comissão de vinte por cento pelo seu showzinho de hoje. Renan, diga tchau para o papai – Pablo e seus homens riram, e ele por fim disse, enquanto partiam: – Te vejo na sexta. Não sacaneia!

Gregório olhou para o céu, que permanecia cinza e carregado, dando a impressão de que a chuva cairia novamente. Acendeu um cigarro e sentou-se na escadaria de frente para o prédio. Apesar da aparente calma no semblante dissimulado, por dentro seu corpo tremia em ondas de aflição. A sorte tinha sido lançada. Amanhã, àquela hora, estaria com todo o dinheiro de que precisava nas mãos. Libertaria Renan e, se o garoto ainda quisesse, se ainda confiasse nele, poderia segui-lo até Belo Verde.

Infelizmente, Gregório não tinha o dom de prever o emaranhado do fluxo de tempo, carregado de infinitas possibilidades, com interseções, causalidades e alavancagens que resultavam em bilhões de combinações, efeitos e consequências, formando o tecido que costumamos chamar de destino. Se tivesse o dom, certamente cancelaria aquela transação, pois jamais voltaria a ver Renan e a ser o mesmo. O desfecho daquele encontro entre o mundo dos olhos de carne e o mundo além do manto alcançaria uma magnitude rara e devastadora. Aquela noite havia selado a maior mudança de toda a sua vida.

* * *

Thal lentamente pousou às costas de Gregório e ficou ali a observá-lo. Conhecia aquele tipo de homem, pois tinha convivido com milhares como ele. O que o anjo não entendia era a agonia, a aflição que os filhos da Criação alimentavam dentro de si. Não tinham conhecido o tempo em que tudo era treva, quando, por conta deles, era possível compreender a exuberância da Criação.

Thal tinha lutado desde a primeira batalha para que seu Deus libertasse o povo da Terra da escuridão, ainda que as trevas primeiras tivessem sido banidas da mente dos homens, trazendo iluminação para os olhos e pensamentos, permitindo que os humanos entendessem a Criação, a mesma luz que a luta e a libertação trouxeram, enquanto a Terra fazia sua viagem cósmica, girando milhares de vezes em torno do grande Sol e cegando os homens, que começaram a esquecer do tempo em que todos acreditavam no Libertador.

A mesma luz que permitiu que a Criação prosperasse, acumulasse saber e construísse feitos incríveis de pedra e ferro tinha jogado a alma, o espírito dos humanos, em uma nova escuridão, e o vazio se formou frente à dúvida e ao esquecimento de que, sim, eram filhos do Senhor. E, sim, o Pai Celestial tinha estado entre eles e tinha retornado das batalhas.

Os homens tinham esquecido o sangue derramado geração após geração e, mesmo com a palavra entalhada na pedra, começaram a duvidar se aquilo tinha mesmo acontecido. A história do Criador misturou-se com a história dos homens, que queriam sempre mais. E eis que as coisas que os humanos queriam jamais voltariam a preencher o lugar ocupado pelo sagrado, local da paz e da harmonia, a âncora que dava esteio e tranquilidade à alma de todos eles. Nada poderia substituir aquele vazio, e por isso Thal, como os homens, se enchia de melancolia, porque, apesar de ser uma criatura de luz, abençoada com a existência na Terra desde sua semente, apesar de ter convivido com o Criador antes do seu retiro, via os homens perderem a fé e a união. Via os homens se esquecerem do berço de onde eles se arrastaram e deram os primeiros passos, o mesmo que os tinha presenteado com o salvador da Terra, fazendo o espírito enviado pela Mãe de Todos Os Filhos tornar-se carne e um guerreiro.

Agora o mundo chafurdava, olhando para um passado que não atingia mais, sem acreditar no amanhã, sem acreditar que um dia estariam unidos novamente ao Criador, que os esperava adiante. Thal tinha visto milhares e milhares como aquele homem vazio à sua frente, vivendo seu combate. Um homem que não sabia quem era nem para que servia. Contudo, tinha percebido a centelha tépida, mas presente, em Gregório.

Enquanto o homem de carne não sabia quem era e para que estava ali, o guerreiro de luz sabia e relembrava exatamente qual o papel que lhe cabia, o propósito a ser desempenhado naquele jogo urdido pela semente da ação, o jogo que fazia todos os viventes virarem os olhos e acompanharem a jornada de uma alma perdida. Thal sabia que estava ali para ajudar aquele homem a encontrar seu caminho e ter uma chance de voltar para a luz. Aquele homem tinha reacendido a fé do guerreiro alado. Thal sentiu em sua alma e sabia que Gregório se preocupava genuinamente com o irmão partido naquele carro.

Agora, anjo e homem tinham suas linhas do destino entrelaçadas. Thal assumira um compromisso com aquele homem perdido.

CAPÍTULO 5

Samuel estava deitado em sua rede na varanda fitando o céu demoradamente. Via a lua cheia preparada para abocanhar as espigas verdes. Já era madrugada, mas ele insistia na vigília e tinha um olhar esperançoso. Estava quente demais para dormir, e a cabeça começava a atormentá-lo, fervilhando com pensamentos estranhos e trágicos. Não vai chover. Ele teria de arrendar parte da fazenda, e não seria uma porção pequena das terras.

Nenhuma nuvem no céu era vista. Havia silêncio na plantação. Os músculos do homem estavam exaustos pelo trabalho do dia, e a cabeça não o deixava desligar. Nunca antes tinha sentido medo ao olhar para a semeadura. Os olhos se voltaram para o céu e ele os fechou, inspirando profundamente. Deus sempre tinha atendido as preces de Samuel e de milhares de agricultores das redondezas. A tensão que a falta da chuva trazia estava mexendo com seus nervos, pairando no ar e agulhando sua pele como se fosse uma assombração com longas unhas. Fechou os olhos ainda mais forte e começou a se lembrar de quando seu pai o carregava nas costas até o poço do capão, naquelas mesmas terras, olhando para o céu como ele também olhava agora. Eram dias bons.

Aquela memória do pai ensinando a ele e ao irmão como cuidar do chão onde viviam era sempre evocada quando Samuel precisava de calma. O pai o havia ensinado a escolher bem as sementes, a preparar o solo e a deixar a natureza fazer o que ela fazia de melhor – e a confiar em Deus. A água minava da bomba do poço perto da capelinha, erigida pelas mãos do pai batalhador e crente, com a ajuda dos colonos nos tempos áureos da fazenda Belo Verde. A água empoçava e cobria o chão, lançando brilhos cintilantes que ofuscavam os olhos do garoto, e o pai ria.

Samuel sentiu os músculos irem aos poucos relaxando. Olhou para o lado e viu o irmão correndo e deixando pegadas na lama, que sumiam dentro da plantação. Seu pai pedia para ele voltar, precisavam afofar a terra e preparar as sementes. Sementes boas germinavam e viravam talos verdes e fortes, que cuidavam da família. Mas o irmão não voltava, e as marcas na lama iam desaparecendo. Samuel sentou-se ao lado do poço e ficou olhando para o fundo, para seu reflexo ainda menino, lá embaixo, onde o mundo tinha um céu azul, enquanto seu corpo, deitado na rede, desapercebido do trânsito da consciência, mergulhava em um sono profundo. Adormeceu sonhando com a água, com a necessidade das boas sementes e com o arado deixado em suas mãos, pesado e impossível de empurrar sozinho. Ele chorava, chamando o pai e o irmão, mas nenhum deles escutava. Samuel não soltava o arado, colocava toda a força de menino na ferramenta, caindo de joelhos e detestando o irmão.

Vera surgiu na varanda. A belíssima mulher estava coberta por um fino lençol, e os cabelos cacheados e soltos tocavam os ombros, contrastando com o tecido que envolvia sua pele. Ela avançou até os degraus do alpendre com os pés descalços, fazendo a madeira estalar ao receber seu peso. A noite quente e a lua cheia eram um convite inescapável. Sorriu, olhando para o marido adormecido, o fazendeiro preocupado com seu milho. Colocou o lençol sobre ele, em silêncio, afastando-se, agora completamente nua. Parou um instante à beira da escada que dava no terreiro e encostou a cabeça na coluna da varanda, olhando para a lua e ouvindo o milharal murmurar com uma brisa leve que tinha começado a soprar. Sorriu mais uma vez. Era bom quando a plantação falava, tirando da terra a energia da vida e soprando para eles que tudo daria certo.

A mulher desceu até o terreiro. A luz da lua dava conta, podia ver o entorno da propriedade a boa distância. A lua cheia sempre a convidava para aquele passeio cúmplice. Samuel, quando a pegava andando nua pela fazenda, ficava bravo, mas ela pouco se importava com isso. Era ela, a lua e a terra sob seus pés, íntimas, promíscuas, mescladas. Amava sentir aquela comunhão. A vida seguindo em frente, sempre. A terra fria sob seus pés, entremeando os dedos e acariciando a pele. Seu chão.

Vera fechou os olhos e deixou os pés a levarem adiante, sem escolher caminho, guiada pelo chão que pisava e pelo murmúrio da brisa. Foi então que ouviu a energia da vida soprando em seu ouvido. Vera confiou e estendeu a mão. A plantação roçava nos dedos. A mulher abriu os olhos e tocou a lâmina verde que pendia da haste. A luz da lua a deixava ver entre as lanças de milho que pendiam, oscilando levemente, tocadas pela brisa suave, deixando ecoar a voz tranquilizadora que vinha da plantação, da luz celeste, dos grãos sob os pés e que faziam agora a pele se arrepiar e o coração se enregelar diante de sua pequeneza diante daquela sinfonia.

A energia da vida falava no ouvido de Vera. Elas estavam a caminho, a mudança e a chuva. A mulher ajoelhou-se diante do milharal e enterrou as unhas na terra escura, e então baixou a cabeça até tocar as raízes do pé de milho com a testa. Inspirou fundo, sentindo o cheiro de toda a vida que se propagava, repetindo-se em um ciclo eterno de nos lançar daquele chão e de nos receber de volta. A chuva viria. Vera levantou a testa suja de terra e beijou as raízes da planta.

A chuva viria, e tudo mudaria de novo.

CAPÍTULO 6

Durante o dia, o céu estava magnífico, de um azul límpido e cheio de vida, trazendo uma bela paisagem e uma triste certeza para Samuel: não haveria chuva. O fazendeiro levantou-se, tomou um rápido café e foi buscar a bota de couro no banheiro. Olhou para o box sujo de barro e balançou a cabeça. Calçou a surrada bota e saiu, berrando um "tchau" para Vera antes de subir no jipe. Em meia hora, chegou à cidade.

No reduzido centro comercial, ele estacionou o carro ao lado da mercearia. A pé, atravessou a rua, dirigindo-se à madeireira. Entrou no galpão feito de pranchas de tábuas velhas e enegrecidas, com máquinas que trabalhavam barulhentas, serrando e lixando várias peças de madeira bruta. Dois funcionários conversavam em voz baixa, mas com o estrépito das máquinas era impossível ouvi-los. Samuel percebeu, porém, pelo gestual e pelas faces dos homens, que um consolava e o outro era consolado.

O homem de feição entristecida sacudia a cabeça em sinal negativo, enquanto o outro colocava a mão no ombro do parceiro. Samuel ficou parado por um instante, olhando para a cena, e notou que a mão no ombro do aflito era uma prótese, e que, quando o homem caminhou, afastando-se do parceiro, mancava. O homem aflito começou a chorar e a soluçar, então levantou o rosto e encarou Samuel, que desviou o olhar e seguiu adiante, preocupado em não constranger o desconhecido, sem querer ser tomado por intruso.

Quando Samuel chegou ao segundo salão da madeireira, deixando o barulho e o pequeno momento de voyeurismo para trás, afundou as botas na serragem, resgatando uma sensação boa, um sorriso no rosto.

Lembrou-se das inúmeras vezes em que estivera ali, quando o pai encomendava pequenos consertos e bancos novos para a capelinha. Inspirou profundamente e sentiu o cheiro das árvores serradas.

– Samuel! Ô, Samuel! Vem aqui, garoto! – berrou Genaro, do mezanino.

Samuel conhecia Genaro, o dono da madeireira, desde pequeno e lembrava que o homem era velho desde aquele tempo. Sua mãe não gostava muito dele, mas Samuel sabia que ela era cheia de manias e superstições. Sempre que falava de Genaro, a mãe fazia um sinal de cruz e depois virava-se para Samuel e Gregório, repetindo o gesto na testa dos meninos. A mãe de Samuel dizia que o velho Gê tinha conseguido dinheiro e terras graças ao "caramulhão". O pai ficava bravo, dizendo que Genaro era homem direito, temente a Deus, e que estava sempre na igreja. A mãe teimava na implicância e pedia aos meninos que não se metessem com os filhos do dono do "caramulhão".

A verdade é que Genaro era trabalhador e esforçado – e um bocado sovina. Ele tinha aprendido desde cedo a fazer crescer seu negócio. Se tinha algo que o velho Genaro adorava, de verdade, era dinheiro e trabalho, vindo de cima ou vindo de baixo. Belo Verde era cheia dessas histórias de gente que se unia às escondidas para pedir às sombras o que a luz negava. Tudo uma tremenda besteira.

Samuel subiu as escadarias, apressado. Genaro, bochechudo, com uma barba grisalha e cabelos ralos e brancos, estava com os óculos pregados à testa, e observava-o com um sorriso no canto da boca, debruçado no corrimão do mezanino.

– E então, seu velho balofo, onde estão minhas madeiras? – perguntou Samuel.

– Quase prontas, rapaz. E pare de ser malcriado. Se seu pai estivesse vivo, lhe daria umas boas palmadas.

– Não precisa correr, Gê. Vou começar agora a reforma do barracão... vai ficar novinho em folha quando você entregar.

Samuel agarrou um toquinho caído no chão. Enquanto conversava com Gê sobre as medidas do material, passou a brincar com o objeto. Então fez uma pausa e disse:

– Eu gostava do jeito que o barracão estava, mas o povo não para de falar que ele vai desabar. – Samuel bateu no tampo da mesa de madeira três vezes. – Quero colher muito milho e preciso estocar debaixo de um teto seco, Gê, mas mexendo o mínimo possível.

– Tá com medo de gastar, então?

– Sem chuva, sem milho... dá um frio na barriga só de pensar em perder as terras, mas acho que esse medo é mais de perder o que meu pai deixou aqui dentro de mim, do que perder posses... coisas...

– Eu gosto disso em você, filho. Quando vou lá, parece que voltei no tempo. Parece que seu pai e sua mãe vão aparecer pela porta. Seu irmão... tem notícias dele?

– Bons tempos, o dos meus velhos. Bons tempos...

Genaro andou até o meio do balcão e começou a gritar com os funcionários, que arrastavam uma bancada do lugar. Estavam suando com o calor, e suas veias saltavam com o esforço.

– Por que tá tirando tudo do lugar? – perguntou Samuel.

Genaro ergueu as sobrancelhas e depois as mãos.

– Coisa da minha sobrinha. Fez marketing na cidade, falou que tem um tal de *layout* pra fazer mais gente entrar aqui. Eu sou velho, mas não sou tonto. Quanto mais gente entrar nos meus domínios, mais eu faturo.

Os dois homens continuaram tagarelando bastante enquanto os funcionários da madeireira se esforçavam para empurrar a bancada.

– Você vai precisar de homens pra reforma do barracão?

– Tem muita coisa que eu faço, Gê. Mas vou precisar de ajuda no pesado, sim... Escolhe uns três homens bons e, quando a madeira chegar, combinamos o que fazer – Samuel desceu as escadas da lateral do galpão, apressado. – Já vou indo, tenho um bocado de coisas pra acertar por aqui.

Da madeireira, o rapaz caminhou em direção ao minimercado. Do meio da rua, lançou um olhar para o céu. Nada. Nenhuma nuvenzinha. Pelo menos uma vez na vida aquele céu poderia trazer uma surpresa. Uma tempestade das boas para encharcar toda a terra. Mas Samuel conhecia o céu, a fazenda e até o cheiro do vento. Nada de chuva.

No mercado, a garota do caixa observava Samuel, ainda do lado de fora, olhando para cima. Ele parecia distraído. Ela achou engraçado, mas logo percebeu o que o homem procurava. A onda de calor açoitava a cidade, fazendo com que todos os agricultores parecessem distraídos.

Samuel entrou na loja, tirando o chapéu de abas largas da cabeça.

– Preocupado com a estiagem, Samuel? – perguntou a menina do caixa.

– É, posso afirmar que estou muitíssimo preocupado. Sabe se alguém já adiantou a colheita?

– O coronel Américo começa amanhã.

– Eu queria segurar mais uns dias, mas, pelo visto, não vai adiantar, não. A previsão do tempo não anima a gente, e meu instinto não tá querendo cantar no meu ouvido.

– Safra dura, peão – rebateu a menina.

– Vamos perseverar. Esta estiagem tá fazendo todo mundo mudar a cara por aqui. Traz uma energia ruim pra gente.

A garota assentiu, balançando a cabeça enquanto Samuel dirigia-se às gôndolas do mercadinho, colocando algumas coisas na cestinha. Creme dental. Um pente novo. Sabonetes. Foi nesse corredor que ele parou. Coçou a cabeça. Revirou a prateleira atrás da marca favorita. Só havia etiquetas com promoção e umas duas marcas novas, de que nunca tinha ouvido falar na vida.

– Hélida?

A garota ergueu os olhos da revista e encarou o fazendeiro.

– Cadê o Phebo?

– Acabou semana passada. Dona Lúcia só quis pedir mais desses novos aí, são mais baratos e saem mais.

Samuel coçou o queixo e ficou olhando para os sabonetes. Ao terminar a pequena compra, retornou ao caixa. A garota computou os valores.

– Quanto deu, Hélida? – perguntou, sacando a carteira do bolso traseiro da calça.

– Trinta e dois – respondeu a menina.

Enquanto ela acondicionava os objetos em pequenos pacotes, Samuel a observava. Era muito bonita, uma garota de uns dezenove anos, no máximo. Lembrava-se dela ainda menininha, de chupeta na boca, brincando com o irmão em frente à igreja. O pai de Hélida também havia sido grande amigo do pai de Samuel, que chegou a se encabular por estar olhando para a moça daquela maneira, com um pouquinho de malícia. O tempo corria e tudo se transformava. A menina virava mulher. Os rapazes iam embora, a cidade aumentava. A única mudança que ele queria não acontecia.

Samuel atravessou a rua e acomodou suas coisas no jipe, preparando--se para partir. Ligou o veículo e, antes de sair do lugar, lançou um olhar para a calçada oposta, ao lado do mercadinho. O sol rachava no céu, fazendo o cabelo empapar-se de suor debaixo do chapéu e tornando a máquina de Coca-Cola do outro lado da rua mais atraente. Fez a volta com o jipe, levantando poeira da rua de terra, e estacionou em frente à padaria, praguejando. Um calor infernal, sem chuvas, sem ventos, mas com marketing perfeito para vender refrigerante. Desligou o jipe e lembrou-se do velho Gê falando da sobrinha estudante.

Do lado de fora do estabelecimento estava Anderson, o único pedinte da cidade, cego e dono de três cães que lhe serviam de guia: três dálmatas grandes e robustos, igualmente queridos por muita gente.

Samuel enfiou a mão no bolso, procurando moedas para a máquina. Depositou-as e selecionou o refrigerante.

– Como é que vai, Anderson?

– Tudo tranquilo, Samuel. Como está a Vera?

– Muito bem. Ela mandou um beijo estalado.

– Uh! Muito bom. Mande outro pra ela. Faz tempo que não a vejo, meu amigo. Ver, não vejo... mas vejo, entendeu?

O fazendeiro riu.

– Como vão os meninos? – perguntou Samuel.

– Eles não deixam ninguém tomar minhas moedas – respondeu o cego, afagando os companheiros.

Os cães levantaram os focinhos, dando lambidas nas mãos de Anderson, balançando, ligeiros, o rabo.

Samuel apanhou a Coca-Cola e abriu a latinha, que deixou vazar aquele ruído característico, despertando a atenção do cego. Samuel percebeu.

– Tá a fim?

– É aquele xarope viscoso, cheio de gás, que faz eu ficar arrotando que nem sapo depois?

– É – Samuel parecia encabulado.

– Seria ótimo! Não é, rapazes? – animou o homem, atiçando os cães.

Samuel tirou o chapéu, coçou a cabeça e estendeu a latinha para Anderson, tocando em sua mão.

– Tá gelada! Olha, que coisa boa.

O cego apanhou e bebeu de uma vez, devolvendo a lata para Samuel, que a virou de ponta-cabeça, fazendo algumas mirradas gotas do líquido caírem no chão. Balançou a cabeça negativamente, sorrindo. Anderson soltou um sonoro arroto, e os três cães começaram a uivar, fazendo-o cair na gargalhada.

Samuel colocou a mão no bolso e viu que não tinha mais nenhuma moeda, contudo, continuava com sede. Entrou na padaria e dirigiu-se ao balcão, onde estavam três homens embriagados: dois tagarelavam e bravateavam um com o outro, enquanto o terceiro estava cabisbaixo, com o cotovelo no balcão e a cabeça escorada na mão. Era Jefferson Adinsk, alcoólatra, que havia muito tempo tinha sido amigo de Samuel e de seu irmão.

Jeff, descendente de uma família do leste europeu, como muitos em Belo Verde, também havia tido um irmão quando garoto. Roland morreu em um acidente e, a partir de então, Jeff mudou de comportamento, tornando-se mais fechado e amargo. Alguns anos depois, ainda adolescente, começou a beber demais e perdeu o controle. Nos primeiros episódios de embriaguez, os amigos o carregaram para casa, enquanto escutavam seu lamento, chorando o irmão morto, a perda do parceiro com quem crescera fugindo das surras da mãe violenta. A pequena comunidade de Belo Verde não excluía de uma vez seus membros deslocados. Fazia isso aos poucos.

Jeff, com ar de desânimo, levantou o rosto do balcão ao ver Samuel adentrar o estabelecimento. Samuel pediu ao balconista algumas moedas para a máquina de Coca-Cola, sacou a carteira e pagou. Virou-se, e Jeff, para sua surpresa, estava em pé diante dele, bloqueando a saída. Samuel estancou, indignado. Jeff era bem maior que ele, corpulento, adiposo. Estava em pé, apoiado no balcão com uma das mãos, e oscilava para a frente e para trás, como uma barca recostada em um atracadouro. Exalava um bafo ardido e enjoativo.

Jeff parecia irritado, o que fez Samuel permanecer atento. Apesar da surpresa, o fazendeiro já estava acostumado com a implicância do grandalhão.

– Já falei pra você não vir mais aqui! – vociferou o grande.

Samuel olhou para os demais presentes. Os homens que bebiam no bar observavam a cena sem muita vontade de interromper a ação do encrenqueiro. O dono do estabelecimento enxugava um copo, olhando pacificamente para Jefferson.

– Troca o disco de vez em quando, Jeff. Não me enche o saco, só pra variar – respondeu Samuel.

Jeff moveu-se para a frente, por causa da típica agilidade e equilíbrio adquiridos pelos bêbados, mas precisou escorar-se no balcão para não cair.

– Não gosto do seu jeito de falar comigo – Jeff passou a mão em uma garrafa de cerveja *long neck*. – Você não me respeita, então vou lhe ensinar!

– Não quero confusão, Jeff, me deixe ir em paz. Não brigo com pinguços – Samuel permanecia calmo, pois sabia que Jeff não o agrediria. Falava muito e agia pouco. Desviou do grandalhão e caminhou em direção à porta.

Jeff abaixou a garrafa e olhou para Samuel. Os homens do bar começaram a gargalhar com a situação desengonçada do encrenqueiro, fazendo-o se irritar novamente. Samuel ia embora sem se voltar a Jeff, o que o deixou enfurecido. Odiava aquela sensação, pois parecia que todo mundo tinha o dom de fazê-lo sentir-se um monte de bosta. Não permitiria mais!

O bêbado pegou a garrafa e acertou a cabeça de Samuel, que tombou próximo à porta.

– Vou te ensinar a respeitar um homem! – gritou, enraivecido.

Jeff quebrou a garrafa no balcão, passando a empunhar um caco de vidro pontiagudo.

Os homens no local cessaram as gargalhadas, permanecendo tensos. Samuel moveu-se, tentando se levantar, mas estava atordoado, e uma miríade de bolinhas espectrais zanzava à sua frente, fazendo-o desequilibrar-se. Jeff avançou, acertando um chute forte no peito do fazendeiro. As pessoas se aglomeraram, mas sem impedir o grandalhão. Samuel caiu, gemendo de dor, e apoiou-se na porta. Levantou-se cambaleando, atônito.

– Você e seu irmão não passam de uns bananas, aquele marginal assassino. Uns frouxos – desabafou Jeff. – Meu irmão... se meu irmão estivesse vivo, seria como eu, forte e respeitado!

Samuel foi ao chão mais uma vez quando um soco o atingiu no queixo. O mundo ficou escuro por alguns segundos e o homem não encontrou forças para se levantar. Jeff podia ser um beberrão inútil, mas tinha sempre os punhos prontos para briga.

– Já avisei! – berrou o bêbado. – Não volte mais aqui! Estou lhe dando esta surra para você aprender a respeitar os mais fortes. Não venha mais aqui!

As pessoas começavam a se aproximar, algumas hipnotizadas pela violência, outras querendo intervir naquele show estúpido e gratuito; contudo, o rosto enfurecido de Jefferson e o caco de vidro empunhado as faziam vacilar.

O bêbado foi até o meio da rua, e já se preparava para ferir o rapaz com o pedaço de vidro da garrafa que tinha na mão quando, antes que o fizesse, foi surpreendentemente detido. Um dos dálmatas, rosnando arisco e ladrando com as presas à mostra, escapou do dono, atacando o embriagado com uma mordida no braço esquerdo. O cão recuou e então armou uma nova investida. Jeff tentou acertá-lo com os pés, porém falhou. Para sorte de Samuel, o cão foi certeiro. Cravou os caninos no punho esquerdo de Jeff, que, já desesperado, enfiou o vidro nas costas do animal. O cão largou o homem, ganindo de dor, machucado e sangrando.

– Segure seus cães, Anderson, ou eu mato um a um! – gritou Jeff. Irado, virou-se na direção de Samuel. – Agora você vai ver!

Anderson começou a chamar pelo cão ferido, em um misto de desespero e medo. Tinha escutado o choro do bichinho e sabia que Jeff o tinha machucado. As pessoas, ainda perplexas, não conseguiam acudir nem o fazendeiro abatido nem o deficiente visual aturdido.

Jeff voltou a mirar sua vítima, que tentava mais uma vez se levantar. Cambaleante, avançou. Um estampido tonitruante fez todos pararem. Era o dono da padaria, que empunhava uma espingarda e apontava-a para o alto. Uma nuvem de pólvora queimada praticamente encobria a cabeça do homem, subindo vagarosamente.

– Chega, Jeff! Solta essa porcaria e deixa o Samuel em paz.

O ébrio, assustado, pareceu sair de um transe quando viu a arma nas mãos do dono da padaria. Arfando e assustado, pareceu se dar conta do aglomerado de pessoas que tinha se juntado na rua e o encarava. Fugiu pela rua, segurando o braço ferido, do qual grossas gotas de sangue caíam.

Os transeuntes, como Jeff, também saíram daquele estupor e finalmente puderam intervir para amparar o fazendeiro, ajudando-o a se recompor. Levaram-no a uma farmácia ao lado e o deixaram tratando dos ferimentos. Logo, a frente da padaria estava vazia, sem pessoas passando ou curiosos. O cego Anderson tinha desaparecido, chamando por seu cão ferido, Charlie, seguindo os dois que o guiavam. Ninguém se preocupou em chamar a polícia.

CAPÍTULO 7

Começava a entardecer, e Vera continuava na varanda da casa, preocupada com o marido, que não aparecera para o almoço. Os funcionários voltaram da lida e se despediram da patroa. Samuel não devia demorar, tinha falado de ver as madeiras, o velho Gê... Não era para demorar tanto.

Àquela hora, a fazenda permanecia muda, deserta. Havia vinte minutos, o trator já não roncava mais. Vera, sozinha, sentou-se e se recostou nas escadas da varanda, olhando para a estradinha de chão que, depois da curvinha, dava na porteira das terras. O silêncio foi quebrado pelo chiado do vento no milharal. Vera inspirou o ar e sorriu, sentindo o cheiro de chuva.

As estrelas começavam a assinalar o céu quando ela ouviu o som do jipe na estrada. A luz dos faróis despontou na curvinha, iluminando as mirradas espigas de milho. Primeiro, veio a sensação de alívio; depois, a raiva.

Samuel estacionou em frente à casa e desceu lentamente, andando com cuidado.

– Onde é que você se meteu? – atropelou Vera, irritada.

Ele não respondeu. A mulher desceu a escada, enraivecida, dando bordoadas no corpo do marido.

– Seu moleque! Me deixou preo...

– Ai! Não bata aí. Estou machucado – gemeu Samuel.

Vera retirou o chapéu da cabeça do marido, puxando-o para a luz.

– Ai, meu Deus! O que foi isso?

– Se acalme, estou bem – tranquilizou.

– Bem?! Bem uma ova! Seu rosto está roxo! O que aconteceu?

– O Jeff me atacou em frente à padaria. Perdeu o controle só porque entrei lá.

Vera colocou as mãos na própria face, olhando espantada para o marido.

– Deus do Céu, meu bem. O que deu nele?

– O de sempre, Vera. Aquele cachaceiro não muda, é sempre a mesma coisa quando me encontra.

– Já falei que você tem que ir na delegacia dar parte desse traste, Samuel. Até quando você vai carregar essa cruz?

– Não fui nem vou. Ele é um merda, e o coitado do Charlie deu uma mordida das boas no braço dele. Estamos quites.

Subiu as escadas com dificuldade, auxiliado pela mulher.

– Tá sentindo este cheiro, meu bem? – perguntou ela. – Vem chuva aí!

Samuel olhou para o milharal. As espigas balançavam e o vento trazia o cheiro bom da chuva.

– Deus te ouça, Vera. Deus te ouça! – disse, fechando a porta da casa.

CAPÍTULO 8

A chuva descia forte do céu, trazendo trovões e ventania àquele mundo sombrio e triste. Os prédios pareciam chorar e estremecer a cada novo relâmpago que abalroava as torres vizinhas. A noite toda seria assim, intensa. Uma tempestade para olhos de carne, que estremeceria com os relampejos e os roncos desencadeados pela tremenda energia do temporal, poderosa, selvagem. Daquelas que levavam qualquer um a se sentir pequeno diante do poder da natureza, minúsculo frente às forças invisíveis que faziam tudo na Terra se mover. Para os olhos ligados ao além, seria também assustadora e preenchida de mistérios.

Eram dez horas da noite, e Gregório, no apartamento, preparava o carregamento. Pablo havia lhe fornecido os sete quilos de coca, e ele venderia nove. Batizaria a droga com amido de milho. O golpe era velho, mas o cliente era novato, e a vida, uma só. Estava colocando todas as fichas na mesa e queria ter uma chance de refazer a vida, ajustar-se com o passado e depois ganhar o mundo. Só assim acabaria com aquela sensação de que estava embolorando, parado dentro daquele apartamento, sem alcançar os lugares aonde nunca tinha ido.

Esse era o golpe certo, na hora certa, e ele permanecia focado no plano, sentado em volta da mesa redonda no centro da sala iluminada por um lustre antigo, preparando os pacotes com a mistura. Cada embrulho receberia uma camada de amido e a droga boa por cima. Ele só precisava acertar uma e ganharia muito dinheiro nessa jogada. Poderia pagar o desgraçado do Pablo. Renan voltaria para casa e levaria um troco embora, para cuidar da sua vida, ajudar o irmão a sair da cadeia (embora para, muito provavelmente, voltar para lá em seguida). Sabia que daria tudo certo, só precisava acreditar que, pelo menos uma vez, aquilo aconteceria.

Faltavam duas horas para o encontro com o cliente e pouco mais de vinte e quatro para libertar o garoto, que devia estar apavorado. Gregório riu sozinho ao pensar que qualquer um ficaria apavorado escutando aquele lunático egocêntrico com rabo de cavalo tagarelando o dia inteiro no ouvido. Pablo era um sujeito vingativo e, ao atinar isso, o sorriso sumiu do rosto de Gregório.

Ele terminou de embalar o último quilo da droga e acomodou os tijolos na mochila, deixando tudo pronto para o trabalho. Acendeu um cigarro e ficou parado na janela, vendo as gotas ferozes baterem contra o vidro e ouvindo o vento rugir na rua, fazendo as pessoas correrem. Se não pagasse o filho da mãe, se alguma coisa desse errado, não era só o Renan que iria rodar... Ele sabia que Pablo iria também atrás dele até o inferno.

Gregório deu quatro tragadas e afundou a metade do cilindro no cinzeiro apoiado no beiral, mas derrubou-o, sujando o chão. Xingou e chutou as dezenas de outras metades retorcidas e abandonadas. Foi para o quarto e lá as gavetas e os armários estavam todos abertos e vazios. Em cima da cama, permaneciam a mochila e uma mala, fechadas.

Ele apanhou um porta-retratos de cima da penteadeira com a única fotografia que tinha dele e do irmão gêmeo, que mostrava os dois brincando em cima de uma árvore, o irmão sorridente e ele pendurado no galho da árvore, com metade do rosto encoberto pelas folhas da mangueira. Ao fundo, dava para ver a capela de madeira erguida por seu pai. Tinha revirado a casa toda atrás daquela imagem quase esquecida, pois queria muito encontrar o retrato para lembrar, de alguma maneira, de onde tinha vindo, mesmo que fosse parar no meio do deserto. Acondicionou o objeto na mala e voltou para a sala.

Já estava quase na hora, e seu plano contava com a inexperiência do comprador: convencendo-o a fechar o negócio na rua, ele não teria tempo de fazer muitas perguntas nem de verificar todos os nove pacotes. Precisaria de um pouquinho de sorte para que o idiota não percebesse a mistura. Depois de pegar o dinheiro, voltaria rápido ao apartamento para buscar a bagagem e as passagens para Belo Verde. Sairia do prédio, entregaria a parte de Pablo e libertaria Renan.

Tinha comprado um bilhete extra para o moleque. Sabia que não era da sua conta, mas já tinha andado por aquele caminho antes e era lógico que aquele trilho não levaria Renan para lugar nenhum. O garoto contava com ele e talvez também quisesse uma chance de vida nova. Não era sua obrigação, mas iria falar com ele.

Gregório passou a mão pelo queixo, tenso, olhando novamente para a janela, por onde não via chuva nem se importava com os relâmpagos chispando no horizonte. Apenas encarava aquele reflexo que o olhava de volta, pensando quem era ele... Ele não sabia mais. Duas semanas atrás estava procurando um braço a mais para ajudá-lo no negócio. Agora, aquele cara do outro lado do vidro, aquela imagem que flutuava no céu negro, encarando-o, queria apenas uma chance de mudar de vida, e isso não era coisa simples, que se atingia em um estalar de dedos.

Gregório sentia a pressão na cabeça e o peito apertado. Quem era ele? O cara que flutuava ou o cara que estava dentro do apartamento, com uma bolsa nas mãos, contendo nove quilos de cocaína, pronto para arriscar tudo?

Cinco minutos para a meia-noite. Ele vestiu a jaqueta de couro e conferiu os pacotes dentro da bolsa de lona antes de fechar o zíper pela milésima vez. Guardou a pistola nas costas, presa à calça, trancou o apartamento e desceu as escadas rapidamente. Ao abrir uma das folhas da porta dupla, deixou o frio da noite invadir o corredor do prédio. A chuva havia dado trégua, e caía apenas uma fina e fria garoa paulistana. Os carros ainda andavam devagar, pois o temporal havia deixado o trânsito mais lento, os faróis em amarelo piscante. O som de muitas buzinas era ouvido nos cruzamentos.

Na rua, Gregório andava rapidamente, soltando nuvenzinhas de vapor pela boca e esfregando as mãos com muita vontade por causa do frio. Um quarteirão à frente, cruzou com a vizinha do prédio, mas a senhora não o viu. Eloísa caminhava tranquila e lentamente, carregando com leveza a sombrinha azul-marinho, como se tivesse toda a noite para chegar em casa. O homem apressou o passo, mais dois quarteirões e viraria no beco à direita, cruzando-o até chegar ao ponto.

Em cinco minutos, Gregório teria dinheiro suficiente para parar de vender drogas e deixar de se afundar cada vez mais em conexões com pessoas que não valiam nada. Só mais um pouco e teria a chave para arrancar Renan do buraco para onde o tinha lançado. O traficante já tinha deixado muita gente para trás nessa vida, e era hora de parar de fazer isso, de seguir em frente com quem se importava, sendo importante, a pessoa que trazia o bolo da rua para confortar quem esperava.

Parado na esquina esperando os veículos passarem, Gregório via seu reflexo nas janelas de cada carro. Pela primeira vez em muito tempo, enxergava sempre o mesmo rosto em cada vidro que passava, com a expressão determinada. Desde quando aquela mudança estava acontecendo? Quando começou a sentir dentro dele que daria certo, que ele conseguiria sair da escuridão.

Thal, parado ao lado de Gregório naquele cruzamento, sussurrava em seu ouvido:

– Eu estou aqui, tenha fé. Entendo seu combate.

O humano se virou para o anjo, como Eloísa fazia muitas vezes, e ficou olhando para o vazio, como se encarasse o guerreiro alado nos olhos.

Thal, que vinha acompanhando sua protegida, sua portadora da luz, tinha avistado Gregório do outro lado da avenida. Olhou para a mulher a um quarteirão de seu prédio e escolheu escoltar o homem em conflito, mas que acreditava na luz. A centelha da fé e da boa vontade tinha se acendido em algum lugar na alma de Gregório, e um bom guerreiro da luz sabia detectar aquela aflição, pois era para isso que tinham sido forjados, não só para proteger a fé verdadeira, mas também para o resgate.

Thal, invisível, cravado no meio da calçada, brilhando com as gotículas de garoa que tocavam a pele acobreada e traíam sua imaterialidade ao dançar, parecendo evaporar e vibrando com a energia do ser celestial, não era percebido pelas poucas pessoas que cruzavam a esquina. Seu novo protegido tinha seguido para o outro lado da rua, alcançando o calçamento e se dirigindo ao beco, enquanto o anjo lançava um olhar para trás, vendo sua protegida desaparecer no outro quarteirão. Ela ficaria bem. Ele seguiria o rapaz. E logo todos estariam bem. O anjo decolou.

Gregório entrou no beco que tinha o chão enlameado e escorregadio. Já havia se acostumado com aquele caminho sujo e a escuridão. Agora faltavam apenas sessenta segundos para não precisar se preocupar nunca mais em cair na lama daquele lugar imundo e pútrido. Chegou à esquina, parou e fez sua última espera, fechando os olhos por um instante, como seu pai tinha ensinado décadas antes. Pensou em uma energia maior, que cuidava de todos, e em como seu pai tinha ensinado que o Maior de Todos, o Pai de Todos, nunca abandonava seus filhos, principalmente aqueles que estavam batalhando contra as trevas. Gregório não se sentia digno, tampouco alguém que batalhava contra as trevas. Só queria fugir, escapar da escuridão que o engolia de maneira inexorável, e sentia um medo que não podia sentir. Não naquela noite, pelo menos.

Então, apertou mais os olhos e pediu por proteção, balbuciando palavras para a Energia, para a força que seu pai ensinara a chamar de Deus. Pediu ajuda, porque Ele ajudava todos os seus filhos, e o pai de Gregório tinha dito que, para receber o perdão da Energia, ele não poderia desejar o mal a nenhum homem ou a nenhuma mulher. Para receber a bênção, tinha que dobrar os joelhos e livrar-se de toda a soberba.

Gregório apertou ainda mais os olhos, e suas palavras começaram a ganhar força, subindo do coração em chamas, passando pela garganta e saindo pelos lábios. Ele estava se religando à Energia naquele instante em que dobrou as pernas e caiu ajoelhado na lama do beco imundo, com a cabeça baixa para a terra, o cabelo empapado pela chuva e as gotas sagradas pingando e voltando para solo, para o recomeço de seu ciclo.

Thal, com as asas abertas e pairando a poucos metros acima do humano, tremeluzia e enchia-se de uma emoção da qual parecia há muito estar apartado. Via um milagre diante de si, um homem das sombras acendendo diante de seus olhos. A pequena centelha que o anjo tinha visto no traficante incandesceu e virou fogo, em um trilho de luz que se desprendeu do topo da cabeça do humano e subiu ao céu negro, varando as nuvens e o ar, religando aquela alma ao Criador. Sua armadura de aura azul também incandesceu, fulgurante, banhando de luz e paz cada centímetro sujo daquela ruela, naquela mínima fração da cidade. Então, a luminosidade se normalizou, voltando ao estado de brilho quase imperceptível sobre a pele de cobre. Thal tocou o ombro do homem ajoelhado, que tinha os dedos entrelaçados e os olhos fechados em profunda conciliação com o céu.

– Estou aqui, Gregório. Estou aqui – disse o anjo.

Gregório abriu os olhos e levantou-se, escorando-se à parede úmida e brilhante, molhada pela garoa. Estava com os pelos do corpo arrepiados e pensou ter sentido alguém ali, uma presença. Olhou para trás e para a entrada do beco e sacudiu a cabeça, em sinal negativo. Ajeitando a tira da bolsa de lona no ombro, pensou que estava enlouquecendo com toda aquela tensão e todo o nervosismo.

Não muito longe dali, Khel, acompanhado de demônios alados e de cães infernais, franziu o cenho vendo o trilho de luz rasgar a noite. Era um trilho de resgate, mostrando que uma alma se reconectava ao Pai Celestial e logo poderia se converter em um propagador da fé verdadeira. Logo um anjo seria destacado para protegê-la, e eles tinham que intervir para romper a ligação e seduzi-la para as trevas.

Khel e seus demônios tomaram o rumo do beco, e Thal os percebeu. O carro negro que lentamente se aproximava, com os faróis apagados, não foi o que lhe causou inquietação, e sim as dezenas de olhos amarelos e brilhantes que acompanhavam o veículo, além do cheiro de enxofre materializando-se no entorno. Os bandidos que se encontrariam com Gregório vinham escoltados por uma matilha do inferno.

Quando o carro acendeu os faróis, Gregório encostou-se na parede, sentindo o reconfortante cano da pistola que levava às costas, e ergueu a mão direita na altura da testa para cortar a luz cegante. Gotas de garoa ajuntavam-se nas extremidades do prédio e caíam em poças largas, e mais uma nuvem espessa de vapor escapou da boca do traficante com sua respiração.

Thal farfalhou as magníficas asas, pousou ao lado de Gregório e, quando o carro encostou, desembainhou a espada flamejante, fazendo aquela luz intimidar os cães do inferno que se acercavam, cobrindo a frente dele e do humano. Os animais alaranjados e nervosos rosnavam e exibiam as bocarras abertas, com presas longas e serrilhadas prontas para estraçalhar a pele do guerreiro. Um rapaz cabeludo e de óculos escuros desceu do carro e caminhou até Gregório, que, sem saber a razão, sentiu o peito encher-se de uma calma sobrenatural, como se alguém estivesse lhe dizendo "Vai com calma, tudo se arranjará".

– Opa, malandro – cumprimentou Gregório, procurando descontrair o contato inicial. – Cê que vai levar o produto?

O rapaz mediu-o de cima a baixo, com desdém juvenil.

– *Malandro*? Tu me conhece?

Gregório sorriu.

– Relaxa. Só tô querendo ser maneiro.

– Que maneiro... Não vim me enfiar neste buraco para "ser maneiro". Passa a droga pra cá.

– Cadê seu chefe, o senador?

– Tá maluco? Que senador, o quê! Você só tem que entregar a encomenda, não tem que pedir CPF de ninguém.

– Tá com medo? – brincou Gregório.

– Olha, tiozinho, eu num tô com saco nem tempo pra ficar no meio da rua ouvindo piadinha de mané pra quem eu não dou confiança. Passa a droga – exigiu o cabeludo.

– O dinheiro... Quero ver, mostra aí. Também tenho pressa – falou, agora mais ríspido.

O rapaz ergueu a mão esquerda. Do veículo estacionado logo atrás, desceu outro garoto, talvez de uns dezenove anos, com bermuda vermelha e uma camiseta apertada demais no tórax magro e comprido, carregando uma maleta e com um 38 enfiado na bermuda.

Thal alçou voo e pousou em cima do carro, observando o novo rapaz. Enfiou a cabeça dentro do veículo e contou mais três: o motorista e dois senhores. Um provavelmente era o comprador, e o outro, sentado à frente, tinha jeito de guarda-costas. Talvez por isso estivesse com a arma à mão, o que preocupou Thal.

O garoto abriu a mala na frente de Gregório.

– Tá aqui o combinado – falou o cabeludo.

– Ah, eu tô trabalhando com cavalheiros honestos, então – disse Gregório, estendendo a mochila com a droga. – Tá aqui meu combinado, nove quilos de branca pura.

O rapaz entregou-lhe a valise ao mesmo tempo que Gregório entregava a bolsa de lona.

– Tá feito, meninos. Cuidem-se e vejam lá, hein? Nada de exagero. Deixa um pouquinho pro papai também – brincou Gregório, dirigindo-se ao beco.

– Calma aí, mano! – gritou o cabeludo. – Tá com pressa? Meus amigos podem pensar que você tá trapaceando. Eles costumam ficar muito chateados com quem quer enganar.

O rapaz retirou um dos tijolos da mochila, rasgando a ponta.

Thal aproximou-se, ergueu a mão na direção do rapaz que conferia a droga e deixou a luz fluir. Gregório continuou com um sorriso no rosto por fora, mas, por dentro, era um poço de tensão. Aquelas fichas que ele tinha colocado na mesa, com o número no qual tinha apostado, eram o seu destino, pois a roleta estava girando. A sorte tinha sido lançada.

O rapaz levantou os ridículos óculos escuros e prendeu-os à testa. Deixou a lâmina no corte e olhou para Gregório, notando que ele tinha um rosto familiar. Agora, vendo os olhos do traficante, lembrava seu primo, de quem gostava muito. *Por que diabos estava pensando nisso naquela hora?* Baixou a cabeça e enfiou o dedo mindinho no pacote, experimentando o pó branco ao passá-lo na gengiva. Sentiu-a formigar e logo a seguir um rápido amortecimento. Era cocaína.

O olhar satisfeito que ele lançou para os outros pacotes e para a mochila quase fez Gregório entregar um suspiro de alívio, que foi contido em sua garganta e extravasado em um esgar no sorriso, que se ampliou ainda mais, de maneira estranha e forçada. O rapaz ficou encarando Gregório e depois olhou para o amigo com o revólver na cintura.

– Tudo certo, *brotherzinho?* – quis se certificar Gregório.

– Tá com pressa?

– Morrendo. Será que acho uma Casas Bahia aberta a esta hora?

– Tá engraçadão, hein, tiozinho – interferiu o rapaz de bermuda vermelha e queixo para cima, como um frangote valente.

Gregório sentiu mais uma força apaziguadora atravessando seus músculos, desfazendo o nó nervoso da carranca no meio da testa, e soltou um pouco o rosto, relaxando e diminuindo a intensidade da respiração. Algo sussurrava em seu ouvido para que ele tivesse calma, para que não se irritasse, não perdesse a cabeça e não fizesse outra piada desnecessária naquele momento tenso. E também para não se preocupar com a mão do cabeludo no bolso da frente da jaqueta.

– Já vou te liberar, tiozão. Minha clientela é novata, não tá ligada nos macetes dos trafica. Eu tenho cara de novo, mas tô desde pivete nessa, tá ligado?

Gregório balançou a cabeça, vendo o garoto tirar um saquinho do bolso da jaqueta e, de dentro dele, deixar rolar para a palma da mão um tubo de ensaio com uma rolha de borracha com um líquido dentro.

– Vamos ver a pureza da sua mercadoria.

Gregório gelou, porque aquilo era um reagente químico. Apertou nervosamente a valise na mão direita, manteve o sorriso fingido, agora olhando para o garoto de camiseta agarrada ao peito e bermuda vermelha, que estava olhando para o comparsa. O traficante trocou a valise de mão, passando para a esquerda, deixando a destra livre.

Thal empertigou-se, levantando sua espada ainda mais alto, fazendo os demônios retrocederem, pois tinham que ser afastados. Estavam ladrando e rosnando, xingando e empurrando toda a sua tensão para cima dos garotos à frente da negociata, querendo desequilíbrio para se alimentar de violência. Queriam que matassem Gregório, pois também tinham visto nele a centelha.

O rapaz cravou fundo a lâmina da faca pontiaguda num segundo pacote, quase até atravessá-lo. Retirou-a de dentro cheia de pó branco. O coração de Gregório estava acelerado, quase subindo pela garganta.

– Só precisa de uma merrequinha, tiozão. Pra saber se você é firmeza, se a gente vai continuar fazendo negócio, ou se você é um cuzão do caralho que vai se foder na nossa mão – o garoto encarou Gregório e meneou a cabeça para o comparsa.

O garoto de bermuda levou a mão à coronha do revólver, e o cabeludo raspou a ponta da faca na entrada do tubo de ensaio, fazendo pequenas partículas do pó caírem para dentro do frasco. Baixou a faca e ficou olhando para o tubo de ensaio.

– Agora é a hora da verdade, mano.

Ele sacudiu o tubo de ensaio, tapando com o próprio dedo, e em poucos segundos o líquido ficou azul e escureceu. Seus olhos foram para Gregório, e agora o garoto sorria.

– Beleza, droga boa, mano. Não é aquela coisa cem por cento, mas isso a gente já tá escolado – disse, guardando a amostra no bolso da calça jeans e colocando a faca na bainha presa à camiseta. Em seguida, estendeu a mão para Gregório e disse: – Firmeza, Gregório, tu é firmeza. Quando precisar de mim, é só chamar. Félix.

O segundo capanga sorriu e relaxou, tirando a mão da coronha da arma.

– Meus clientes gostam de gente assim, profissional, manja?

Gregório, de tão tenso, apenas balançou a cabeça, em sinal positivo.

Thal ficou e acompanhou os garotos até o carro, debelando em sua trilha os cães infernais, infelizes com o desfecho do encontro. Não tinha entrado em confronto com as feras, que apenas urravam e exibiam as presas, querendo impressionar.

Os rapazes entraram no veículo e expuseram os pacotes de coca.

– Nove quilos, nove quilos! É droga boa! – festejou o cabeludo.

– Experimentou? – perguntou o comprador.

– Experimentei este aqui e este eu testei. É coisa boa, pode confiar – mostrou.

– Abre outro – ordenou o velho, do lado de quem um cão infernal rosnava.

– Desconfia sempre! Eles querem te enganar!

O comprador de camisa bem ajustada, terno e gravata, tirou seu par de óculos e passou um lenço nas lentes. Recolocou os óculos e ajustou o nó da gravata.

– Testa outro.

– Pô, chefia, já testei dois. O cara é firmeza.

– Eu não cheguei aonde cheguei sendo otário. Você vai testar todos se eu mandar. Vai, testa outro.

Félix obedeceu, tirando um segundo saco do bolso e soltando um pequeno tubo de ensaio em sua mão.

– Desconfia! Ele não faz direito! Olha! – cacarejou a fera ao lado do comprador, que ficou observando o processo do rapaz.

Félix tirou com a boca a tampa do frasco e a cuspiu no banco do carro. Tirou a faca da bainha, limpou a lâmina no jeans e apontou para a bolsa. O guarda-costas tirou outro tijolo de cocaína e colocou-o no colo de Félix, que cravou a faca mais uma vez, fazendo uma nuvem de coca subir com o golpe irritado. Extraiu a lâmina e raspou na boca do tubo de vidro. Novamente partículas do pó foram para o fundo, começando a mudar a cor do reagente.

– Agora a gente chacoalha esta porra.

Félix ia tapar o tubo com o dedo quando o comprador segurou sua mão e ofereceu seu lenço de limpar os óculos.

– Calma, tem que ter limpeza, controle.

O garoto pegou o lenço e o usou para isolar a tampa do tubo. *Ia ser tudo a mesma merda.* Félix chacoalhou e seus olhos se arregalaram. *Amarelo! Estava errado, tinha que dar azul-escuro!*

– Traz o "firmeza" aí pra trocar ideia comigo – exigiu o dono do dinheiro. – Traz também meu dinheiro de volta.

Félix olhou para seu comparsa do lado de fora do carro e, atônito, voltou a olhar para o comprador.

– Quando deu azul eu liberei ele, senhor.

– Então reza pro seu anjo da guarda, porque agora eu quero o sangue dele. E se eu não tiver o sangue dele, eu quero o seu.

Gregório andava apressado junto à saída do beco. Thal o alcançou, voando velozmente. Aproximou-se e gritou:

– Corre!

Gregório sentiu um imenso e repentino desconforto cobrindo seu corpo de medo e pânico. Olhou para trás e viu que o carro estava dentro do beco e avançava rápido, atropelando caixas de papelão ensopadas e sacos de lixo. Sem hesitar, o traficante saiu correndo a toda velocidade até alcançar a rua. Estava desesperado e não vacilou, partindo em direção ao prédio. Tinha sido pego e seria morto! Precisava chegar a casa, precisava da mochila e das passagens. Não podia ser pego agora, Renan dependia de sua vida!

Correu ainda mais e, em um relance, viu o carro sendo cuspido para a avenida, derrapando na pista molhada. Ele tinha sessenta segundos para sumir e continuar vivo. Thal o seguia freneticamente, observando o carro atravessar a avenida quase que sem controle. Se não tivessem visto Gregório entrar em outro beco, logo se perderiam e ele estaria a salvo.

No beco, as bestas se levantaram à passagem do carro e viram o grupo dobrar de tamanho com a chegada do imponente cão Khel, que assumiu a liderança da matilha e do ataque assim que viu, ao longe, o anjo Thal acompanhando o humano. O general celestial mais uma vez cruzava o seu caminho, e a vingança entalada na garganta monstruosa dobrou a energia e fúria, fazendo urrar e impulsionar as quatro feras aladas que tomaram a dianteira para não perder o anjo de vista. No chão, Khel galopava ao lado do carro negro, ladeado por mais onze feras. Thal não teria como escapar da revanche, pois ele caçaria e destroçaria o anjo.

Dentro do automóvel, os homens consumiam-se em ódio. O carro cantou pneus ao fazer a curva e o motorista entrou na avenida derrapando, graças ao asfalto molhado, fazendo os ocupantes se segurarem.

– Para onde foi o fodido?

O motorista freou, olhando para os lados e ouvindo as buzinas dos carros que desviaram da manobra perigosa e irresponsável. Não conseguia ver o fugitivo, mas enfiou o pé no acelerador novamente, pois alguma coisa lhe dizia para ir em frente, seguir até a próxima esquina e descer à direita. Sempre seguia seu instinto quando estava caçando vagabundos e já tinha conseguido degolar muitos folgados deixando-se guiar pela sombra que falava dentro dele.

Gregório dobrou a esquina de seu quarteirão, apavorado. Já havia passado por situações piores, mas nunca havia ficado em pânico até o último fio de cabelo. Algo estava dando errado e tudo parecia estar indo pelo ralo. Primeiro, aquela sensação absurda de que tudo sairia bem... Depois, o negócio no beco, como se soprassem ao seu ouvido, causando um pressentimento que sabia não ser seu. Apenas estava ciente de que tinha que correr mais e pensar menos, alcançar a mochila e a bolsa e pegar as passagens.

Thal avistou o carro entrando na rua em alta velocidade, olhou para baixo e viu que Gregório havia acabado de entrar no prédio. Talvez eles não tivessem visto onde ele tinha entrado. Thal sobrevoou a avenida, aterrissando em cima do edifício. Se os homens parassem, socorreria Gregório. A expectativa era grande. Demônios alados voavam dando rasantes e farejavam o ar, depois desciam à calçada e afundavam as narinas no asfalto. Thal contou quatro deles, fora os cães que galopavam entrando na rua.

– Aqui! – urrou um dos alados.

Os cães rugiram mais uma vez, e um deles saltou para dentro do veículo, que deu uma freada brusca. O anjo tinha que intervir novamente, o homem não podia morrer, ele era agora também um portador da fé verdadeira, tinha sido influenciado por Thal, tocado pelo guerreiro. O anjo sentia-se responsável por Gregório e pelo outro que tinha sido levado. Duas vidas seriam perdidas naquela noite se ele não pusesse sua espada para despedaçar demônios.

Thal virou-se, decidido, em direção ao prédio, porém, inesperadamente, foi golpeado no rosto por um demônio alado que saltou da calçada e, voando como um raio, o acertou com força, fazendo-o girar e machucando sua face. O anjo caiu alguns metros. Mergulhando enquanto restabelecia-se da surpresa, Thal conseguiu recuperar o equilíbrio. As criaturas o perseguiam, traziam presas e garras ao investir contra o corpo do anjo. No topo do prédio, Thal avistou Khel, de cujas ventas emanavam duas tiras de enxofre, exalando ódio no ar. Foi então que entendeu a razão do ataque. O líder maligno queria reparação, pois sentia-se afrontado com o ocorrido no apartamento do traficante. Thal retesou os músculos e arfou, e a espada chamejante foi erguida mais uma vez. *Que viessem as feras!*

Gregório entrou no apartamento às pressas. Já era meia-noite e meia. Tinha o dinheiro, mas estava com medo e precisava fugir. Estava tomado por uma sensação mista de aflição sufocante e de urgência, mas precisava pensar em como realizar a fuga. *Porra, era um homem, não um moleque, por que estava tão perturbado?!* Estar perto de morrer faz isso. Correu para o quarto, pegou a valise e esvaziou-a na cama; abriu a bolsa de nylon e começou a socar os maços de notas para dentro. Encheu os bolsos da jaqueta com dinheiro, jogou a mochila sobre os ombros e agarrou a bolsa de viagem. Era só descer, sair e sumir na noite. Eles não sabiam onde ele morava e não teriam como encontrá-lo em Belo Verde.

Com pressa, Gregório procurava as passagens compradas horas antes, que havia colocado ali na sala, mas estava nervoso demais para se lembrar onde. Chutou a parede, gritando palavrões, pensando que tinha dinheiro para comprar cinco ônibus de viagem e, portanto, não podia mais perder tempo com aquilo.

Do lado de fora, Thal desembainhou a espada ardente, lutando sem medo contra as feras. Um demônio atacou-o por cima, mas foi logo partido pela espada do anjo, desintegrando-se. Thal atravessou a nuvem de enxofre formada pela morte da fera, deparando-se com um bloqueio de demônios alados, que o impeliam para o topo do prédio. Golpes fortes e ferozes vinham de todos os lados, e o anjo precisou de toda a habilidade de guerreiro para sintonizar com a contenda. A espada era seu escudo e também sua lança.

Os inimigos não conseguiam passar pela lâmina de Thal nem atingir sua carne, pois estavam com medo de chegar muito perto, mas obedeciam à estratégia e, com golpes repetidos, teimosos, empurravam o guerreiro de luz cada vez mais para perto do topo, para perto de Khel.

Um novo demônio alado tomou a dianteira, e ele sabia manejar bem sua arma, mais arisco e arrojado, o que retardou Thal. As espadas retiniram no ar, lançando chamas no céu negro, roubando momentaneamente a escuridão. Outro demônio veio e abocanhou o calcanhar do anjo, puxando-o para baixo, ferindo-o dolorosamente. Thal arrancou-lhe a mandíbula, rechaçando o oponente num golpe só. Na primeira distração do rival armado, feriu-o e partiu-o em metades mortas, que tombaram e desvaneceram-se em espirais de fumaça.

Sobravam ainda quatro demônios alados, que lutavam com ódio, levando Thal cada vez mais para perto do topo do prédio, de Khel e seus cães. Thal combatia, tentando defender o corpo das investidas, mas precisava livrar-se dos inimigos, que o estavam distraindo. Os traficantes, os inimigos de carne, estavam atrás do humano, e ele tinha que tirá-lo de lá, mas as bestas aladas arranhavam sua pele sagrada, provocando cortes dolorosos. Ele não se importava com a dor e, no calor da batalha, queria apenas se ver livre das feras.

O tempo precioso dos humanos se esvaía entre os dedos. Cada golpe, cada defesa e cada ataque, por mais bem-sucedidos que fossem, eram mais um instante perdido, que poderia custar a vida de dois humanos... As duas almas que pediam socorro. Thal fechou o rosto em uma expressão raivosa, descreveu um arco no céu em vaivém e mais um monstro alado dissolveu-se diante de seus olhos. Um relâmpago explodiu na escuridão, e Thal sorriu. *Vinha a chuva!*

Gregório abriu a porta do apartamento e ouviu passos na escada. Pelo barulho, estavam correndo, com pressa e com raiva. Vinham na direção de seu andar, e ele desesperou-se. Voltou e fechou a porta do apartamento, trancando-a por dentro, pensando no que fazer. Apanhou as mochilas novamente, dirigiu-se para a janela e tentou abri-la. Nervoso, precisou fazer mais esforço do que o comum, o que o fez gastar mais tempo do que o normal, mas enfim a abriu. Passou as mochilas para o lado de fora, pois fugiria pela escada de emergência.

Thal estava ao alcance dos demônios, que não podiam voar, mas lutava contra cães e contra alados. Embora ferido, continuava bravo. O primeiro cão que se aventurou no novo ataque perdeu uma pata, girou e virou fumaça. Da ferida, também escapava um filete amarelo e ácido, que evaporava junto aos berros da fera. Um segundo golpe cruzou o pescoço da criatura, decapitando-a. Estava sendo mordido no tórax, com presas pontudas e afiadas cortando as costelas, e mais um demônio alado o atacava por cima.

Khel apenas permanecia à espreita, esperando a hora certa, fatal, para matar o anjo. Thal livrou-se do cão nas costelas, acertando-lhe um potente murro na cabeça, ferindo-o com o gume de sua espada de luz na sequência. Ali, em cima do prédio, restavam três cães e dois demônios alados.

* * *

– Acho que foi aqui – disse o guarda-costas. – Foi neste apartamento que o desgraçado se escondeu.

O garoto de bermuda vermelha chutou a porta, tentando arrombá-la. Quando se preparava para a segunda tentativa, foi atingido pelo guarda-costas com um soco na cabeça.

– Tá louco, moleque? Quer que todo mundo acorde?! – o guarda-costas sacou uma gazua do bolso e enfiou-a na fechadura. – Se ele estiver escondido aqui, em algum buraco, vai ter o que merece. E se ainda não voltou, vai voltar.

Logo a porta foi aberta, e os homens entraram aos empurrões. O rapazinho correu os cômodos, mas voltou à sala desapontado. O guarda-costas, mais sereno, olhava pela janela aberta, observando as gotas que a garoa tinha depositado no prédio e se desprendiam do batente, caindo sobre a sua cabeça. A incomum escada de incêndios descia pela lateral do prédio, e nela o homem identificou um vulto que passava uns três andares abaixo do que estavam.

– O fodido tá escapando por aqui! – gritou, pondo-se para fora do apartamento.

Gregório descia correndo, mas a bagagem dificultava a fuga. Arremessou a menos importante para baixo, no beco junto ao prédio. Olhou para cima e viu os perseguidores descendo, em uma velocidade maior do que a que ele conseguia correr. *Iriam alcançá-lo!*

Arremessou a segunda mochila, apanhou a pistola e engatilhou-a, sem parar de correr. Faltava pouco para chegar ao chão, talvez desse tempo. *Tinha que dar!* Talvez não tivesse que matar ninguém e saísse limpo, e talvez não tivesse que morrer e saísse vivo.

Thal havia perdido a espada. A preocupação demasiada em livrar-se das feras e salvar o humano estava atrapalhando sua concentração. Tinha visto o homem descendo pela escadaria, perseguido por bandidos e demônios, enquanto debelava os inimigos que insistiam no ataque. Queria se distanciar do telhado, mas Khel o queria sob seu jugo. Um alado abocanhou sua asa esquerda, fazendo-o despencar e colidir contra o concreto do telhado. Os cães, salivando, atacaram os pés do anjo, e um demônio alado subiu em seu peito, dançando e pisoteando-o, tentando esmagar suas costelas. Thal agarrou-o pela cauda, arremessando-o longe.

Khel raspou as garras no concreto, fazendo faíscas saírem de suas unhas. Logo em seguida, saltou em direção ao anjo enquanto arfava. Praguejando, deixou uma baba viscosa e fedorenta cair da boca, ansiando por vingança.

Thal desviou-se do ataque do líder das feras, mas foi agarrado por outra criatura. Uma de suas asas angelicais estava ferida demais para voar, e o anjo precisava ganhar tempo para se autocurar. Se alcançasse sua trombeta, poderia chamar ajuda para enfrentar a matilha de Khel e salvar o humano que corria dos inimigos de carne. Qualquer irmão que estivesse ao alcance do som da ferramenta atenderia. No entanto, as mãos de Thal estavam ocupadas demais para usar a trombeta, para conseguir abrir espaço, empurrar e lutar.

O anjo arrastava-se no telhado do prédio, chutando o cão Khel, que tinha voltado em sua investida. Os braços golpeavam os alados, que mordiam as costas e as pernas de Thal. Uma nova mordida do cão seria suficiente para arrancar-lhe o braço. Khel rugia e salivava, tentando cravar as presas em Thal, mas o anjo segurou as mandíbulas de monstro, repelindo o hálito pútrido. As forças de Thal, no entanto, se esvaíam; a visão turvava; os dedos não conseguiam mais segurar a carne macilenta da fera à sua frente.

A existência milenar de Thal seria extinta no meio de um combate contra feras infernais. Era o melhor jeito para um anjo deixar de existir e se apartar da energia do Pai Celestial: lutando para que a luz ainda presente nos humanos continuasse existindo. No entanto, essa era a razão de sua angústia, pois ele tinha se desviado da protegida, deixando-a para olhar um homem das sombras que queria voltar para a luz. Aquelas pobres almas perdidas, que tinham se esquecido da luz e da luta de seu Deus para salvá-los da ignorância e do jugo das trevas, estavam todas se apagando, como a visão do anjo, que se nublava naquele instante.

O vulto de uma fera alada passou pela visão periférica de Thal e seus músculos gritaram, exaustos da contenda. A demônio alado tinha ido para as costas do anjo, tomando-lhe e carregando sua espada. Khel ria e babava, rugindo e tentando abocanhar o peito de Thal. Mais cães infernais chegavam ao telhado, extinguindo as possibilidades de o general resistir por muito tempo. Ele sabia que estava cercado e temia o vulto que conseguira passar atrás de seu corpo. Precisava golpear Khel e defender-se, mas o líder da matilha, irascível, não dava nenhuma chance.

Thal sentiu a carne aguilhoada e gritou de dor ao ver a ponta da própria arma saltar em seu peito, enquanto o atacante gargalhava como um louco. A visão se afunilou, e os joelhos do anjo se dobraram. As forças desapareciam enquanto Khel levantava-se sobre duas patas, desferindo um golpe contundente com a garra, responsável por rasgar a pele de bronze do ser alado. Agora com a pele apagada, Thal foi empurrado para trás, o que fez a espada afundar ainda mais em seu corpo. A luta estava acabando. Sem a chuva, o anjo esmaecia.

Gregório chegou ao final da escada e, naquele ponto, teria de saltar de uma altura de três metros que o separava do chão do beco. Não hesitou nem por um segundo e pulou, caindo no chão sujo e molhado. Ao tocar o solo, viu que estava bem e engatinhou até a mochila onde estava o dinheiro, agarrando-a e olhando para cima. Os perseguidores ainda teriam que descer mais três andares. Então ele iniciou uma corrida em direção à rua, pensando que daria tempo. Ouviu um disparo, sentiu a bala passar próximo à orelha direita, indo faiscar contra o contêiner de lixo. *Ave Maria, cheia de graça...* A última vez que tinha feito aquela prece tinha sido com sua mãe segurando a mão dele, no dia da despedida. Sentiu mais uma explosão e correu, encurvado, junto à parede. Odiava estar ali e odiava no que tinha se transformado. *Faltava pouco para alcançar a calçada e fugir, ser outra pessoa, ir para outro lugar*. Mas vieram mais disparos, mais faíscas.

Enquanto isso, Thal estava caído no piso, no topo do prédio. Sentia a onda de dor varrer todo o corpo, um sofrimento infinito, nunca antes experimentado. O ar cheirava a chuva, mas nenhuma gota caía naquele instante. Precisava de forças e de tempo. Rastejou aos pés do demônio com a espada, alcançando a borda do prédio.

O demônio alado, forte e largo cerrou os olhos e estreitou os lábios ao mesmo tempo que arrancava a espada do corpo do anjo, manchada de sangue celestial, resistindo contra a pele de Thal e abrindo ainda mais a ferida. A fera demoníaca agarrou o cabo com as duas mãos e ergueu-a acima da cabeça, de seus chifres espiralados, preparando para desferir o golpe final. O demônio mirava o pescoço do anjo: iria decapitá-lo. Entretanto, foi detido pelo cão-demônio, Khel.

– Eu sou o cão deste anjo, ele é meu! – urrou Khel.

Andando sobre quatro patas, aproximou-se do anjo. O corpo da fera era cheio de músculos, e seu rosto era selvagem. Era filho das trevas, alimentado pela ignorância, e odiava os anjos de luz e a humanidade. Uma criatura forte e assustadora, um cão do inferno, que exalava filetes de fumaça amarela quando bufava.

– Encare seu algoz, criatura! – ordenou a Thal. – Olhe para mim, veja meu ódio. Logo estará morto, entre nós, e em sua alma roubada um novo cão guerreiro será forjado. – Khel acariciou os cabelos de Thal. – Um cão cordato, um belo cão das sombras. Esses homens de carne não merecem um vigilante como você, Thal. Veja como você está cansado de lutar por eles. Para que tanta luz se eles amam as trevas? Eles preferem a ignorância, meu irmão de inferno.

O anjo perdeu as chamas dos olhos, e o brilho e o viço abandonaram sua pele de bronze. A túnica, antes de brancura impecável, tornou-se escarlate, maculada pelo sangue espectral. Thal sentia um peso tremendo sobre a cabeça. Começou a orar, com a certeza de que seu fim não seria nas garras da besta em forma de cão, mas entre os seus. Levantou-se uma última vez, o que exigiu do soldado da luz um esforço imenso, mas conseguiu apoiar-se na beira do prédio.

Lá embaixo, Gregório acelerava, porém a lama dificultava a corrida. Quando chegou à calçada, uma dupla de homens adentrou o beco, bloqueando a saída. Um era o cabeludo, o outro era o comprador da droga. Gregório brecou, deslizando no barro e quase caindo no chão.

– Ei, tiozinho, que coisa feia! Quer dizer que queria dar um chapéu na gente? – zombou o cabeludo, empunhando um revólver calibre 38.

O velho também sacou a arma, uma pistola.

– Odeio bandido desonesto – disse o comprador. – Minha raiva é tanta que até me arrisco aqui fora... Você sacaneou gente errada, filho.

Gregório empunhava a arma, nervoso.

– Ei, tio, larga esse brinquedinho que você pode machucar alguém – ironizou Félix.

– Olha, facilitem as coisas pra mim, tá bom? Não quero matar vocês dois – advertiu Gregório.

O velho abriu um sorriso e deu mais um passo para perto de Gregório, entrando ainda mais no beco.

– Quer dizer que não quer matar a gente? Você foi bem indicado por ser discreto e "gente boa". Eu estava quase acreditando nessa sua cara de bom moço.

Gregório dava passos para trás, evitando aproximar-se dos homens.

– Larga a arma! – ordenou Félix.

Os outros dois homens chegavam ao fim da escada e penduravam-se para saltar para o beco. Gregório não queria largar a pistola, pois sabia que morreria assim que o fizesse, já que não tinha para onde correr, não podia fugir. O coração estava disparado. Queria sumir, mas não daquele jeito. Precisava de calma. Mas estava prestes a morrer, como ter calma?

– Vai, tiozão...

– Cala a boca! – gritou Gregório. – Escuta, guri, você não deve ter vinte anos ainda, tem muito o que viver. Cala a boca ou eu te mato agora. Eu vou morrer mesmo, mas levo você comigo.

– Uuuuh! Nossa! Que medo! – brincou o cabeludo.

Os outros dois estavam próximos. Gregório teve a certeza de que seria morto, mas estava nervoso demais para pensar... Tudo se embaralhava... Foi quando escutou o som dos capangas pulando da escada de incêndio. E, prestes a morrer, um *flashback* da vida passou diante dos olhos de Gregório, confuso. Via seu irmão, lembrava-se de sua terra, de um beijo na boca, do poço ao lado da capela, do leite morno que é bom quando tomado de manhã, na hora, saído da teta da vaca. Sabia que ia morrer. Coitado do Renan.

Estavam os quatro homens próximos demais, fechando o cerco como hienas carniceiras, um alicate inexorável. Morreria em questão de segundos, carregando todo o dinheiro que tanto queria.

Ela o tinha deixado, ele achava que era amado por ela, mas não, ela preferiu o outro e foi embora, porque ia sempre embora de tudo, não queria se prender a nada. Olhou para o alto e viu nuvens cobrindo a cidade. O guri de bermuda engatilhou o revólver e, nervoso, virou-se, tentando convencer Gregório a largar a arma. Para morrer. Largar a arma e morrer. *Deus! Me ajuda! Como queria ter um anjo da guarda!* Só que Gregório nunca tinha acreditado nas baboseiras da mãe...

A mão da mãe, a escola dominical, os homens irritados falando... Sabia que tinha feito merda das grandes e não tinha espaço para pena no rosto daqueles homens perturbados que iriam matá-lo. Pensou que morreria de qualquer jeito, soltando a arma ou não.

Eles se aproximavam mais e mais. Apenas um passo além e o cabeludo poderia acertar-lhe um murro ou tomar-lhe a arma da mão. Eles atirariam.

Lágrimas começaram a escorrer. Gregório estendeu o braço e disparou. *Vou morrer.* Disparou novamente. *Vou morrer.* O cabeludo sabia o que era morrer.

Em seguida, Gregório soltou a arma, ouvindo explosões demais à volta. O cabeludo estava morto, com um buraco na testa. Gregório estava sendo atingido, sentia o corpo acertado, a pele tremia. Os pés tinham caído no vazio, não havia chão onde pisar, nada onde se agarrar. Não acreditava que pudesse ser salvo. Um zumbido aumentava. Mais explosões, dor na cabeça. *Um tiro na cabeça!*

Todo o dinheiro caiu das mãos de Gregório. A salvação estava indo embora, sua pistola estava no barro, o mundo estava girando. Sentiu frio... Girou. Frio... Girou. Frio... Escutou uma risada gutural, mas não era o velho; não era nenhum deles, que haviam puxado o cabeludo e não estavam nem aí para ele. A risada vinha do alto, da boca de um cachorro imenso, de olhos amarelos.

* * *

As nuvens desceram, e Khel saltou em direção a Thal. Tinha ódio demais para matá-lo de outro jeito. Resolveu que comeria a cabeça do anjo. Gargalharia a noite toda, mastigando os ossos de Thal, que sentia a dor consumindo-o cada vez mais.

O anjo juntou o que restava de suas forças e, no momento exato, girou o corpo. Khel acertou os dentes nos tijolos, esmigalhando o parapeito do prédio. O ódio era tanto que o metafísico atingiu a matéria e tijolos e pedaços de concreto voaram pela beirada do edifício, tilintando contra a estrutura metálica da escada de incêndios.

Khel urrou de raiva, pois o anjo não estava mais lá. O desgraçado não podia voar, mas podia cair, e havia saltado em direção ao chão, ao beco... Caindo. Khel bramiu novamente.

– Não será tão fácil assim, anjo. Ah, não será!

O demônio alado mergulhou atrás de Thal, mas não o alcançaria. Khel saltou as escadas metálicas de emergência, galopando velozmente escadaria abaixo.

– Ele é meu, ninguém toque nele! – vociferava Khel.

Thal despencou, chocando-se violentamente contra o chão do beco, cobrindo-se de lama. O céu relampejava, e ele sentia dor e o fim chegando, mas não queria que fosse nas mãos de Khel, do cão. Apanhou a trombeta, soprou-a com força, fazendo seu toque tonitruar nos ares, invadindo o céu. O demônio servil que se aproximava fugiu imediatamente, e Khel estancou no patamar metálico, interrompendo o galope, aturdido e furioso, com os olhos chispando de ódio. Rugiu e bateu com as garras na trama de ferro sob seus pés meia dúzia de vezes, maldizendo o anjo.

– Maldito seja, anjo-general, maldito seja!

Khel retomou a corrida, mas agora galopando para cima, fugindo.

– Seus amigos o levarão, anjo, mas eu o encontrarei e o surrarei até a morte. E então o levarei para o inferno, maldito! Essa é a minha promessa. Vou acabar com você!

* * *

Embaixo, no beco, os assassinos de Gregório fugiam. Sirenes cortavam o ar e, no chão, jaziam três corpos: Félix, morto com um balaço na testa; Gregório, moribundo; e, ao seu lado, o anjo, agonizante.

Thal transpirava e sabia que logo estaria extinto, não resistiria. Suas forças tinham deixado o corpo encantado. Mas sentia que os seus irmãos estavam a caminho para ajudá-lo. O anjo sabia que não lhe restava mais tempo, que sua pele não mais resplandecia em paz e que seus olhos não eram chamas.

Um trovão roncou acima da cabeça de Gregório e de Thal, que soltou um gemido. Lembrava agora o que era a dor e o que era o medo, pois estava, finalmente, unido aos que protegia. Olhou para o lado e viu Gregório agonizar, com o sangue misturando-se ao barro. A vida agarrava-se ferrenha àquele corpo humano, mas se esvaía ligeira pelas perfurações abertas a bala, pelos órgãos que se recusavam a continuar funcionando, pelo coração que resfolegava, mostrando ser impossível sobreviver.

– Lamento, homem Gregório. Vejo que cheguei tarde – sussurrou Thal.

O anjo moveu-se alguns centímetros e estendeu a mão, tentando alcançar a de Gregório. Cada movimento era uma vitória sobre o improvável. Mas gotas de chuva bateram no peito do anjo. Não adiantaria mais soprar a trombeta: quando os irmãos chegassem, já o encontrariam morto. O anjo tocou a mão de Gregório e baixou o rosto. Sentindo uma última lufada de ânimo escapar do mortal, Thal cerrou os olhos.

A escuridão envolvia o anjo, sua consciência queria abandonar seu ser. O mortal estava se desenlaçando. Thal tinha sido testemunha de um milagre, mas tinha falhado em preservar a centelha em Gregório, que queria uma chance de mudar. Thal fez um último esforço antes do desenlace se completar, e sua mão etérea afundou na cabeça do mortal. O anjo fechou os olhos.

– Pai, perdoe este seu filho!

O céu gritou imensamente em forma de trovão, e o céu chorou em forma de tempestade.

CAPÍTULO 9

Samuel abriu os olhos e olhou, perplexo, para seu corpo, que estava coberto de sangue. A cama estava ensopada, empapada em líquido escarlate, enquanto Vera dormia pacificamente ao lado, com o rosto sujo do seu sangue. Sentou-se abruptamente, soltando um grito sonoro vindo das entranhas. Então acordou...

Assustado, respirava ofegante, mas viu que tudo estava normal e calmo. Os lençóis estavam brancos, sem nenhum sangue. As costelas, no entanto, doíam muito, latejando irritantemente, pois Jeff o tinha machucado de verdade. A esposa dormia tranquila. Tudo estava normal, exceto por aquele som pungente no ouvido: um trovão. O quarto iluminou-se por duas vezes, fragmentadas pelos relâmpagos que se sucederam, mas aquele som sinistro tornou-se agradável. Era chuva!

Samuel levantou-se e abriu a janela, acordando Vera aos gritos. A mulher demorou para despertar na madrugada, provavelmente eram duas horas da manhã.

– Chuva! – Vera gritou, tonta por um segundo, levando um pouco de tempo para entender a euforia. Abriu um sorriso e, juntando-se ao marido na janela, beijou-o.

– Se continuar assim nos próximos dias, ainda salvamos a colheita! – exclamou o homem, contente. – Que maravilha! Deus sempre acode seus filhos na hora mais dura.

– Teremos grandes espigas, enormes e gordas! Que chuva bem-vinda! Tomara que fique conosco tempo suficiente para curar a nossa terra. –

Vera também estava animada. – Como acordou, Samu? Só com o barulho da chuva?

Somente então Samuel parou de gargalhar e lembrou-se. Não foi por causa da chuva que havia acordado, mas por causa daquele estranho pesadelo cheio de sangue. Tinha visto a si próprio morrendo.

– Tive um sonho ruim, mas já passou. É que me assustei... Tô com dor de cabeça – comentou, encabulado como um guri.

Vera afagou os cabelos do marido.

– Tudo isso vai passar, meu bem, essa dor vai embora. A chuva vai mudar tudo, salvar a plantação, abençoar os animais. Vai trazer coisas boas para nossa terra.

Embalados pelo agradável tilintar da chuva, voltaram a dormir, sem pesadelos nem tormenta. Apenas uma água gentil que caía do céu...

* * *

– Alguma coisa a gente tem de colher já. Existem contas pra pagar ainda nesta semana – justificou Samuel aos homens.

Ele e os funcionários estavam reunidos em frente à casa, próximo ao galpão. O céu cinza, encoberto por pesadas nuvens negras, deixava o dia imerso em uma bem-vinda penumbra.

– Celeste, você pega os homens e começa a colher lá pra depois da curvinha, próximo do cercado. Aquele milho já dá pra vender. Deixa tudo na caçamba da colheitadeira, depois a gente separa. Pode guardar no barracão, mas não esquece de cobrir o colhido. Graças a Deus que vai chover, mas aquele galpão tá uma goteira só.

Samuel pulou de cima da máquina, caindo em uma poça. As botas espirraram lama para os lados, e o fazendeiro arqueou-se um pouco, pois os ferimentos ainda estavam doloridos. Passou a mão nas costas e apertou o tórax, soltando um gemido. Ao colar um joelho no chão, afundou a mão na terra molhada. Levou ao nariz o punhado enlameado e inspirou fundo. Os homens ficaram olhando o patrão se comprazer com a terra aguada.

Samuel levantou-se com o rosto contraído, subiu no jipe e voltou para casa. Do aparelho da sala, ligou para o hospital e marcou uma hora com o doutor Jessup, mas o médico da família insistira e acabou convencendo o fazendeiro a esperá-lo na própria fazenda, pois conseguiria chegar ali em menos de meia hora. A dor no par de costelas era tão chata que o fazendeiro acabou aceitando e foi se deitar na cama, olhando para cima.

Vera logo chegou com uma xícara de café, e Samuel sentou-se na beira do colchão, enlaçando a cintura da esposa em um abraço.

– Conta direito esta história, Samuel. Como é que foi essa confusão de *kickboxer*? – insistiu a mulher, afagando o cabelo cheio do marido, sentindo os fios roçarem a palma de sua mão.

Samuel riu, e Vera agarrou o queixo do marido, fazendo cara de reprovação.

– Não é pra rir, a surra foi coisa séria. Tem uma coisa soprando no meu ouvido, me dizendo que isso ainda não acabou. Fico agoniada, você sabe como eu sou com esses pressentimentos.

– Sossega, Vera, não tem que pressentir nada. Já te falei que aquele grandalhão nunca foi com a minha cara – disse Samuel, soltando a cintura da esposa e a encarando. – Nunca briguei com ele, não sou de sair dando porrada em ninguém, muito menos em beberrão.

Enquanto conversavam, passaram a revezar a xícara.

– Mas ele não pensou duas vezes antes de te sentar a mão – preocupava-se Vera.

– Ele tava fora de si. Nunca vai esquecer o lance do irmão dele.

– Isso não é desculpa pra bater nos outros. Um monte de gente perde o irmão e não vira alcoólatra... Sai espancando os outros para expiar a dor.

Samuel suspirou e sorveu mais um gole de café.

– Imagine: o cara estava fora de si, praticamente indefeso. Foi igual bater num inválido.

– Ai, então o coitadinho e indefeso do Jeff quebrou a sua cara? – Vera estava indignada.

– Teve chance de fazer pior, não fosse o cão do Anderson. Coitado do Charlie – resmungou o fazendeiro, lembrando que o cachorro também tinha saído ferido.

– O Anderson vive para aqueles animais. Ele se machucou nessa bagunça? – perguntou Vera, apreensiva.

– Não, mas o Charlie tomou um golpe... – Samuel levantou-se da cama e suspirou, aborrecido. – Eu tenho pena do Jefferson.

– Você não conseguiu consertar nem seu irmão... Não fica se remoendo por conta de todo mundo, Samuel.

– Depois que o irmão gêmeo dele morreu... sei lá, foi algum tempo depois que ele começou a beber.

O fazendeiro tomou mais um gole de café e foi sentar-se na varanda. Os homens havia muito tinham sumido na curvinha e logo estariam com o milho colhido. Vera parou ao lado do marido, escorando, como sempre fazia, a cabeça na coluna da varanda. Nuvens pesadas passavam baixas, tornando o dia escuro e frio, como aquele do qual se lembrava agora. Samuel sentiu um aperto no peito, uma aflição. As lembranças trouxeram outra espécie de fantasma... o rosto do irmão Gregório.

– Era um dia frio – começou a contar para a esposa. – Como a gente não podia se divertir no lago, fomos a um pomar, na divisa de Belo Verde. Éramos garotos, adorávamos essas coisas, e lá a gente encontrava goiabas deliciosas. Sempre roubávamos frutas ali, só que tinha um cão pastor que fazia a gente fugir. Era divertido. Estávamos lá pela terceira dúzia de goiabas roubadas quando ouvimos o cachorro vindo e o velho Elias gritando, xingando. A gente tinha que correr – Samuel esboçou um largo sorriso, típico de lembranças com cheiro de infância. – Gregório foi o primeiro a descer e, em dois segundos, estava no pé da árvore. A uns cinquenta metros, ficava a cerca de arame farpado. Era só passar por ela e já estaríamos a salvo. Saltei e depois o Jeff saltou. *Moleques dos diabos!*, o velho praguejava. O cachorro enorme já estava bem perto e dava pra ver os caninos brancos, prontos para estraçalhar intrusos. O Gregório tinha começado a correr em direção à cerca, mas o Roland ainda estava lá em cima, petrificado. Era a primeira vez que eu o via com medo. Ele costumava ser o primeiro a chegar na árvore, mas o cão estava vindo, nós gritávamos para o Roland descer e nada. Senti o estômago embrulhar, com medo, nervoso. Jeff começou a correr e eu fiquei lá... Ia esperar mais alguns segundos. Aí veio o estalo: um galho partido. Ele caiu de cima da goiabeira, o cão chegou, eu fiquei parado e o Jeff gritava: *Ajuda! Ajuda!* Lá do outro lado da cerca, Gregório estava imóvel, parado como eu. Roland tentou se levantar, mas os médicos disseram que ele tinha quebrado um osso da perna, nunca teria conseguido correr mesmo. Tentou de novo e começou a chorar, então o Gregório pulou pra dentro do pomar, mas o cão mordeu Roland no braço direito. O menininho gritava, apavorado, e Jeff gritava de volta, lá do outro lado da cerca. O velho também berrava: *Larga, Thor! Larga!* Mas o cão mordia... mordia... mordia... Parecia um selvagem. Nunca mais roubei nada, foi uma lição muito dura pra nós, muito cara. Roland nunca mais se levantou, nunca mais correu nem roubou frutas do pomar. Quando conseguiram chegar ao hospital, o garotinho já estava muito mal. Morreu dois dias depois. Estava horrível... deformado... Sofreu muito.

Samuel ficou uns instantes calado.

– É... É uma história horrível – balbuciou Vera.

– Na semana seguinte ao enterro, a mãe de Jeff surrou-o todos os dias, culpando o menino pelo que aconteceu com o irmão. Mas ninguém teve culpa naquilo.

– Então, meu amor, se você já sabe disso, já aceitou... Por que se sente culpado?

– Sei lá. Eu sei que não sou culpado, mas sei que não posso bater naquele idiota... éramos amigos. Ninguém queria que o coitado do Roland morresse.

Foi a vez de Vera suspirar.

Samuel tirou o chapéu e ficou brincando com ele, puxando as costuras. Balançou a cabeça, resignado, olhou para a mulher e disse, suspirando:

– Também sinto falta do meu irmão.

Vera voltou-se para Samuel e cruzou os braços.

– Se ele sentisse falta de você ou de mim, teria mandado notícias.

Ela desceu da varanda e foi para o terreiro, pisando descalça no chão úmido. Seguiu em direção à plantação.

Samuel secou uma lágrima que descia pelo rosto e passou a mão na lateral dolorida do corpo. Gregório nunca tinha voltado nem ligado, era verdade. Samuel e Vera não falavam sobre isso, como se fosse um segredo, um defunto enterrado pelas quatro mãos do casal em uma cova rasa no fundo da casa. Não falavam de Gregório e, sempre que o assunto vinha, um dos dois distanciava-se.

Samuel viu a mulher interromper a marcha em direção ao milharal quando ela reparou em um carro chegando lá na frente, na curvinha. Era o doutor. Ela ficou parada no meio do terreiro, sem olhar para trás. O carro do médico parou diante da varanda e o velho doutor Jessup desceu abanando-se, enquanto Samuel e Vera aproximavam-se, cada um de um lado do veículo.

– Espero que chova novamente, já está ficando muito abafado – o médico olhou para Samuel de cima a baixo. – Até que não está tão mal, não é, meu filho? Já vi você bem pior. Ainda dói muito?

– Coisa pouca, doutor – disse Samuel, dando um tapinha nas costas e acompanhando o médico para dentro. – Vera, pega uma limonada para este velho aqui, por favor. Vamos refrescar um pouquinho nosso visitante calorento.

Em silêncio, a esposa entrou em casa, enquanto o médico olhava para Samuel arregalando os olhos.

– O caldo tá azedo, é?

– Coisa de casal, doutor.

– Cuidado, rapaz. São essas feridas que doem mais. Cuida bem dela.

* * *

Distantes da sede, os homens manejavam a máquina de colher, enchendo as esteiras com sabugos de milho. Celeste dirigia a máquina, atento ao caminho e, apesar da hora, com os faróis ligados. As nuvens se adensavam e o céu escurecia cada vez mais. De repente, dois relâmpagos acenderam o bojo das nuvens que revoluteavam.

Mais dois homens o ajudavam no que precisava e conversavam, animados, a respeito da chuva, entusiasmados com a mudança repentina do tempo. Se o aguaceiro continuasse, o resto do milho engordaria rápido, dando boas espigas e muito dinheiro. Estavam todos entretidos em boa conversa quando, de repente, Celeste desligou a máquina, pois havia visto alguma coisa na plantação, talvez um animal ferido se contorcendo. Como ambos não entenderam o motivo da parada, Celeste apontou para algo grande...

* * *

Na casa, o médico examinava Samuel. Depois de certa expectativa e silêncio, o doutor refez os curativos.

– Foi uma bela surra, garoto, mas não se preocupe, logo estará tudo novinho. Você é um homem forte e jovem, se restabelece em dois segundos. É só cuidar das costelas. Nada de peso e um pouco de repouso vão te fazer bem.

Um relâmpago iluminou o céu cinzento e os homens se levantaram, indo para a sala, onde jogaram um pouco de conversa fora. Logo começaram a ouvir o tilintar das gotas de chuva tamborilando no telhado da casa. No minuto seguinte, aquilo já era uma tempestade.

– Uau! – exclamou Samuel. – Que temporal!

– Diacho! Espero não ficar nesse atoleiro – resmungou o médico.

– Calma, doutor. A gente põe mais um prato na mesa, não se preocupe.

Vera chegou com uma bandeja de prata da época de sua mãe, trazendo uma jarra de suco feito com laranjas colhidas nos fundos da casa, além de gelos e quatro copos. Olhou para o copo a mais e crispou as sobrancelhas. Estava ficando doida? Parou no meio da sala e colocou a bandeja na mesa de centro. Ainda pensando na confusão numérica em sua mente, apanhou a asa da jarra para servir o primeiro copo ao doutor Jessup. Os dois homens conversavam e riam enquanto o barulho da chuva no telhado aumentava.

Foi no cóccix que Vera sentiu primeiro um toque frio, uma energia, que subiu por toda a espinha. Ela parou, tremendo, com a jarra sacudindo na mão. A outra mão, segurando o copo, também tremia, o que provocava um tilintar que começou a aumentar de frequência e volume.

Samuel olhou para a mulher curvada, dentro do vestido de algodão favorito, descalça, tremendo, segurando a jarra e o copo que transbordava com o suco.

– Vera? O que foi? – perguntou ele.

A mulher forçou um sorriso e colocou o copo na bandeja. O médico, percebendo o olhar surpreso do marido, virou-se para a mulher e aproximou-se, também perguntando:

– Está tudo certo, Verinha? Está se sentindo bem?

Os dois se uniam ao redor da mulher, que soltou a jarra sobre a bandeja e colocou a mão na cabeça.

– É só uma tontura. Pensei ter escutado uma coisa vinda de fora, mas é coisa minha, bobeira.

Nesse instante, foram interrompidos por um garoto de cerca de quinze anos que empurrara a porta e entrou de supetão. Respirava puxando o ar do fundo dos pulmões, sinal do esforço que empregara para estar ali o mais rápido possível. Era Tonico, filho do agricultor Celeste, e estava encharcado. O garoto tremia muito, e logo todos perceberam em seus olhos que não era pelo frio, mas por medo.

– O que foi, Tonico? – perguntou Vera, assustada.

Samuel segurou-o pelos braços, tentando acalmá-lo. O rapaz precisou de alguns segundos para se refazer, então começou a falar sobre a plantação.

– Lá no milharal, estávamos colhendo pra depois da curva. Uma hora, meu pai parou a máquina, desceu, dizendo que tinha visto algum bicho ferido no mato, parecia um cachorro grande. Eu e o Ramiro ficamos em cima da máquina, como ele mandou, então começou a chover, primeiro devagar, depois um aguaceiro danado. Eu não conseguia mais ver meu pai, gritei e ele não respondeu – o garoto estava chorando. – Então eu desci, vi um rastro de sangue no meio do milho, tinha bastante sangue, seu Samuel, que nem quando mata porco... Não achei o pai, só ouvi ele gritando alto, dizendo pra gente voltar e pedir ajuda pro senhor!

Samuel correu até o quarto e lembrou-se do pesadelo: muito sangue era mau agouro. Seria um dos maus presságios? Agarrou a espingarda e benzeu-se. Voltou à sala, passou direto e saiu para a varanda, gritando ordens para todo mundo. O barulho da chuva e o ronco dos trovões deixavam tudo difícil escutar.

– Doutor, o senhor vem comigo. O menino disse que viu sangue lá. Tonico, você leva a gente até o lugar. Vera, fica aqui, tranca as portas. Logo a gente está de volta.

A mulher viu da varanda o jipe partindo, derrapando na lama quando deixou o terreiro e caiu na estrada de terra. Ela queria ir, a chuva a chamava, queria estar lá. Sentia a voz da Energia da Vida, a voz da Mãe de Toda Vida, que entoavam juntas e avisavam que tudo estava mudando. Levou a mão ao peito com o coração disparado e parou no meio da sala, fechando os olhos e deixando os ouvidos abertos. Queria escutá-las e entender, a fim de se preparar para o que viria a mudar. Inspirou fundo e abriu os olhos, encarando a jarra ainda cheia de suco de laranja e os quatro copos para servir três homens e uma mulher.

* * *

A chuva caía forte, atrapalhando a visão na estrada. O trio já estava encharcado. Ainda era manhã, mas o dia havia submergido no breu. Samuel acendeu os faróis, forçando o jipe para alcançar logo a curvinha e evitar atolar no barro. O milharal balançava com a ventania. Tonico, no banco de trás, parecia orar, e estava assustado demais. Já o médico ia em silêncio, agarrado ao suporte no painel, ressabiado com as derrapadas do 4x4, que dançava na curva, jogando a traseira para fora por causa da grande quantidade de barro. Estavam saindo da curvinha, bem próximo à cerca. As roupas já estavam frias, coladas ao corpo.

– Lá! – gritou o menino.

Samuel jogou o jipe para dentro do milharal. O barulho das hastes se dobrando e batendo por baixo da carroceria se sobrepôs à chuva. Avançaria até onde o chão permitisse, mas logo viu a luz dos faróis da máquina parada e o outro caboclo sentado em cima da danada, com os olhos esbugalhados.

Os homens saltaram para o chão, agitados. Samuel correu, equilibrando-se sobre a lama escorregadia, bambeando com a espingarda nas mãos.

– O que foi, homem?

– Parece coisa de onça, patrão. Tem um rastro de sangue danado de esquisito dali pra frente. Achei melhor esperar o senhor, vai que é bicho mesmo... O maluco do Celeste se enfiou no milharal.

– E cadê ele, agora?

– Tá lá.

Samuel coçou a cabeça, afundou na testa o chapéu que serviria para cortar a chuva e engatilhou a espingarda, avançando para dentro do milharal. *Será que era onça mesmo? Há quanto tempo não ouvia falar de onça naquelas bandas?* A última história que escutou foi da boca do pai, ainda criança. Podia ser um cachorro grande, perdido. O cão ferido do Anderson, talvez. Estava muito escuro, e o barulho da tempestade furiosa atrapalhava demais. Não ouvia coisa alguma. Os trovões reverberavam por segundos infinitos, dissolvendo-se lentamente no céu, chegavam a empurrar o ar espesso. A natureza era tremendamente poderosa nessas horas, mas resolveu arriscar, adentrando a mata.

– Celeste! Celeste! Cadê você, criatura? – gritava Samuel.

O fazendeiro berrava com toda a força que conseguia extrair dos pulmões. Celeste era um de seus melhores funcionários e um amigo querido também, que tinha família ali na fazenda havia anos. Era jovem e ainda não estava na sua hora. Gritou mais duas vezes, mas uma pancada forte d'água trouxe muito vento, que cortava entre as folhas, criando uma melodia sinistra. Isso transtornou Samuel e fez seu coração acelerar.

Lá atrás, ficaram as luzes do jipe e da colheitadeira, que não alcançavam mais a parte do milharal onde Samuel estava, tornando o cenário absolutamente escuro. Toda a claridade que conseguia agora vinha entrecortada dos relâmpagos relutantes. Mais um trovão, longo e retumbante, encheu o céu de som e vibração. Sabia que podia seguir em frente, então por que seus pés pareciam pesar uma tonelada? Inspirou fundo e gritou o nome do amigo mais uma vez. Apressou o passo pesado, que teimava em afundar na terra. Não era onça coisa nenhuma. Com aquela escuridão, qualquer bichinho poderia ter assustado o pobre do Celeste. *Mas e o sangue? O pesadelo?* Naquela escuridão, tudo impressionava, somando-se o barulho da chuva... *Onde estava o diacho do homem?* Celeste não se perderia dentro do milharal! Lidava com ele todos os dias nos últimos sete anos.

Samuel parou de andar, pois sentiu como se estivesse sendo seguido. Olhou para trás e não viu nada ali, somente a presença, os olhos sobre ele. Alguém queria colocar a mão em seu ombro e dizer algo. A pele arrepiou-se dos pés à cabeça, a nuca estava eriçada, e tudo aquilo não era uma mera sensação. Tinha alguém ao seu lado, ele sabia.

Um relâmpago explodiu no milharal, acendendo os galhos de uma goiabeira, e ele girou, respirando descompassado, bambeando na lama e caindo sentado.

– Virgem santíssima! – rogou, levantando-se em um salto.

O milharal balançou e uma folha de um arbusto próximo bateu no rosto de Samuel. Voltou a caminhar, berrando o nome de Celeste, e um rosnado quase inaudível foi captado por seus tímpanos. Era leve e pavoroso e o fez estancar. Girou os olhos junto com a cabeça, tentando encontrar a ameaça, mas só enxergava o milharal escuro e assombrado, como grandes lanças verdes apontando para cima, recebendo a chuva com gratidão. *Diacho! Não podia ter nada naquele milharal!* Era só o medo alucinado crescendo, confundindo-se com o recente pesadelo.

Samuel olhou para trás e também não conseguiu enxergar nada, mas se lembrou do rastro de sangue. *Que burrice, devia ter procurado por ele e, uma hora dessas, certamente já estaria com Celeste.* Novamente olhou para trás e apurou a visão, forçando a objetiva ocular a funcionar. Distinguiu uma minguada luz, que deveria vir dos faróis do jipe e da colheitadeira.

Andou apressado naquela direção e o rosnado invadiu sua cabeça mais uma vez. Havia alguma coisa no seu encalço. Alguma coisa grande e assustadora. Ouvia um galopar abafado pela lama, patas afundando no barro molhado. Não era onça, não podia ser, era algo que transpirava terror, e um adocicado odor de enxofre instalou-se em suas narinas. *Enxofre?* Não pôde olhar para trás, mas já sabia: era uma fera que o perseguia e esmagava a plantação, tentando alcançá-lo.

Samuel correu o mais rápido possível, tentando fugir do galope, mas ouvia o rosnado cada vez mais nítido. Estava apavorado agora e pousou o dedo no gatilho da espingarda. Tinha que atirar.

– Celeste! – berrou.

Não sabia onde o funcionário estava e, se atirasse para qualquer lado, poderia acertar o amigo. Mas tinha um bicho ali no seu encalço. Os calcanhares pressentiam a presença da fera, era algo mau e fedorento, que tinha vindo com a chuva. Os faróis apareciam nítidos, a luz já o alcançava, estava voltando para a luz, para a proteção. Logo estaria junto do jipe e, então, arriscaria uma olhada para trás, talvez um tiro.

Samuel apertou a corrida, a luz já tomava boa parte do milharal à frente. Ele percebeu que a fera diminuía a fúria à medida que eles se aproximavam da luz. Quanto mais iluminado ficava, mais seguro Samuel se sentia. Percebeu também que o cheiro ruim tinha sumido e agora só escutava a chuva. Aproximou-se do jipe, diminuindo o passo, recuperando o fôlego, e virou-se lentamente, arriscando uma olhada. Sabia o que encontraria: nada, somente o milharal e a chuva.

As espigas balançavam frenéticas, acariciadas pela bendita água do temporal, e era só isso, um vaivém monótono, sem monstros cheirando a enxofre ou rosnados de onças fantasmas.

Ainda assustado, o fazendeiro conseguiu soltar um sorriso de alívio, acompanhado de um resmungo descontraído. Porém, logo perdeu a expressão calma, pois sabia que aquilo lá não era onça coisa nenhuma. Algo o advertia que era mais perigoso, muito mais que uma onça ou um bicho de fazenda.

Samuel contemplou o entorno do jipe e da colheitadeira. A adrenalina era tamanha que não havia dado por falta dos homens. Onde diabos estavam todos?

Aproximou-se do jipe, ouviu um zunzunzum e viu-os do outro lado da colheitadeira, acocorados em semicírculo juntamente com Celeste. O doutor Jessup tinha o semblante preocupado, socorrendo um homem caído, estirado na lama e coberto de sangue. Samuel aproximou-se lentamente, surpreso. Tirou o chapéu respeitosamente e abaixou-se junto à turma, largando a arma.

O homem ferido estava vestido de jeans e camiseta preta e, por cima, tinha uma jaqueta de couro, também preta, rasgada, envolta em sangue abundante. O doutor aplicava respiração boca a boca e massagem cardíaca. Samuel chegou bem perto para identificar o ferido e seus olhos se arregalaram. Empalideceu e sentiu a cabeça tomar um choque, caindo de joelhos na lama, ao lado do homem que era ressuscitado.

– Meu Deus do céu... – murmurou, quase sem voz. – Não pode ser verdade...

– Vamos, Samuel. Temos que tentar de tudo, vamos levá-lo ao hospital municipal já! – ordenou o médico, resfolegante pelo esforço.

CAPÍTULO 10

O olho esquerdo doía muito, e os dois homens o tinham surrado por mais de hora e meia, sem intervalo para comerciais. Por sorte, já estavam cansados, suando em bicas, mas, para seu azar, Renan ainda estava consciente. Os lábios e o queixo eram uma massa só, redonda e inchada, e a pele estirada parecia estar pegando fogo. O garoto cuspiu sangue e mais um dente foi ao chão, fazendo um "poc" seco quando caiu no piso, junto com baba vermelha. Já devia ter anoitecido, pois não vinha muito barulho da rua. O lábio superior e o nariz também tinham se juntado, de tão inchados, dando a impressão de um tumor disforme – trabalho do capanga que chamavam de Jorge; o outro, Ney, batia com dó, dava para perceber.

Renan estava classicamente amarrado a uma cadeira, mãos para trás, cabeça pendendo, sangue pingando do nariz e da boca o tempo todo. A cabeça latejava e apontava para o chão. Ele ouvia um zunido intermitente no ouvido direito. Estava preso no galpão havia dois dias e, na noite anterior, quando ainda estava inteiro e parecia mais um hóspede indesejado do que um saco de pancadas, acreditava que o parceiro havia tido algum contratempo. Mas, naquela noite, pensava diferente e sabia que nunca mais veria seu mentor; tinha sido trocado por um bom punhado de coca.

Cuspiu novamente e agora um incisivo rolou para fora da boca destruída. Não, Gregório não voltaria mais, Renan sabia. O traficante era só mais um filho da puta, o rosto camarada misturava-se e diluía-se na legião de outros camaradas que tinha conhecido. Nem era nele que pensava naquele instante, apenas temia ser morto sem ver o irmão de novo. Ele acharia que tinha sido abandonado, que o irmão mais velho não pensava nele e o tinha largado para trás. O advogado nunca chegaria, as visitas nunca viriam.

Renan sentiu as forças escaparem pelas feridas e pela boca quando exalou todo o ar do peito, ficando cada vez mais difícil respirar. Em algum momento, as lágrimas se misturaram com o sangue, que pingava do queixo sobre a calça. Levantou a cabeça quando escutou uma porta batendo e vozes entrando no recinto. Era a voz da qual tinha medo, aquela que tinha ordenado o início de seu calvário. Os olhos inchados deixavam pouco para ver. *Tinha mesmo escurecido? Como seria morto?* Só não queria ser afogado nem queimado, aquela gente gostava de queimar os outros.

O rapaz ouviu o arrastar de um objeto ao seu lado, ergueu a cabeça e forçou a visão. Era outra cadeira. Jorge e Ney estavam ali, parados, enquanto o som de passos ecoava pelo galpão.

Pablo parou em frente ao menino e olhou para o relógio.

– Quem fez isso com o garoto?

– Fui eu – respondeu Jorge, o de colete.

– Que merda, meu irmão! – vociferou Pablo. – E se o otário do Gregório chega bem agora? O que ia encontrar, hein? Seu retardado! – o traficante moveu-se, irritado, encarando o comparsa. – Eu cumpro meus tratos, o menino deveria estar intacto. Cê tá me entendendo, sua mula?! – Pablo continuou gritando, e o de colete ficou desconcertado, pois não esperava aquela reação por parte do chefe.

– Você vai matar ele mesmo... – retrucou o capanga. – Não adianta nada ficar dando chilique, você sabe que o cara não vai voltar. Ele te enrolou, parça.

Pablo sacou a pistola, conferiu o relógio e sapecou a cabeça de Renan com um disparo certeiro.

– Tá vendo? – questionou o capanga, indignado.

Pablo apontou a arma para Jorge, o homem de colete, e descarregou o restante das balas enquanto gritava, intercalando a locução com cada disparo:

– De-tes-to-que-me-dei-xem-ner-vo-so!

O de colete tombou morto, como todo bom defunto. O outro capanga ficou imóvel, calado, ouvindo o tilintar das cápsulas no chão.

– Gosto de cumprir meus tratos e minhas promessas. Cumpri o trato, agora só falta a promessa – Pablo guardou a pistola no coldre, fez sinal para o outro homem e ambos saíram do galpão. – Vamos pegar aquele monte de merda do Gregório.

* * *

Quinze minutos depois, Pablo estacionava o sedã em frente ao prédio de Gregório. Sabia que não encontraria o fodido em casa, mas em algum segundo de azar, em algum descuido, poderia ter deixado qualquer vestígio ou rastro de onde tinha ido esconder o rabo. Seria achado, aquela trapaça não ia sair barato.

– Sei que o cara não seria tão burro de ainda estar aqui – disse Pablo para o auxiliar. – Mas, por via das dúvidas, espera aqui embaixo, Ney. Se o safado aparecer, é só passar fogo, não precisa perguntar nada, nem dar um boa-noite.

O homem assentiu com a cabeça e Pablo entrou no prédio, subindo as escadas rapidamente. Examinou a porta, que estava encostada e parecia ter sido forçada. Talvez Gregório tivesse outras dívidas e cobradores muito irritados. Sacou a pistola e esgueirou-se lentamente, sem produzir ruído. A sala estava vazia, os móveis pareciam adormecidos, inertes no tempo, e a janela aberta permitia à luz da lua inundar o recinto. O chão junto à janela tinha uma pequena poça d'água, pois tinha chovido muito pela madrugada, o que queria dizer que ninguém tinha voltado para abaixar os vidros. Ele entrou no quarto e viu que as portas do guarda-roupa estavam escancaradas, e o móvel, vazio. Em cima da cômoda, apenas um copo de café frio. Ouviu sirenes e colocou a arma no bolso do sobretudo, segurando-a pelo gatilho. Mas o som logo parou, não era de viatura militar, talvez fosse uma ambulância.

Pablo vasculhou algumas gavetas, quase todas estavam vazias ou tinham objetos inúteis e contas a pagar. Voltou para a sala e ia para a cozinha, quando seu anjo da guarda das sombras sussurrou em seu ouvido, dizendo para olhar melhor. Pablo estancou, não desperdiçaria aquela presença. Obedeceu à coisa que ele chamava de intuição e viu que, ali no cantinho perto da janela, havia um papel cor-de-rosa, quase escondido pela cortina. Sorriu, pois sempre que dava ouvidos ao seu guardião, para aqueles sussurros que vinham acompanhados de um cheiro peculiar que sempre o lembrava ovo podre, as coisas iam bem para seu lado.

O homem abaixou-se para apanhar o papel e, ainda acocorado, olhou para a porta de entrada do apartamento, que estava fechada. O corredor encheu-se de barulho, virando uma algazarra desconcertante em segundos. Estavam parados em frente à porta do apartamento de Gregório. Pablo correu para a cozinha, recostando-se à parede, e aguardou um momento. Se quisessem entrar, já o teriam feito. Sentiu vibrações na parede da cozinha, alguma coisa era arrastada do outro lado, e bateu contra a parede. Pablo sorriu satisfeito, pois, fosse o que fosse, estava acontecendo no apartamento vizinho. Muita gente subindo as escadas, o que não era bom.

Ele enfim olhou para sua mão e desdobrou o papel cor-de-rosa: era uma passagem rodoviária para Belo Verde. Sorriu nervosamente.

– Peguei você, seu safado.

Retornou à sala e espiou pelo olho mágico, vendo um entra-e-sai frenético no apartamento vizinho, o mesmo com que ele havia se confundido dias antes. Abriu a porta lentamente, saindo para o corredor, alcançou a escada e desceu sem ser percebido.

* * *

Logo em seguida, alguns paramédicos saíram do apartamento vizinho de Gregório puxando uma maca. Eloísa havia falecido naquela madrugada, vítima de um ataque cardíaco fulminante, sofrido na cozinha.

À tarde, uma das colegas da senhora, preocupada com a ausência da amiga, decidira fazer-lhe uma visita, pois seria natural alguém faltar ao emprego, mas não Eloísa – ela ao menos teria ligado. Doralice, a colega, insistiu na campainha e, não obtendo resposta, chamou o zelador, que também estranhou a história. Cinco minutos depois, estavam dentro do apartamento da falecida, entristecidos e resignados com o fim da senhora. Chamaram o serviço de emergência, mas não adiantaria correr. Ao entrar no apartamento, lembrava Doralice, sentira um mal-estar danado.

Caso tivessem se concentrado um pouquinho, só um pouquinho, talvez teriam conseguido enxergar os três demônios cacarejando e rindo no canto do quarto. Se reparassem mais um pouco, poderiam até ouvi-los e sentir o cortante odor de enxofre que banhava o recinto.

* * *

Khel desceu, galopante, atrás de Pablo e juntou-se ao bandido na rua. Pablo preparava-se para entrar no carro.

– Sei para onde o safado foi – sentenciou.

– Onde? – perguntou Khel.

– Onde? – indagou Ney.

– Foi para Belo Verde. Foi esconder o rabo sujo naquela cidadezinha – os olhos de Pablo chispavam em verdadeira cólera. – Se ele pensa que vai ficar numa boa, que pode deixar barato, está enganado. Ninguém brinca comigo se não for esperto o suficiente para ficar escondido.

Khel abriu mais seu sorriso cheio de dentes. Bebia o ódio, a raiva e o rancor que emanavam do humano.

– Como descobriu? – Ney perguntou, enquanto manobrava o carro, tentando alcançar a avenida. Pablo atirou o papel em seu colo.

– Tava procurando uma dica e tive uma intuição para olhar melhor na sala. Achei uma passagem de ônibus.

Ney, pelo retrovisor, viu os paramédicos colocarem o corpo de Eloísa dentro da ambulância.

– Ei! Morreu alguém naquele prédio! – exclamou para Pablo, já saindo fora do carro.

– É, eu sei – respondeu Pablo, que gargalhou como a fera, assustando Ney.

Já Khel juntou-se aos outros dois demônios e relatou o que havia descoberto:

– Thal está vivo, eu posso sentir! O anjo está lá, junto do mortal, o que chamam de Gregório. Vamos a Belo Verde agora matar o anjo! – Khel rugiu e xingou.

Os três demônios partiram galopantes, seguindo para o norte. Seguindo para Belo Verde.

CAPÍTULO 11

Vera entrou no quarto trazendo uma jarra com água e colocou-a em cima do criado-mudo. Raspou a sola dos pés contra o assoalho de madeira enquanto olhava para Gregório, deitado na cama de solteiro, envolto em lençóis brancos no quarto de hóspedes que nunca era usado naquela casa. Parou ao lado da cama e ficou olhando para o corpo do cunhado. Aquele homem era um enigma. A pele inteira da mulher arrepiou-se. Gregório não estava sozinho. Algo tinha voltado com ele do milharal, da sua vida antiga. Algo que ela não podia ver, mas podia sentir.

Vera tomou a temperatura de Gregório, que permanecia febril desde a chegada, dois dias antes. *Chegada? Deus, o que havia sido aquilo?* Chegada certamente não seria a palavra mais apropriada. *Aparição parecia muito mais adequada.*

Thal estava em pé, observando a mulher, com a expressão serena. O anjo sentia-se cansado e ainda carregava consigo as cicatrizes da última batalha. A aura azul vacilava, pois estava muito fraco. O demônio praticamente o havia liquidado, e suas forças extinguiram-se antes que o socorro chegasse. Nem lembrava de ele próprio ter efetuado a manobra proibida, era uma violação apossar-se de um humano. Foi um instinto primitivo de sobrevivência que havia feito aquilo, só podia ser. Os anjos temiam ser destruídos pelos demônios e se aterrorizavam com a hipótese de que seus corpos celestiais pudessem ser tomados para se tornar carcaças das sombras.

Thal caminhou pelo quarto e atravessou a cama, que para ele não consistia em obstáculo. Em seguida, aproximou-se da janela e trespassou a parede para o lado de fora, onde ficou observando a plantação de milho. Foi então que começou a relembrar...

Era noite, frio, e era como se tivesse comungando com o vazio. Mas não. Estava ainda na Terra, e seus olhos, dentro dos olhos do homem, se abriram no milharal. As pessoas gritavam e corriam, carregando o corpo. Sentia a dor do homem e, mais que o sofrimento da carne, percebeu uma coisa diferente, algo que ele, como ser celestial, nunca tinha sentido ou experimentado, e que fazia aquela carne ficar com a pele eriçada e os pelos arrepiados. Era um outro vazio, intraduzível, inefável.

O cheiro do sangue sagrado de um mortal tomou as narinas, então despertou ali, em outro lugar, em outro tempo. O que estava acontecendo? O anjo olhou para o céu e não viu nenhum irmão. Farfalhou as asas, olhou para trás e viu que a humana cuidava do homem. A pele dela tinha o brilho dos escolhidos, daqueles que deveriam ser protegidos, mas não era uma iluminada, e sim uma mulher conectada com a Energia, com a Força da Vida.

O anjo fechou os olhos e então estremeceu. Farfalhou mais uma vez as asas e quis decolar, mas não conseguia se conectar com a protegida. Não conseguia percebê-la. Ele sempre se conectava a ela, mesmo a distância, mas agora Eloísa não estava mais lá. Thal não teve forças para deixar o chão. Tinha violado a lei, a regra do Velho Código, tomando o corpo de um mortal para esconder sua energia dos cães guerreiros inimigos, e tinha se tornado agora o anjo do Ponto. Os demônios marcariam o lugar e a hora para o confronto, lutariam contra ele até que tombasse sem vida, absorvido pelas trevas, tornando-se então um general das sombras, um demônio de guerra. E assim que ele tombasse, as hostes do mal, cada demônio alado, cada cão demoníaco, teria o tempo de um giro do planeta para roubar quantas almas quisessem e pudessem dos humanos, levando embora seus espíritos e construindo com sua energia um novo demônio guerreiro.

Essa gente agora sem alma demoraria a se dar conta de que não eram seus corpos que adoeciam, mas apenas cascas ambulantes, com a essência da vida removida de suas carcaças. As cascas abandonadas para trás transitariam para o ocaso e seriam, por fim, escravas da noite, renegadas na luz do sol. Viveriam do mal. Era aquele peso que segurava Thal no chão e não permitia que abrisse suas asas agora. Sentia-se estranhamente só, olhando para aquela vastidão verde à frente, com as hastes de milho balançando ao vento. Ligado à carne do humano a quem tinha se unido e regredido para a época em que não havia distinção entre os homens e os anjos, desde os tempos em que os homens não sabiam contar, quando ainda se irmanavam ao sal da vida, ele e o homem estavam juntos e eram uma coisa só, como no começo de tudo, até que a Batalha Negra chegasse ao fim.

Lá dentro, Vera embebia as ataduras em água morna, fervida em ervas aromáticas, curativas, e passava-as sobre o peito de Gregório, sobre os calombos intumescidos. Os machucados pareciam bem estranhos e, no hospital, para surpresa do doutor Jessup e de Samuel, depois de examinado, submetido à ultrassonografia, constataram que os caroços espalhados pelo peito e abdômen de Gregório não causaram nenhum dano interno ou hemorragia. O médico generalista não sabia explicar o que eram; o irmão de Samuel ficara um dia inteiro em observação e nada.

Apesar de ainda fraco, como todos os exames estavam normais e a condição hemodinâmica estável, o doutor Jessup havia se responsabilizado pela remoção do homem para a casa da família. Samuel insistiu para que o irmão pudesse ser tratado em casa e ninguém conseguiu explicar o sangue ou os caroços. A recomendação do velho médico da família era para que Gregório fosse acompanhado e que se fizesse uma investigação maior assim que possível. Recolheram amostras do que impregnara o tecido da roupa do homem, mas nenhuma ferida aberta foi encontrada, nada que explicasse aquele cenário impactante.

Tonico ficou muito nervoso naquela noite, após o ocorrido. Contou a Vera que os homens da fazenda tinham levado um cara parecido com o patrão para o hospital. Estava inquieto, porque acreditava que o homem estava morto, sangrando demais, nunca tinha visto nada assim naquelas bandas... Achavam que ele tinha sido pego por uma onça, mas não encontraram as mordidas. Ele tinha seguido morto no jipe: o médico tinha tentado ressuscitar o homem que parecia o patrão, mas o coração não respondia.

Foi muita aflição até chegar ao hospital, o patrão só chorava, segurando na mão do estranho. Lá, disseram que tinham presenciado um milagre, que aquele homem deveria estar morto, mas não estava. Tonico lembrava bem da hora que tinha acontecido de o homem voltar dos mortos, e se arrepiava sempre que contavam, não conseguindo conter a emoção. Um relâmpago explodiu tão perto do hospital que as janelas estremeceram e as luzes se apagaram por um segundo. Tudo ficou escuro naquela fração de tempo que pareceu uma eternidade. Quando a luz voltou, os equipamentos do pronto-socorro parecerem estar todos malucos, e o homem que parecia o patrão estava com os olhos abertos, puxando ar pela boca, se debatendo, mas vivo. Os anjos tinham salvado aquela pobre alma, só isso explicava.

Vera voltou a olhar para o cunhado acamado e adormecido, que respirava fundo. O peito subia e descia, e de vez em quando ele contraía o rosto, mergulhado em pesadelos só dele. A mulher dispensou o garoto e sentou-se na cabeceira da cama.

Quando tinha visto Gregório pela última vez? Há quinze anos? Talvez até mais. Havia meses que passava sem lembrar do duplo de seu marido, o que tinha sido seu primeiro namorado. Ela tinha começado a frequentar a fazenda da família depois da escola dominical e do grupo de jovens, ao lado de Gregório, que era espoleta, sempre arteiro, inventava as melhores brincadeiras para o grupo. Todos gostavam de seguir Gregório. Ela gostava dos beijos. Em uma semana, ele era roqueiro, depois bicho-grilo, daí gótico – e todo mundo se vestia de preto como ele: passavam sabonete no cabelo para deixá-lo duro e erguido e andavam pela cidade chamando a atenção de olhares espantados e de reprovação. Não os deixavam entrar assim na igreja, e os pais dos meninos da cidade, a maioria pastores protestantes, passavam horas dando sermão sobre aquele comportamento que, segundo eles, não agradava a Deus.

Vera passou outra compressa de ervas sobre o peito do cunhado. Lutava contra os inchaços usando os preparados que sua mãe lhe tinha ensinado após ter aprendido com a avó de Vera. O líquido aquecido misturava os aromas e as propriedades da arruda, da amora preta, de um ramo de coentro e de um anis estrelado. O vapor que subia da panela de barro enchia o quarto com um perfume acolhedor, e a mulher, toda vez que aplicava sobre a pele inchada do cunhado o pano embebido no líquido, fazia uma pequena prece para as forças da vida retornarem para aquele corpo.

Para Vera, aquela atenção ajudaria o cunhado a se levantar da cama. Suspirou enquanto torcia a tira de algodão e preparava mais uma compressa, pensando que tinha amado Gregório quando havia sido sua namorada, mas não tinha suportado o espírito livre do rapaz, que cada dia queria uma coisa, inclusive outras mulheres, outros beijos. Gregório fazia planos para deixar Belo Verde a fim de conquistar o mundo e queria que ela fosse com ele, para ver as coisas diferentes fora da cidade. Vera, naquela ocasião, começou a esfriar por dentro, a se desestimular. Não imaginava a vida longe de Belo Verde, distante de suas raízes. Samuel era muito mais pacato, tão mais apegado à terra que ela amava e onde sentia-se bem. Ela sabia que era filha daquele chão e que seus pés tinham vínculos ali, amava os animais, a luz e a noite. E amava Samuel.

Vera sorriu quando seus olhos captaram um movimento na face do cunhado.

Thal atravessou a parede mais uma vez, mergulhando no quarto sombrio e estancando próximo da cama. Aquela mulher ao lado do homem era uma bruxa, que conhecia as boas energias e estava tratando do receptáculo com ervas, como faziam no Velho Código. Thal ergueu a mão e tentou iluminar e acolher a mulher, mas ainda estava fraco, tinha perdido o que restava do brilho azul de sua aura. A pele cor de bronze estava apagada, e ele estava preso ao chão. Precisava se recuperar para poder ajudar a si mesmo e àquele homem.

Vera levantou-se, de olhos arregalados, e ficou mirando o vazio do quarto. Ergueu a mão, para a surpresa do anjo, que franziu a testa. *Ela o via? Como era possível?* Não era uma ungida ou uma escolhida, nem mesmo uma protegida, mas tinha aquela luz, aquela conexão. Ela parecia pronta para tocá-lo.

A mulher baixou a mão e sorriu ao ver as pálpebras de Gregório se agitando. Foi inundada por ansiedade, e o coração disparou. *Ele estava acordando!* Ao despertar, diria como tinha ido parar ali. *Era um milagre!*

Thal tentou aproximar-se do humano, pois precisavam se unir. Gregório teria de entender que estavam ligados e que agora teria que se sujeitar ao general dos anjos e seus desígnios, mas, assim que o homem mexeu os olhos e inspirou fundo, o anjo sentiu seus passos fraquejarem. Estendeu as mãos, observando, para seu horror, que elas se desintegravam rapidamente diante dos seus olhos. Thal caiu de joelhos sem forças... Talvez, se houvesse chuva, ele se sentisse melhor.

O anjo virou-se para a parede e tentou correr até o milharal, pois a chuva poderia fortalecê-lo, ajudá-lo, mas, antes que alcançasse a parede, seu corpo desapareceu.

– Ahhhh! – gritou Gregório, despertando sobressaltado. Quando deu por si, estava sentado na cama, observado por uma mulher assustada e estranhamente familiar.

– Está tudo bem? – perguntou Vera, com a mão erguida e os olhos arregalados. Era óbvio que nada estava bem, ela sabia disso, mas fez a pergunta para estimular o cunhado a falar.

– Não... – respondeu Gregório, com os olhos esbugalhados. – Que lugar é este? Quem é você?

– Eu não acredito que você não se lembra da gente. Espera aí, não levanta! – e saiu do quarto às pressas, quase correndo.

Enquanto procurava o marido, a mulher pensava ser impossível que o cunhado não se lembrasse dela. Gregório tinha partido na adolescência por causa de Vera, pelo menos era o que ela achava, e tinha sido tudo muito repentino. Ela não podia ficar com ele, engaiolar aquele espírito selvagem que a cada instante queria uma coisa. Não se sentia no direito de aprisioná-lo, por mais que o amasse. E existia Samuel, que era um homem daquela terra, que desde pequeno demonstrava amor ao chão, ao lugar onde morava. A luta interna de Samuel seria para permanecer ali. Ele a entendia e não precisava mudar. Vera havia feito sua escolha, e Gregório partiu.

No quarto, o irmão de Samuel olhou à volta e sentiu um cheiro bom pairando no ar. Seus olhos exploraram o entorno, não conhecia o lugar. Vasculhando a memória, demorava-se sobre os objetos, tentando estabelecer uma conexão, mas não fazia a mínima ideia de onde estava. Sabia que não deveria estar ali, que não poderia estar ali. Uma ansiedade disparou um alarme em seu cérebro. Tinha um compromisso em outro lugar, mas não sabia o que era, estava confuso. Em meio a pensamentos fragmentados, gritos e uma urgência de se mover, tentou levantar-se da cama e não conseguiu. Foi tomado por uma dor tremenda, como se tivesse sido espancado e tivesse vários músculos machucados. Tombou na cama, contorcendo-se de dor e abafando um grito. Fechou os olhos e uma visão surgiu como um *flash*: um homem apontava-lhe uma arma. Um calafrio percorreu-lhe o corpo. *O que estava acontecendo?*

* * *

Samuel manobrava o trator para fora da plantação, contente com as chuvas recentes, pois assim colheria uma pequena parte do milho enquanto o restante da plantação ficaria no pé, engordando mais uma semana. Ao olhar em direção à casa, avistou Vera correndo ao seu encontro. A mulher acenava com energia, e ele sorriu de volta, abanando o chapéu de palha. Saiu do milharal e foi encontrar-se com a esposa. Como a amava!

– Ele acordou? – perguntou Samuel.

– Sim. Tá bem doidão, mas acordado.

– Disse o que aconteceu com ele?

– Ele nem me reconheceu. Vamos pra dentro, acho que com você ele fala.

Samuel conduziu o trator em direção à casa enquanto Vera subiu no apoio lateral, sentindo o metal vibrar abaixo de seus pés descalços.

– Ele não te reconheceu? – murmurou Samuel, com a voz apagada pelo motor do trator.

Vera olhou para o marido, que tinha as mãos aferradas ao volante trepidante. A estrada, finalmente umedecida, não deixava a poeira se levantar.

– Queria que ele ficasse pra sempre aqui. É tão bom vê-lo de novo em nossa terra – disse Vera.

Samuel aquiesceu. Não sabia exatamente o que responder, mas fez um "sim" com a cabeça. Tinha vivido até ali com raiva do irmão, que tinha sumido sem explicar nada e partido sem nada perguntar. Gregório fora viver fora, no mundão, e ele, mais pé no chão, mais apegado à família e às raízes, tinha ficado ali, na terra, com tudo para cuidar, com a fazenda toda para lidar e com a mãe adoecendo aos poucos. Samuel teve que aprender a ser homem mais cedo. Mas agora Gregório aparecia ali, do nada, caído do céu, surgido no meio de uma poça de sangue que ninguém sabia explicar. Fazendo Vera se pendurar no trator com um sorriso tonto na cara.

* * *

Gregório levantou-se da cama, caminhando curvada e lentamente. O peito e o abdômen estavam cheios de caroços duros, esquisitos e, aparentemente, responsáveis pela dor. Abriu a porta do quarto e caminhou até o corredor, indo sentar-se em uma cadeira na sala. Percebia uma harmonia pairando no ar e sentia-se bem ali.

Olhando pela janela, percebeu estar em uma fazenda. Ao lado da cadeira, havia uma pequena cômoda e um retrato sobre ela. Era ele, abraçado com a mulher que vira havia pouco. Ficou com o porta-retratos na mão, observando-o demoradamente, perdido. *O que significava aquilo?* Ouviu o som de um veículo aproximando-se e, pela barulheira do motor, parecia um trator.

Aquela garota... lembrava-se de sua fisionomia, e sentiu uma eletricidade esquisita passando por dentro de sua carne, subindo para a cabeça. Conhecia a mulher e conhecia o homem na foto, mas não era ele. Era seu irmão, Samuel!

A porta da sala abriu-se e Samuel entrou, encarando Gregório de maneira vacilante, mas com um sorriso estampado no rosto. Vera entrou em seguida vendo-o em pé, perplexo. Fazia muito tempo que não via o irmão, muito mesmo. Quinze anos, talvez mais.

Samuel sentiu a visão turvar, e as lágrimas se juntaram na margem dos olhos. Queria dizer tantas coisas, mas estava tão emocionado que nada saía. Queria brigar com Gregório, dar um soco no meio da cara do irmão, mas queria abraçá-lo, também, e não o deixar nunca mais sair. Havia quanto tempo não olhava naqueles olhos e encarava o rosto tão seu, um espelho vivo! Apesar disso, a sensação era a mesma... era como se olhasse para dentro dele próprio, só que com muito medo. Aquele irmão cigano e imprevisível... era impossível adivinhar de onde ele vinha e para onde iria cinco minutos depois.

– Gr-Gregório... – foi o que Samuel conseguiu balbuciar, com o peito cheio e a boca vazia.

Ele avançou, abraçando fortemente o irmão, e Gregório repetiu o gesto, porém logo os dois se largaram, cada qual reclamando e gemendo suas dores. Gregório com os caroços, e Samuel com as costelas doloridas. Riram. Vera também não se conteve, juntando as mãos em frente à boca e deixando as lágrimas descerem pelo rosto.

– Gregório... que bom que você voltou! – disse a mulher.

O rapaz ficou olhando para a cunhada, que se jogou sobre ele e lhe deu um abraço apertado. Gregório não sabia como reagir. Segurou-a entre as mãos, sentindo o corpo quente contra o seu. Era ela, a menina que um dia amara e que o tinha deixado. Gregório segurou-a pelos ombros, afastou-a enquanto a olhava no rosto e sorriu junto com ela. *Como ela tinha mudado!* Tinha se transformado em uma mulher linda, com os traços maduros no rosto, mas ainda mais bonita de quando a tinha visto pela última vez.

– Ah, Gregório, achei que nunca mais veria você!

Gregório virou-se para o irmão, passando a mão em seu peito e nos calombos.

– Eu... eu não sei por que não vim antes.

Gregório e Samuel sentaram-se frente a frente, ensaiando uma conversa emocionada. Cinco minutos mais tarde, estavam à mesa da cozinha para o café da tarde. Gregório vestia roupas emprestadas por Samuel: calça jeans, botas de fazendeiro e camisa xadrez vermelha.

– Como você chegou aqui? – perguntou Samuel.

– Não sei... estou mais confuso do que vocês, podem acreditar – respondeu, mexendo a xícara cheia de café com leite tirado na hora. – Parece que não era para eu estar aqui... Eu estava em São Paulo, pronto pra me mudar...

– Mudar pra onde? – perguntou Vera.

– De verdade, estou confuso. Acho que me preparava para vir aqui visitar vocês, mas não assim. Eu estava vindo pra cá... acho que pra descansar. Eu comprei... eu ia... – Gregório enfiou a mão no cabelo, como se pudesse extrair alguma coisa da cabeça. – Estranho... nem me lembro de ter tomado o ônibus. Acho que alguém vinha comigo...

– Você estava bastante machucado, lembra como aconteceu? Quem fez isso? – perguntou Vera.

– É, são machucados bem estranhos, você sangrou demais! – emendou Samuel.

Gregório balançou a cabeça negativamente. Não se lembrava de nada, nem de ter sido atacado ou assaltado, o que seria uma suposição normal, nem daquela noite, que havia sido terrível. De que não era um homem de hábitos normais, de ter matado o cabeludo, de ter sido atingido e morto por vários disparos, de o anjo Thal ter despencado ao seu lado. Não se lembrava de nada.

– Como não sabe?! – perguntou Samuel, espantado.

– Não sei, sei lá... Está tudo tão nebuloso. Não me lembro nem da última vez que eu comi, pra você ter uma ideia.

– Na verdade, isso é bem estranho. Um dos meus homens encontrou você no meio do milharal, pensou que estivesse morto. Isso por causa do sangue – Samuel apanhou mais café no bule e despejou na xícara. – Tonico, o filho do Celeste, o homem que te achou... O moleque chegou aqui branco que nem um osso. Disse que o pai tinha sumido no milharal no rastro de um bicho. O doutor Jessup e eu partimos pra lá. Tava um temporal danado, muita chuva. Cheguei de espingarda e parti atrás do Celeste, achei até que era bicho, onça. Você escapou de uma, mano. Se não fosse o doutor Jessup estar ali... – Samuel entornou o café em uma golada só.

– Eu lavei suas roupas e achei umas coisas esquisitas – disse Vera. – Tinha um maço de dinheiro na jaqueta, mas tá tudo guardadinho. A calça estava cheia de barro, e não era da fazenda, não. Ah! A jaqueta tá bem estranha, quer ver? – perguntou a mulher, empenhada em resolver o mistério.

– Claro. Pode ser que explique alguma coisa – respondeu Gregório, igualmente interessado.

Samuel foi para a sala, ligou para o doutor Jessup e pediu que ele fosse fazer uma visita ao irmão gêmeo recém-desperto.

* * *

De trás da curva, surgia o carro do médico. Depois que os pneus largaram o cascalho, o velho automóvel começou a levantar aquele poeirão danado. Vera o viu se aproximando e saiu do alpendre, entrando em casa para avisar sobre o visitante. Os dois irmãos ainda conversavam, Gregório examinava o jaquetão de couro grosso, estranhamente perfurado em vários pontos, sem saber explicar. Tinha que ter sido furado por espetos para estar daquele jeito.

– Parecem tiros – disse Vera.

Samuel ficou calado. Já tinha visto roupas com furos de arma de fogo, e Vera tinha razão, pois pareciam buracos feitos por disparos.

– Só não faz muito sentido isso – queixou-se Gregório. – Se fosse tiro, eu estaria morto.

Samuel ergueu os ombros, sem rebater, mas o médico que chegava tinha feito ressuscitação nele. Não julgou ser uma boa hora para o embate. Deixou o irmão com mais pulgas atrás da orelha. O bom é que ele estava ali e poderia explicar quando recuperasse a memória ou estivesse à vontade para dividir o que tinha acontecido.

– Não estou me sentindo bem. Estou meio tonto – queixou-se Gregório.

– O doutor está chegando – Vera avisou.

Samuel levantou-se e auxiliou Gregório a caminhar até o quarto, onde seria examinado.

– Vai chover! – exclamou Gregório, alegremente.

– Seria muito bom se chovesse de novo.

– Vai chover, com certeza. Daqui a uns quarenta minutos vem muita água por aí – vaticinou Gregório, com uma estranha certeza.

Samuel soltou o irmão na cama e coçou a cabeça, olhando pela janela. Não que a ideia não lhe agradasse, mas acontece que o céu estava limpinho, sem nem uma nuvenzinha sequer bordando o poente. Seria difícil a previsão entusiasmada do irmão se concretizar. Gregório parecia não ter mudado muito no fim das contas, e Samuel estava intrigado, queria conversar mais, saber da vida do irmão, das coisas que ele tinha feito quando sumiu dali, mas continuava o mesmo, um cara imprevisível e cheio de segredos.

O doutor Jessup entrou no quarto, brincalhão nos cumprimentos, e segurou firme a mão de Gregório. Demorando-se, ele encarou o rapaz.

– Você foi muito forte naquela noite, garoto. Muito. Eu vejo essa bichona sempre, estou acostumado com ela rondando minha gente. – O médico fez uma pausa, colocando a bolsa de couro sobre o criado-mudo e erguendo o queixo. Encarou novamente Gregório. – Eu senti aquela coisa, filho. Ela tava lá, sentada ao seu lado.

Samuel benzeu-se, relembrando o trajeto com o jipe até a cidade.

– Bela luta, parecia boxeador. Gostei de ver – disse o médico.

Gregório apertou-lhe a mão, com um largo sorriso.

– Bem, tire a camisa. Vamos ver este tórax como está.

* * *

O vento batia forte no topo da colina. Lá de cima via-se a cidade, que não era grande coisa. A avenida principal cruzava todo o centro, sendo possível distinguir até algumas casas de comércio, como a madeireira do velho Genaro.

O cachorro não aguentava mais caminhar. Estava perdido, faminto, ferido e arfando, quase morto, e ficou imóvel um longo tempo. A baba, com pontos vermelhos e marrons coagulados, escorria da boca, com a língua pendente, que recolheu fazendo um barulho gutural. Ele se deitou, ganindo baixinho, pois o chão machucava. Parecia decidido a ficar ali, esparramado na relva, esperando seu fim chegar com a noitinha.

O vento barulhento varreu o morro e fez o mato farfalhar. O cão tombou, vencido pela hemorragia e pela fraqueza, e ganiu solitário, sentindo fome e sede. O dálmata respirava vagarosamente. Seu ferimento nas costas não sangrava mais, porém se tornava uma ferida podre, onde moscas e vermes se divertiam. Uma infecção havia se espalhado por todo o corpo do animal, deixando-o inchado e febril.

O dálmata soltou um latido e enfiou o rabo entre as pernas, ainda deitado de lado. Queria a mão do dono raspando sua cabeça. Erguia o pescoço, esperando um afago, mas ele tombou e a língua desenrolou-se para fora mais uma vez.

À espreita, empoleirados em um tronco caído ali próximo, três demônios em forma de cães zombavam do destino do bicho encarnado. Khel encontrara a cidade e, agora, uma nova identidade. Naquela noitinha, assim que a casca de músculos, ossos e sangue doente fosse desocupada, ele seria Charlie, o dálmata. Teria um corpo material para vagar entre os homens e serviria de ponte entre o mundo dos espíritos e o mundo dos materializados. O cão lançou um último rosnar, terminando com um longo suspiro. Estava morto.

Khel arreganhou a boca, gargalhando demoradamente. O anjo achava que estava protegido na carne, mas aquele imbecil tinha rompido uma regra ancestral e agora tentava se esconder. Mal sabia ele que logo teria os dentes do cão cortando a garganta do humano que servia de casa provisória. Thal logo estaria morto para sempre dentro do corpo do mortal.

O céu se cobriu de nuvens negras. Trovejava e relampejava. Era a hora da chuva!

* * *

– Bem, os ferimentos ainda estão inchados – disse o doutor Jessup enquanto retirava o termômetro. – Mas não há sinal de infecção... nem de febre... Ao que parece, o pior já passou. Vou levar esta amostra de sangue para novas análises. Particularmente, acredito que você tomou uma surra, filho, igual seu irmão aqui. Essa amnésia... vamos observar mais uns dias. Não tem lesões na cabeça, mas acho que terá de ir até Barraquinha fazer uma tomografia completa. Isso tá muito esquisito pro meu gosto, mas não acredito que seja alguma doença, nunca vi sintomas como esses. Vou passar um analgésico forte pra você tomar, se ainda estiver sentindo incômodo.

Gregório assentiu com a cabeça.

– Quanto a você, Samuel, continue tomando a medicação que passei – disse o médico. – Logo estará bem. Um pouquinho de descanso não mata ninguém, sabia? – Apanhou a maleta e disse: – Aproveita que seu irmão veio visitar vocês e tira umas férias.

– Impossível, doutor – respondeu Samuel. – Estamos bem na colheita, não dá pra deixar as coisas pra lá bem agora. Essa correria é infernal.

– Se eu ganhasse um real toda vez que alguém diz que está na correria, estava rico já. Desligue-se um pouco disso tudo, você não tem que tirar ninguém da forca.

Samuel riu enquanto Vera entrava no quarto para fechar a janela. A ventania tinha aumentado.

Gregório ficou pensando nas palavras do médico enquanto o doutor saía acompanhado pelo irmão. *Tirar alguém da forca...* Gregório coçou a cabeça. Aquela expressão tinha mexido com ele. Não conseguia lembrar de sua casa nem de como tinha entrado no ônibus para chegar a Belo Verde, muito menos de como tinha ido parar no meio do maldito milharal do irmão, mas tinha se lembrado da urgência. Tinha que tirar alguém da forca, alguém que contava com ele. Passou a mão pelos braços enquanto cruzava a porta e andava pelo corredor em direção à grande sala da casa de fazenda, com o chão de madeira estalando debaixo do solado das botas de vaqueiro emprestadas pelo irmão.

– Vou andando, porque parece que o tempo virou de vez. Não quero ficar preso em nenhum atoleiro por aí – reclamou o médico lá da sala.

Vera acompanhou o doutor até o carro. Já estava escuro e frio, a noite havia sido tomada por uma ventania furiosa, e o chão do terreiro estava gelado na sola de seus pés. Relâmpagos percorriam o horizonte, como tentáculos elétricos e efêmeros, tocando a terra, anunciando a chuva.

O carro partiu, e Vera andou até a lateral da casa. A grande porca estava chafurdando na lama do chiqueiro, com os filhotes correndo, assustadiços, ao seu redor, erguendo as narinas e farejando o ar. Os pequenos guinchavam com os roncos dos trovões, mas não conseguiam entrar para o abrigo de madeira do chiqueiro, que estava com a porta presa.

– Vou lá colocar a Estrela pra dentro, os leitões estão agitados.

– Corre! – gritou o marido.

As primeiras gotas gordas de água despencando das nuvens começaram a pipocar e tamborilar nas telhas da varanda. Samuel ficou parado, recostado à coluna de madeira, enquanto Gregório surgia na porta. O irmão da cidade estava com a cara pálida.

– Você sabia, seu bruxo! – brincou Samuel. – Como adivinhou que ia chover hoje?

Gregório olhou para o terreiro à frente da casa. A luz do sol já tinha sumido, e a penumbra tomava o milharal. O chão começou a ser pontilhado pela saraivada de gotas que despencavam, aumentando a intensidade, virando chuva.

– Eu sabia, só isso – Gregório aspirava demoradamente aquele cheiro bom de chuva. – Adoro chuva, me faz me sentir forte. Vai ser uma chuva longa, boa pra plantação, boa pra mim, para as energias. Vai proteger a gente.

Gregório ficou com o olhar estranhamente fixo no céu. Tirou a camiseta, jogando-a no chão, e Samuel sentiu a pele arrepiar por uma vibração estranha. Os olhos do irmão estavam diferentes, e a voz dele parecia mais grossa, como se não fosse ele falando aquelas palavras. Protegidos de quê?

– Essa força, não é impressionante? – perguntou Gregório.

– A natureza é exuberante, meu irmão!

Vera voltava do chiqueiro, seu vestido estava molhado, e o tecido, como os fios de seu cabelo, estava colado ao corpo. Gregório olhou para ela e a mulher se enregelou por um momento, parando antes da escada da varanda. O céu roncou e dois relâmpagos iluminaram o milharal.

– Entrem! – comandou Gregório.

Vera não hesitou e subiu os degraus, lançando um olhar para trás. Ela também tinha sentido. Havia algo ali, na fazenda, que nunca havia estado lá antes. Samuel abriu um sorriso. Não estava entendendo o irmão e a seriedade em seu rosto, e balançou a cabeça.

– Estou com fome – disse Gregório, olhando para Samuel e abrindo um sorriso.

Samuel entrou depois de Gregório e olhou para trás antes de deixar a varanda. A abençoada chuva fazia as espigas balançarem com o vento. Ele ficou junto do irmão na mesa da cozinha, e tudo parecia uma novidade. Viu, por exemplo, Vera colocar três pratos e três copos sobre a mesa. E a casa estava diferente, o equilíbrio era outro. Via a esposa no fogão, os olhos do irmão indo das coxas de frango para os olhos de Samuel e então para a nuca de Vera, que cuidava das coisas à beira da pia.

Samuel sentiu-se péssimo por sentir aquele desconforto. O irmão não estava olhando para sua mulher, não do jeito com o qual ele se preocupava, e não precisava se sentir daquele jeito, mas podia sentir o desequilíbrio. Era o hiato antes da acomodação. Gregório tinha chegado de um jeito estranho e tinha feito a vida se mexer na fazenda. Samuel gostava de ver as coisas se repetindo, amava as coisas iguais, acordar e dormir na mesma cama, encontrar os funcionários da lida, ouvir suas mesmas queixas e rir das mesmas piadas. Ainda digeria a presença de Gregório, estranhava, mas tinha decidido que aquilo era uma coisa boa.

Jogaram alguma conversa fora lembrando de amigos e histórias, e depois ele contou a Gregório quão duros estavam sendo aqueles dias secos e como ele estava feliz com a chegada da chuva. Antes, desesperado, pensara até em vender parte da fazenda, mas, agora, com as águas agindo na plantação, isso definitivamente não seria preciso. A pressão tinha diminuído.

– Começamos a colher o milho para segurar as pontas, mas com a chuva tudo vai voltar para o lugar.

– Vai falar do barracão de novo? – perguntou Vera ao marido, fazendo graça.

– Amanhã chega a madeira encomendada para o conserto do galpão. Vai ser uma trabalheira danada, não quero nem ver.

– Excelente! Uma boa agitação vai me fazer muito bem – empolgou-se Gregório. – Quero ajudar, quero trabalhar aqui, quero mudar, mesmo – tomado pela euforia, Gregório levantou-se e ergueu os braços.

– Quem te viu e quem te vê, hein, Greg?! – gracejou a cunhada. – De onde está vindo esta vontade toda de mudar, logo agora?

Gregório ficou calado por um momento. Não estava constrangido; na verdade, sorria e encarava os dois.

– Eu, de verdade, sinto que parece que passaram uma borracha na minha cabeça. Não consigo lembrar, mas a única coisa que ficou aqui dentro é que eu queria voltar e estar aqui, com vocês, e começar de novo.

– Será bem-vindo, mano. Amanhã te apresento pra turma da lida.

– Combinado. Não vejo a hora.

Vera levantou-se e abraçou o cunhado. Apertou-o forte e deu um passo para trás. Passou a mão em sua face e abriu um largo sorriso. O mesmo rosto, mas um outro homem.

– Sinto algo forte dentro de você, cunhado. Ainda não sei o que é, mas acredito em você, de verdade. Algo me diz, algo maior, que nós todos aqui nesta fazenda... Você tem alguma coisa nova e boa dentro de você, Gregório.

– Então vá dormir agora – disse Samuel, dando um murro de leve no quadril do irmão. – O serviço aqui é puxado e começa cedinho.

– Sem problemas. Acho que é disso que eu preciso. Quero trabalhar com você. Vou pôr pra arrepiar do seu lado, mano.

Samuel estendeu a mão para o irmão e recebeu um aperto firme e forte. Os olhos de Gregório brilhavam com um entusiasmo genuíno que era inédito para Samuel.

– Por onde você andou esse tempo, Greg?

O sorriso do irmão começou a murchar e o brilho apagou-se um pouco. Vera, ainda secando a louça e colocando as coisas no lugar, virou-se para os irmãos e ficou olhando para o "fugitivo". Aquela "força" que ela tinha sintonizado parecia se esvair. Gregório sentou-se novamente e encurvou-se na cadeira, parecendo menor que o irmão, como um bicho acuado, pronto para correr pela primeira fresta que aparecesse. Suspirou fundo e passou a mão no peito.

– Eu não sei, não sei mesmo. O que eu disse é a pura verdade, não consigo lembrar. Estas marcas...

O trio ficou em silêncio por um instante.

– Se vocês puderem me perdoar... – ele acrescentou.

Samuel sentiu os olhos marejarem.

– Sei que fui embora quando você contava comigo, mano, e sei que desapontei muita gente por aqui...

Vera sentiu um frio na barriga. Nunca tinham falado sobre aquilo nem tinham conversado sobre ela ter escolhido ficar com Samuel em vez de Gregório.

– Sempre guardei muito rancor da sua partida, fiquei com a mãe, e ela ficou muito doente depois que o pai morreu – desabafou Samuel. – Perguntava de você, e foi difícil pra mim, muito difícil.

Novamente o silêncio tomou a cozinha.

– Samuca, algo dentro de mim me trouxe até aqui, para recomeçar. Eu não consigo desfazer essa merda. Eu vivia querendo ser uma coisa, depois outra, depois outra. É como se fosse uma marca dentro de mim, sabe, uma coisa enraizada. Nunca fico satisfeito com nada que tenho, mas queria voltar o tempo todo, para ficar ao seu lado, no que você precisar. Eu te devo isso, mano.

Vera aproximou-se do marido e abraçou-o pelas costas. Ela sabia que dentro do homem deveria estar se passando um turbilhão. Muitas vezes tinha escutado a raiva de Samuel e sua dor; sabia que aquele assunto bateria fundo no marido. Ela se curvou e beijou a cabeça do homem, abraçando-o com força.

Samuel sentiu-se inquieto com as palavras do irmão e tamborilava o tampo da mesa com os dedos. Olhou para os olhos do irmão duas, três vezes. Sentiu-se amparado pela esposa, inspirou fundo e, finalmente, ergueu os ombros.

– Vai chegar a hora certa de falarmos sobre isso, mas prometo que vou tentar, irmão, vou tentar esquecer o quanto me senti sozinho.

Gregório levantou-se e puxou a mão do irmão. Não adiantava querer mudar uma vida toda em apenas uma noite. Queria o perdão do irmão, mas não podia forçá-lo a abrir seu coração e sua casa de uma vez. Puxou-o contra o peito e selaram um abraço apertado, completado por Vera, que abraçou os dois.

* * *

O hóspede apanhou uma toalha no quarto, deixada lá com todo o cuidado pela cunhada. O som da chuva era uma melodia em seus ouvidos, parecia que sua alma dançava. Abriu a janela, deixando o chão se molhar com as gotas que invadiam o quarto, e sorriu, distanciando-se e indo para o banheiro no corredor.

Olhou para os velhos azulejos da sua infância, passou a mão ao lado do box onde um quadrado lascado desenhava uma canoa. Já se imaginara no rio, percorrendo o interior do estado dentro daquela canoa, centenas e centenas de vezes enquanto transitava da infância para a adolescência. Um viajante solitário, carregado pela correnteza, conhecendo um povoado atrás do outro, dormindo em redes e em giraus, cada dia em um lugar diferente.

Gregório baixou a cabeça debaixo do chuveiro e da água quente, olhando para o chão de cacos vermelhos. Viu a água correndo com espuma para o ralo. Um relâmpago explodiu, e o ronco contíguo do trovão o fez se sobressaltar. Ouviu um disparo, um tiro de arma de fogo. Escutou uma voz, alguém o chamava: "Gregório!".

O homem fechou a torneira, ainda com espuma de xampu no cabelo. Deixou o nicho debaixo do chuveiro e a água escorrendo pelas costas e nádegas, então descendo pelas pernas e molhando o chão. "Gregório!", repetiu o chamado. Virou-se repentinamente, olhando para o espelho embaçado e vendo o reflexo embaçado. Tinha algo de errado.

Ele passou a mão sobre o vidro baço, revelando o reflexo agora limpo, e suas pernas bambearam. Precisou escorar-se pesadamente contra a parede. O mundo girava, e seu estômago revirou. *Quem estava do outro lado do espelho? Quem era aquele homem do outro lado do espelho?*

CAPÍTULO 12

Saindo do beco escuro, o dálmata cruzou a rua, respirando descompassadamente entre um rosnar nervoso e outro. A ferida pútrida adquiriu um forte odor de enxofre, e o sangue parou de escorrer completamente. Não havia mais infecção ou dor, não havia mais vida no velho cão. Havia apenas ódio e danação.

O animal farejou o ar. Precisava encontrar seus antigos irmãos para torná-los novos. Ouviu um assobiar próximo, um som conhecido do velho ouvido de carne e nervos, despertando-lhe o velho instinto. O antigo dono o chamava, e ele iria atendê-lo. Seria o Charlie sem ser Charlie. Chegaria em silêncio, sem revelar seus desejos, sem mostrar sua real presença. O velho dono não saberia que debaixo da pele do cão terreno habitava algo que engolia almas e destilava maldade.

Khel faria uma surpresa ao velho senhorio daquele amontoado de pelos e músculos.

* * *

Anderson já estava pondo fim à esperança de encontrar o pobre Charlie e preparava-se para se recolher no barraco próximo à estrada de ferro. Os primeiros pingos de chuva começavam a cair, e ele não queria uma pneumonia como a do ano anterior. Mas, apesar do vento e dos trovões, conseguiu distinguir um ruído, quase imperceptível: era barulho de bicho, de cachorro. Aguçou os sentidos, pois havia alguém se aproximando. E não era uma pessoa. O odor de enxofre inundou o nariz do velho. Era algo se movendo sobre quatro patas.

Os dálmatas se agitaram, começando a ladrar ferozmente. Não era seu Charlie. Tinha os passos do cão perdido, mas não era ele... Se pudesse ver... certamente veria algo com ele, que tinha aquele cheiro, aquele fedor, e que estava ligado à maldade.

– Quem está aí? – perguntou o cego, dando passos para trás em busca de defesa.

Nenhuma resposta da criatura que andava como Charlie. Era um bicho se aproximando. Os irmãos de Charlie estavam agitados e começaram a ladrar enfurecidos. Queriam controlar o território, mas Anderson conhecia cada um deles bem demais para saber que tinha outra coisa naqueles latidos. Os bichos estavam tensos e recuavam, com medo daquele que não era mais o irmão.

Anderson aferrou-se à bengala em uma mão. A outra era sacudida pelos cães nas guias. Eles agora davam puxões e trancos para trás, ladrando, enraivecidos. Levavam o velho Anderson e queriam tirá-lo do barraco. O homem resistiu, mas também estava com medo. Então os animais escaparam, descontrolados, latindo enraivecidos em direção à fera, atacando-a. Sentiam que não era o velho irmão, mas algo mau, demoníaco. Louie foi mordido na garganta, enquanto Joe cravava os caninos nas costas do cão maligno, tentando defender-se. O corpo de Charlie não sentia dor e agora parecia muito maior que o de seus irmãos. *Duas vezes maior e mais poderoso!*

Khel havia se instalado, e aquela peleja, para ele, era brincadeira. Sua fúria verdadeira estava reservada para outro adversário. Em um segundo, rasgou a garganta do outro cachorro. Um pouco de treino para se adaptar ao corpo físico não faria mal. Silêncio pode ser agonia, e a quietude do barraco virou uma foice.

A despeito da chuva, Anderson se afastava dali tão rápido quanto podia. Era algo muito grande e maligno aquilo que calara os bichos. Nada tinha sobrado naquele corpo do seu animal de estimação predileto, e agora tampouco os irmãos estavam vivos. Precisava correr. E, como se enxergasse, Anderson corria. Conhecia aquele caminho, o entorno escuro de seu barraco não tinha segredos até aquela noite. Mas agora o pedaço de terra tinha se afundado na mais pavorosa treva.

O que era aquela coisa dentro de Charlie que cheirava a enxofre e que tinha calado seus outros filhos? Fugia. Era como se a fera gritasse. Era como se ele gritasse. Era o mundo gritando: "Corre! Corre, cego maldito! Ele está atrás de você, pronto para te comer vivo, para fazer você sofrer! Sem ver, sem ouvir, sem falar, para a frente, foge!". Um ar quente no rosto, um dente afiado no pescoço. *Para a frente!*

Então, ele tombou no chão.

Sem ver. Aos gritos, sua pele foi rasgada. Não era um cão.

Sem ouvir. Ele sabia.

Sem falar. Ele sabia.

Desesperado, sabia. Eram dois.

Para a frente, cego idiota.

Era dor. Ou eram três agora. A família reunida. Os dentes separando carne e ossos.

Eram mais...

* * *

A chuva descia forte, encharcando o milharal. Samuel olhava para a plantação, repleto de contentamento. A porta do banheiro aberta soltava uma nuvem de vapor que subia para o teto.

No quarto, Gregório se recobrava da crise de pânico. Por um instante, não se reconheceu frente ao espelho, o rosto não era dele e não era do irmão. Por um instante viu um garoto, um jovem que chamou seu nome. Fechou os olhos e respirou fundo. Passou suavemente a toalha pelo corpo, secando as feridas. *Como doíam aqueles calombos!*

No quarto de hóspedes, a janela permanecia aberta. A chuva caía para o lado de dentro, formando uma poça enorme no assoalho de madeira. Gregório aspirou aquele odor. *Quando tinha se apaixonado daquele jeito pela chuva?* Não sabia. *Desde quando se sentia assim, atraído pela chuva, como se fosse uma namorada nova?* Estranhava, mas era bom. *Ah, era fascinante!*

Foi em direção à janela, pisando na poça d'água. Seu corpo arrepiou--se dos pés até a cabeça. Não era frio. A sensação parou na garganta, e ele não conseguiu colocar para fora de outro jeito a não ser com um grito de prazer, de êxtase puro. Sentiu um aperto morno em todo o corpo, a pele se transformando, os poros o movendo em direção à janela, para os pingos da chuva que entravam.

O corpo de Gregório desejava a chuva, aquela água sagrada caída do céu. Sentia-se forte, bravo, cheio de todas as coisas boas, com entusiasmo! Queria ajudar o irmão, mergulhar naquela terra e ser dali. Seu corpo queria mais! Queria o céu, as alturas... mas como? Gregório era só um homem preso à terra. Como seu corpo poderia querer voar? Só soube que, de repente, suas mãos estavam no batente da janela, sem que ele fosse mais dono dos movimentos. Ele não era mais dono de nada. A chuva cantava para ele, beijava sua boca e o agarrava pelos cabelos, colocando-o para fora. Seus passos pareciam querer sugar aquela poça inteira.

Então, sua barriga passou toda pelo batente de madeira, para fora da janela. Parecia em transe, os outros sentidos estavam sendo despertos. Podia ouvir! *Sim!* Ouvia cada gota do céu cortando o ar, criando um enorme silêncio um décimo de segundo antes de tocar o solo. Então, escutava cada uma delas espatifando-se no chão. Quando na terra, ouvia a bênção da união da água com o sal. Quando nos milhos, percebia-os sussurrando agradecimentos ao Pai de tudo, sem conflito naquela sinfonia. A chuva voltando para o chão, para o berço de toda a vida, era harmonia pura. Ele podia ver! Ver cada gota da chuva despregar-se da nuvem, transmutando-se de vapor em líquido e precipitando-se no solo. Via, gota a gota, a nuvem virar lágrima. A gota viajava e a chuva querida descia cantando, bendita. Seus olhos, em forma de chamas, estavam cheios, e seus ouvidos, como um receptor inundado dos mistérios, estavam repletos. O olfato, que distinguia cada espiga daquele milharal, estava pleno. Seu corpo deslizou para fora da casa, sendo expulso pela janela, e já não obedecia mais à razão. Era um impulso inevitável.

Caído de costas no terreiro, uma gota da chuva bateu em seu peito. Era como se ela penetrasse os poros de seu corpo inteiro e irrigasse a alma, fazendo-o ferver. Não conseguia entender, sentia-se com a força de dez, vinte homens, ungido de pura energia, uma droga poderosa a ganhar as veias e artérias. A água inundou sua boca, escorrendo para dentro do corpo, que se misturava com a terra. Era como se algo ligasse seu interior e ele sentisse o gosto de mil coisas em uma gota e de mais mil coisas diferentes em outra gota. Sabia onde cada gota d'água transformava-se em vapor, desprendendo-se do chão. Água da nascente da montanha, água do

Atlântico, água das costas de um leopardo, uma gota que já foi de uma geleira... Ele sentia o poder de todos os seus sentidos. Era um novo homem, um novo ser, um ser do bem. Sobretudo, Gregório não podia interpretar aquela profusão de sentimentos, muito menos transformar em código o que experimentava, apenas era aquela nova coisa, e não precisava entender. Fruindo e tomado, levantou-se. Não tinha medo.

* * *

Samuel e Vera conversavam no alpendre, sentados na rede, admirando e sentindo a chuva. Inesperadamente, um homem nu cruzou por detrás da casa, correndo em direção ao milharal.

– Greg... Gregório?! – balbuciou Samuel, surpreso.

Vera sorriu, e seu marido coçou a cabeça, segurando o chapéu com a outra mão. O céu iluminou-se com um relâmpago e ele ouviu Gregório gritando no meio do milharal. Então, outro relâmpago despencou, bombardeando a plantação, fazendo chispas incandescentes subirem como fogos de artifício.

Vera segurou a respiração por um segundo, seus olhos ardiam. Lentamente, voltou a escurecer.

Samuel levantou-se.

– Ô, meu De...

BABUMMMMMMMM!!!

Outro relâmpago acendeu-se sobre a plantação.

Vera agarrou-se em Samuel. Dessa vez, as chispas levaram uma eternidade para se dissipar por completo. Pouco a pouco, o negrume foi voltando e tudo virou silêncio. Só a chuva falava.

Samuel cerrou os olhos, tentando enxergar o irmão, e Vera permaneceu imóvel, à escuta de algum ruído. O som da chuva reinava absoluto, mágico, místico, sereno.

* * *

Gregório saiu do meio do milharal andando tranquilamente, com os cabelos arrepiados, como se tivesse tomado um choque potente. Subiu em direção à parte traseira da casa, passando pela frente da varanda e, sem desviar o olhar, emitiu um "boa noite". Vera e Samuel limitaram-se a observá-lo, embasbacados. A situação era tão surreal que o fato de ele estar nu em pelo era o que menos chamava a atenção.

Vinte minutos depois, Gregório apareceu vestido na varanda, com os cabelos ainda em pé. Sentou-se à mesa posta, com dois bolos diferentes e uma jarra de chá gelado.

– O que foi aquilo? – perguntou Samuel, olhando para o irmão enquanto servia-se de um copo de mate gelado.

– Um chamado, não sei o que me deu – explicou-se. – Nunca senti nada assim na minha vida.

Vera trouxe uma jarra de suco de laranja para a mesa, serviu-se da bebida e sentou-se para conversar.

– Gregório, você conseguiu se lembrar de alguma coisa de antes da sua chegada? – indagou a mulher.

– Nada, nada. Logo que me sentir 100% recuperado, volto para a capital. Talvez eu consiga descobrir algo lá – puxou a jarra de chá para junto de si e encheu o copo. Gregório assumiu uma expressão pensativa. Lembrava-se do apartamento... mas o endereço exato...

– Já tá querendo ir embora, é isso? – perguntou Vera.

Gregório, absorto nos lampejos de memória, demorou a responder. Vera e Samuel o encaravam, curiosos.

– Não, só estou querendo entender. Estou me sentindo muito bem aqui.

No quarto, Gregório tirou a roupa, permanecendo somente de cuecas, e apanhou um cobertor no armário. Antes de se deitar, aproximou-se da janela e ergueu a vidraça, deixando entrar o vento da chuva. Aspirou pela enésima vez aquele ar que lhe fazia tão bem. Sentia-se forte como um touro, uma sensação que queimava seu espírito. Não lembrava desde quando se sentia tão atraído pela chuva e deixou-se entregue àqueles sentidos. Afinal, aquele bem-estar era novo para ele, e muito bom.

Fixou o olhar no milharal, que ululava ao sabor da garoa. Volta e meia, a plantação expelia um assobio ao tomar suaves pancadas de vento. Olhou para o céu e achou interessante que, apesar do tempo fechado, pudesse observar algumas estrelas, as mais brilhantes. Percebeu duas delas bem vivas ao norte, que cintilavam com vigor, locomovendo-se lentamente para a direita. Estavam praticamente alinhadas com a torre da caixa d'água. Gregório inspirou fundo mais uma vez e sentiu uma nova "carga" fluir em seu corpo. A oeste da casa, a floresta emendava com um grande morro coberto por árvores, em uma mata espessa, fechada. Lembrou-se da beleza do lugar.

O homem voltou a olhar para a torre. Sentiu um arrepio percorrer o corpo, deixando os pelos da nuca eriçados. O par de estrelas não estava mais ali, tinha sumido, e ele vasculhou o céu com o olhar. Elas poderiam estar encobertas por nuvens. Forçou a vista, mas a garoa insistente prejudicava a visão. Enxergou algumas estrelas, mas não aquelas. Percebeu um brilho intenso atrás da torre, algo luminoso movendo-se no céu, e permaneceu alerta, tentando distinguir as formas. A torre eclipsou a luz, que gradativamente foi desaparecendo, e ele aguardou, estático, por alguns segundos, sem pensar em nada, tentando localizar as estrelas. Não viu mais nada incomum. O som da garoa voltou a ser absoluto nos tímpanos do rapaz. A luz não produzia ruído algum, mas aquela aparição havia confundido todos os seus sentidos, focalizando a energia em sua visão. Ele retrocedeu alguns passos, pensativo, tentando chegar a alguma conclusão. Poderia ter confundido um avião distante com um objeto, julgando-o próximo. Deitou-se e aqueceu-se debaixo do cobertor pesado, em seguida fechou os olhos, até que adormeceu.

Nem reparou que o corpo não doía mais.

CAPÍTULO 13

Devia passar das duas horas da madrugada. Todos dormiam profundamente na fazenda enquanto a chuva embalava o sono de toda a cidade, varrendo quintais e telhados. Gregório estava coberto, deitado de bruços, e não percebia o intenso brilho que aumentava junto à janela de seu quarto. Uma esfera de luz passou velozmente pela parede e iluminou o recinto com potência espetacular, clareando o rosto do homem. A presença flutuou sobre o rapaz e depois sobrevoou a casa, partindo em direção ao milharal, onde uniu-se a uma segunda esfera que a aguardava ali, imóvel. Juntas, lado a lado, movimentaram-se nas proximidades da torre d'água e desapareceram, subindo verticalmente em velocidade assombrosa.

Gregório continuava dormindo com o corpo mergulhado no mais profundo sono enquanto o espírito despertava. Um espectro na forma fiel do rapaz, do qual emanava uma pequena quantidade de luz em tom azulado, destacou-se da matéria adormecida. O corpo físico não se moveu. A luz que envolvia sua alma tornou-se mais forte, e suas formas modificaram-se, agigantando-se. Suas feições deram lugar aos traços imponentes do anjo general, Thal, que observou meticulosamente à sua volta.

Thal aproximou-se de Gregório e passou a mão sobre a cabeça do humano, para envolvê-lo com energia e paz, fazendo uma longa prece. Era seu protegido agora. Tinha assistido à sua reconexão com o Pai Celestial quando ele caiu de joelhos na lama e orou. Então, o anjo caminhou até o centro do quarto, farfalhou lentamente as asas, recuperadas da peleja contra os malditos cães, e abriu-as magnificamente por alguns segundos. A envergadura cobria todo o recinto, alcançando mais de cinco metros de ponta a ponta, extravasando as paredes. Semicerrou os olhos cintilantes, olhou para cima e zarpou, trespassando o forro e o telhado da casa.

Conseguia voar enquanto o humano dormia, atravessando os corpos materiais como se eles não existissem. A pele cor de bronze voltou à vivacidade luminosa de antes. O anjo realmente parecia refeito da luta com Khel e sua matilha satânica. Thal sobrevoou o milharal, dando um rasante nas espigas. Acelerou de maneira impressionante, tentando descobrir onde estava e o que teria acontecido com os prédios familiares. A carne do humano bloqueava sua conexão com o oceano de sua existência e criou dentro de seu corpo de luz, de paixão e comunhão com o Pai uma lacuna que ele estranhava. Faltava alguma coisa dentro dele agora, que nunca havia faltado antes. Precisava se religar. Sentia-se confuso, não sabia dizer o que era. A carne do humano tinha ficado para trás, mas a união entre o ser celeste e a alma mortal estava gerando algum tipo de interferência.

Ainda era um anjo, o general Thal, e podia voar. Suas asas davam impulso para que ele subisse e se perdesse nas nuvens, deixando as luzinhas bruxuleantes que salpicavam o campo para trás. Em meio minuto, usando uma fração de sua capacidade, chegou ao centro da cidadezinha e pousou no cume de um armazém de madeira. Àquela hora da madrugada, todos dormiam. Aspirou fundo o ar da noite, deixando a leve garoa penetrar em seus poros. O peito iluminou-se com suavidade e sua pele acobreada resplandeceu finalmente, fazendo-o sentir-se bem melhor.

Thal expeliu o ar vagarosamente e ia retomando seu estado, seu equilíbrio, lavando-se do tecido grosso que o encapara durante aquelas horas aprisionado. Foi quando percebeu um irmão acima da cabeça, quase escondido pelas nuvens. O outro anjo desceu lentamente, com as asas semiflexionadas. Thal reverenciou-o com um movimento leve de cabeça e o outro respondeu da mesma maneira.

– Sou Alanca, o guardião desta cidade.

– Conheço-o, nobre irmão. Seu nome é honrado. Felicito-o pela paz que reina em sua terra.

Alanca sorriu levemente e disse:

– O amor do Pai é respeitado nesta terra. Isto faz a paz, não eu. Sou simples ferramenta do Pai.

– Simples, mas uma ferramenta eficaz, pelo que vejo.

Alanca sorriu. O anjo-irmão fazia questão de elogiá-lo.

– E você, irmão, qual é seu nome?

– Thal, general de nosso Senhor.

Alanca arregalou os olhos, perdendo sua expressão serena, permanecendo em silêncio. Curvou-se, cumprimentando Thal, veemente.

– Sinto-me honrado por me encontrar aqui com tão distinto guerreiro, fiel servidor do Pai Celestial. Admiro seu nome e respeito sua força com o Compromisso. Conheço suas histórias – Alanca encarou o general e só muito depois de abrir a boca conseguiu ordenar o que pretendia dizer. – Desculpe o espanto, mas realmente estou surpreso. Sabe que seus feitos voam como suas asas, percorrem cada campo celeste em curto período. Encontrá-lo aqui é extraordinário. Digo isso, valoroso irmão, porque, com muito pesar, recebi a notícia de seu fim entre nós. Comunicaram a todos nós sua partida do bom combate...

A mente de Thal foi de imediato invadida por um turbilhão de *flashes*, reavivando momentos horríveis, de incomum dilaceração patrocinada por garras demoníacas, em dor como nunca tinha sentido. E a experiência de algo separado dos guerreiros da luz... Thal tinha sentido medo.

Alanca continuava desfilando um mar de palavras. Thal lembrava-se do barro, da morte espreitando, de seu desejo de salvar o humano. A luta feroz. Sem dúvida, era para estar morto, e não queria ter a alma levada pelas feras malditas. Lutaria de todas as formas e com todas as forças para não ser dragado pelas feras e ter sua essência transmutada a serviço dos que habitavam as trevas. Não se deixaria transformar em cão do inferno. Sabia que era tido como um troféu de caça entre os servidores do mal. Era um anjo poderoso que fora pego de surpresa. Um ato desesperado. Calmamente, explicou.

– Salvei-me por pouco do fim certo, meu irmão Alanca. Usei um humano para tanto...

Os olhos de Alanca novamente perderam a placidez, arregalando-se ao máximo, e o anjo interrompeu Thal, exclamando:

– Não!

– Sim, irmão. Violei uma das Regras. Agora, pagarei um preço alto para reparar meu erro com o Destino. Os demônios virão reclamar seus direitos, eu sei. Espero encontrar tempo para preparar meu espírito e também meu exército.

– Sei o que isso implicará, irmão. Quero que desde já conte comigo. Não temo a batalha.

– Esta batalha é diferente, deve saber.

– Eu sei que batalha é esta, Thal. E afirmo que estou pronto para defendê-lo quando eles vierem reclamar o direito.

– Um mortal alimentou meu espírito para minha alma renascer. Devo-lhe minha Vida Celeste. Quando voo, eu o carrego dentro de mim e, para que ele sobreviva, entrego-lhe minha Vida Celeste durante sua consciência.

– Diz que está preso dentro dele?

– Estou.

– E como será se eles vierem reclamar a contenda? Não deixarão a quebra da Regra passar... Vão querer roubar as almas de toda esta gente que aqui está. Você é o anjo do Ponto, general.

Thal baixou a cabeça, olhando para a terra, para o chão de onde emanava a vida dos homens de carne.

– Não tenho todas as respostas, nunca estive na posição de um violador. Tenho pena e sinto dor em antecipação. Eles virão, Alanca. Conheço o líder da matilha infernal. Khel é rancoroso e vingativo. Agora que abri caminho para as sombras tocarem os humanos, terei que lutar com toda a minha garra para que isso não aconteça.

– Não tenha medo, general. Não estará só.

Os olhos fulgurantes de Thal encararam Alanca.

– Não é medo o que tenho. O medo não é da minha natureza, veio emprestado pela carne e pelos ossos do humano. Ainda não entendo o que eles temem tanto.

– Temem a escuridão.

– Eu não temo a escuridão. – Thal removeu sua espada da bainha. – Luto contra as trevas desde que abri meus olhos para Nosso Senhor Pai Celestial. Estou aqui para defender os homens, mas veja esta cidade. São tão poucos os que creem. Estão se esquecendo de nós, Alanca, de onde vieram e das lutas que já travamos juntos. Agora não acreditam mais em nós, e isso nos deixa mais fracos.

Alanca suspirou e disse:

– Temos aqui boas almas, mas também temos um grupo que mantém vivas as trevas. Sempre alimentam as feras demoníacas e se comprazem nos rituais de trazer as sombras para mais perto dos que estão à procura do mal. Muitos que se aproximam dos facilitadores das sombras nem sabem que o que está sendo dado a sangrar entre seus dedos são as vísceras dos cães infernais.

Os dois seres celestiais continuaram em cima do armazém, guardando um silêncio prolongado, vez ou outra farfalhando as longas asas. Se alguém pudesse vê-los, com certeza estaria maravilhado com o cenário. Uma luz envolvia e percorria os contornos de cada um dos anjos, tornando as silhuetas, além de magnéticas, realmente divinas, impressionantes. A luz que emanava de cada um parecia uma camada protetora. A de Thal era puxada para tons azuis, enquanto a de Alanca, para tons esverdeados. Quando os dois se aproximavam, as camadas fundiam-se, mesclando as cores, unindo as forças.

Algum tempo depois, Thal decolou rapidamente, perdendo-se na imensidão celeste. Precisava voltar à Casa Celestial e abrir seu coração de guerreiro e de irmão de luz.

* * *

Vera sentou-se na cama e acendeu o abajur. Os cabelos estavam empapados de suor, pois havia uma coisa no ar. A casa não era a mesma. Samuel estava deitado ao seu lado, de cuecas, com as costas brilhando com a transpiração. Ela não se deitou, estava aflita. Levantou-se de camisola e foi até a porta, abrindo-a lentamente. Pisou descalça no corredor e colocou a mão sobre a madeira da porta de Gregório. Estava tudo quieto.

A mulher parou no meio da sala, olhando para a varanda através da janela. A noite a chamava, tinha alguma coisa para lhe contar. A chegada do cunhado tinha perturbado a harmonia do lugar de um jeito inesperado, por um caminho que nenhum deles dentro daquela casa poderia esperar. Ela não tinha dúvida alguma. Amava seu marido, e ver aquele homem não tinha mudado em nada esse ponto. Gregório sempre havia sido um vento que vinha, passava e tirava tudo do lugar. Mas Samuel era um farol, cravado na terra, mostrando o caminho para os que estavam próximos e queriam ajuda, liderando. Todos no entorno podiam contar com ele. Então, se as peças eram essas, o que estava fora do lugar? Sua intuição nunca a enganava, e por isso a aflição aumentava. Ouvidos, nervos e músculos se deixavam guiar pela intuição, pelo chamado lá de fora.

Vera pisou no terreiro e seus pés absorveram o gelo da terra fria. Olhou para o céu salpicado de estrelas onde os hiatos das nuvens deixavam ver o manto celeste. Tinha uma força ali, algo que ela nunca tinha sentido. Seus pés em movimento a carregavam, e ela não tinha para onde ir, mas seus pés sempre a levavam. E, dessa vez, não para o milharal.

Na noite quente, até mesmo a grande porca da casa tinha deixado o abrigo e estava deitada na lama, aninhando a vara de filhotes que mamava em suas tetas noite adentro. A vida seguindo em frente, sempre. Vera abriu o cercado, soltando um rangido da dobradiça. Estrela levantou a cabeça por um instante, e seus olhos negros refletiram o luar. A imensa mãe baixou a cabeça, despreocupada, e Vera sentiu a lama gelada imiscuindo entre seus dedos. Seus pés se afundaram, e os filhotes famintos guincharam, afastando-se um pouco, apenas o espaço necessário para a mulher se aninhar junto à mãe.

Vera deitou-se e se misturou aos filhotes. Tornara-se um deles, com a cabeça recostada à barriga de Estrela e com o corpo descansado sobre a lama fria que ia, pouco a pouco, a acolhendo e aquecendo, trocando com ela o calor. Vera fechou os olhos e, sob a cantiga da ninhada faminta, sugando a vida da mãe, escutou o murmúrio mais forte vindo da plantação. A sensação de que algo perturbava a fazenda foi diminuindo e se afastando. Não havia nada ali.

Na casa, Samuel despertou de seu sono agitado. Virou-se e não encontrou a mulher, mas não estranhava mais os sumiços de Vera durante a madrugada. Até ele estava, como ela sempre dizia e fazia troça, "sentindo uma coisa". Decididamente, não era uma noite comum na fazenda Belo Verde. Um empilhamento de eventos simultâneos estava provocando aquela inquietação: a ansiedade pela safra, a chuva, a chegada do irmão. Muita coisa mexendo com a cabeça de todos.

O homem vestiu uma calça de moletom e caminhou em direção à sala. Observou que o sol não havia nascido ainda e foi até a cozinha conferir o relógio: eram quatro e sete da madrugada. Passou a mão no curativo, que começava a se soltar da costela e ainda doía um pouco. Calçou um par de chinelos e saiu para a varanda, com o torso nu. Pensou que Vera pudesse estar ali, tomando uma brisa de madrugada, deitada na rede. Inspirou o ar mais fresco da alvorada e desceu para a frente da residência.

Lá dentro, a casa estava abafada e tudo estava silencioso, mas, quando Samuel saiu, sentiu frio ao ser chicoteado por uma rajada de vento repentina, clima bom para o milho e para a terra. Olhou para trás, para a casa, e viu as luzes apagadas, o silêncio harmonioso. Seu peito, porém, não compartilhava da harmonia. A chegada abrupta de seu irmão fazia tudo mudar e sair do lugar, e as coisas começavam a escapar dos eixos, da rotina que sempre o acalentara. O irmão dentro da casa era uma surpresa, uma mudança imensa para digerir. Um presente pelo qual ele ansiava, mas ao qual, agora, não sabia como reagir. Samuel sabia, no entanto, que preferia viver aquele momento desagradável, transpô-lo e aprender com a experiência, a ficar, de novo, sem o irmão.

O fazendeiro andou em direção à lavoura. O milharal fazia um barulho gostoso quando o dia estava quieto e se chegava perto da plantação, com os olhos fechados. O vento soprava na folhagem sem atrito, as espigas iam pendendo e tudo se tocava e provocava aquele ruído sertanejo.

Samuel inspirou fundo e olhou para a casa mais uma vez. Se o que Gregório dizia era verdade, se queria mesmo estar ali para ajudar, o irmão seria um apoio ao lado, não um braço na lavoura. Não esperava isso dele, nunca, pois Gregório era inconstante. De manhã, ajudava a construir, e à tarde descontruía. De manhã, ia à igreja católica, e à noite batucava no terreiro. Gregório tinha uma alma nômade, um espírito cigano, um coração sem parada. O irmão, como a esposa, gostava da Lua, e, como Samuel escutara de Shakespeare na escola, a lua era mutante. Vera gostava da Lua porque o astro sempre voltava. Gregório gostava porque ela nunca era a mesma. Samuel a detestava.

Ele estava entretido em pensamentos enquanto caminhava rente ao milharal, em direção ao galpão, pensando que precisaria consertar o barracão mais que depressa. Empurrou a grande porta frontal do armazém, fazendo-a ranger no silêncio. Exalou mais nuvens de vapor pela boca. A escuridão predominava no interior do cômodo.

Samuel não lembrava que impulso o levara até ali, mas lá estava ele, como se cordas invisíveis puxassem seus pés, empurrassem seus ombros. Parou bem no meio do velho galpão. As paredes de madeira encontravam-se cheias de falhas, e o silêncio absoluto só era quebrado pelo som sibilante produzido pelo vento ao encontrar as fissuras. O teto, que já fora de seu avô, de seus tios e de seu pai, também estava repleto de buracos. Sempre havia estado lá, mas agora precisava ser reformado, e Samuel não sabia se mantinha as velhas telhas vermelhas, de barro, ou se modernizava o galpão com chapas metálicas ou plásticas. Inspirou fundo.

O irmão tinha voltado e estava de novo ao seu lado, preenchendo aquele vazio que existia desde quando o pai havia sido sepultado. Mas agora era Samuel quem tinha o papel de homem da família; que tinha de lidar com a terra; que tinha de comer e fazer uma família, porque seus dias também estavam contados, no fim das contas. Não parava para pensar nisso, mas havia lacunas que o deixavam solto, e ele não as usava para se sentir livre. Esses espaços o faziam sentir-se inseguro, triste e bastante ansioso. Não queria estar solto. Queria aquele chão, queria esteio, queria aquelas terras e amava aquelas responsabilidades, apesar das missas do padre, apesar de ir à igreja com os vizinhos de vez em quando. Pisar naquela terra o fazia se sentir em paz, era a rotina que apagava da mente as preocupações com o depois.

Samuel pensava em Vera e achava que um filho poderia ser o remédio para aquele oco. Ao menos olharia para trás e saberia que tinha outro vindo ali, que um dia ocuparia seu lugar e garantiria sua continuidade, pois para cima e para adiante ficava cada vez mais difícil e mais doloroso enxergar qualquer coisa.

Absorto em seus pensamentos, engendrando a melhor maneira de iniciar as reformas do velho barracão, o fazendeiro sentiu uma vibração. Era algo como eletricidade escapando de uma potência ligada. Parou, pois seu coração estava acelerando. O frio o abraçou com mais força. O dia vinha quebrando a casca da noite, mas tudo ainda estava escuro. Tinha algo ali no galpão. A vibração parecia um rosnado.

Imediatamente, Samuel lembrou-se do milharal. Era o mesmo som, o mesmo grunhido amaldiçoado. Virou-se rapidamente, assustado, e fixou o olhar no canto de onde acreditava vir o rosnar. Aquele pedaço do barracão, de onde tinha vindo a vibração, a impressão ruim, estava submerso na mais profunda escuridão. Convencia-se, aos poucos, de que havia tido novamente aquela impressão, a coisa ruim que o tinha assaltado no dia em que reencontrou o irmão. A presença ferina que estivera na plantação agora estava ali.

Samuel virou em direção à porta, a uns quinze metros da saída. Não era um homem de ter medo, mas a aflição era quase palpável. Andava na direção da saída quando as incertezas se dissolveram com ruído novo, muito mais sinistro dessa vez, alto, feroz, maldoso. O fazendeiro congelou no lugar, impregnado de receio. *O que seria?* Virou-se para investigar. A coisa do milharal, o cheiro de bicho, de pelo de fera molhada, cada vez mais presente. Não havia visto nada, apenas pressentido... coisa ruim. A pele, contraída pelo frio, recobria os músculos, tensos pelo medo. Tinha que fugir. Ou será que seus olhos estavam lhe pregando uma peça?

No fundo do galpão, no canto mais escuro, Samuel via um par de brasas vermelhas arderem, semelhante a olhos satânicos, que o encaravam, de onde ouvia um som gutural que ia aumentando. O som que saía da garganta de um bicho. Não tinha mais dúvidas. Só precisava correr, fugir dali. Um medo crescente o desorientou, e um calor subiu pela garganta. Apesar das brasas não se movimentarem, ouvia pisadas no feno seco que cobria todo o cômodo. Pisadas de animal.

O corpo de Samuel esquentou rapidamente, as pulsações dispararam. *O que se escondia no barracão?* Não podia ficar congelado pelo pânico. Ouviu um som diferente, um trovão poderoso ribombou no céu junto a um rugido dentro do galpão. O teto parecia prestes a vir abaixo, e nuvens de poeira desprenderam-se com o grito da fera. Fosse o que fosse, produto de sua imaginação ou não, a fera agora corria, saindo do canto. O par de olhos assustadores e brilhantes tinha se desprendido da parede e vinha para cima dele. Quando deu por si, Samuel já corria, passando pela porta do galpão, dando o máximo que podia. Logo atingiu a parte exterior da construção, correndo rente ao milharal. Suas passadas eram engolidas pelo som do galopar da fera perseguidora. Aquele cheiro maldito entrando pelas narinas... *Era enxofre!* O mesmo odor fétido da noite no milharal. *O mesmo monstro o perseguia!*

Samuel sentia o peito sufocado. Estava a uns duzentos metros da casa, uma distância infinita para quem tem um demônio atrás de si. O homem não acreditava que conseguiria. Estava perdendo as forças. Havia alguma coisa maligna em seu encalço, que transpirava algo satânico, implacável. Sentiu um medo absoluto, uma fisgada horrenda no músculo da coxa direita. A dor era incapacitante, todavia o medo o fazia superar e, mancando e gemendo, Samuel avançava.

A casa estava bem mais próxima, tangível, e Samuel arriscou uma olhada para trás. Mas nada o perseguia, então continuou coxeando. Olhou mais uma vez, não avistou nada ou ninguém, nem cão, nem gato, nem mesmo um mísero coelhinho ou rato. Nada. Era só medo puro.

Samuel desacelerou. Enquanto parava, virou-se para o galpão. *Estaria enlouquecendo?* Não tinha rastro de nada, nem de olhos fantasmagóricos nem rugidos. Sorriu, dobrando-se, colocando as mãos nos joelhos e esfregando a coxa distendida. A respiração continuava entrecortada, ofegante; sua panturrilha ardia com câimbra. Deu alguns passos na direção do galpão e ouvia apenas o sibilar do vento frio cortando o milharal. A porta do galpão balançava com a passagem brusca de ar, escancarada, como a havia deixado. O vento castigou também seu corpo, fazendo-o lembrar-se do frio. A madrugada começava a ganhar os primeiros indícios de luminosidade, tingindo o horizonte. O céu ia perdendo aos poucos o manto negro da noite e trazendo o alívio da luz. Samuel balançou a cabeça de um lado para outro. Ia tomar a direção da casa quando percebeu o par de olhos em brasas no milharal, bem ao seu lado, a poucos metros, e vindo velozmente em sua direção. Tentou gritar, mas não houve tempo.

Um cão disforme pulou, fazendo-o ir ao chão. A coisa rosnava, enfurecida, e Samuel tentou livrar-se, em vão. Os dentes pontiagudos e brilhantes escapavam da boca do bicho, suas mãos lutavam contra o focinho da fera, que baixava a bocarra tentando a mordida, mas não usava só isso para machucar e apavorar. Suas patas agarravam o tórax de Samuel e o faziam sangrar e gemer de dor, puxando o corpo do rapaz para perto da boca aberta que grunhia e ladrava de maneira pavorosa. Era muito maior que um cão comum, e o hálito era pútrido, malcheiroso, repugnante.

Samuel sentiu ânsia e lutava para levantar-se. A fera recuou a cabeça, preparando um bote. O fazendeiro protegeu o rosto com o braço, pressentindo o ataque inevitável. O cão de pele laranja-avermelhada, salpicada com manchas escuras, desferiu sua primeira bocada, arrancando parte dos músculos do antebraço de Samuel. A dor foi indescritível, e o homem estourou um grito sofrido. As presas do demônio cravaram, então, na porção de baixo e externa das costelas, arrancando parte da pele do tórax junto com o que restava de seu curativo.

Samuel virou-se de costas para o cão e, com uma dor lancinante consumindo-o, rastejou, tentando escapar. Mas o cão desferiu uma patada, rasgando as costas do fazendeiro, que travou os dentes, abafando um novo grito. Ele precisava ficar em pé e continuar fugindo, precisava manter-se lúcido para lutar por sua vida. Seus olhos buscavam um pedaço de madeira, uma ferramenta caída, qualquer coisa que lhe servisse como arma de defesa, e então os dentes do monstro se enterraram em seu ombro esquerdo, bem perto do pescoço. Ia morrer ali, na beira do milharal, atacado por um bicho saído do inferno, e não da natureza.

Os dentes da fera raspavam seus ossos, e, em desespero, Samuel entendeu: estava sendo comido vivo. O bicho estava engolindo seu corpo, desfiando-o com os dentes, com as presas. O fazendeiro travou os cotovelos, que afundaram na terra molhada, e impulsionou o corpo, tentando escapar do Satanás. O sol estava para raiar. Gritou o nome de Vera. Não queria morrer sozinho, na boca de um bicho. Escutava os rosnados e os grunhidos e não sentia mais nada. Então escutou uma buzina, um barulho acima da voz daquele monstro irascível que arrancava o seu couro. Parecia um caminhão. Não sabia se estava delirando ou se realmente era o som da buzina de um caminhão chegando, mas o barulho era insistente.

O rosto de Samuel estava tomado por sangue e sujo de barro. Tentou gritar por ajuda, mas a fera cravou mais uma vez as presas em sua carne. Ele tinha certeza de que, mesmo morrendo, nunca esqueceria aquela situação. A buzina tocou. A fera encaixou o pescoço de Samuel na gigante mandíbula, entre as presas. Ele chorava, pressentindo o horrendo fim. Samuel enfiou os dedos entre os dentes, seu sangue quente pingando em sua própria boca, misturado ao sangue e à baba pútrida que caía da língua da fera. O cão rosnou e deu a mordida final.

Samuel levantou-se, sobressaltado, com a respiração entrecortada. O lençol estava empapado de suor. Ouviu a buzina, era um caminhão mesmo. Levantou-se e espiou pela janela, através das cortinas. Seu coração batia disparado. Sem saber, o caminhão da madeireira o tinha salvado, de verdade. Mas daquele pesadelo. A última coisa de que lembrava daquele amargo sonho era a dor gritante e aguda que os dentes do mal lhe causaram.

Pela janela, o fazendeiro viu Vera descendo descalça para o terreiro, com calça e blusa por causa da virada do tempo. No lugar da noite quente e sufocante, tinha chegado uma manhã fria e abençoada pela garoa. A esposa acenou para o pessoal da madeireira e conversou com Genaro, que tinha colocado a cabeça para fora da janela do veículo.

Samuel respirou fundo e passou a mão nas costelas e nos ombros. Estava tenso. Os rugidos e latidos do animal infernal que o atacara ainda retiniam nos ouvidos. Parou em frente à cruz que havia em seu quarto e fez o sinal na testa e no peito. O homem coçou a cabeça, e seu corpo lentamente relaxava. Sem dúvida, havia acabado de despertar de um de seus piores pesadelos.

Rapidamente, Samuel vestiu-se para se encontrar com o pessoal da madeireira. O carregamento estava sendo colocado próximo ao galpão, e logo começaria a reforma. Ele lavou o rosto e saiu do quarto.

Na cozinha, o irmão tomava café e cumprimentou-o com um bom-dia, enquanto Samuel enchia um copo com um pouco de café. Gregório sorriu-lhe, erguendo a xícara, em um brinde por simplesmente estar ali. Samuel virou o café num gole só, mergulhado numa maré de pensamentos estranhos. O pesadelo tinha sido horrível demais, com sensações extremamente reais. *Qual a razão daquela tormenta?* Algum significado tinha de ter. Parecia um cão, um lobo, algo assim. O fedor era insuportável.

– Samuel! Samuel, vem cá! – chamava o velho Genaro.

– Fala, Gê.

No mesmo instante em que Genaro começou a falar, a cabeça de Samuel mergulhou em um turbilhão de imagens. O hálito putrefato da fera de seu pesadelo cobria-lhe o faro.

– Cê tá legal? – perguntou o velho.

Samuel acenou afirmativamente.

– Desculpe, Gê, mas não ouvi bosta nenhuma do que você disse.

– O cego... foi morto. Temos que nos reunir para orar.

– Que cego? Do que você está falando?

– O... o... ô, diacho! O Anderson, porra.

O cão rugiu na mente atordoada do fazendeiro.

– Como ele morreu? – perguntou Samuel.

Genaro enxugou o suor que escorria da testa, murmurando:

– A coisa mais esquisita que já vi até hoje.

Samuel seguiu Genaro até a traseira do caminhão. O homem puxou uma tábua de uns três metros de comprimento, equilibrou-a no ombro e carregou em direção ao galpão, sozinho. Apesar do tamanho, o senhor habilidoso não demonstrava dificuldade alguma. Samuel imitou-o enquanto ouvia a bizarra narrativa. Soltaram as tábuas junto ao monte que os homens organizavam.

Genaro explicava a morte do cego com uma riqueza de detalhes arrepiante. Encontraram pedaços do homem em um raio de trezentos metros. Enquanto o velho falava, Samuel transpirava, não pelo peso das madeiras, mas porque revivia o pesadelo e, podia dizer, sabia exatamente o que o pobre Anderson sofrera.

Os homens voltaram até o caminhão. Genaro subiu na boleia, deu partida, engatou ré e aproximou-se ainda mais do monte de madeiras, facilitando o trabalho dos empregados.

– E você, Gê? Acredita que foi cachorro mesmo?

O velho tirou o chapéu e coçou a cabeça.

– Sinceramente? A única coisa que não matou o Anderson foi um cachorro. Tá certo que o bicho dele era grande, mas um dálmata não teria conseguido picar o homem todinho daquele jeito. Quebrar ossos... Eu amo bicho, onça, essas coisas da mata, mas foi bizarro demais. E você conhecia os cães. Gostavam daquele porra pra caramba, e bicho respeita isso mais que o homem. Barbaridade!

Apanhou mais uma tábua.

– Uma onça, talvez, não um cachorro – prosseguiu o velho. – Mesmo todos eles juntos, seja lá como foi, não conseguiriam fazer aquilo. Ah, sei lá, rapaz, este mundo é estranho mesmo...

Samuel foi invadido por aquele odor de enxofre, provocando náuseas terríveis. Seria um cão dálmata que o atacara no pesadelo? Uma premonição? *Não, a fera era muito maior... uma aberração, um monstro.* Pobre do Anderson.

* * *

O vento matinal batia no pátio da fazenda, levantando folhas e sacudindo os insetos que rondavam a varanda. Gregório sentia-se disposto, sem nenhuma dor, e caminhou de um lado para outro no alpendre. Pôs uma das mãos sobre os olhos, em forma de concha, protegendo-os da claridade, estudando a torre da caixa d'água, alta e larga. Lembrou-se, de repente, da estranha e passageira confusão visual. Uma pegadinha da mãe natureza.

Desceu ao pátio de terra batida calçando botas emprestadas, sapatos e vestes não seriam problema.

As nuvens tinham ido embora e o tempo tinha virado de novo, a garoa deu lugar a um ar abafado e o sol voltou vigoroso, o que dava aos trabalhadores um dia de céu azul, indicativo de que a jornada pela frente seria bem quente. Gregório atravessou o pátio, tingindo a bota de vermelho, e juntou-se ao grupo de trabalhadores, carregando e colocando a madeira no monte.

Samuel e o velho Genaro conversavam encostados na boleia. Genaro deu uma olhadela por sobre os ombros de Samuel, observando o último homem que se somara aos demais, e ficou boquiaberto por uns segundos.

– Meu Deus, aquele ali é seu irmão! – balbuciou o velho, como se vislumbrasse um fantasma.

– Claro que é, Gê. Pra ser cuspido e escarrado igual a mim...

– Quem diria que o fujão do Gregório ia dar com as bundas aqui de novo?!

– Você não sabia que ele estava aqui?

– Ouvi comentários lá no centro, mas eu ainda não o tinha visto... Está forte, bonito, graças a Deus. E tem mais uma coisa...

– O que é?

– Nada... besteira de velho – disse Genaro, que continuava avançando.

Gregório não se deu conta de que era observado. Puxou outra peça do caminhão, sustentou-a no ombro e rumou ao monte. Mas o velho perseguia-o. Gregório apoiou uma das extremidades da tábua no chão e preparava-se para deitá-la. Arqueou o corpo para facilitar o deslize quando ouviu alguém chamá-lo de uma maneira especial, como não ouvia fazia anos:

– Ei, rabo de gato!

Em segundos, Gregório sentiu-se entrar em um compartimento de seu cérebro que não visitava havia muito. Apertou as pálpebras, forçando a lembrança, e sentiu-se transportar para mais de vinte anos atrás. Aquela mesma voz, ouvia-a berrando no meio da rua, no centro intocado da cidade, em um dia quente como o do presente... "Ei, rabo de gato!", e depois arremessou uma moeda para o alto, rodopiante, fazendo o reflexo do sol chicotear o rosto apequenado do guri. Este estendeu a mão para cima, agarrando a moedinha. "Vai tomar um sorvete. Está um calorão danado. Vai!", insistiu o homem.

– Gê! – murmurou Gregório, dando três passos na direção do homem.

O velho apertou os lábios e repuxou a boca, esboçando um sorriso engraçado. Pousou a mão direita no ombro do rapaz e deu um apertão.

– É bom ver você novamente, guri.

Gregório virou-se para o velho amigo da família e abraçou-o, com saudade de um mundo que já tinha esquecido, de um tempo em que sua alma era feliz.

– Gê! – murmurou o rapaz.

– Que foi, moleque? Some, cai no mundo, não manda notícias...

Gregório olhou para o homem e apertou sua mão. Os dois se abraçaram fortemente.

– Sentimos sua falta aqui, filho. Vê se agora sossega o facho.

Gregório sentia-se envolto em lembranças. Estar de novo na cidade natal fazia muito bem. *Quantas pessoas queridas ainda encontraria, quantos rostos?* Os dois conversaram por um momento e combinaram de almoçar juntos no fim de semana. Então retomaram o trabalho de descarregar a madeira, enquanto os homens discutiam assuntos locais. Queriam esmiuçar o que sucedera ao cego. Difícil era não notar que, repentinamente, aquela pacata cidade via-se envolvida em um mistério por demais bizarro.

A maioria apostava que outro bicho poderia tê-lo atacado, nunca os cães. Não fazia sentido. Mas onde estariam os outros bichos? Teriam fugido ou morrido também? Seus corpos não estavam lá. Se Anderson não havia sido vitimado pelos cães, quem ou o quê teria feito aquela maldade? O assunto predominou durante toda a laboriosa tarefa de descarregar o caminhão. Providenciaram algumas escoras para que o monte ficasse seguro e em duas horas o carregamento estava no lugar, pronto para começar a ser usado na reforma do barracão.

Genaro e seus homens se despediram, recusando o convite para o almoço, pois ainda tinham duas entregas na agenda. A demora na chegada da madeira tinha acumulado o serviço, e o dia seria cheio para os trabalhadores da madeireira.

Samuel e Gregório acenaram para o velho Gê enquanto o caminhão partia. Alguns minutos depois, o veículo sumia para lá da curvinha.

– Estranha essa história do cego – comentou Gregório, acompanhando o irmão, que se dirigia para o armazém.

– Bastante estranha. Ainda mais para mim.

– Por quê?

– Tive um pesadelo esta noite, muito esquisito – revelou Samuel, enquanto empurrava uma das grandes portas do galpão. – Sonhei que era atacado por um bicho, sabe? Um monstro que parecia uma onça, sei lá. Bem aqui.

Gregório ouvia calado a narrativa do irmão gêmeo, limitando-se a chutar, vez ou outra, os torrões de barro úmidos encontrados pelo caminho, entre as palhas secas que recobriam o chão do barracão. Samuel continuou:

– Tinha um bafo fedorento, podre. No pesadelo, ela estava escondida aqui, me perseguindo enquanto eu corria tentando voltar pra casa. Tive uma sensação de pânico igual outro dia, dentro do milharal.

– No dia em que me encontraram?

– É. Naquele dia, também tive a impressão de estar sendo perseguido por um bicho. O que mais me incomoda é a certeza de que a criatura é maligna, demoníaca – os pelos da nuca de Samuel instantaneamente se arrepiaram ao lembrar do fato. – Queria me matar por pura maldade.

Gregório olhou para o local onde Samuel havia pressentido a fera durante o pesadelo e sentiu alguma coisa estalar dentro dele, como se alguém disparasse um *flash* bem na sua cara. Sentiu uma leve tontura e uma imagem formou-se: um cão, um monstro deformado e furioso, com a boca arreganhada, prestes a atacar, como um demônio perigoso. Gregório arqueou o corpo, sentindo-se momentaneamente desequilibrado. Samuel percebeu o mal-estar do irmão e correu para ampará-lo.

– Ei, cara, o que foi?

– Só uma tontura – balbuciou Gregório, com as pernas flexionadas e as mãos apoiadas nos joelhos. – Já estou me sentido bem melhor. Foi só um mal-estar – sentiu a boca secar e o estômago embrulhar.

Seria aquele o demônio que perseguia o irmão?, perguntou-se. Torceu para que não fosse. O monstro evocara nele um pânico interno que não podia compreender, uma visão horrenda. Não sabia de onde aquela imagem tinha vindo, mas sabia que tinha visto um demônio dentro do galpão.

– Está bem mesmo?

– Já estou melhor. Vou pra fora tomar um vento no rosto.

Samuel concordou. Também não se sentia bem ali. *Que troço esquisito.*

Os dois saíram, e o fazendeiro instruiu seus homens para que adiantassem a lida o máximo possível, pois, após o almoço, só cuidariam do galpão. Tinham que começar a reforma. Não poderiam colher mais milho antes do conserto porque os sacos de algodão já tinham acabado. O pessoal compreendeu, concordou e partiu para o trabalho. Samuel tratou de cuidar do irmão estranhamente abatido. Era como se algo estranho e aflitivo dentro dele houvesse minado suas forças.

CAPÍTULO 14

O carro preto tomou a rua principal da cidadezinha, deixando um rastro muito grande de poeira para trás. Os dois passageiros vestiam sobretudo escuro e destacavam-se dos moradores locais. Rodaram as ruas por alguns instantes, tentando encontrar um hotel, uma pousada ou coisa parecida. Sem sucesso, pararam em frente à padaria da rua central, ao lado do mercadinho. Desceram do carro, deram uma olhada para dentro do lugar e entraram na padaria.

Havia alguns homens bebendo cachaça no balcão, outros comendo sanduíches em uma mesinha no canto do salão enquanto jogavam cartas. Alguns deles lançaram olhares para a dupla de estranhos, porém não demoraram na tarefa. Um radinho no canto do balcão emitia a voz animada de um pastor pregando sobre a importância da retidão e da necessidade dos tementes a Deus se reunirem contra as provações do inimigo. Os dois se sentaram no balcão, silenciosos. Tomaram um café coado e depois pediram informações sobre uma pousada para descansar, local para o qual partiram logo em seguida.

Chegaram a um hotel de beira de estrada, comum naquela região, a mais ou menos sete minutos pela entrada da cidade, indo pelo asfalto da rodovia. Registraram-se na portaria e, sem demora, foram conduzidos para dentro pelo proprietário. Não havia nada de mais no recinto, apenas um prédio velho e com as paredes esquecidas pelo tempo. Plantas de plástico na recepção e um caminho de pedras brancas até as portas dos quartos. Pararam em frente ao quarto duplo número 3.

– Este é o nosso melhor quarto disponível, senhor Pablo – disse o dono do hotel.

O hóspede andou pelo lugar e deu uma espiada pela janela, afastando a cortina de cor creme.

– Tem certeza de que este é o melhor quarto? – perguntou, enquanto se recostava numa velha poltrona em um dos cantos do cômodo.

Ney, o comparsa de Pablo, foi até a janela, também querendo dar uma olhada para fora. O dono da pousada abriu um sorriso.

– Não costumo me gabar, mas aqui nesta cidade não tem lugar melhor pra descansar. Os outros...

Sua fala foi interrompida quando viu o homem tirar uma pistola da cintura e colocar na mesinha em que ficava o telefone e um bloco de notas. O homem perdeu a voz e o fio da meada.

– E este é o melhor quarto? Não tem outro melhor?

O dono do hotel só balançou a cabeça em sinal negativo, ainda de olhos arregalados, olhando para a arma de fogo.

– Não se assuste com isto aqui, não. Você é o dono da pensão, isto aqui não é pra você.

O homem balançou a cabeça em sinal positivo.

– Eu não gosto de ficar em lugar ruim, por isso pedi o melhor quarto. Acredito em você – Pablo fez uma pausa. – Eu não gosto de tomar café frio também. Que horas serve o café da manhã?

– A hora que o senhor quiser.

Pablo levantou-se e riu, colocou a mão no meio dos olhos e ficou com um sorriso na cara. Apontou o dedo balançando para o velho.

– Boa. Mas não precisa falar assim. Ficou com medo da pistola, é?

O velho fez que sim mais uma vez.

– É o seguinte. Faz o café às sete da manhã, tá ótimo. Pode ser a hora que é pra todo mundo, mas só se assegure de que o café esteja pelando de quente. Não gosto de café frio nem requentado. E não gosto de polícia também. Vira e mexe ela me pega, mas não reajo. Vou preso, mas saio em uma, duas semanas depois, no máximo. Trabalho com gente quente, muito quente. Resumindo: eu volto aqui, entendeu?

– Entendi, sim, senhor.

– Vamos ficar – afirmou Pablo ao homem.

– Por mim, tudo bem – completou Ney.

Nelson, o proprietário, apenas assentiu com a cabeça.

– Pagamento? – interrogou Pablo.

– Normalmente é adiantado, mas o senhor...

– Faço questão – murmurou. – Meu amigo aqui é quem cuida dessa parte, não é Ney? – o outro assentiu e levou a mão para trás do corpo, na altura da cintura, escondida sob o casaco marrom-escuro.

O velho assustou-se, pensando que o homem sacaria uma arma também, mas logo relaxou ao ver uma carteira. Ney perguntou quanto custava a diária e pagou dois dias adiantados. Não sabia quanto tempo permaneceriam naquele buraco de cidade, afinal, conhecia as intenções de Pablo. O chefe vingativo queria apenas a cabeça de Gregório embalada para presente. Com ele, era jogo rápido, sem muita conversa, sem muito rodeio. Era sacar e disparar. Feito o serviço, logo poderiam voltar para casa.

O velho dono da pensão retirou-se.

Pablo tirou o sobretudo e deitou-se em uma das camas, dando uma espreguiçada e ajeitando o travesseiro. Aparentava um ar relaxado.

– Precisava essa da pistola? – perguntou Ney.

Pablo, deitado de olhos fechados e braços cruzados atrás da cabeça, balançava a ponta dos pés.

– O que a gente faz agora, chefe?

– Acha o filho duma puta. Fazendo o que ele fez, sei que quando eu puxar o gatilho vai ser gostoso – grunhiu Pablo.

Ney acendeu um cigarro, ignorando o sinal de proibido fumar na porta do quarto.

– Hoje a gente não volta para a cidade, assim não chama a atenção desse povo. Não podemos nos expor, mas temos que descobrir onde ele está sem ele saber.

– Só que, depois do seu número aí com o tiozinho da pousada, daqui a pouco tá todo mundo sabendo.

– Conheço o tipo só de olhar, Ney. O velho quase se cagou todo. Já que vamos ter que esperar aqui, pelo menos vamos ter um atendimento cinco estrelas.

– Queria dar um giro por aí. A cidade é pequena, vou dar uma olhada na rodoviária. Vai que o cara é conhecido?

– Hoje não, vamos ficar na miúda. Quero pegar o vagabundo desprevenido. Vou achar onde ele esconde o rabo, porque é lá que vai estar meu dinheiro. Vou matar aquele merda, mas quero meu dinheiro.

CAPÍTULO 15

Depois de servida a comida, o pessoal se reuniu no alpendre da casa para jogar conversa fora. Uns tagarelavam com Samuel, Vera e Gregório, e outros preferiam puxar um cochilo antes de prosseguir o trabalho. Samuel contava com a ajuda de sete homens para as tarefas agrícolas. Havia Celeste e Tonico, e também Ramiro e Teodoro, que morava na fazenda com a esposa e dois filhos pequenos. Além desses quatro, moravam três irmãos: Jonas, André e Paulo, com 24, 21 e 18 anos, respectivamente. Os sete eram suficientes para os serviços rotineiros. Eventualmente, quando a época da colheita chegava, Samuel ia até a praça contratar gente extra e pagava a jornada. O fazendeiro ainda não sabia se a intenção do irmão de ficar na fazenda seria definitiva. Não sabia se era só da boca para fora. Se ficasse, seria excelente. Além de feliz com o retorno, poderiam adiantar bastante trabalho com um par de braços a mais.

Ficaram uma hora e meia papeando até voltarem ao batente. Apanharam as ferramentas e colocaram na traseira do trator, pondo-se a caminho do barracão. Paulo levou o trator, chegando pouco antes do grupo. Os homens se juntaram e Samuel proferiu as ordens iniciais para a tão necessária reforma do galpão de madeira.

– No mês passado, eu e o Genaro verificamos que as colunas e as vigas estão em boas condições de conservação; por conta disso, elas vão ficar. *Quero algo aqui que lembre quem já passou por estas terras.* Vamos nos preocupar com as tábuas do revestimento. Procurem as madeiras danificadas e troquem pelas tábuas novas – estalou os dedos das mãos e concluiu: – É isso aí, rapaziada, mãos à obra.

Assim que os homens iniciaram o trabalho, Samuel e Gregório dirigiram-se para o fundo do galpão e subiram a escada de madeira até alcançar o mezanino, ao fundo. A plataforma, também feita de madeira, cobria um quarto do lugar, que servira anteriormente para acomodar sementes e utensílios agrícolas. Agora, Samuel preferia deixá-la vazia, pois ali concentrava-se a maior parte das falhas no teto, facilitando a entrada da chuva. Por outro lado, o mezanino mantinha um quarto do galpão a salvo da água no piso inferior. O pouco milho colhido estava acondicionado ali embaixo, mas logo o piso estaria todo ocupado. Os dois não precisaram procurar muito para encontrar a primeira tábua defeituosa. Enquanto as pontas recurvas dos martelos agiam, removendo pregos enferrujados, os irmãos conversavam animadamente sobre o passado, as brincadeiras de infância, os amigos, a escola. Pouco a pouco, os sons da gente trabalhando foram envolvendo o ambiente. Se fossem rápidos, talvez conseguissem retirar todas as madeiras irregulares antes do anoitecer.

No final do dia, Gregório estava bastante cansado. Os músculos do braço foram demasiadamente exigidos naquele árduo trabalho, mas ele teve vergonha de expressar a fadiga aos companheiros, pois eles, acostumados com o serviço braçal, não se queixaram uma única vez. Embora não estivesse habituado àqueles afazeres, sentia-se bem ao executá-los. Apanhou uma toalha no guarda-roupa da cunhada e dirigiu-se ao banheiro. Lá, arremessou uma olhada pela janela. A noite caía. Dali, podia ver parte do galpão, o esqueleto de uma criatura antiga e sinistra, um achado arqueológico. Retiraram tanta madeira do cômodo que pouco mais de um décimo do madeirame original remanescia. Quero algo aqui que lembre quem já passou por estas terras, repetiu a voz do irmão em sua cabeça. O velho galpão parecia mesmo um esqueleto fossilizado submergindo na penumbra da noite com ar fantasmagórico.

Gregório olhava para o céu, límpido. Não choveria uma gota. Viu uma esfera de luz passando perto da caixa d'água; semicerrou os olhos e ela não estava mais lá. Esfregou os olhos, que estavam pesados, e a cabeça começou a rodar, dando um engulho no estômago. Era melhor falar disso com o doutor Jessup. Firmou os pés e voltou a encarar a escuridão da noite, as estrelas distantes. Queria estar lá, no alto, voando sobre as nuvens. Estava ficando louco. Tinha de recuperar a sanidade e achar um jeito de recobrar a mente e a memória, tentar entender como tinha ido parar ali na fazenda.

Durante o banho, sentiu os músculos relaxarem em contato com a água quente. O mal-estar frente à janela foi desaparecendo e, com o barulho da água batendo no couro cabeludo e fazendo um trilho quente percorrer do alto da cabeça para os ombros, depois descer pela coluna, pela barriga e pela virilha, sentiu-se bem, muito bem. A dor e a aflição desapareciam. Inspirou fundo e exalou o ar de seu peito. *Quantas vezes fazíamos isso durante o dia? Centenas? Milhares de vezes.* Recostou a cabeça no azulejo. *A canoa.* Viajar pelo rio, um vilarejo por dia. Não ter esteio, não ter porto para voltar. *Quantas vezes respiramos por dia?* Gregório não sabia por que se perguntava aquilo naquele momento, mas o fato é que sabia que tinha sido por pouco. *Quantas vezes ainda iria respirar nesta vida? Quantas vezes fugiria de um lugar, deixando tudo para trás? Quantas vezes teria que enganar as pessoas e decepcionar quem ele gostava e com quem se importava?* O tempo passava e seu coração batia e batia, repetidas vezes, jogando o sangue por todo o corpo, circulando o oxigênio. Ele inspirava e expirava, a vida entrava e saía. A água corria sobre a cabeça. *Quantos passos poderia dar em sua vida? Quanta gente estava lá, nos outros lugares, esperando para conhecer o seu rosto? Por que desta vez queria ficar?* Queria mesmo ficar e conversar com Vera. Queria conversar com o irmão e saber onde dormiria no fim da noite. Queria que aquele ali não fosse mais um "quarto de hóspedes".

Gregório começou a chorar e caiu de joelhos debaixo do chuveiro. Alguma coisa estava faltando dentro dele, algo que estava lá e não trazia a resposta por ele desejada. Ele queria que Deus falasse com ele e explicasse por que tinha de respirar tanto. Queria perguntar por que Deus tinha feito aquilo. *Por que Deus tinha colocado uma conta certa diante de nossos dias?* Gregório fechou os olhos, apertou-os. Aquele som, aquele barulho de água despencando, lembrava aquela noite. O velho, o cabeludo... com um tiro na testa.

O que tinha acontecido? Disparos, tiros ecoavam nas lembranças. *Teriam acertado o rapaz?* Não duvidava. *Quem era Renan?* Esse nome não lhe saía da cabeça. Por quê? Tudo estava tão brumoso, tão esquisito, naqueles dias. Vera tinha mostrado o dinheiro. Gregório levantou-se lentamente, escorando a parede. Precisava voltar. *Vinte e cinco mil é muito dinheiro no meu bolso, mas tinha mais, em algum lugar.* A imagem de uma pequena mala caindo em uma poça de lama passou-lhe pela mente – precisava saber onde tinha descolado aquela grana. Alguém dependia dele. *Quantas vezes alguém dependeria dele?*

O homem vestiu-se e, pouco depois, estava jantando com o irmão e a cunhada.

– Gostou da peleja? – perguntou Vera.

– É, você está certa, foi uma peleja brava para mim.

– Ih, irmãozinho, tá tão fraquinho assim?

– Não! Já estou pronto pra outra – fingiu um sorriso.

– Amanhã tem mais, Gregório.

– Já que o sinhozinho está tão disposto, quero um favor seu – Vera falava enquanto empurrava folhas de alface para dentro da boca. – Quero que me ajude a consertar a calha que não está funcionando. A água fica voltando...

– E pingando no corredor, em cima da mesinha com o vaso da mamãe.

Vera sorriu e olhou para Samuel.

– Não tem vergonha disso, não, mano? Tem que trocar é a calha toda, isso acontece desde que a gente é pequeno.

– Foi o pai que pôs essa calha e eu que ajudei. Lembro dele toda vez que tenho que limpar isso aí.

– Esse apego... é doença, sabia? – disse Gregório. – Tem que mandar o médico ver isso aí, cunhada. Apego com calha já é demais.

Gregório começou a rir e foi seguido por Samuel.

– Mas claro – respondeu o cunhado –, conte comigo, Vera. A gente dá um jeito nessa calha velha.

As risadas e a conversa foram para a varanda, acompanhadas de uma garrafa de vinho. Depois de mais de uma hora de prosa, relembrando casos engraçados da infância, falando de como a mãe dos gêmeos tinha terminado seus dias, de um pedaço de silêncio enquanto Gregório evitava olhar para as estrelas do céu límpido, recolheram-se.

No quarto, Gregório encostou-se na janela, observando a paisagem. Ficou parado um tempo, tentando adivinhar as formas na escuridão. Fazia uns cinco minutos que estava na brincadeira quando uma outra coisa lhe chamou a atenção. Estava escuro demais para definir. Um vulto vagava entre as ripas baixas e, instantes após, avistou outra sombra juntando-se à primeira. Pareciam dois porcos chafurdando no chão. Pensou em chamar

Vera, já tinha visto como a cunhada era carinhosa com a porca e com os leitões, mas acabou observando em silêncio. Eram quadrúpedes, com certeza, mas grandes demais para serem porcos. Arrepiou-se. *Seriam onças, então?* Talvez fosse melhor avisar o irmão. Os dois fantasmas continuaram perto do barracão. Cerrou os olhos, tentando desvendar o mistério. *Estava tendo alucinações visuais?* Só podia ser isso.

Estava entretido com os vultos quando, repentinamente, avistou uma esfera luminosa cruzando o céu novamente, mas agora ela não tinha desaparecido. *Estava lá mesmo!* Gregório ficou boquiaberto, sentindo uma vibração intensa percorrer o corpo, como se algo dentro dele pulsasse, latejando por toda a superfície de sua pele. Sua visão nublou por um segundo e ele sentiu o mundo girar, como se fosse perder a consciência. Os joelhos se dobraram, mas ele se manteve firme à janela. Retomando o controle sobre si mesmo e se restabelecendo, firmou as pernas e a visão. A estranha bola de luz pairou próximo da caixa d'água. O rapaz não conseguia enxergar as formas no interior do objeto nem precisar seu tamanho real. *Estava tendo uma alucinação mesmo, só podia!* Feixes de luz provenientes da bola distante alcançavam a janela, e o deslumbramento deu lugar ao medo. *Seria uma nave?* Estrela cadente não era, não estacionam no céu, mexem-se o tempo todo. O objeto era dono de uma luminescência hipnótica.

Gregório vasculhou o esqueleto do galpão, à procura das sombrias criaturas que vira havia pouco, mas não as encontrou. *Teriam elas presenciado o estranho fenômeno também?* Se viram, já tinham fugido, assustadas. A esfera de luz tinha vindo espantar aquelas sombras. Quando deu por si, Gregório já tinha saltado pela janela no intuito de investigar mais de perto.

Era linda, e o brilho dourado da esfera por vezes esverdeava. Aproximou-se mansamente, evitando qualquer ruído, pois a coisa poderia escutá-lo. Estava a uns quinze metros da caixa d'água e o galpão aparecia à esquerda, sem nenhum movimento estranho. Decidiu avançar mais.

Se Gregório fizesse ideia do que sua curiosidade implicaria, certamente teria desistido da expedição. Desafortunadamente, o homem estava curioso demais para raciocinar e perceber as sombras malévolas que voltavam a rondar o galpão. Estava agora a cinco metros da caixa d'água e aparentemente o objeto ainda não havia detectado sua presença, já que permanecia flutuando, oscilava para cima e para baixo. A cada passo, a luz tornava-se mais intensa e, dentro da esfera luminosa, parecia haver algo se movendo, discernível, algo com formato humano. Gregório diria que era uma pessoa, não fosse o magnífico e desconcertante par de asas.

De súbito, aquilo começou a voar verticalmente, com suave inclinação, subindo velozmente. Gregório ergueu a mão direita, como se assim pudesse reter o objeto distante que se afastava. Em menos de um segundo, o lugar perdeu a luz, sucumbindo à escuridão. Gregório sentiu-se só, desprotegido, com uma mão erguida e desamparada e a outra na cintura, sentindo uma comichão na palma da mão, como se algo que pudesse protegê-lo daquela solidão tivesse de estar ali. Sentiu novamente um arrepio, um misto de melancolia e saudade. *Como era linda a esfera! Por que não podia segui-la, acompanhá-la, se essa era sua vontade?*

Ele olhou perdido para a frente. Estava próximo do barracão. Um calafrio percorreu seu corpo ao lembrar-se das estranhas silhuetas, das trevas e do medo. Se estava tendo alucinações, também tinha apenas imaginado, visto o que não existia, zanzando por entre as madeiras da borda. Olhou para a casa, estava longe, duzentos metros ou mais. Virou-se e iniciou o retorno, evitando fazer qualquer barulho. Contudo, pela enésima vez naquela madrugada, seu sangue gelou nas veias e seus pés cravaram no chão ao "ouvir" a alucinação se manifestar com um rosnado às costas. Gregório chegou a sentir um repuxão no estômago, tamanho o desconforto que o som causara, evocando uma sensação incrível de pânico e de alerta. Novamente a comichão na palma da mão.

O homem apertou o passo, e atrás dele gravetos estalavam, acompanhados de um galope animalesco e abafado. Não perdeu tempo: instintivamente, começou a correr em direção à casa. Mas algo grande saltou, atingindo-o com força. Passou por cima de seu ombro, como um fantasma, e pousou logo à frente, bloqueando o caminho. Gregório soltou um grito apavorado. *Seria uma onça?* Ergueu a cabeça e não viu onça nenhuma. O coração disparou, um suor frio brotou na testa e nas mãos. Onças não têm os olhos feito brasas, e aquelas feições não eram felinas... eram demoníacas, de um animal que nunca havia visto em toda a vida. Parecia um cão deformado; da criatura, vazava um odor repugnante; a boca expelia uma baba ainda mais fedorenta.

O rapaz começou a tremer, pressentindo a ferocidade do monstro mal-intencionado que bloqueava seu caminho. Estava prestes a vomitar, menos pelo odor do monstro que pelo pavor dilacerante, consumidor de seus nervos. O monstro rosnava como o cão mais selvagem e insano que já vira. A pele era grossa e alaranjada, recoberta por feridas purulentas; faltavam pelos aqui ali; marcas escuras recobriam o couro. Tinha a aparência de um enorme cão São Bernardo ou de um lobo gigante. Os músculos destacavam-se nas patas e ao longo do dorso. As patas terminavam em garras, com unhas longas que afundavam na terra a cada passada. Era um animal selvagem, que transpirava ameaça; um predador perigoso e mal-intencionado.

Gregório colocou-se de pé, seus ouvidos pareciam escutar tudo ao redor, efeito do pânico e do horror que o tomavam. O coração explodia dentro do peito – ele tinha de correr e fugir. Porém, o monstro deu um passo à frente, com os dentes à mostra, o que aterrorizara ainda mais Gregório. O homem olhou para trás, certo de estar em apuro maior do que imaginava. Outras duas feras deixaram o milharal e se aproximavam, cercando-o em definitivo. Os novos animais tinham a mesma aparência do primeiro, apenas um pouco menores, mas não menos intimidantes e horrorosos. Os olhos das feras penetravam os de Gregório, como se eles pudessem ver dentro dele, feri-lo em sua alma. Aqueles cães não eram coisa deste mundo, tinham vindo do inferno para buscá-lo. Talvez por causa do dinheiro, talvez por causa dos calombos ou por causa do menino que chamava seu nome no espelho. *Aqueles cães eram... demônios.*

O rapaz voltou a fitar o maior. Seria dilacerado, porém estava disposto a lutar até o último instante. *Por que estava rodeado por demônios?* Deus! O cão maior latiu, lançando no ar o odor fétido, misturado a enxofre. Então, a coisa mais sinistra aconteceu. A fera começou a gargalhar e, qual fenômeno macabro, se pôs a proferir palavras, fazendo Gregório arrepiar até o último fio de cabelo. Ele tentou tapar os ouvidos, em vão, pois a voz satânica fazia seus tímpanos quase explodirem, tamanha a dor que causavam.

– Nós queremos você, anjo esquivo e covarde! Se for preciso engolir a cabeça deste pedaço de excremento e carne para pô-lo fora, faremos agora.

Gregório sentiu um repentino embrulho no estômago, como se fosse expelir as tripas. Caiu com uma das mãos no chão. Sentia vertigens, como se estivesse perdendo os sentidos, mas não era medo. Subitamente, levantou-se, e os demônios recuaram um passo. Os olhos de Gregório cintilavam em tom de fogo, uma chama de pura energia emanava de cada um deles, subindo como um par de labaredas espectrais.

– Basta, cão! – vociferou o anjo. – Vocês já causaram sofrimento demais para todos.

– Você se meteu com o que era meu. Quebrou a lei – grunhiu Khel. – Você se escondeu onde não podia, de maneira covarde, para não me enfrentar. Agora estamos os dois envoltos e cobertos por carne, e é a carne que eu vou ferir. Esta carne suja vai apodrecer e morrer. E estarei livre novamente para pegá-lo quando você tiver de abandonar o humano, anjo maldito. Seu espírito estará livre daqui a pouco... Vou dilacerar o mortal e engolir cada pedaço, arrancar você desse fardo material. Aí, então, você poderá enfrentar a Batalha Negra. Você sabe que não pode fugir, sabe que...

As palavras do demônio foram cortadas por um estampido súbito. Os cães viraram-se em direção ao disparo. Samuel empunhava uma espingarda e preparava-se para disparar novamente. Para sorte de Gregório, o irmão ouvira seu grito desesperado; então, sem vacilar, apanhou a espingarda e saiu de dentro da casa.

Samuel temia não ter tempo. *Se fossem onças... mas não eram onças.* Apesar da escuridão, podia ver claramente. Sim, com certeza, eram os dálmatas desaparecidos. Só não entendia como estavam tão grandes daquele jeito, inchados. Viu seu irmão dar um passo para trás, de costas para ele, e cair sentado.

– Se levanta, mano. Bem devagar.

Os cães permaneceram estáticos por um momento, analisando o intruso. Demoraram um minuto para perceber que ele era somente carne, aquilo que também os cobria e tornava a percepção lenta, menos poderosa.

O corpo de Gregório tinha caído sentado, e sua consciência havia retornado. Escutava a voz do irmão, mas ainda estava no meio de uma crise de pânico, recuperando-se das náuseas. Seus olhos se apagaram assim que tocou o chão, ainda de costas para o irmão. Os demônios não estavam concentrados nele, permaneciam com as cabeças voltadas na direção da casa. Samuel apoiou a espingarda no ombro, aproximando-se passo a passo, preparando a mira.

– Não corre, mano. Vem se afastando, olhando pra eles – instruiu Samuel.

A arma estava apontada para Khel, o maior e mais próximo do irmão. O dálmata rosnou. Gregório afastou-se para a esquerda, andando até passar o irmão, com o olhar nas feras. Os olhos satânicos dos bichos eram assustadores.

Khel rosnava, encarando fixamente Samuel. O fazendeiro congelou por um segundo. Aquilo não era um cão. Aquilo era um demônio. Um bicho saído do inferno, vindo do pior pesadelo. O monstro arrancou e saltou em sua direção. Samuel trincou os dentes.

– Minha mãe, me ajude! – clamou o fazendeiro.

Os outros dois cães-demônios começaram a correr, ladrando e rosnando em direção a Gregório. Samuel disparou. O tiro derrubou o dálmata maior. Com a próxima bala engatilhada, o fazendeiro percorreu a mira em busca do alvo seguinte.

– Volte para o inferno, cão do Satanás!

Gregório, assustado com o avanço da fera, caiu mais uma vez no gramado ao lado de um bastão de madeira maciça solto no chão. Finalmente, algo para se defender. A mão voou para arma quase que de modo autônomo e ele levantou-se, empunhando aquele bastão, certeiro ao desferir um potente golpe na cabeça do cão que saltava rosnando em sua direção. O demônio pendeu a cabeça ferida e cambaleou, ganindo de dor. Gregório afastou-se, deixando o caminho livre para Samuel.

Assim que o cão se distanciou, o animal foi atingido em cheio pelo disparo da espingarda. O dálmata tombou sem vida, e Samuel fez a espingarda cuspir o cartucho vazio. Ele colocou mais uma bala na agulha enquanto fazia, rapidamente, o sinal da cruz e pedia ainda mais proteção. Varreu a área com o olhar: ainda havia um dálmata solto. Onde? Gregório levantou-se, respirando ofegante, entrecortado.

* * *

– Vera! Acorde!

A mulher pulou da cama, alarmada. O quarto estava vazio, e um trovão tinha estourado no céu. E tinha aquela voz.

– Samuel?! – a mulher chamou pelo marido enquanto acendia a luz.

Ele não estava lá, e a pele da mulher eriçou-se. A voz. Ela tinha sido despertada por um chamado. Chamando, do corredor, pelo marido mais uma vez, ela deixou o quarto. Um vento frio encheu o ambiente. Ninguém no banheiro. Parou em frente ao quarto que Gregório ocupava. A porta estava semiaberta. Ela empurrou a maçaneta e acendeu a luz.

Vera começou a tremer. Tinha alguma coisa muito errada.

– Samuel?! – ela gritou novamente, correndo em direção à sala.

* * *

– Cê tá legal? – perguntou Samuel.

– Acho que sim – respondeu Gregório, girando o corpo, à procura do terceiro demônio. Os outros dois jaziam no chão, inertes, mortos.

– Vamos voltar pra dentro logo. Nunca vi um troço destes, Gregório. Depois a gente acha o cachorro.

– Não eram cachorros – murmurou Gregório, aproximando-se do maior. – Estas coisas aqui não eram cachorros, mano.

– Seja lá o que for, vamos sair daqui. Isso foi muito sinistro.

Gregório queria examinar a criatura de perto. O que estava ali, morto, era um cão comum. Grande, mas comum – um dálmata morto. Não tinha pele alaranjada nem olhos amarelos e felinos, nem mesmo exalava fumaça pelas narinas. Somente o cheiro era igual, um cheiro podre, de decomposição e ovo estragado.

Samuel também se aproximou para examinar o animal.

– Putz! Como fede! Se eu não tivesse visto ele andando, diria que tá morto faz tempo. Samuel cutucou o animal com a ponta do cano da arma.

A voz de Vera surgiu distante, gritando o nome do marido, vinda do terreiro da casa. Os dois homens viraram para ver a mulher, numa camisola branca e parecendo um fantasma que corria pelo breu da noite.

Naquele instante, o terceiro demônio surgiu da escuridão do milharal em um salto e abocanhou em cheio o braço de Samuel, fazendo-o soltar a arma e levando-o ao chão. Tamanho susto fez Gregório dar dois passos para trás e tropeçar nas patas do cão morto. Recuperou-se do susto e ergueu o bastão, investindo contra a fera de pele alaranjada aferrada ao braço de Samuel, que gritava de dor e esperneava, tentando se levantar. Gregório ergueu a arma acima da cabeça e desceu com toda força contra o crânio do animal, que finalmente cambaleou, abrindo a boca e ganindo de dor.

O cão recuou e saltou magnificamente em direção a Gregório. Tentava estraçalhá-lo, rugindo como uma fera. A fúria, porém, foi vã. Gregório espetou-lhe o bastão no abdômen, trespassando o corpo e fazendo os olhos brilhantes do monstro se apagarem. O corpo tombou, fétido, sem vida.

Vera, correndo para alcançar a dupla, estava assustada com a luta que via. Assistindo ao marido ser mordido por uma enorme onça, gritava com o braço erguido. Samuel estava caído no chão, gemendo de dor. Ele tentava conter o sangramento. O irmão aproximou-se, arrancando a camisa e improvisando um torniquete, na esperança de estancar a hemorragia.

– Calma, Samuel! Calma! Vai dar tudo certo.

Samuel rolava sobre o braço sangrento, sufocando os gritos de dor.

– Vera! Vera! – gritava o homem ferido, procurando a esposa, que chegava aos prantos.

A mulher, incrédula, tremia da cabeça aos pés. Gemendo, jogou-se de joelhos ao lado do marido, sem conseguir proferir palavra nenhuma, tamanho o horror frente àquele banho de sangue.

– Segure este torniquete, não deixe sangrar mais – pediu o cunhado a Vera, levantando-se e disparando de volta à casa.

Gregório correu o máximo que pôde. Entrou como um louco e vasculhou as prateleiras atrás da chave do jipe. Já tinha visto o irmão colocando-a ali, ao lado da porta da sala. Viu o chaveiro, uma imagem de Nossa Senhora. Agarrou o molho e voltou para a varanda, correndo o máximo que podia.

Samuel capengava em direção à casa, amparado pela esposa. Os dois lavados pela hemorragia. Gregório alcançou-os e pediu ajuda a Vera para colocá-lo deitado no banco de trás.

– Não durma, Samuel! Não feche os olhos – pediu a esposa ao deitar a cabeça do marido, que gemia e revirava os olhos, prestes a perder a consciência.

Gregório, com o jipe ligado, começou a acelerar. Vera amparava a cabeça do marido em seus joelhos enquanto o veículo arrancava em frente ao milharal.

– Fica comigo, meu amor, fica comigo!

Vera tremia, apavorada com a imagem do marido fechando e abrindo os olhos, sem forças e respirando em haustos repentinos. Samuel começava a sentir calafrios e tremer, e a voz da esposa soava distante. Os olhos estavam pesados demais para continuar abertos.

– Vo... você... viu aquilo? – perguntou Samuel, com visível dificuldade.

Gregório enxugou o suor da testa. Olhava para a frente, tomando cuidado com o caminho.

– Eu... eu te...

– Não fala, Samu, não fala. Fica quieto e respira. Aperta o torniquete, Vera, ele tem que parar de sangrar.

A estrada estava escura. Os faróis, débeis, tentavam alertar sobre os buracos. Vera indicava o caminho entre o choro e a aflição, e, por mais que o cunhado acelerasse e corresse com o jipe, nunca pareceu demorar tanto para chegar às luzes da cidade. Samuel pendeu cabeça para o lado, fechando os olhos. Não tinha mais força para sustentar-se. Vera dobrou-se sobre o marido, chorando no meio de um ganido sofrido. Samuel olhou para trás, virando a cabeça e desviando a atenção do asfalto que tinha alcançado.

– Não, Samuel! Aguenta! Eu vou ficar com você, vou ficar aqui, prometo.

– Ele está morrendo, Greg – lamuriou a esposa.

– Eu te amo, mano – expeliu o motorista. – Eu te amo! Não me deixa agora. Não me deixa aqui sozinho!

Gregório sentiu os olhos se encherem de lágrimas. Olhou rapidamente para trás mais uma vez, mas parecia que o irmão não respirava mais. Enfim chegaram. Ele estacionou o jipe em frente ao hospital, e Vera saltou correndo, em direção à emergência, gritando por socorro. Gregório não esperou um segundo: tomou o irmão nos braços e adentrou o prédio. Samuel estava inconsciente, com o corpo frio e imóvel. O sangue não vertia mais do ferimento. O rapaz estava desesperado.

Já à porta do pronto-socorro, Vera ressurgiu com os plantonistas e uma maca. Com rapidez, colocaram Samuel deitado e o carregaram a toda velocidade para a emergência. Apesar do protesto, Gregório e Vera foram impedidos de acompanhar o fazendeiro.

Vera não conseguia ficar quieta, chorava e passava a mão nos cabelos, desesperada, indo e voltando da porta da emergência sem parar, choramingando e repetindo palavras inaudíveis. Ela tinha sentido algo ruim, tinha sido despertada por um chamado, por uma voz que queria que ela ajudasse o marido. Tinha demorado para entender e não conseguia parar de se culpar por não ter despertado antes, por não ter dado ouvidos antes para aquela sensação que a Energia da Vida trouxera até ela.

Gregório sentou-se na sala de espera. Colocando a cabeça entre os joelhos, chorava desesperadamente. Uma enfermeira se aproximou, trazendo um cobertor para proteger as costas nuas do acompanhante.

Enquanto o irmão e a esposa do fazendeiro eram devorados pela angústia, o médico plantonista da emergência foi chamado imediatamente. Dois enfermeiros, um, baixo e careca, outro, alto e forte, prestavam os primeiros socorros e percebiam que não havia muito o que fazer. O fazendeiro não tinha pulso nem batimentos cardíacos e, pela quantidade de sangue nas roupas e pela palidez, tinha sofrido uma hemorragia que o levara a um choque hipovolêmico. Cortaram as vestimentas, para verificar a ferida que tinha dado origem ao sangramento mortal. A pele do homem começava a esfriar, e a vida não estava mais presente naquela casca.

A ferida era incomum e extensa, mas já não sangrava mais, confirmando o temor dos enfermeiros. Rasgos e retalhos na pele e nos músculos tinham deixado veias e artérias rompidas. Com as luvas e uma pinça clínica, um deles examinava melhor o corte e podia ver até os ossos brancos do membro do homem. O enfermeiro levantou a cabeça e fez um sinal negativo. Era tarde demais.

– Não tem muito para a doutora Valéria fazer aqui agora, Maurício – lastimou o enfermeiro baixinho. – Ele está morto.

– Esse aí era o Samuel da Vera, não era?

– Acho que sim – respondeu o outro, tirando as luvas. – Vou avisar a doutora. Ela está no refeitório ainda?

– Não. Desceu para o dormitório.

Enquanto Paulo, o enfermeiro mais velho e careca, ia à procura da médica que ainda não tinha chegado ao pronto-socorro, Maurício saiu da sala e recostou-se na parede do corredor. Estavam habituados com a morte, por mais que ali fosse um hospital pequeno, mantido pela cooperativa de agricultores das cidades ao redor. Era muito comum atender gente conhecida, amigos do futebol ou da igreja. Maurício conhecia Vera, amiga da irmã mais velha dele. Antes de ela ficar esquisita e isolada na fazenda Belo

Verde, costumava ir à sua casa quando ele era pequeno. Sempre a achara muito bonita. Coitada. Talvez ainda não soubesse que estava viúva. Algum bicho tinha pegado o fazendeiro, provavelmente uma onça. Fazia tempo que não viam casos de onça na região, mas antigamente sempre contavam causos. O enfermeiro olhou para o corredor e para a porta dupla da sala de espera, estranhamente achando bom que o fazendeiro já estivesse morto quando dera entrada no hospital, porque a doutora Valéria estava demorando bastante.

Dentro da sala, indiferente aos pensamentos antagônicos do enfermeiro Maurício, um estranho fenômeno principiava-se. O rasgo invisível no manto que unia o mundo dos vivos e dos mortos estava fendido. A morte, desafiada, não tinha encontrado o que carregar. Seus dedos frios e longos passaram sobre a casca vazia e, insatisfeita, como havia muitos e muitos anos não ficava, retirou os dedos do cadáver, partindo sem nada ter o que carregar. Aquele corpo tinha sido tocado pelas trevas, e ela sentia a energia no ar. Estava se juntando, montando um espetáculo para os olhos de luz. Voltou pelo manto e a fenda se fechou, deixando Samuel para trás.

O corpo do fazendeiro, desprezado pela colhedeira, estremeceu na maca. Os pulmões encheram-se de ar em inspirações profundas e a expiração produziu um som semelhante a um rosnado ferino. Voltou a encher os pulmões profundamente, e mais um rosnado, ainda mais alto, escapou de sua garganta.

Maurício, ainda recostado à parede em frente à porta da sala de atendimento de emergência, sentiu a pele se arrepiar ao escutar o estranho som vindo lá de dentro. Podia jurar que ele e Paulo tinham deixado o morto sozinho na sala e que ninguém passara pelo corredor desde que tinha saído para pensar na vida. *O que estava acontecendo lá dentro?* Maurício empurrou a porta de mola e entrou.

Na sala de espera, Gregório estremeceu. As narinas encheram-se daquele odor de enxofre, o mesmo que havia sentido durante a aparição dos demônios. De novo, a estranha vertigem quase o fez perder os sentidos. Era como estar próximo daquelas feras outra vez. Caiu de joelhos no chão da recepção e rezou pela alma do irmão. Samuel precisava da ajuda de Deus.

Vera, aturdida, chorava e tremia. Olhava para o chão de piso frio e para os seus pés sujos de barro da fazenda. Ela levantou os pés e abraçou as pernas, ainda tremendo. Seu marido tinha sangrado muito, e ela estava lavada pelo sangue de Samuel. Olhou para as mãos e começou a gritar o nome do marido. Um vento frio entrou pela fresta da janela às suas costas, e ela levantou-se, descontrolada e ainda gritando pelo marido, olhando para as mãos manchadas pelo sangue, para sua camisola cheia de uma trama vermelha que descia até a barra.

O vento pela janela trazia a voz da Energia da Vida. Vera deu três passos para trás, batendo contra a parede e sacudindo a cabeça, em sinal negativo. Tapava os ouvidos com as mãos vermelhas e encolhia-se sentada junto a um enorme vaso com uma trepadeira.

A atendente tinha chamado mais uma enfermeira, e agora Gregório e a moça tentavam acalmar a mulher, que se debatia e enfiava a mão dentro do vaso, agarrando as raízes da planta e as colocando na boca, tomada por um choro desesperado e uma dor sem fim.

– Ela precisa ser sedada, senhor – disse a enfermeira. – Este sangue é dela?

Gregório balançou a cabeça em sinal negativo e olhou para a porta dupla da emergência. O cheiro de ovo podre, das feras que tinham atacado ele e o irmão, estava vindo lá de dentro. Seu irmão, ferido e quase morto, ainda estava em perigo.

* * *

A médica clínica geral chegou, junto de Paulo, e, assim que cruzaram a porta do cômodo de atendimento intensivo, eles se assustaram. Paulo trombou contra as costas da médica, que estancou antes da maca. Maurício parecia desmaiado, caído no chão, sobre uma mancha de sangue saída do fazendeiro, mas que não estava lá antes de ele sair. O enfermeiro tartamudeou, tentando falar diante do espanto de não ver o cadáver em cima da maca.

– Ele estava aí, doutora. Estava morto!

A médica prontamente abaixou-se para acudir Maurício, mas seus olhos se arregalaram e ela caiu sentada para trás. Primeiro, porque o enfermeiro caído estava morto, sem pulso; segundo, porque um movimento no canto dos olhos chamou-lhe a atenção, e então Valéria o viu. O fazendeiro, o homem que Paulo tinha dito que chegara morto à emergência, estava acocorado em um canto da sala, encolhido, nu, olhando para ela, com os olhos manchados por uma esclera dupla, encoberto pelas sombras do canto da sala, com a respiração entrecortada e parecendo exalar vapor pela boca.

Paulo, incomodado com a expressão no rosto da médica, assustado, deu um passo à frente, contornando a maca. Seu corpo arrepiou-se. *Não era possível. Aquele homem estava morto segundos antes.* O enfermeiro fez um sinal da cruz, benzendo-se, e disse:

– Creia eu Deus Pai, doutora Valéria. O que está acontecendo aqui?

CAPÍTULO 16

Pela manhã, os dois homens deixaram o hotel e dirigiram-se para o centro da cidade. Encostaram o carro em frente à padaria e foram tomar o café da manhã. Sentaram e fizeram o pedido. O plano era ficar por ali, sondando o povo, pescando informações para encontrar Gregório. Com sorte, conseguiriam saber do homem ainda naquele dia.

Um grandalhão gordo entrou e sentou-se ao lado deles. Vestia camisa toda aberta, camiseta branca e imunda por baixo. Pablo acenou com a cabeça, mas o homem não respondeu ao aceno e demorou-se no olhar, perguntando quem era o cara.

– E então, Jeff, o que vai ser? – indagou o balconista.

– Me dá um pão com salame e um conhaque.

O balconista preparou o sanduíche e logo voltou, puxando conversa:

– Você está sabendo de alguma coisa sobre o Samuel?

– Hum, não – grunhiu e enfiou um naco de pão na boca. – O que eu deveria saber?

– Parece que ele foi atacado por um cachorro e levado para o hospital, muito mal. Está lá internado, sem falar uma palavra com ninguém, parecendo um louquinho de pedra.

– Que morra... ele e o bosta do irmão dele. – Jeff virou o conhaque de uma vez. – Coisa idiota, ir pro hospital por causa de cachorro... Quem te contou?

O balconista olhou para Jeff e para os outros homens no balcão. O de rabo de cavalo deu um sorriso e deu de ombros. O balconista voltou para a pia e começou a passar água em três copos sujos de café com leite. Sem olhar para o pinguço, continuou:

– Minha irmã é enfermeira lá, deu plantão esta madrugada e disse que tava o maior bochicho por causa disso. Quando o Gregório chegou com ele, parecia que o Samuel já tava morto.

Pablo virou-se discretamente, prestando mais atenção na conversa, agora que a razão de sua viagem parecia fazer parte da narrativa do balconista. Cidade pequena é uma merda.

– Devia ter morrido, aquele palhaço. Olha minha mão – disse o alcoólatra, levantando o braço e mostrando para os homens ao lado. – Mordida. Filho da puta de um cachorro.

– Na verdade, ele ainda estava vivo – prosseguiu o balconista. – O esquisito é que quem morreu foi um dos enfermeiros que estava atendendo ele.

– Como? – perguntou Ney, o parceiro de Pablo, intrometendo-se na conversa.

O balconista e Jeff viraram-se para o estranho, mas compreenderam a curiosidade. O homem continuou a interessante e sombria narrativa, encarando a intromissão com naturalidade:

– Minha irmã disse que, quando o Samuel chegou ensanguentado, os enfermeiros que atenderam ele juraram que ele tava mortinho da silva. Mediram o pulso, os batimentos cardíacos... e nada. Estava morto, segundo os equipamentos e os próprios olhos. Um ficou lá com o defunto, esperando o outro trazer a médica do pronto-socorro pra dar fim naquela conversa. Mas, quando a médica chegou, o enfermeiro que tinha ficado na sala tava no chão, caído, morto.

– E o primeiro defunto?

– Aí é que tá. Não era mais defunto! O Samuel tava vivinho. Segundo a médica, o enfermeiro morto foi vítima de um ataque do coração, daqueles fulminantes. Acho que ele morreu foi é de susto – concluiu.

– Como é o nome do irmão desse cara, o Samuel? – perguntou Pablo.

– Merda – respondeu Jeff. – São o Merda 1 e o Merda 2.

– Concordo com o senhor, mas me diga o nome dele – insistiu. – Gosto de ter informações claras.

– É Gregório. Um filho da puta... Por que está tão interessado naquele corno? – irritou-se Jefferson, fazendo seu assento girar e encarando os forasteiros.

– Pensei que o conhecesse. Tenho um amigo com esse nome, mas seria muita coincidência estarmos falando do mesmo homem – desconversou Pablo. – Quanto deu a conta, meu amigo?

– Dezessete paus.

Ney pediu quatro latas de cerveja e desembolsou o dinheiro, os dois despediram-se e saíram da padaria. Sentaram-se no carro, à sombra, tomando as cervejas e aguardando Jeff. Era por volta de uma hora da tarde quando estacionaram na rua do beberrão. Seguiram Jeff até lá, sem que ele percebesse. Bateram na porta do casebre de madeira e esperaram o homem atender.

– Vocês são mais curiosos do que eu pensei.

Jeff estava completamente embriagado. Já tinha uma nova lata de bebida na mão – longa, daquelas com meio litro – e tinha se livrado da camisa de flanela, bem como da camiseta, exibindo sua farta barriga de cerveja.

– Tão querendo o quê?

– Eu sou um homem de trabalho, meu amigo. Meu trabalho é manter meu negócio funcionando. E sou bem casca de ferida quando mexem com as minhas coisas – explicou Pablo.

– Vocês não são meus amigos. Se esse papo é pra me assustar, vazem daqui. Eu não tô devendo nada pra ninguém – ameaçou o bêbado, balançando um pouco. – Bem, na verdade, tô... Devo trinta conto pro Oto da borracharia. Mas vocês não tão aqui por causa do Oto.

Jeff virou-se de costas e entrou em sua sala escura, de janelas fechadas e com um cheiro de azedo que parecia vir de tudo que era lugar. Ney entrou primeiro, olhando para os móveis empoeirados e o chão forrado de latinhas vazias e amassadas, organizadas numa trilha incompreensível, algum tipo de caminho que faria sentido na mente daquele pau d'água.

– Uh! Calma lá, valentão. Viemos propor um negócio. Acho que você vai gostar, vai pagar o Oto e ainda vai sobrar uma bolada no seu bolso – esclareceu Pablo. – Ainda te dou uma caixa de cerveja de brinde.

Jeff virou-se para os dois invasores e ficou parado um momento, assimilando as palavras.

– Qual marca? Tem que ser de Brahma pra cima. Não sou tonto de tomar qualquer porcaria.

– Ney... qual marca você vai descolar para o nosso *brother* aqui?

Ney olhava ao redor da sala bagunçada. Passou o dedo sobre uma mesa tomada pelo pó e fez um esgar de canto de boca ao perceber que, além de poeira e da comida azeda, tinha sinais de fezes de rato.

– Ney?

O capanga olhou para o patrão e depois para o bêbado.

– Você que escolhe, chefe. Você diz sua marca preferida, sem pressa, a gente arranja. A gente arranja muita coisa pros nossos amigos.

Jeff abriu um sorriso e ergueu a lata, como se brindasse.

– Já tô começando a gostar de vocês.

– Queremos que você surre uma pessoa que tem uma pendência com a gente – disse Ney.

– Me diga, amigão, você bateria em alguém por dinheiro? – indagou Pablo.

Jeff balançou a cabeça, respondendo que não.

– Não bato, não. Eu só bebo – colocou a lata em cima da mesa e passou a mão na ferida deixada pelo cachorro. – Eu sou só um fodido mesmo. Dão licença, eu não quero bater em ninguém, não.

Pablo olhou para Ney e suspirou. Achou que ia ser mais fácil e mais rápido conseguir um otário para o trabalho sujo.

Foi então que Jeff parou, pegou a lata e deu um longo gole, com um filete de cerveja escorrendo pelo canto da boca. O líquido desceu pelo pescoço e depois pelo peito e pelo mamilo pelado do grandalhão. Ele baixou a lata e mirou Pablo nos olhos.

– Quanto dinheiro?

– Mil e quinhentos reais.

Jeff coçou o cabelo farto e grosso. Colocou a lata na mesa mais uma vez e, por fim, disse:

– Olha, moço. Por esta bala eu espancaria até o prefeito.

– Não precisa tanto – disse Pablo.

– Sentem, fiquem à vontade, expliquem isso melhor – disse o bebum.

Jeff sentou-se em seu sofá coberto por uma manta de crochê e ficou olhando para os homens parados no meio da sua sala. Explicaram o plano, que envolvia surrar Gregório. Jeff ouviu tudo com um interesse crescente e segurou a língua para não dizer que faria aquilo até de graça.

Empolgado, o amigo de infância de Samuel e Gregório deu detalhes de onde a fazenda ficava e como era fácil surpreender qualquer um que morasse lá. Disse que detestava aqueles covardes e logo estava com a voz embargada, falando do dia em que perdera o irmão porque os gêmeos os tinham colocado em uma enrascada.

Os três homens ficaram conversando e desenvolvendo a estratégia ideal para concretizar o intento, com sorrisos e camaradagem, como se fossem amigos de verdade, de longa data.

CAPÍTULO 17

Vera abriu os olhos sem conseguir ver nada. Sentiu os braços e as pernas presos, não conseguia se sentar. Inspirava lentamente. A cabeça pesava e doía. Sentia a pele quente, mas o ar ao redor era muito frio. A visão foi, aos poucos, se habituando à escuridão. A mente voltava aos trilhos. Ele estava morto, tinha perdido o marido. Não tinha dado ouvidos a ela, a Mãe de Toda a Vida, porque não tinha tido fé. A surdez tinha lhe cobrado um preço muito alto. Sentiu o rosto molhar com as lágrimas, esfregou o queixo e tentou colocar as mãos nos olhos, mas continuava presa. Inspirou fundo.

– Gregório?

Chamou o cunhado. Ele tinha pisado fundo e corrido até o hospital. Mesmo assim, Vera o odiava agora.

Tudo aquilo, aquela força hedionda, aquela força ruim, tinha vindo com ele.

Não se sinta assim, filha. Estamos com você. Eu já estou chegando, filha.

Vera assustou-se com a voz. Um fio de luz descia do alto. As paredes escuras, negras, irregulares, somadas àquela voz sôfrega e esganiçada, fizeram o sangue da mulher enregelar.

Seu problema é ficar sempre presa, filha. Deixe-me ajudar você.

– Quem é você? Eu não estou te vendo!

Não precisa me ver, só precisa me ouvir e confiar no que você escuta, no que a Mãe traz para você.

Vera estava assustada, sua visão ia melhorando e ela via um vulto fazendo força contra um emaranhado para atravessar uma espécie de parede. A respiração da mulher começou a se descontrolar. A parede acima era um túnel até o alto. Ela estava no fundo escuro de um poço seco, presa pelas raízes. As pedras negras e úmidas brilhavam, enquanto gotas grossas e negras desprendiam-se do alto e caíam sobre a sua pele nua, geladas, pesadas, viscosas.

Você tem que ter força agora, filha. Muita força para se desprender. Ainda dá tempo de falar com ele.

Vera jogou a cabeça para cima. Seus braços e pernas estavam abertos, separados, presos pelas raízes. Ela puxou uma perna com toda a força. As raízes não saíam de seus pés. Puxou o braço esquerdo e conseguiu soltar uma mão. A sombra vinha na direção de Vera. Ela, a que falava, andava de quatro, com a barriga enorme balançando para lá e para cá, as tetas cheias de leite. Parou ao lado de Vera, que ouvia sua respiração, sentia o focinho dela tocar seu dorso. Vera gritou e chorou.

Olhe para ele, filha. É você que precisa salvá-lo. Ele está se sentindo sozinho agora.

Os olhos da mulher miraram a porca que conversava com ela. Seus filhotes, chafurdando o fundo lamacento do poço, vinham atrás, grunhindo e saltando as raízes, assustados com o lugar diferente do chiqueiro.

Escute, filha. Fale com ele. Dê adeus. Ainda dá tempo de se despedir.

Vera puxou a outra mão e conseguiu se sentar. As raízes apertaram em seus calcanhares e subiram pelas panturrilhas, causando dor e afundando os pés dela na lama, afundando sua perna. Ela parou de lutar contra o que a prendia. Tinha que parar de lutar.

Filha, escute!, rogou Estrela, parando ao lado de Vera e abrindo a boca. Mirava a moça com olhos lacrimejantes. *Você tem que se despedir dele.*

Vera não lutava mais, apenas chorava e olhava para as raízes, que subiam até o alto do poço. A luz estava tão distante. Se ela se agarrasse às raízes, poderia escalar o poço, mas estremeceu. Nunca sairia dali, nunca tinha lutado para sair. Tinha tudo de que precisava ali e tinha medo de tudo o que vinha de fora daquele poço.

Rápido!, grunhiu a porca.

Vera alisou a cabeça de Estrela, a mãe de tantas vidas. Olhou para as raízes ao redor e então reconheceu os contornos de um rosto atrás dos ramos e finos filamentos. Era um homem atrás de uma cortina de raízes marrom-escuras que se bifurcavam, trifurcavam e se esparramavam, que vestiam aquele corpo e tudo ao redor. O homem estava com os olhos fechados, parecendo morto.

Ele não pode atravessar, filha. Mexeram nele. Ela foi embora e deixou ele aqui, mas ele vai embora, porque não pode ficar com a gente.

– Quem é ele? De quem você está falando, Estrela?

A porca roncou sucessivas vezes e deu uma volta, nervosa, ao redor da mulher nua.

Vera, você ainda tem tempo de se despedir dele.

Vera acurou a visão e puxou a perna. As raízes a prenderam mais forte.

Para seguir adiante e ajudar esse homem, você precisa se soltar daí, advertiu a suína. Vera gritou, enraivecida e agoniada, puxando as raízes que prendiam suas pernas, então viu os pés voltarem ao leito do poço lamacento. Puxou as pernas com força e conseguiu rastejar de joelhos até o corpo guardado pelo véu de ramos e fibras de raízes. O rosto cinza, imóvel, do outro lado, parecia o reflexo do seu marido. Podia ser o outro, o irmão, mas ela sabia, pelas marcas, pelo cheiro, pela força daquela presença, que era Samuel.

Você precisa se despedir.

Vera levantou a mão e se aproximou do rosto de Samuel, com medo de sentir a pele do marido, com medo de tocar uma pele fria e morta. A porca estava ao seu lado, grunhindo e dizendo que ela tinha de dizer adeus. Ele ia embora. Os olhos da mulher se encheram de lágrimas mais uma vez. Ela sabia que Samuel estava indo embora.

Você precisa, Vera. Deixe de ser teimosa e me escute! Estrela berrava, entre palavras e grunhidos. *Você tem que se despedir, agora!*

A mão da mulher estava solta no ar. Ela estava hipnotizada.

– Samuel...

Vera sentiu uma mão no ombro e então virou-se. A porca não estava lá, nem o poço, o chão lamacento ou as raízes. A visão de Vera foi cegada mais uma vez por um clarão imenso enquanto ela gritava:

– Samuel!

Ela viu o rosto do marido se materializar à sua frente. A luz se amainou e ela estava deitada mais uma vez, agora não mais presa por um feixe de raízes escuras.

Tinha um tubo trazendo soro para o braço.

– Eles precisaram sedar você. Você ficou muito nervosa.

A cabeça de Vera latejava, e ela se agitou. Olhando para todos os lados, sentou-se na cama. Estava ainda com a camisola suja de barro, mas os pés tinham sido limpos.

– Fizeram uma lavagem estomacal em você. Você começou a comer aquela planta.

A voz era igual, mas não era ele. Vera colocou as mãos na cabeça, olhando para a camisola. Aquilo não era só barro, era sangue também. Estava no hospital porque seu marido tinha sido atacado.

– Eu preciso ver o Samuel – disse ela.

– Eu vim te acordar para isso mesmo. Você tem que ser forte, cunhada. Ele vai precisar da gente, muito.

Gregório abraçou a cunhada. Ela retribuiu o abraço por um instante e então o repeliu com força.

– Eu quero ver meu marido! Eu quero ver o Samuel agora!

Samuel estava em seu leito, com o braço preso na lateral da cama, perfurado por agulhas, recebendo soro e remédios a todo instante, além de sangue. Tinha um curativo extenso, com bandagens rodeando o braço do ombro ao punho, algumas manchas de sangue maculando o tecido. De olhos cerrados, parecia inconsciente.

Vera, emocionada, parou ao lado da cama, sem conseguir conter mais o choro, deixando lágrimas escorrerem pela face. Nunca havia visto o marido hospitalizado ou debilitado daquele modo. Não se lembrava nem mesmo de ele ter pegado uma gripe mais forte. Passava a mão pelo rosto frio de Samuel, acariciando-o com ternura. A visão do poço, onde a cabeça do marido estava atrás de uma cortina de ramos e raízes, inacessível, velado, voltou à mente. Lembrou-se da porca Estrela, que tinha estado lá. A voz da natureza se manifestando naquele corpo redondo, maternal e assustador.

A mulher se apoiou no leito, a cabeça ainda girando por culpa da droga que circulava em seu sangue. Samuel não estava morto, mas tinha vindo chamá-la, no fundo de sua inconsciência, para ela estar ali. Os olhos de Vera debulhavam-se em lágrimas. Ela soluçou.

Gregório, ao lado da cunhada, com a médica e um enfermeiro, estava calado, respeitando o momento de dor. Samuel não estava nada bem, e Vera tinha ido até ali para despedir-se.

A médica rompeu o silêncio, abraçando os ombros da mulher e dizendo:

– Vera, olha, estou fazendo tudo o que posso... Nunca vi isso. Ele, segundo o enfermeiro Paulo, chegou aqui sem pulso, sem batimentos.

– Ele morreu? – cortou a esposa.

A médica olhou para o enfermeiro, e então para o cunhado da mulher.

– Ele teve uma parada cardíaca. Estou tentando estabilizá-lo para levá-lo para um hospital maior, aqui não temos os recursos para salvar seu marido. Ele está muito fraco, não entendo o que...

Vera dobrou-se sobre o leito, deitando-se sobre o peito do marido. Ele estava frio, ligado a mil instrumentos que apitavam de tempos em tempos. Fluidos entravam em seu corpo, a pele estava cinza, doente, como quando o vira no fundo do poço. Ela tremia.

Levantou-se e balançou a cabeça em sinal negativo.

– Não, eu não aceito. Não quero dizer adeus para ele, não estou pronta!

– Vera... – interferiu Gregório, aproximando-se e abraçando a cunhada.

Vera empurrou Gregório e apontou o dedo para a cara dele.

– Não toque em mim! Não encoste seu dedo sujo em mim!

Gregório, atônito, deu um passo para trás.

– Eu não vou me despedir, não vou!

Vera saiu do quarto consternada, trombando no batente da porta, o que denotava que ainda estava baqueada pela medicação. Lançando-se para o corredor, aos prantos, foi seguida pela médica e pelo enfermeiro. Gregório ficou sozinho com o irmão, enquanto a porta, puxada por uma mola, fechava-se automaticamente. Ele olhou para o irmão imóvel na cama, que parecia um cadáver, e suspirou fundo. Sentia-se culpado. Não tinha visto a fera saindo do milharal a tempo de defender o irmão. Era ele quem deveria estar ali, deitado naquela cama, não Samuel.

– Conheci alguém que odeia você.

Gregório arrepiou-se, atônito, vendo os lábios do irmão se moverem. O resto do corpo estava imóvel, como um boneco de cera. Somente os lábios se abriram, e aquela voz deteriorada, rouca, tomou a sala. *Estaria alucinando?*

– Você não está imaginando coisas, Gregório – disse Samuel, com um sorriso na face. – Estou dizendo que conheci nesta noite alguém que odeia você... conheci alguém que odeia você – repetiu, sem abrir os olhos.

Gregório permaneceu estático, sem conseguir responder. Começou a tremer, e seus joelhos fraquejaram. *O que estava acontecendo?* Precisava chamar a médica. O rapaz virou-se em direção à porta e, quando tocou a maçaneta, a voz saída da boca do irmão tornou a falar:

– Renan.

– Re... Renan? – indagou Gregório.

– Sim, ele morreu te odiando. Ele quer te matar. Pediu para eu fazer isso. Eu vou te matar, meu irmão. Basta eu sair daqui que vou te matar. Ele quer que eu arranque um olho seu e depois engula. Prefiro abrir sua garganta de fora a fora. Bateram nele, bateram pra caralho. Ele quer vingança por toda a dor que sofreu.

Gregório sentiu o estômago se contorcer. A visão escureceu, ele recuou dois passos, atordoado, e sentou-se no sofá. O ar ficou pesado, impregnado de um cheiro insuportável. A voz do irmão penetrava os ouvidos do homem e ecoava, fazendo-o se desequilibrar e seu estômago revirar-se. Gregório olhou, incrédulo, para o corpo de Samuel, com um sorriso largo no rosto. De sua boca, minaram larvas que começaram a cair sobre o lençol que o cobria, e a descer pela pele de seu pescoço. Gregório queria se levantar, mas suas pernas não obedeciam.

– Você matou o moleque e o irmão dele. Sabia que ele tinha um irmão que o esperava? Agora ele nunca vai encontrar o irmão, só lá na minha casa... Lá, bem no fundo, hahahaha! Você vai morrer, também, agora que está perto de mim. Pelas minhas mãos. – Samuel chacoalhou-se. – Vou degolar você e vê-lo sangrar, perder as forças e morrer. Encontrei o menino que você largou para trás na beira do rio, indo cumprir sua aventura. Você sempre larga os outros para trás, seu verme, sempre! Ele me pediu para acabar com você... Você não é amigo de ninguém. Você não voltou. Você fugiu. Falso, traidor. Quem é você? QUEM É VOCÊ?

Gregório estava aturdido demais para responder. O irmão permanecia de olhos fechados, tornando aquele momento ainda mais sinistro, macabro. As larvas tinham desaparecido, e agora Gregório era assombrado por um espectro, uma sombra, que se movia embaixo do leito de Samuel. Paralisado pelo medo que o tornava incapaz de sair daquele sofá, viu uma cauda longa, com a pele alaranjada, cuja ponta terminava em um osso de formato triangular, balançar para cima e para baixo. Sentiu as forças se acabando e teve medo. Tentou se levantar, precisava sair dali. Não conseguia entender aquilo e enfrentar aquele pavor que começava a corroer sua alma.

Mas, assim que Gregório se levantou, o quarto todo girou. Faltou equilíbrio. Ele flexionou um joelho e tocou o chão. Quando bateu a mão no piso, fechou os olhos. Apertou-os e, quando os abriu, eles tinham girado nas órbitas. Apenas a parte branca dos globos oculares eram visíveis. Sua voz também se transformara.

– Você, seu monstro vil e ardiloso, está jogando sujo novamente. Como ousa ocupar alguém tão correto e justo? – perguntou o anjo. – Liberte o fazendeiro.

– Thal? Eu vou matá-lo, Thal, custe o que custar. Primeiro, preciso matar a carne que o aprisiona, mas você conhece a lei: só a carne fere a carne... eu não poderia... como você não pode me ferir enquanto estiver estacionado aqui – Khel riu, rugindo ferozmente através da boca do humano.

O anjo levantou-se do humano, deixando o espírito de luz banhar todo o quarto, e o corpo de Gregório tombou no chão. A luminosidade que desprendia de sua vibração energética brilhava num tom azulado. Samuel abriu os olhos e arreganhou a boca, encarando o anjo.

– Por que você interfere nos meus planos? Não me deixa articular com os homens! Você não se limita à sua vigília! Era só ter ficado colado no rabo daquela velha morta! Ela foi levada, e você não estava lá.

Thal já sabia que Eloísa tinha partido da carne, mesmo assim sentiu o impacto. Fugido e insulado no corpo de carne, não tinha podido dar a mão à protegida no início de sua aventura. Ver uma iluminada colocar os pés no rio era sempre um privilégio. A força e a fé da mulher eram tão potentes que, mesmo acorrentado ao carbono, ele sabia que ela não tinha se sentido sozinha ao estender a mão ao barqueiro.

A voz do inimigo Khel voltou aos seus ouvidos.

– Você me desafiou, matou meus comparsas com sua espada. Não vou permitir isso novamente! Matarei você, tão certo quanto lhe falo neste momento. Nada vai segurar meu ódio, nem que eu tenha que recrutar toda a legião demoníaca, nem que eu traga para esta Terra todo o exército de meu senhor. Você não vai sair deste lugar com vida, anjo maldito. O Homem sabe. A Lei não permite que os Soldados escapem para o plano físico. Você ficou pequeno ao se acovardar e provou que sua fé não é inabalável. Hahahahaha. Isso já foi para mim uma vitória, mas não me contento com pouco. Quero a sua alma. Você quebrou a Lei e sabe que agora tenho uma chance por direito. É olho por olho, dente por dente. Você deu permissão, anjo, para a Batalha Negra. E escolho você como General, para me enfrentar.

Thal calou-se. Não temia por sua vida, pois muito mais grave era a ameaça de Khel iniciar uma nova guerra no plano celeste, bem ali, junto a inocentes, tirando vidas, interferindo tão brutalmente no plano dos homens. A Batalha Negra. Thal não temia Khel, mas as consequências daquela promessa. O Homem. *E se Khel já estivesse com exércitos reunidos? E se ele tivesse sido tão rápido e monstruoso a esse ponto?*

Preso à carne, Thal perdia muito de sua percepção, mas não podia deixar Gregório, ele tombaria morto assim que se desligassem. Era responsável mais que tudo por aquela vida humana. Ele havia colocado o homem sob o jugo da fera, e teria que deixá-lo livre do demônio.

Assim, Thal experimentou um pouco da angústia humana ao sentir o sofrimento de Gregório invadindo o coração de anjo, com a lacuna deixada pelo coração arrancado quando fizeram a partilha, em tempos imemoriais, quando os homens perderam o toque do eterno e passaram a lidar com os dias contados sobre a Terra. Desde a decisão da partida do Éden, desde que desistiram da eternidade e passaram a se alimentar puramente da ilusão, o vazio nunca tinha deixado de existir. A lacuna só era preenchida quando acreditavam na ilusão, quando esqueciam de contar os dias, porque o veneno da serpente os inebriava, e a ilusão era tudo o que importava e era a única coisa que dava sentido à vida. Aquele vazio os comia por dentro e fazia com que apagassem o caminho até o Pai. Queria, mais que tudo, vê-lo livre daquilo, daquela melancolia da qual comungava nesse momento. Thal agora também era carne, também era tocado pelo vazio dos filhos da Criação.

O anjo não sentiu vontade de argumentar com a fera. Recolheu-se novamente à carne, desaparecendo no interior do corpo de Gregório.

– Fuja! Ha-ha-ha! Fuja enquanto pode, anjo fraco! – bradou o demônio. – Sua hora está chegando!

Vera entrou no quarto empurrando a porta e sobressaltou-se ao notar Gregório caído.

– Gregório! – gritou a cunhada, segurando um copo d'água e ajoelhando-se ao lado do rapaz.

Gregório abriu os olhos e sentou-se.

– Vou chamar um médico.

Gregório segurou-a pelo braço.

– Não precisa, eu só tive um mal-estar. Eu... – Gregório olhou para o irmão, deitado, imóvel. Os equipamentos apitavam rotineiramente.

– Foi uma tontura.

– A médica não sabe explicar o que está acontecendo com Samuel, e estou enlouquecendo. Não aguento ver meu marido assim. Ele, que é tão cheio de vida. Sonhei... sonhei com uma mulher dizendo que tenho que me despedir, mas não consigo, não consigo deixar ele ir, não consigo...

Gregório a abraçou novamente, mas logo afastou-se, lembrando-se da última reação da cunhada. Dessa vez, Vera encarou-o com os olhos vermelhos e melados de lágrimas e o agarrou. Soluçava e abraçava-o forte.

– Ei... ele não vai a lugar nenhum ainda. A médica disse que ele vai estabilizar e vão levá-lo para um hospital melhor. Tenha fé, acredite na força de Deus, Vera. Ele vai proteger meu irmão. Não podemos deixar as sombras vencerem.

– Ai, Gregório... Estou com tanto medo. Parece que tem tanta energia ruim aqui.

– Você sabe que fugi cedo de casa e nunca mais voltei para a igreja. Eu sou um merda. Mas, Vera, acredite em mim. Eu mudei. Não consigo lembrar de quase nada dos últimos dias antes de vir parar aqui, mas queria vir para Belo Verde, queria voltar pro meu irmão e pra você.

Vera apertou o cunhado com ainda mais força, soluçando e chorando.

– A gente tem que ser forte e fazer como nós todos fazíamos quando meu pai era vivo. Temos que orar pelo Samuel. Pedir para o Criador cuidar desse filho que está enfermo.

– Gregório...

Gregório virou-se para o irmão e ajoelhou-se em frente ao leito, segurando a mão fria de Samuel. Orou, pedindo que a luz do Criador intercedesse por Samuel, que o amor do Pai de Toda a Criação cuidasse daquela alma. Vera imitou o cunhado e também se prostrou diante do marido para tocar suas mãos no chão do hospital. Ela evocou a Energia da Vida e pediu que a luz da Mãe de Todos os Filhos banisse as sombras e restaurasse a harmonia do corpo de seu marido. Ficaram ambos entrelaçados em desejos benignos, pedindo que as forças que habitavam o outro lado do manto protegessem aquele homem no leito.

Minutos se passaram até que Gregório abrisse os olhos e voltasse a se levantar, batendo as palmas das mãos nos joelhos e limpando a sujeira. Vera já estava recostada à porta e parecia mais desperta e mais serena, apesar do semblante triste.

– Fique com ele, Vera. Vou tomar um ar. Se eu sentir qualquer coisa estranha, falo e deixo você chamar quem você quiser, mas juro que estou melhor. Você fica aqui com ele, e eu cuido lá do barracão. Ele vai acordar logo e vai começar a falar de guardar todo aquele milho tudo de novo, conheço meu irmão.

Gregório saiu e recostou-se na parede do corredor, decidido a não comentar sobre a voz com Vera. Não tinha sido uma alucinação. Não sabia o que dizer nem o que pensar, mas sentia que pedir ajuda ao Pai era a forma de banir o que quer que fosse que tivesse maculado seu irmão. Gregório era um filho da luz e seria protegido. Tudo o que sabia era que não o deixaria uma segunda vez. Estaria ao seu lado, ajudando a achar o caminho para a luz. Ele buscaria mais ajuda. Alguém que soubesse o que eram aquelas sombras.

* * *

Gregório parou o jipe em frente à porteira da fazenda Belo Verde. Um anel de vergalhão enferrujado era a trava contra quem chegava e o fecho para quem saía. Removeu o anel de ferro e abriu a porteira, voltando ao jipe, para atravessar o interior da propriedade. Avançou quatro metros e parou novamente. O sol ia alto, nublado pelas nuvens ralas e cinzas. A cabeça do rapaz pesava. Ele tinha passado a noite em claro, em vigília, velando pelo irmão e pela cunhada. O motor girava, em ponto-morto, queimando diesel.

Gregório desceu para trancar a porteira, bateu a madeira e passou o anel de ferro. Ficou admirando aquele céu para o qual já olhara milhares de vezes. Olhou para a porteira pela qual tinha passado quando fora embora, de madrugada, com o sol nascendo, prometendo uma vida nova. O pai estava frio no túmulo, e a mãe, enlouquecendo. Gregório virou-se para o jipe, observando a estradinha que dava na casa da qual tinha fugido. Não queria aquele fardo. Foi até o jipe e olhou para o banco de trás, lavado pelo sangue do irmão. Moscas varejeiras voejavam, zunindo. Elas estavam no lugar certo. Era ele o intruso e sentia-se como um.

Gregório voltou a conduzir o jipe até a sede. Os homens estavam aflitos, querendo notícias do patrão. Ele desceu e fez as vezes do irmão. Samuel poderia contar com o irmão pelo menos para isso, pois Gregório manteria a fazenda funcionando. As memórias do passado ao menos eram mais fortes e claras do que as dos dias anteriores, que estavam escondidas em um compartimento que ele não conseguia acessar. Não lembrava onde morava, não lembrava o que tinha feito para estar naquele lugar, mas ali, onde se sentia um intruso, ele era necessário. O irmão e a cunhada precisavam dele.

Renan... Não sabia quem era Renan, mas seu corpo, de algum jeito, sabia. Tinha sentido dor, tinha sentido o estômago embrulhar. Precisava se lembrar de onde tinha vindo para entender o que estava acontecendo, mas ele não se recordava onde era o tal buraco. *Ir para onde?* Sentiu a mente afundar, a consciência entorpecer. Precisava buscar respostas. Um padre, um pastor, uma mãe de santo, qualquer um que pudesse explicar por que seu irmão tinha falado com aquela voz rouca, por que eles tinham visto demônios no milharal. Não eram cachorros, mas cães do inferno com cheiro de enxofre.

O corpo de Gregório estava exaurido. Depois de longos segundos de divagação, ele encarou os trabalhadores, que o olhavam com estranhamento. Ele não falava nada e estava com uma cara abatida. O olhar esgazeado. Gregório perguntou a Ramiro como estavam as coisas com a reforma do barracão e sobre a plantação. Explicou que Samuel demoraria para voltar, que seu estado era complicado, mas que ele voltaria em breve. Pediu que os homens rezassem pelo patrão, que estava precisando de luz, e ficou calado novamente. Seu discurso estava embaralhado, misturava a aflição de um irmão no hospital, atacado por feras que ele não entendia de onde tinham vindo, às necessidades práticas de uma fazenda que ele não sabia comandar. Por fim, abriu o jogo com os homens e disse que precisaria de ajuda: tinham de deixar o trabalho em dia para a hora que Samuel finalmente voltasse.

Todos se prontificaram a colaborar. Celeste disse que comandaria o grupo na ausência do patrãozinho. Gregório concordou e entrou em casa, deixando os homens no terreiro. A cabeça pesava e os olhos ardiam. Ele lutava contra o sono. Se tinha colocado na cabeça que estava ali para ajudar o irmão, não queria fraquejar agora, mas o entorpecimento só aumentava, e o mundo começava a girar. Os passos do rapaz pareciam afundar em nuvens. Precisava descansar por cinco minutos pelo menos, fechar os olhos e dormir um pouco. Assim que se jogou no sofá da sala e sua cabeça encontrou aconchego, foi dragado para o mundo da inconsciência.

* * *

Thal saltou do corpo material. O anjo desdobrou as asas, enchendo a sala de luz. Precisava agir rápido. Atravessou a parede da casa e partiu veloz, sobrevoando ligeiramente a fazenda. Com a vista aguçada, procurava indícios de demônios agrupados e voou até chegar à cidade, mas nada encontrou. Parado no topo da igreja, avistou um irmão celeste e disparou para lá. O outro anjo abriu um sorriso para receber o irmão, e Thal retribuiu a gentileza.

– Sabe de meu irmão Alanca? – perguntou Thal.

– Não o vi neste dia. Deve estar cuidando de seus protegidos.

Thal perguntou se o anjo havia percebido alguma coisa de diferente naqueles dias e tranquilizou-se ao receber resposta negativa. O novo anjo também tinha a face cor de bronze e olhos como chamas. Guardava a espada e a trombeta na cintura, junto a uma algibeira. A túnica resplandecia paz verdadeira, e a aura fluía em luz ao redor do corpo, em tom avermelhado. Quando soube que estava tratando com Thal, o outro anjo ficara tão surpreso quanto Alanca, demorando-se em cortesias e reverências ao tão valente irmão.

Thal alçou voo novamente e vasculhou as florestas imediatas à cidade. Nada. Temia apenas que os monstros estivessem acobertados por orações. Se houvesse na cidade um grupo de adoradores satânicos, a devoção ao demônio poderia encobri-los aos olhos dos anjos. Desceu lentamente, pousando em cima de uma caminhonete. Uma família acampava ali. Vasculhou em volta com os olhos: nenhum sinal dos malignos cães. Desdobrou as asas e zarpou, subiu em direção ao céu, alcançando uma velocidade incrível. A certo momento, assumiu o formato de uma esfera luminosa, na mesma coloração de sua aura, e atravessou a atmosfera tão rápido quanto a luz. Freou no meio do espaço, desacelerando até parar. Surgiu uma gigantesca construção logo à sua frente. O magnífico objeto assemelhava-se a uma nave e, como os anjos, tinha uma aura envolvente.

Assim que Thal mergulhou nessa aura, sua esfera de luz se desfez. O anjo pousou no interior do objeto, alcançando um grande salão, aparentemente à entrada da nave, com um trânsito intenso de seres celestes. Nem todos tinham aparência humana; alguns tinham mais de uma cabeça, outros, mais membros superiores, e havia os que eram completamente diferentes: anjos com três pares de asas e olhos ao redor da cabeça. Além disso, seres que eram somente sentidos, não eram vistos, estavam por toda parte, em todos os lugares, em vibrações sintonizadas em planos diferentes.

Thal caminhou pelo pátio, indo ter com um anjo semelhante a ele: pele banhada em bronze e olhos como brasas. Vestia túnica azul, com duas listras amarelo-ouro junto à barra. Thal foi conduzido pelo anjo a um extenso corredor, e subiram a bordo de um pequeno veículo alado que deixava um interessante rastro de fogo. A nave alcançou um salão maior, de formato esférico. Thal desdobrou as asas e abandonou o veículo lentamente, pairando no ar.

– Você acredita que eles ainda vão conseguir? – perguntou o anjo de túnica azul.

Thal desceu do veículo, pairando no salão esférico, e encarou o irmão.

– Estão esquecendo cada dia mais.

– Nós os alimentamos e os apartamos das trevas, irmão.

– Sim, essa foi sempre a nossa missão, lutar para apartá-los das trevas. Mas a luz os cegou. Iluminaram o chão que pisam e o ar que os envolve e esqueceram que a luz deveria ir para dentro. Isso me entristece mais a cada dia.

– Sempre soubemos que nossa luta por eles não teria fim.

O veículo partiu, desaparecendo nos limites da imensa sala e deixando Thal sozinho. Depois de alguns minutos terrenos, um som acima da cabeça chamou a atenção do anjo.

Uma pequena escotilha abriu-se, e a sala foi invadida por um portentoso facho de luz.

Thal eriçou-se ao sentir a presença d'Ele. Era muita energia ao mesmo tempo em múltiplas vibrações, e Ele estava em todos os planos. Nunca estivera ali, nunca havia sentido aquilo, tampouco imaginaria que os olhos iriam queimar, e o peito, explodir. A sensação era indescritível. Quando Ele entrou através da luz, as sensações se multiplicaram. Ele tinha o mesmo tamanho de Thal, mas no resto era diferente, parecia um homem comum, um humano.

– Senhor... – balbuciou o anjo. – Preciso lhe falar.

O Homem encarou-o com paz nos olhos, enviando amor para Thal, que quase queimava. A luz tomou conta da sala, e Thal pôde ver o futuro. Percebeu que o medo e a aflição que o perturbavam eram algo egoísta, que ele reservava o futuro à Batalha Negra e seria um dos generais. Sentiu o futuro, e seu coração foi lançado à boca de um demônio. Thal sentiu o horror de Antigas Profecias perfurando a face, sangrando os olhos. Ouviu um nome que fez explodir seus tímpanos. Viu quatro criaturas cobertas por olhos, por dentro e por fora, caladas; era o Terror.

Um exército de demônios cobria o céu, transformando o dia em noite, e a noite em Noite Eterna. Não era o fim dos dias, era algo mais sutil e suave, apenas um toque, uma guerra ligeira para lembrar aos anjos e aos demônios que eles eram inimigos. Para lembrar aos homens que eles eram carne e eram fracos; que precisavam retomar a fé com fervor, ou as trevas voltariam a reinar, ocupando o espaço do segundo coração, perdido ao deixarem o Éden. Thal sentiu-se esmorecer, pois não se via triunfante. Não via luz, só trevas.

O Homem tocou o anjo na testa, acalmando-o. Não disse palavra. Na mão, tinha uma espada sagrada. Entregou-a ao anjo, fazendo-o substituir a antiga e embainhá-la. O anjo sabia que precisaria, e que seria breve.

– Há como vencer? – perguntou o anjo.

O Homem, que enchia o coração de Thal com emoção, apenas meneou a cabeça positivamente.

– Repare em sua fé primeiro. O vazio da carne tocou em ti. Expulse-o.

A voz ribombou na sala, sem que Ele movesse os lábios. Thal estremeceu, pois a voz estava não apenas em sua mente; havia inundado todo o lugar. O Senhor falou apenas na mente do anjo:

– Aquele filho lhe deu a vida de novo. Agora, a Lei permite uma chance aos exércitos de Satanás. O mais poderoso dos anjos das trevas enviará generais. A vida terrena do homem que recebeu sua energia já se dissipou. Não tenha medo de deixá-lo ir em paz, mesmo que tenha de dar sua vida para ele. Sua presença fez com que aquele homem recuperasse o amor, mas não é mais sua Hora. Deve devolvê-lo para a Vida. Proteja-o com sua espada até que o Destino venha buscá-lo. Ele deve estar intacto até seu novo momento. Intacto! Sua glória angelical limpou o passado daquela criatura; mantenha-o assim, é a paga que dará a ele, seu novo soldado.

O Homem partiu como luz, deixando o salão vazio. Thal sentiu medo ao ver a Batalha Negra. Tinha o coração apertado por não sentir a fé fluindo naquele futuro iminente. Os demônios foram muitos em sua visão. As trevas poderiam vencer se os homens não se lembrassem e não se conectassem. O anjo chorou.

CAPÍTULO 18

A tarde já tinha entrado quando Gregório acordou. Ficou deitado, com os braços cruzados atrás da cabeça, e os dedos entrelaçados. Lembrou-se das criaturas que havia confrontado. Sentou-se à beira da cama, invadido por uma estranha solidão, como se estivesse prestes a lutar contra um exército inteiro. Teria que travar uma batalha e acreditar em si mesmo; acreditar que era capaz de vencer as sombras. Não fugiria, mas cravaria seus joelhos ali, naquela terra, e enfrentaria seu destino. Era a primeira vez na vida que sabia onde queria ficar. Queria ficar ao lado daqueles que amava, junto do pedaço de chão onde tinha crescido. Ajoelhou-se e começou a orar. Gregório pediu a Deus forças para resistir e para lutar, para ser um soldado de Sua Glória na Terra, para que pudesse dar proteção aos desabrigados e salvar o irmão das garras da fera que vira no quarto do hospital.

Ele não podia ver com seus olhos de carne, mas, desde o beco, aquele fenômeno se repetia. Com arrependimento verdadeiro, ele tinha se religado ao Criador. Suas preces subiram em um fio de luz que se conectou ao céu. O Pai de Todos os Filhos estava ouvindo o clamor e a entrega de Gregório.

No hospital, Samuel havia recuperado os sentidos, para surpresa da médica, que tinha permanecido além do plantão, intrigada com a instabilidade e a inconstância do paciente. Apesar de todas as suas observações e de seus reiterados pedidos de novos exames em um hospital mais bem equipado, o fazendeiro dizia que se sentia bem e que queria voltar para casa. A médica se colocou contra a decisão e apelou para a esposa do homem, para que juntas fizessem um bloco de reprovação e empilhassem uma série de temores e responsabilidades em uma ladainha sem fim. Samuel, a contragosto, cedeu e disse que ficaria no máximo mais uma noite, mas ali, no hospital da cooperativa de agricultores de Belo Verde. Precisava ver seu milho. Se perdesse sua plantação e sua fazenda, nunca mais iria se desculpar.

Vera estava melhor. Aliviada do susto, chegou a sorrir e balançar a cabeça, lembrando-se do pesadelo e da loucura. *Como aquela imagem a tinha sobrecarregado tanto?* Ela tinha sido sedada, drogada e assombrada. Agora estava longe do fardo de dizer adeus ao homem que amava. Samuel ainda estava muito pálido, mas consciente e forte, sorria e movia-se com vigor. *Estava bem!* Nem Valéria nem os médicos da manhã conseguiam explicar o que tinha acontecido na noite anterior.

Nos corredores, a mulher notou que olhavam para ela e fuxicavam. Ela sabia que falavam do enfermeiro morto e do seu marido estranho, encolhido no chão, tremendo, depois de dizerem que Samuel estava morto. Queria ficar com o marido o tempo que ele precisasse, mas já começava a sentir falta da proteção dos cantos conhecidos da fazenda. Sentia falta do seu chão e dos seus cheiros. Ia até a janela do quarto de dois em dois minutos.

Samuel, conhecendo as manias da mulher, insistiu para que ela voltasse para casa. Sabia que a esposa detestava deixar a fazenda. Vera reclamou, mas acabou convencida pelo marido, que usou o subterfúgio de pedir que ela adiantasse o trabalho de reparos no galpão. A princípio, Vera sacudiu com um veemente "não"; não ia deixá-lo sozinho. Ela mordia as unhas, olhando para Samuel, e depois, sem perceber, já estava lá, olhando pela janela.

– Vai pelo menos se trocar. Essa camisola manchada está horrível – disse Samuel.

Vera suspirou fundo, sorrindo para o marido. Sabia o que ele estava fazendo. Aproximou-se dele, ainda ligado ao soro, mas livre dos aparelhos barulhentos. Ela reclinou-se e beijou a testa dele, depois abaixou-se mais e beijou seus lábios, mordendo seu beiço de leve.

– Nunca mais me dê um susto desses – repreendeu.

A mulher deixou o quarto novamente e foi ao telefone público instalado na recepção, na intenção de chamar Gregório para buscá-la. Meia hora depois, o jipe estacionava em frente ao hospital, mas com Celeste na direção. Explicou que o rapaz parecia um pouco indisposto para dirigir e que, então, ele se propusera a fazê-lo. Vera sorriu, pois era o velho Gregório de sempre agindo.

Ao chegarem à fazenda, os trabalhadores vieram saber do patrão. Vera contou sobre a melhora de Samuel. Gregório estava em cima da casa, consertando as calhas e desobstruindo as passagens de água da chuva.

– Celeste me disse que você não estava muito bem... – gritou a mulher, pondo a mão em concha na testa para proteger os olhos do sol. – Que diabos você está fazendo aí em cima?

– Não esquenta, agora eu estou bem melhor – respondeu, passando a mão na testa para enxugar o suor. – Inclusive, já estou terminando de consertar esta joça aqui, ô negócio chato!

Vera deixou um sorriso escapar enquanto caminhava para dentro de casa. O passado voltava catapultado pelos mínimos detalhes. "Ô negócio chato!" era umas das expressões favoritas dos irmãos quando eram adolescentes, e quando Vera esteve nos dias de crise, apaixonada por um, mas com medo do futuro, de não conseguir acompanhar a velocidade com que Gregório via tudo se transformar em aborrecimento... e também apaixonada por outro, indecisa, percebendo que as coisas que ele achava chatas eram as mesmas que a incomodavam. Sabia que estava com o irmão errado.

Gregório era estranho para ela naquela época, mas agora Vera entendia totalmente o cunhado. Tinha aprendido que algumas pessoas na vida eram assim, insaciáveis; e só se sentiam completas por algumas horas até que outro desejo queimava no vazio do peito, pulando para outra vontade. Tinha percebido, também, que essas pessoas, sempre em busca do novo, se incomodavam com a imobilidade; nessa visão, pessoas como ela e Samuel eram também estranhas, porque os vorazes não entendiam como era possível não querer outra coisa além do que o dia a dia lhes oferecia. O pensamento fez o tímido sorriso se dissipar. Apesar das esquisitices, Gregório parecia ter algo dentro de si que era calmo, tranquilizador... seguro, que transparecia no sorriso, nos olhos. Não sabia como expressar, mas era bom estar com ele em casa.

Vera foi preparar um café e pediu ao filho de Celeste que ordenhasse e trouxesse leite fresco. A bem da verdade, Vera estava muito feliz por seu marido ter se recuperado depressa da triste experiência, a despeito dos cochichos no hospital e de seu estranho pesadelo. Vera parou na janela da cozinha, olhando para o milharal, que estava calado. Ela estava mais calma, mas preferia quando ele falava, quando sussurrava para ela que tudo ficaria bem. A chaleira começou a chiar com o vapor jorrando pelo bico, e Vera abriu o vidro da janela, deixando o ar entrar. Talvez a vidraça estivesse segurando a voz da Energia da Vida. A mulher fechou os olhos e abriu a torneira, deixando a água correr e os sons se misturarem. As marteladas que vinham de cima do telhado, a calha metálica reverberando, o barulho da sua casa, do seu chão. Tirou os chinelos e raspou a planta dos pés contra o piso da cozinha, abrindo um sorriso. Só faltava a voz dele ali, reclamando se chovia pouco ou se chovia muito. Só faltava a mão dele em seus ombros. Só faltava Samuel para a harmonia voltar.

Entardecia quando o veterinário chegou. Vera havia ligado para ele e narrara o estranho acontecido. Em seguida, pediu que o doutor viesse examinar os cadáveres dos animais para saber por que os cães, que pareciam, de alguma maneira, serem os dálmatas do Anderson, tinham deixado o comportamento dócil e se transformado em uma matilha assassina. Precisava saber se Samuel ou alguém mais da fazendo corria algum tipo de risco adicional depois daquele ataque, se os animais carregavam algum tipo de doença, de infecção.

O homem encostou a picape na frente da casa e buzinou. Vera berrou para o veterinário da janela:

– Os rapazes estão no barracão – respondeu ela. – Chame pelo Gregório, ele vai lhe mostrar aqueles bichos mortos.

– Você não vem?

– Ah, não... obrigada. Ivan. Não tenho estômago para olhar aquelas coisas de novo – desculpou-se a mulher.

– E suas meninas, como estão?

– Todas bem. Se quiser olhá-las, eu agradeço, mas estão mamando que é uma beleza.

Vera calou-se logo após comentar sobre a vaca. Estrela, cheia de leite e com os olhos profundos e assustadores, tinha conversado com ela e aberto sua boca, exibindo dentes finos e desalinhados, e deixado sair de dentro de sua garganta não só grunhidos, mas também palavras, o que assustara Vera. Ela passou as mãos pelos braços arrepiados, notando que Ivan tinha parado depois de alguns passos e virado para a janela novamente, com uma expressão de interrogação.

– Quem é esse Gregório?

– É irmão de meu marido, você...

– Como vou saber quem é?

– Eles são gêmeos, você vai se ligar na hora – respondeu Vera, quase rindo. – Não tem erro.

O veterinário balançou a cabeça, com aquele jeitão de bobo que todo mundo acha engraçado. Demorando demais para compreender as coisas fáceis, e para dar o passo seguinte, meio lento e atrapalhado.

– Eu não sabia que ele tinha um irmão gêmeo...

O veterinário apanhou a maleta no carro e tomou o rumo do galpão. O galpão havia perdido bastante da aparência fantasmagórica, já que os homens tinham coberto boa parte das paredes esqueléticas da construção. Provavelmente, estaria forrado no dia seguinte.

Ao notar a cópia de Samuel pendurada lá em cima, martelando um prego em uma tábua extensa, o veterinário pensou: *só pode ser ele*.

– Você deve ser o Gregório, não é? – perguntou, acanhado. – Meu nome é Ivan, sou o veterinário da fazenda.

– Ô, veio bem na hora, doutor. Aquele negócio tá fedendo um bocado, precisamos nos livrar deles rapidinho – bradou Paulo, chegando ao lado do veterinário.

Gregório desceu, apertou a mão do rapaz e convidou-o para acompanhá-lo. Os homens pararam com as ferramentas e foram ver também. Todos tinham o desejo mórbido de botar os olhos nos três defuntos. Já Gregório estava pouco à vontade com aquelas criaturas. Afinal, enquanto todo mundo os compreendia como simples cães, ele sabia que eram um pouco mais que isso. Sentia-se mergulhando em um mundo paralelo, onde os cães com cara de demônios (ao menos era como lhe pareceram na noite anterior) se encaixavam melhor. Decidiu que não contaria ao veterinário que aqueles animais bizarros na verdade eram demônios se fazendo de cães, que tinham cheiro de enxofre e olhos que brilhavam no escuro. Seria dado como louco por ele e por todo o pessoal da fazenda. Não se sentiu atraído pela ideia de ser apontado como o irmão louco do pedaço.

Gregório aproximou-se de um canto externo do galpão, onde os cães estavam cobertos com um encerado. De longe, o odor fétido dos cadáveres já era insuportável. Paulo e Tonico retiraram a cobertura, e o cheiro era pior do que imaginavam. André afastou-se para vomitar, ajoelhando-se junto ao galpão. Ramiro, presenciando a cena, não se conteve, vomitou também. Os homens protegeram as narinas com lenços, tentando filtrar um pouco de ar livre.

Descrever o estado de putrefação dos cães não seria fácil. Pareciam mortos há semanas, deixados no tempo para apodrecer e desintegrar-se por si próprios. Eram três caricaturas de dálmatas, sem as cores que marcavam a raça. O couro estava rompido em vários pontos, e um balé atropelado de moscas e vermes trombava a todo instante, fazendo o trabalho factual da decomposição. O sangue apodrecido formava crostas marrom-escuras, dando um tom quase vermelho ao pelo. Estavam muito maiores do que os três cães que pertenciam ao cego, talvez porque tinham inchado até, literalmente, explodir. Uma substância purulenta e rançosa escorria pelos buracos abertos e parecia ser a grande responsável pelo odor sufocante.

– Caralho! Que cheiro! – exclamou Gregório.

– Merda...

– Ahn? – indagou Gregório, espantado e retirando-se de perto dos bichos.

– Eu dizia que eles fedem mais que merda. Estou até tonto. Argh! Nunca vi isso – gemeu o veterinário, afastando-se com Gregório. Passou o lenço na camisa, dando a impressão de que se sentia impregnado pelo fedor mórbido. – Quando que você disse que eles morreram? Ontem, é isso?

– Foi ontem, Ivan.

– Bem, meu amigo, então tem alguma coisa bem esquisita nesta história – disse o veterinário, coçando a cabeça. – Pelo que vi, posso jurar que estão mortos há mais de oito dias, no mínimo.

Gregório encostou a cabeça no trator estacionado a poucos metros do galpão. Parecia receber a notícia com um desgosto tremendo, como se aquilo confirmasse um diagnóstico arrasador.

– O que pode ter acontecido com eles? – perguntou ao veterinário, que estava ajoelhado, apanhando algumas coisas na maleta.

– Juro que já vi de tudo nesta vida cuidando de bicho de fazenda. Porco com duas cabeças, vaca com dentes no útero... mas faltava essa aí – respondeu, sem levantar o rosto para Gregório. – Tem certeza de que são mesmo os cães que atacaram vocês ontem? O estágio de decomposição não bate nem de perto.

Gregório olhou para a nuvem de moscas zumbindo junto aos cadáveres.

– Foram eles, sim. Atacaram a gente e morderam o braço do meu irmão.

O veterinário voltou aos cadáveres e fotografou os três em grupo. Depois, arremessou algumas luvas aos peões e calçou as próprias.

– Vocês vão ter de me dar uma mãozinha. Tenho que separar estas coisas para fotografá-las em separado, um por um. Vou tirar uma cultura e depois a gente queima esta caatinga aqui mesmo.

Amarraram os lenços em volta do pescoço e elevaram-nos ao nariz, para amenizar o fedor. Retiraram o primeiro, arrastando-o para a esquerda. Movimentá-lo fez o odor piorar. Dessa vez, foi Tonico quem não resistiu e correu para eliminar o almoço.

Ivan fotografou o monstro nojento sob vários ângulos. Apanhou uma seringa do bolso da camisa e coletou uma amostra da substância purulenta, respirando com dificuldade. Sentia náuseas constantes, controlava-se para não desmaiar. Com um alicate arrancou um dente da boca hirta do bicho, que saiu com facilidade, trazendo a reboque um fio espesso e gosmento que terminou em uma gaze que o veterinário enrolou e guardou num saquinho. Fez sinal com a cabeça, dando a entender que tinha terminado com aquele, e os homens compreenderam que era hora de remover o seguinte. Apanharam o próximo, segurando-o pelas patas, puxaram levemente, como o anterior, mas dessa vez o cadáver não se moveu daquele canto. O veterinário trocou sinais com os homens e então tentaram novamente, sem sucesso.

– Um pouco mais de força aí, pessoal – pediu Ivan.

Respiraram e puxaram mais uma vez, porém só a parte traseira do cão se locomoveu. Os homens insistiram, puxando com mais força, pois queriam sair dali logo; o odor repulsivo crescia a cada tentativa. No terceiro solavanco, algo desgraçadamente ruim aconteceu. O couro do animal rompeu, espalhando vísceras podres pelo chão e vermes pelo encerado. Todos largaram imediatamente as partes que seguravam, uma vez que o odor era insuportável, chegando a ser perigoso, tóxico. Debandaram-se.

O lenço de Ivan desprendeu-se, provocando uma náusea mais forte. O mormaço da tarde, somado ao insuportável cheiro, o fez cambalear e quase perder os sentidos. Deu meia-volta, já sem equilíbrio, e foi de encontro ao primeiro cadáver. Esticou os braços para não afundar a cara na barriga do monstro, mas infelizmente não conseguiu evitar que sua mão o fizesse. Sentiu-a atravessar o couro flácido da fera e alojar-se em um lugar mole nos intestinos apodrecidos do animal. Um jorro de vísceras liquefeitas verteu, acertando seu rosto em cheio. Os pequenos vermes subiam pelo braço, e as moscas grudaram na face, junto ao sangue podre e quente pela atividade viva dos que se alimentavam da podridão.

Ivan não suportou, caindo desmaiado ao lado do cão. O odor, de tão espesso e desagradável, acabou por dominá-lo e arrancar seus sentidos. Gregório arrastou Ivan para longe, enquanto a maioria dos homens sentia o estômago contrair nervosamente. Gregório limpou o rosto do veterinário, utilizando o lenço que havia caído. O corpo do homem contorceu-se, e ele virou bruscamente para deixar o almoço sair pela boca. Amparado por Gregório, dirigiu-se a um torneirão, esfregou a mão infectada com vigor e retirou toda a meleca fétida e as luvas rasgadas. Gregório foi até um tanque e voltou com sabão e bucha. O doutor agradeceu, acenando com a cabeça e livrando-se das luvas contaminadas.

André apanhou as amostras que o veterinário havia colhido e entregou a ele. Foram acondicionadas na maleta, com a promessa de serem rapidamente examinadas e estudadas.

* * *

Vera percebeu certa pressa e ficou com cara espantada, pois era a primeira vez que via Ivan se movimentar com rapidez na vida.

– O que há? Não vai ficar para tomar um café? Coloquei um bolo formigueiro no forno. Leite quentinho, tirado na hora, do jeito que você gosta...

Ivan fez uma cara de repugnância e balançou a cabeça em sinal negativo, indo direto para o carro.

– Ei, doutor! Espere aí. Parece que você viu um fantasma!

– Tenha certeza que é quase isso, minha amiga – respondeu, entrando agilmente na picape. – Quase isso – repetiu, como um personagem de filme de terror.

– Está tão ruim assim?

O veterinário balançou a cabeça, agora em sinal positivo. Deu partida, saiu em marcha à ré e desapareceu na poeira da estradinha.

Lá para as bandas do galpão, Vera viu os homens apanharem pás, provavelmente para enterrar os cães. Voltou ao quarto para pegar algumas coisas e preparar-se para passar a noite com o marido no hospital, aproveitando para abrir a janela e deixar o ar circular. Nunca vira Ivan daquele jeito. Tinha um espectro incomum rondando a fazenda.

Já entardecia. Vera sentiu um aperto no coração. Não gostava daquilo. Ouviu as portas do chiqueiro, a cinquenta metros de distância, batendo. Gostava da sua porca e dos filhotes, tudo era simples para aqueles bichos da fazenda Belo Verde. As crias só precisavam da mãe e da lama, nada mais. Por isso tinha escolhido aquele nome para a suína: Estrela. Os filhotes sempre saberiam onde encontrá-la.

Vera lembrou-se de uma empolgante excursão que fizera quando ainda tinha doze anos. A maioria da sala estava efusiva e gritava animada, ela estava encantada e amedrontada ao mesmo tempo. *E se o motorista errasse o caminho? E se ele se perdesse na hora de voltar do observatório?* Lembrava-se, como se fosse hoje, do suor na palma das mãos e do esforço de não deixar a professora e os amiguinhos; de quando o ônibus pegara a estrada, deixando Belo Verde, e ela estava apavorada. Essa sensação terrível só se dissipou quando a turma entrou no observatório. Iriam fazer um trabalho sobre as estrelas. Vera amava o céu de Belo Verde e o brilho hipnótico que as estrelas mandavam de volta para a Terra. Ela já sabia, àquela altura, que a luz que chegava ao nosso planeta tinha sido emitida tempos antes e que, infelizmente, algumas delas poderiam até não existir mais. Seu brilho estava lá, no nosso céu, mas viajava no tempo e no espaço. Finalmente, Vera estava sorrindo, absorvendo o saber do Universo.

Naquele dia, Vera aprendeu algo que nunca mais tinha saído de sua cabeça. Todos na sala, e até a professora, ficaram fascinados com a explicação da astrônoma que os atendeu e palestrava. *Todo mundo achava que as estrelas se moviam no céu, mas era mentira!* As estrelas estavam sempre lá, no mesmo lugar, fixas. Era o nosso planeta Terra que girava e girava, sem parar, e rodeava o Sol, dando-nos a impressão de que as estrelas iam de um lugar para outro todas as noites. Mas não, as estrelas não saíam do lugar.

Do lado de fora da casa, Gregório ajudou os homens, que perderam a maior parte do tempo abrindo uma cova funda o bastante para enterrar o odor horrível, revezando as câimbras estomacais. A tarefa mais nojenta foi lidar com o cão repartido ao meio, cujas vísceras se esparramavam pelo chão, propagando e aumentando o mal-estar geral. Com uma pá, André e Tonico iam recolhendo os restos do animal. Jogaram a carne no buraco – era assim com as coisas que se mexiam sobre a terra: tudo voltava, um dia, para ela e virava outra coisa, alimentando outros seres agora que aquele conjunto de tecidos não mais o fazia. Eram agora cascas vazias, sem ânimo, sem desejo.

Findo o penoso trabalho, Gregório dispensou os empregados. Eles precisavam tomar banho e tentar se livrar do cheiro horrível, e era o que ele faria também. Percebia aqueles homens tão abatidos sem seu líder que permitira o término do serviço no outro dia. Mas, antes de dispensá-los e voltar para dentro de casa, chamou Ramiro, Jonas e Paulo para ajudá-lo no escoramento de algumas partes do telhado e da estrutura do galpão. Tinham que melhorar o barracão. Gregório sabia que a chuva voltaria. Algo dentro dele dizia que, apesar do céu limpo, choveria ainda naquele dia, e o vento botaria o trabalho a perder. Samuel certamente tomaria essas providências assim que chegasse à fazenda.

Apesar de a construção básica ser bastante resistente, o galpão era bem antigo. Com as lacunas das madeiras que ainda faltavam, a ventania poderia provocar grandes estragos, arrancando as tábuas do lugar e vergando as vigas. Pensando nisso, Gregório sabia que precisava ser a pessoa com quem o irmão e Vera podiam contar, não porque não queria decepcioná-los ou porque se sentisse devedor por estar ali, mas principalmente porque ele queria ser essa pessoa. Era a primeira vez que Gregório queria ser alguém, a pessoa com quem todos ali podiam contar.

Com a ajuda do trator, Jonas trazia troncos de árvores para o salão. Paulo prendia um jogo de roldanas a cada um dos quatro cantos junto ao teto. Quando Paulo terminou, o sol já sumia no horizonte, deixando a noite invadir a fazenda. O vento tinha aumentado, provocando, a cada rajada, um zumbido cada vez maior na estrutura de madeira. Amarraram cordas em volta do primeiro tronco, e os quatro começaram a elevar o imenso travessão de madeira, que era pesado demais, exigindo grande esforço; só atingiram o cume graças a vigorosas arrancadas de tração. Faltava encaixar a ponta ao cume para desempenhar o papel de escora. Levaram pelo menos uma hora e meia até completar todos os cantos. Realmente, lidar com aqueles troncos não era tarefa fácil. Enfim, os quatro deixaram o galpão. Os homens se despediram dando tapinhas nas costas de Gregório.

– Até que, para um caboclo da cidade, você mandou bem. Não fugiu do pesado.

Gregório sorriu.

– Quem disse que eu fujo do pesado? Meu irmão é tão tagarela assim? – respondeu o rapaz.

Os homens riram. Ramiro sentou-se em um toco e preparou um cigarro de palha.

– Chega por hoje. Vocês ficam fedidos assim todos os dias? Pelo amor de Deus, vão tomar banho e acabar com esse cheiro de sovaco da bexiga – brincou Gregório.

– A gente só fica fedido quando tem que mexer com cachorro morto. Que foi aquilo? Estou com a cabeça rodando até agora!

Ramiro cuspiu depois da primeira tragada.

– Até parece que vocês nunca viram bicho morto aqui. A vida é assim... Um dia você tá bonzinho, e no outro, tá debaixo da terra.

Gregório tomou o cigarro de palha de Ramiro e deu uma longa tragada. Soltou a fumaça pelas narinas depois de inalar e ficou olhando para o milharal contornado pelo rubro do poente. Quando foi devolver o cigarro para o agricultor, ele já tinha levantado do toco.

– Carece devolver não, seu Gregório. Termina esse aí. Eu enrolo outro.

Os trabalhadores se despediram, e Gregório começou a andar rumo à casa, os duzentos metros do galpão até lá. Olhou repetidas vezes para o milharal e não conseguia mais encarar a plantação como antes.

Na mesa da cozinha, encontrou um bilhete de Vera, avisando que estaria no hospital à noite, para que Samuel pudesse tomar o café da manhã em casa, no dia seguinte. Gregório sentiu escapulir um sorriso de satisfação. Ao passar pela janela da cozinha, lançou um olhar para fora. Nada de luzes nem vultos emergindo das sombras, apenas o velho galpão jazia fincado na paisagem. O homem sentiu uma brisa forte trazer o frio para dentro do peito e encher as narinas com um odor que muito lhe agradava: o cheiro da chuva. Ela não demoraria. Dava-se conta de que, estranhamente, ansiava por ela. Aquele odor eriçava sua nuca, como se o preparasse para algo. A chuva estava chegando, podia ouvi-la chamando, energizando. Era estranho, mas era a palavra: energizando.

Devo estar enlouquecendo, pensou, inspirando mais uma vez, lentamente, com aquele sorriso idiota no rosto e com toda a preocupação lavada da alma.

* * *

Demorou pelo menos vinte minutos debaixo d'água. Além de relaxar o corpo, Gregório queria ter certeza de que estaria livre da fedentina dos cães. Quando saiu do banho, escutou a chuva despencando forte e barulhenta, com os pingos batendo contra o vidro da janela. Sua mão estava espalmada, querendo atravessar a camada transparente e ir para fora. Não tinha mais dúvidas de que algo dentro dele guiava seus músculos quando a chuva chegava.

Gregório se vestiu e foi para a cozinha preparar um lanche rápido. Lá, a janela estava aberta, deixando entrar a água e um vento enfurecido que só aumentava, fazendo da chuva tempestade. Os pratos no escorredor balançavam e tilintavam, e as portas que estavam abertas na casa bateram forte. Para ele, era o som da paz, que despertava algo ancestral, preso dentro dele, uma força que se encantava com a majestade de natureza. Esquentou o café que havia no bule, observando a chama balançar com o vento, e preparou-se para a refeição.

Os relâmpagos piscavam no horizonte, aproximando-se em marcha ritmada e incessante. A cada disparo de luz, Gregório percebia sua sombra acentuar-se contra a parede. Ingeria o café quente em pequenos goles enquanto o vento aumentava. A luz dos relâmpagos mostrava gravetos assombrados voando pelo céu, como vassouras de bruxas. Mais relâmpagos vieram, e Gregório pensou ter visto o galpão oscilar. O vento soprava a construção, então ele resolveu verificar as escoras gigantes. Apanhou um blusão de moletom do irmão, olhou para o galpão, tomou ar e correu em direção ao lugar.

O vento estava muito forte; poderia derrubar um homem. Gregório dava grandes passadas. A chuva... ah! A chuva acariciava sua face, fazendo-o parar ali para senti-la. Estava a vinte metros da grande porta quando aconteceu. Imediatamente, lembrou-se da última noite na escuridão.

Lembrou-se dos cães ao sentir a mão disforme agarrando-o e jogando-o ao chão; ao perder o equilíbrio. De pavor, seu coração disparou um segundo. O corpo bateu na lama enquanto relampejou, clareando toda a fazenda. Um trovão roncou em sua orelha, ensurdecendo-o. A mão apertou com força sua canela, tornando a região dolorida e machucada quando ele puxou com tudo, querendo arrancar a perna das garras. Gregório tentou arrastar-se e livrar-se do atacante, mas a chuva entrou pela boca, dando-lhe força. Ao segundo puxão, a mão abriu, libertando-o.

Gregório sentiu o terror derreter em seu peito. Fosse o que fosse, uma legião de cães, não teria medo. A chuva o fortalecia e o defendia. Levantou-se, esperando um novo ataque com os ouvidos aguçados e a visão concentrada. A água descia pela testa e algumas vezes acertava os olhos, fazendo-os arder. Outro relâmpago. A luz delatou a posição do opositor: era só um grande galho de árvore caído no chão. Mesmo embalado por todo aquele sentimento de bravura, Gregório soltou o ar dos pulmões em um assobio aliviado.

Então, ele virou em direção à porta do grande armazém e seguiu lentamente. Uma vez encharcado pela chuva, não fazia sentido correr. Entrou no pátio e aproximou-se do primeiro tronco. Estava firme, ao contrário do terceiro, prestes a cair, com o grave risco de destruir parte importante das bases do galpão. O primeiro impulso foi de sair correndo, mas, ouvindo o vento ribombar contra a construção e o rangido feroz do madeirame a cada centímetro que o grosso tronco cedia, resolveu aliviar o peso da tora. Posicionou a escada junto à roldana do tronco que vacilava, apanhou a corda deixada no meio do galpão e correu para cima, pela escada. Amarrou uma ponta ao tronco e passou a outra pela roldana. Atirou a corda entre o telhado e a armação superior, apanhou a ponta e tentou elevar o travessão de madeira, mas sem resultado. Puxou novamente, loucura. Durante o trabalho da tarde, contara com a ajuda de três homens para colocá-los em pé, a custo de muito esforço. Puxou mais uma vez, e a trave que sustentava a corda envergou suavemente, mas nada aconteceu.

Gregório respirou, fez força. A tora balançou, erguendo-se alguns centímetros, mas era pesada demais. Gregório não resistiu ao peso, e o tronco chocou-se pesadamente contra a parede daquele canto, balançando de modo perigoso.

O golpe fez uma telha desprender do telhado, quase acertando a cabeça do rapaz, mas ele desviou a tempo, aliviado. Um estalo, um clique, uma luz se acendendo, e ele puxou o tronco. Era a última tentativa, afinal, mais um baque daqueles no madeirame seria fatal para a construção, que certamente não precisaria que o vento a destruísse: Gregório o faria por conta própria.

Mas dessa vez algo estranho aconteceu. O peso desapareceu. As tábuas chiaram quando a tora as libertou da carga, e parecia um grito de alívio. Mais um puxão, o tronco voltou para o lugar original; outro foi até alguns centímetros acima do ponto inicial. Gregório soltou a corda devagar, ouvindo o tronco assentar no madeirame e na torcida para que ele não cedesse, nem a parede. Ficou parado, estático, por alguns segundos. Nada aconteceu, nenhum galpão desmoronando. Nada. Aparentemente, tudo resolvido: as madeiras firmes, sofrendo bem menos com as pancadas de vento.

Gregório voltou para casa, faminto. Ao chegar próximo à entrada da varanda, verificou que a calha funcionava maravilhosamente: a água descia, e o barril, colocado embaixo da boca do cano de descarga, transbordava com água limpa. Quando subiu o primeiro degrau, ele percebeu que o telefone se degolava na sala, insistente. Um frio percorreu sua espinha... era como adivinhar que o aparelho iria despejar palavras sofridas e angustiadas por parte de Vera. E foi o que aconteceu.

Pablo acordou sobressaltado, transpirando aos borbotões, e olhou para o lado. Ney dormia como uma criança, nem sombra do marginal infeliz que ele era. Chovia do lado de fora, criando aquela atmosfera que convidava ao sono, mas ele não acreditava que conseguiria pregar o olho novamente. Acabava de ser atacado pelo pesadelo mais assustador que tivera na vida. Não por conta do personagem demoníaco, mas pela intensa sensação de realidade que o assaltara durante o estranho diálogo: havia sido advertido para não matar o homem. *Mas... de que homem a presença bestial falava?* A aberração alada, um anjo alto e forte... *Seria um anjo mesmo?* Fosse o que fosse, a criatura o havia atacado, derrubando e vomitando palavrões em sua cara, com um hálito podre e azedo. Havia dito uma centena de vezes: "Não mate o homem".

Não... aquilo não era um anjo. Era horrível, tinha chifres, pernas cobertas de pelo e patas de cabra. A língua era partida ao meio. Ele dizia: "Não mate o homem, ou eu virei toda noite até que você esteja louco e morrendo de tanto chorar. Não mate o homem". Pablo acendeu um cigarro. *Que homem, porra?*, pensou. *Gregório*. Ele era o único homem com quem tinha contas para acertar, e acertaria no dia seguinte, o dia final. Precisava voltar logo para São Paulo, tinha muitas coisas pendentes. Não era um vagabundo, só estava ali porque não queria ser dado como otário. Queria vingança, queria matar Gregório e pronto. Todo mundo achava que era o dinheiro que importava, mas o que contava mesmo era a honra, ter sido tomado como idiota. Não ia engolir isso nunca. Gregório achava que podia passá-lo para trás, mas não seria assim. Pablo era um soldado do Sofia, o chefe do submundo sempre ensinava sobre honra... ser respeitado é mais importante do que ter grana no bolso. Mas acabara de receber uma mensagem. *Não matar o homem.* Havia combinado o serviço para o dia seguinte. Jeff deveria surrá-lo à vontade – e poderia errar a conta, como Pablo esperava. Só que havia a estranha mensagem... aquela mudança.

O criminoso ficou incomodado com aquilo, não exatamente com o fato de estar considerando colocar a vingança em pausa, mas porque, de alguma maneira, sabia que não tinha sido um pesadelo qualquer. Aquela coisa bizarra e assustadora tinha mesmo falado com ele; Pablo sentira a presença daquilo. Na verdade, podia senti-lo ainda, bem agora, como se estivesse ali, ao seu lado. Suspirou, batucando os dedos no tampo da mesinha existente no quarto. Ficou olhando para o canto do guarda-roupa com a parede. No sonho, tinha sentido que era tudo real. Agora, sentia a coisa ali, naquele cantinho. Ele, com a testa franzida e olhando para o canto, começou a respirar mais rápido, incomodado. Decidiu que iria cedo para a estrada que dava acesso à fazenda para interceptar o grandalhão. Realmente, Gregório poderia ser o tal homem.

Deveria aguardar para se reorganizar; poderia ser apenas um pesadelo tolo, mas, se não fosse, certamente sua atitude atrairia uma resposta. Tinha crescido com mãe e avó que se comunicavam com o outro lado. Elas sempre diziam que, se quisessem falar com a gente, era para escutar. Ele dava ouvidos às sensações. Muitas vezes, tinha conseguido resposta nas sombras, tinha esse papo na sua família. Seu bisavô tinha aberto o caminho com as sombras e tinha sido famoso por falar com os eguns. Diziam que a família dele tinha ficado marcada por culpa do seu bisavô. Um dia, *a coisa* viria até você. Nunca tinham explicado o que era aquela *coisa*, que tinha deixado seu avô poderoso.

Pablo sempre tinha sido curioso e aberto àquele canal; não podia ignorar agora que o lado de lá estava falando com ele. Talvez o demônio em seu sonho fosse a tal *coisa*. Queria vê-lo de novo. Se a resposta não viesse na próxima noite, em seus sonhos, então voltaria ao plano original e liquidaria Gregório.

Levantou-se e foi até a janela, espreguiçando-se. Do outro lado da rua, tinha um *outdoor*, a propaganda de um advogado local. "Foi demitido? Não deixe barato! Faremos seu patrão pagar todos os seus direitos! Agora é ele que vai chorar de raiva." Pablo sorriu e recostou a cabeça no vidro da janela. Não conseguiria dormir mais. Aquele rosto desagradável e apavorante ainda estava muito fresco na memória.

CAPÍTULO 19

Por volta das oito e meia da noite, uma hora depois do telefonema de Vera, uma viatura da Polícia Civil adentrou os limites da fazenda. Vinha buscar Gregório para levá-lo ao hospital. O irmão estava desaparecido.

– Sou o investigador Otacílio, estamos precisando de sua ajuda.

Gregório apertou a mão do homem que olhava para a varanda e depois para o milharal. Então, voltou-se para Gregório, medindo-o de cima a baixo.

– Olá, Otacílio – disse Gregório.

– Todo mundo me chama de Tatá, fique à vontade para me chamar assim.

– Minha cunhada ligou bem nervosa. Ela estava bastante alterada, na verdade. O que está acontecendo?

Tatá balançou a cabeça em sinal negativo.

– A gente sabe muito pouco ainda, é melhor irmos andando logo, assim você começa a colaborar o mais rápido possível.

O policial, de paletó e jeans, manteve-se calado durante todo o trajeto da ida à cidade. A estrada de terra que separava a fazenda do centro era estreita e com curvas lamacentas e perigosas. Quase não havia movimento àquela hora. Não era muito esperto aventurar-se por aquelas bandas depois que a escuridão invadia o campo. O policial mantinha-se a velocidade segura para uma eventual freada por causa da estreiteza da estrada. Em alguns trechos, era impossível a passagem de dois carros ao mesmo tempo.

– Você sabe o que aconteceu com o meu irmão?

– Bem, ele aparentemente... – o policial expressava-se de um jeito reticente, como se escolhesse as palavras e soubesse exatamente o que havia acontecido, mas não quisesse adiantar as coisas. – Fugiu do hospital.

– Mas ninguém o viu pela recepção? – Gregório imaginava que, para sair, Samuel teria de passar pelo local. – Deveria ter alguém lá... As câmeras de vídeo interno? Alguém deveria tê-lo visto saindo... não é?

– Aí é que está – respondeu o policial, dando uma batida rápida no volante. – Normalmente, nada escapa à vigilância interna do Municipal... A cooperativa paga pela segurança do hospital... Mas essa ocorrência não tem nada de normal, nadinha. E, sinceramente, é melhor você aguardar até chegarmos, eu não sei o que aconteceu. Talvez você saiba...

Gregório estava indignado. *Como assim, não sabiam? Como um paciente sai de um hospital sem ser visto? Sair na boa, na malandragem, é a parte fácil da história, mas sem ser visto... isso é que era difícil.* Seguiu o conselho do policial e manteve-se em silêncio o restante da viagem.

Quando chegou ao Hospital Municipal, Gregório foi conduzido à enfermaria. Vera tinha sofrido outra crise nervosa e estava em observação, mais uma vez chumbada com calmante. Disseram que ela não parava de gritar e de se debater, que acabara caindo e sofrera uma concussão. Ela tinha demorado a voltar à consciência e não dissera uma palavra desde então.

Gregório adentrou a enfermaria e foi até o leito onde Vera estava deitada. Havia mais três camas ali, mas todas desocupadas. A cunhada o encarou, com os olhos lacrimejantes, e arregalou-os por um instante, levantando as mãos. Gregório avançou e correspondeu o convite para um abraço, mas sentia que tinha algo de errado, e logo isso foi confirmado. Vera vacilou com os braços, baixando-os, de maneira indecisa. Ela abriu a boca num esgar e comprimiu os olhos, balançando a cabeça em sinal negativo. Gregório soube na hora o que tinha acontecido. Ele não era Samuel, não era seu marido.

– Você não podia ter voltado, não podia – disse ela.

Gregório baixou a cabeça por um instante. Ele também estava emocionado e com raiva. Seus olhos também estavam cheios de lágrimas. O irmão tinha desaparecido, e a cunhada, ali na sua frente, igualmente parecia desvanecer. Ele se partiu por dentro, sem articular uma resposta de imediato. Vera tinha virado o rosto para a parede, sem querer encará-lo.

Uma enfermeira entrou para verificar o soro que corria para dentro da veia da mulher e diminuir a velocidade do líquido que gotejava.

– Está melhor, querida? – perguntou a enfermeira, gentilmente.

– Não, não estou melhor. Meu marido desapareceu e vocês o estão caçando como um bicho. Ele não matou aquele enfermeiro.

– Não pense nisso agora, Vera. Sei que parece um conselho imbecil, mas tente tranquilizar a cabeça. Deve ter um motivo para isso ter acontecido com ele...

Vera virou-se, estreitando os olhos e sentando-se repentinamente, o que fez a enfermeira assustar-se e dar um passo para trás.

– Não ouse dizer uma palavra ruim sobre ele! – disse Vera.

– Eu não ia dizer nada de ruim, filha. Só ia dizer que precisamos ter fé, acreditar que ele vai ser encontrado, bem...

– Se fosse esse aí! Esse bandido covarde que largou a gente aqui e foi viver como um malandro... – acusou Vera, apontando o dedo para Gregório. – Você podia dizer a merda que você quisesse que eu ia dizer amém. Mas o Samuel é o homem mais doce, honesto e confiável que existe nesta cidade. Ele não tem nada a ver com o irmão dele...

Vera rompeu novamente em um pranto desenfreado e foi abraçada pela enfermeira, que fez um sinal com a mão para Gregório sair. O rapaz entendeu e recuou três passos, afastando-se do leito, ouvindo o choro condoído de Vera.

– Nós vamos achar seu marido, querida. Queremos achá-lo bem, cuidar dele, deixar ele saudável de novo.

– Eu não me despedi dele!

– Calma, filha. Você ainda vai falar com ele.

– Ela me avisou, nossa Mãe querida me avisou. Disse: *Vera, dê tchau pra ele, se despeça de seu marido*. Como justo eu não dei ouvidos a ela?

Ouvindo da porta do corredor, Gregório secava as lágrimas e olhava para a enfermeira que consolava sua cunhada. Apesar do descontrole de Vera, ele não a abandonaria. Não deixaria mais ninguém para trás.

Ainda bastante impressionado com o estado de Vera, Gregório voltou até o investigador Tatá, que o aguardava.

– Olha, a cidade é pequena, e todo mundo está bastante mexido com esse negócio do Samuel e do enfermeiro.

– Mas meu irmão não matou ninguém! Ele chegou aqui quase morto! Não estou entendendo nada, você disse que ele sumiu. Quero saber o que está havendo aqui, Otacílio.

– Vem. Também estamos querendo saber o que está havendo. Você, que é irmão dele, talvez seja a melhor pessoa para ajudar no momento.

Enquanto caminhava para o quarto onde Samuel estava internado, Gregório lamentava que tudo aquilo estivesse acontecendo. Seus pés pareciam querer ir para outra direção, para fora do hospital, buscar o irmão em um lugar onde ele nunca tinha estado, mas não seria racional seguir aquele comando, aquela sensação de que não deveria estar ali. Vera tinha razão, ele não devia ter voltado para Belo Verde. Ele não queria trazer nada de ruim para aquele lugar.

A aflição de Gregório só aumentou quando chegou ao quarto de internações no terceiro andar. Havia três pessoas ali dentro, e dois pareciam pertencer à polícia técnica. Tiravam fotografias instantâneas. O outro era um policial fardado da Polícia Militar. O quarto parecia abalroado por um vendaval, e, nas paredes brancas, havia alguns desenhos sem sentido, feitos com tinta vermelha ou... sangue. Uns pareciam máscaras; outros, borrões ao acaso, dispostos aleatoriamente. No chão, poças de sangue nos quatro cantos pareciam querer subir pelas paredes e juntar-se aos estranhos borrões. Asas. Olhos. Gregório arrepiou-se dos pés à cabeça. As janelas estavam estilhaçadas e arrombadas, como se uma bomba violentíssima houvesse detonado junto delas. As grades externas também estavam destruídas, retorcidas e rompidas, como se mãos gigantes as tivessem puxado furiosamente para fora, para dar passagem, para que Samuel fugisse dali ou... para que fosse capturado.

– Onde está meu irmão? – perguntou Gregório, em voz baixa e trêmula.

Os investigadores olharam para ele. O PM aproximou-se.

– Nunca vimos isso aqui, senhor.

– Alguém levou meu irmão! Quero saber quem levou meu irmão.

– A hipótese ainda é que seu irmão fez isso sozinho.

Eles estavam errados! Era muito sangue para uma pessoa só! Seu irmão nunca faria aquilo. Samuel era vítima de algum tipo perseguição. Era ele, Gregório, quem se metia com gente errada, com bandidos, com gente que apontava armas para as cabeças das pessoas. O que quer que houvesse visitado Samuel, certamente não era humano. Não havia o menor sinal do irmão, nenhuma pista... nenhum pedaço de nada. Amostras do sangue foram coletadas para checagem, e tudo indicava que Samuel havia sido raptado.

Gregório caminhava cautelosamente pelo quarto. Deixou-se cair sentado no sofá, boquiaberto. Não sabia o que pensar. Talvez os demônios tivessem voltado. *Demônios.* Certamente a polícia não acreditaria nele. *Devia contar?* Alguém pôs a cabeça para dentro do quarto, bufando. Outro segurança do hospital.

– Ei, caras, vocês precisam ver isso! – exclamou o homem.

Os policiais civis que estavam no quarto seguiram-no. O PM ficou na porta, olhando para o corredor. Gregório ficou atento a uma poça de sangue que estava na sua frente, a um metro e meio, aproximadamente. Alguma coisa o fez ficar hipnotizado por aquela poça vermelha. Olhou para o PM na porta. *Ninguém estava vendo aquilo?* Gregório sentia uma vibração nos ouvidos, insistindo que ele olhasse para aquela poça. Então aconteceu. A poça oscilou. Círculos concêntricos formaram-se por uma fração de segundo, e, então, a poça voltou a ficar imóvel. Samuel olhou para cima e descobriu o que acontecia. O sangue estava gotejando de uma entrada de ar no teto do quarto, uma grelha com um metro quadrado. Facilmente poderia haver um...

– Gregório, pode me acompanhar, por favor? – perguntou o suposto investigador, voltando ao quarto e pousando a mão no ombro do rapaz.

Gregório desviou o olhar do teto e assentiu com um movimento da cabeça. Subiram um lance de escadas e entraram em uma sala estreita, cheia de pessoas, um aperto desconfortante. O homem empurrou-o para perto de meia dúzia de monitores ligados. Ao que tudo indicava, era a sala da segurança. Havia poucas câmeras no pequeno hospital: na recepção, uma em cada andar, apontando para seu respectivo corredor principal, duas mostrando os estacionamentos. Apontaram para um monitor que rodava imagens aceleradas, indecifráveis, justamente exibindo o estacionamento e parte da lateral do prédio. O operador congelou um ponto e apertou a tecla *play*.

A primeira imagem que Gregório identificou foi a de cacos de vidro estilhaçando no chão, provavelmente vindos da janela do quarto ocupado pelo irmão. Depois, um vulto caía em pé, arqueando levemente. Levava, ao que parecia, um corpo apoiado no ombro esquerdo. A imagem era em preto e branco e em baixíssima definição, mostrando a parede leste do prédio de três andares. Não era possível identificar com precisão o rosto das pessoas, mas, pelo padrão do uniforme, o homem carregado parecia um dos enfermeiros do hospital. O homem que o carregava, muito grande, tinha um lençol amarrado ao pescoço, semelhante a uma capa. Não se parecia com Samuel nem um pouco, e sim com uma fera, uma criatura com braços desproporcionais, que andava encurvada e logo desapareceu do raio de ação da câmera, deixando o hospital.

– Você identifica este homem, o que está levando o outro nos ombros, como o seu irmão? – perguntou o policial Tatá.

– Sinceramente, não. Esse cara é muito esquisito e muito maior do que eu e meu irmão. Meu irmão é igualzinho a mim.

O investigador balançou a cabeça, concordando com Gregório.

– É, realmente ele não se parece com seu irmão. Você o viu antes?

– Não... – a cena rodava em *looping* no monitor, causando calafrios em Gregório toda vez que olhava pata a criatura com o homem nos ombros caindo no chão. – Se ele pulou do terceiro andar... com um homem no ombro, meu Deus, isso não faz sentido!

Tatá balançou a cabeça em sinal positivo.

– Não temos como ter certeza do que aconteceu, mas é surpreendente.

– Tem uma coisa no quarto que percebi e quero mostrar a vocês – disse Gregório.

Logo depois, ele e os policiais estavam novamente no quarto sinistro, investigando o gotejamento. Um policial subiu na escada e tentava arrombar a grade da passagem de ar quando chegou outra notícia. Dois enfermeiros estavam desaparecidos, e um deles só podia ser aquele nos braços do homem. Não tinham certeza se estava vivo, mas também não podiam afirmar o contrário. Todos voltaram as atenções para o policial de paletó e calça jeans que golpeava a entrada de ar. Pareciam adivinhar o que estava preso ali.

– Como ele conseguiu colocar o homem lá em cima sem ajuda?! Aquele cara não pesa menos que noventa quilos. Santo Deus, isso tá esquisito demais! – queixava-se o investigador Tatá em seu escritório na delegacia.

– É, negão... Não tá fácil mesmo. Parece que você vai ter um caso de verdade aqui na cidade.

– Olha, amanhã vou voltar naquela fazenda. Lá tem muita gente pra falar. E também tem muito lugar para se esconder. Vou resolver esta parada – disse Tatá.

CAPÍTULO 20

Gregório tirou o jipe do estacionamento e partiu para a fazenda. Vera e o rapaz deixaram o hospital por volta de uma hora da manhã. Ela estava relativamente calma, mas ainda sedada por causa dos remédios. Durante o caminho, Gregório tentava se convencer de que a criatura disforme, de contornos humanos, não era seu irmão desaparecido. Tentou, mas não conseguiu. Sabia que alguma coisa havia invadido seu irmão e que Samuel estava impregnado pelo mal, pelo cão.

Naquela madrugada, enquanto sua parte de carne e nervos dormia, Thal saiu para uma visita. Voou até uma das casas da cidade, do pastor Elias, e invadiu o quarto, banhando o ambiente com a luz de sua aura.

O pastor dormia. Thal desembainhou a espada chamejante e encostou a ponta na testa do homem. Fechou os olhos e começou a orar. Em seu sonho, o pastor teve uma visão de que um anjo vinha lhe falar. O anjo, com a espada desembainhada, pedia orações para seu exército, e que o pastor fizesse uma forte e poderosa vigília. O ponto da cidade de Belo Verde estava em jogo. Viu as faces de amigos à sua volta: pastores de igrejas próximas, pastores de outras doutrinas, pessoas comuns do povo de Belo Verde. Viu o rosto de Vera, a esposa de Samuel. *O que estariam fazendo aqueles rostos no seu estranho sonho?*

Ao acordar, o pastor orou e pediu fé e compreensão. Entendeu a convocação e sabia que tinha sido tocado. Durante toda a vida, ele havia se preparado para esse momento.

O momento de juntar seu rebanho e salvar as ovelhas do Senhor.

CAPÍTULO 21

O despertador disparou às cinco e trinta da manhã. Jeff levantou e apanhou a espingarda ao lado da cama, foi até a cozinha, engoliu um copo de café frio e saiu andando pela estrada.

Um quilômetro à frente, encontrou uma caminhonete estacionada rente ao meio-fio. Os vidros estavam bastante embaçados, revelando que havia gente dentro. Na verdade, dois homens: o motorista, Jorge, e o acompanhante, o Unha. Na noite anterior, Jeff conversara com os dois, acertando uma sociedade no serviço.

Jeff entrou na cabine da picape, espremendo Unha contra o motorista.

– Gostei da pontualidade de vocês. Vambora fazer nosso trabalho.

* * *

Pablo e Ney chegaram e bateram insistentemente. Esperaram dois minutos, deram a volta pela casa gritando o nome do beberrão, e nada. Era tarde, provavelmente o homem já estava na fazenda. Pablo lembrou-se do pesadelo. Jeff poderia pôr tudo a perder. Não podia matar o homem, tinha que esperar pelo menos mais uma noite. Pablo precisava de confirmação do lado de lá. *Maldito pesadelo! Está bagunçando minha cabeça*, queixava-se Pablo.

Os dois entraram no carro e dirigiram-se para a cidade. Alguém devia saber onde ficava a fazenda. Com sorte, poderiam chegar a tempo. Pablo não sabia exatamente o que fazer, afinal, não queria ser visto por Gregório, mas também não o queria mais morto. Por enquanto. Não contara a Ney o estranho pesadelo, apenas que tinha bons motivos para não matar Gregório naquele dia – e não estava mentindo.

No centrinho da cidade, o criminoso abordou um rapaz que andava solitário na rua. Por sorte, o andarilho sabia com exatidão onde ficava a fazenda de Samuel. Pablo estendeu-lhe algumas notas, para que em troca o rapaz os guiasse até lá. O garoto, sem pestanejar, pulou para dentro do carro preto, e eles chisparam para a fazenda.

* * *

Gregório levantou-se quase às seis da manhã. Ouviu um barulho vindo do galpão e se vestiu rapidamente. Ao espiar pela janela, percebeu que os homens já estavam trabalhando. Calçou as botas e foi preparar o café.

Vera estava sentada, com olhos vermelhos, como se não dormisse havia dias. Fitou o cunhado enquanto ele se movimentava preparando o café. Não via o duplo do marido com naturalidade, ali, ocupando seu espaço. Não era Samuel na cozinha, era o outro, o passado, o que tinha fugido e abandonado todos para trás e que tinha voltado sob o signo da desgraça.

– Tem muita coisa ruim acontecendo desde que você chegou...

Gregório sentiu o peso daquelas palavras como uma bofetada na cara, e das doloridas.

– É... não sei o que dizer, estou confuso também... acho que todo mundo está pensando como você, mas não pedi esta merda, ela aconteceu... não tenho culpa.

– Você tem que ir embora, não quero você mais aqui – algumas lágrimas começavam a despencar daqueles lindos olhos. – Estou com medo, não consigo entender, mas alguma coisa muito ruim está acontecendo aqui... estou com medo, só isso... Meu marido está desaparecido, tenho pesadelos com cachorros demoníacos. Eu... não...

– Você também viu os demônios? – perguntou Gregório, surpreso.

– Sonhei com demônios, sonhei com Samuel matando gente – ela chorava e soluçava. – Estou me sentindo perdida, Gregório.

– Você pede para eu partir, mas não posso. Tenho que ficar aqui. Samuel não ia querer que eu fosse embora e deixasse você sozinha. Nós vamos achar meu irmão, seu marido.

– Acho que vou à casa do pastor agora pela manhã – disse Vera, ainda soluçando. – Desculpe, mas acho melhor você ir embora... ou pelo menos mudar-se enquanto Samuel está desaparecido – chorava aos prantos. – Quero meu marido de volta, não quero você aqui.

Gregório não conseguia olhar mais para o rosto de Vera. Compreendia de onde vinha aquela raiva e aquela repulsa, mas não podia fugir de novo. Não podia ir embora.

Vera continuou calada. Com as botas calçadas e os pés fora do chão, apoiados no assento da cadeira de madeira, ainda chorava. Os sons, os cheiros, tudo estava mudando ao seu redor e a deixando com o peito apertado.

– Vou ajudar os homens com o barracão, já está quase tudo no lugar – disse Gregório, por fim. – Preciso ficar só até encontrarmos Samuel. Quando ele estiver aqui, de volta em casa, vou embora. Prometo.

Vera passava a unha sobre o tampo da mesa e tentava controlar a respiração. Precisava retomar o controle de sua mente e de sua força, e agora também se sentia culpada. Estava afastada da voz ouvida sempre que queria falar com a fazenda, com sua terra, com seu chão. Estava brigada com a Força da Vida que tamborilava em seu ouvido. Não queria mais ouvir a voz que não a tinha chamado quando o marido precisava dela.

Gregório bebeu o café, acenou para a cunhada e tomou o rumo da porta. Já tinha combinado com os homens de finalizar os trabalhos do barracão antes de ir para a cidade e voltar à delegacia. Os homens da polícia tinham que ter mais alguma pista do paradeiro de seu irmão. Estava com a mente tomada por essas inúmeras preocupações e suposições quando pisou desatento na varanda. No primeiro passo do lado de fora da casa, recebeu uma violenta pancada na cabeça. Algo pesado e frio o fez cair sobre a madeira, fazendo-o sentir o sangue morno brotar e descer pela testa. Gregório tremia de dor e de medo. Mãos poderosas puseram-no em pé, e certamente não eram amigas.

Os homens o jogaram escada abaixo, fazendo-o rolar até o terreiro. Não conseguiu identificá-los, pois fora pego de surpresa. *Seriam os funcionários da fazenda?* Apoiando-se nos joelhos e em um dos braços, Gregório tentava se levantar. Recebeu um chute forte no estômago e tombou novamente. A visão confusa detectou três homens enquanto ia ao chão. Jeff? Não conhecia os outros, mas um parecia ser *Jeff*, armado com espingarda.

Gregório percebeu os homens que estavam no galpão se aproximarem e ouviu um tiro.

– Se chegarem mais perto, o próximo tiro vai na cabeça dele – gritou o alcoólatra.

Jeff acocorou-se perto de Gregório, erguendo a cabeça do antigo amigo pelos cabelos, enquanto os comparsas asseguravam-se de que os fazendeiros não reagiriam.

– E aí, velho amigo? Quanto tempo, hein? Vim te fazer uma visita de negócios. Parece que você está morrendo de saudades! Ha-ha! Morrendo... Entendeu a piada? – Jeff gargalhou sozinho.

Vera apareceu no alpendre com os olhos inchados e o cabelo desarrumado.

– Que é isso, Jeff? O que está fazendo aqui?

– Não se preocupe, Verinha. É só uma visitinha pra matar... as saudades deste bosta aqui. Eh! – Jeff desferiu outra coronhada na nuca de Gregório, desmontando o rapaz.

– Pare com isso, Jeff! Já estamos com muitos problemas sem você por aqui, seu pinguço desocupado!

Jeff apontou a espingarda, mirando a cabeça da mulher. Tonico correu, gritando. Um dos ajudantes do malfeitor bateu-lhe com a coronha da arma, desequilibrando o guri, e o outro levantou o cano da espingarda contra os fazendeiros.

– Todo mundo quieto. Ninguém precisa morrer no lugar desse maldito aí – advertiu Jeff.

No chão, Gregório tentava se levantar mais uma vez.

Jeff pôs o dedo no gatilho, ainda com a cabeça da mulher na mira.

– Pow! – disparou com a boca, imitando um tiro. – Cuidado com a língua, mocinha. Sua sorte é que hoje estou de bom humor – advertiu o bêbado. – Muito bom humor. Vera correu para dentro, trancou a porta e dirigiu-se ao telefone, para chamar a polícia. Assim que reportasse o que estava acontecendo, pegaria a espingarda do marido.

Jeff fez sinal com a cabeça aos ajudantes, que puseram Gregório de pé, mal sustentando-se nas próprias pernas. Jeff desengatilhou a arma e virou-a, acertando coronhadas brutais no rosto e no peito de Gregório.

* * *

Em uma parte estreita da estrada, Ney encostou o carro, Pablo desceu, pulou o cercado e subiu um barranco íngreme. Lá do alto, com ajuda do binóculo, confirmou o que temia. Era tarde demais. O futuro de Gregório dependia de Jeff... e não parecia que duraria muito.

– Merda!

Decidiu assistir dali. Seja o que Deus, ou o que quer que seja, quiser...

* * *

– Faz tempo que estou esperando por este dia – disse Jeff, erguendo novamente a cabeça de Gregório, que só se mantinha em pé por estar pendurado nos braços de Jorge, enquanto Unha empunhava o trabuco contra os espectadores.

O rapaz ergueu os olhos para Jeff, esperando-o se aproximar, e, juntando o que restava de força e lucidez, chutou o saco do beberrão, que caiu, tremenda era a dor.

– Seu filho da puta! Cacete! – Jeff rolou para os lados, com as mãos nos colhões, esperando aliviar o sofrimento. Levantou-se, furioso, e olhou em volta. Teve uma ideia. – Tragam esse merda pra cá, seu filho duma puta!

Os homens o arrastaram até próximo a um barril cheio d'água, onde Jeff aguardava sorridente e visivelmente animado. Tonico deu um passo para a frente, achando que era a oportunidade certa de reagir. Unha deu um disparo para o alto, fazendo os homens se curvarem, assustados. Celeste segurou o ombro do rapaz.

– Ainda não... espera – disse o homem.

Gregório, debatendo-se, foi agarrado por Jorge e Jefferson mais uma vez.

– Você se acha esperto, não é? Vamos ver se também é esperto debaixo d'água.

Os homens ergueram, então, o corpo de Gregório junto à parede de madeira da casa, debaixo da canaleta, perto do barril cheio d'água até a boca.

– Se você acredita em Deus, é hora de rezar – avisou Jeff, antes de afundar a cabeça do jovem na água.

Gregório submergiu e não demorou um minuto para ficar sem oxigênio. Já estava tendo dificuldades para respirar, e provavelmente o nariz inchado estava quebrado. Um zumbido, amplificado pela imersão, atulhava seus tímpanos. Mesmo com os olhos abertos, não conseguia enxergar nada, mas certamente não haveria nada para ver. Sentiu um formigamento estender-se por todo o corpo. Era como...

Jeff puxou-o à tona.

– E aí? Tá vivo ainda, miserável? – perguntou o beberrão, debochando e rindo.

Gregório tomou ar, cuspindo um pouco de água. Da boca saía um ronco sofrido, buscando mais oxigênio.

– Dá tchau pra todo mundo. Agora só te largo quando estiver morto – afirmou.

Gregório balbuciou palavras. As únicas que faziam sentido eram:

– Você não sabe o que está fazendo... glurp – voltou para debaixo d'água.

– Sei, sim. Estou afogando um besta.

A comichão voltou, a falta de oxigênio diminuiu e o medo desapareceu por completo quando Gregório sentiu o estalo. Engoliu um pouco de água coletada pela calha, vinda do céu. Água da chuva. A sensação que havia sentido repetidas vezes quando chegava perto da chuva estava de volta. Engoliu mais água, e a dor em seu rosto desapareceu. A falta de ar foi diminuindo, e ele parou de se debater. Não estava morrendo, estava ficando pronto.

* * *

– Solta ele, seu idiota! Solta ele agora! – berrava Pablo, observando a cena através do binóculo, estranhamente torcendo por Gregório.

Ney havia acabado de escalar o barranco e forçava a visão, tentando decifrar o que acontecia.

* * *

Jeff tinha parado de sorrir quando percebera a imobilidade do corpo de Gregório. Acenou para Jorge, e ambos retiraram o homem do tonel, soltando o corpo desfalecido no chão de terra.

Dentro do quarto, Vera, despercebida pelos invasores, procurava nervosamente as balas da espingarda calibre doze dentro.

Unha virou o corpo de Gregório, para certificar-se do óbito. Tonico enfiou a cabeça no peito de Celeste, chorando. Primeiro o patrãozinho, agora Gregório parecia também ter ido embora. *O que estava acontecendo ali na Belo Verde? Estariam todos amaldiçoados?*

Entretanto, os agressores tomaram um susto incrível quando Gregório começou a rir, ainda de olhos fechados, gargalhando cada vez mais alto, soltando golfadas de água junto ao riso.

* * *

– Acho que eles mataram o cara, chefe – disse Ney, observando de longe.

Pablo limitou-se a assentir com um meneio de cabeça. Gregório provavelmente estava morto. O rosto da besta exigindo que o homem não fosse morto e prometendo voltar até enlouquecê-lo retornou claramente à sua cabeça, fazendo-o bambear e dar dois passos para trás, quase caindo pelo barranco.

– Ele não pode morrer, caralho!

– Você tem que decidir o que veio fazer aqui, Pablo. Que porra é esta de não querer matar o cururu agora? Ele te passou pra trás, cara. Nunca vi você dando mole pra malandro.

Pablo crispou o rosto e encarou Ney, voando até o cangote do capanga.

– Tem coisas acontecendo aqui, mano, coisas do outro lado. Tem coisas por toda a parte. Esta cidade tá podre por dentro, não sei o que tá rolando, mas a gente tá no meio disso agora e não é pro vagabundo morrer agora, desse jeito. Ele vai morrer, mas não hoje, senão eu vou ficar bem fodido. – Pablo chutou um torrão de terra, assustando o rapaz que servia de guia e ficara lá embaixo, à espera, ao lado do carro.

– Então você tá com sorte, chefe, olha lá.

Pablo voltou a espreitar a fazenda e abriu um sorriso.

* * *

Os três olharam na direção de Gregório, tentando entender o que acontecia. Ele abriu os olhos e esforçou-se para se levantar, tossiu uma ou duas vezes, bateu com as mãos espalmadas no peito, limpando a areia colada à camisa, e então ficou em pé, com o corpo arqueado.

– Acaba logo com isso – ordenou Jeff.

Jorge adiantou-se e golpeou a vítima com a coronha da espingarda. Entretanto, o golpe não chegou a se consumar. Antes que a arma o atingisse, Gregório, com a mão esquerda, agarrou o cabo da arma e imobilizou o golpe.

* * *

– Que diabos? – exclamou Pablo de longe. – O filho da mãe não morreu coisa nenhuma!

* * *

Gregório, ato contínuo, aproveitando-se do ligeiro espanto do trio, puxou a coronha e segurou a arma pelo cano, girando-a sobre a cabeça e arremessando-a por cima da casa, a uma distância inacreditável. Unha engatilhou a sua, fazendo mira no peito de Gregório, enquanto Jeff mantinha a dele apontada para o grupo de trabalhadores.

– Não tentem nada ou eu mando bala – advertiu o cachaceiro.

Gregório, ainda molhado pela água armazenada da chuva, fixou os olhos nos de Unha. Sentia-se energizado, como havia acontecido no conserto do barracão. Estava ciente de que sobreviveria ao disparo daquela arma e de que poderia matar os três com as próprias mãos. Sem mover os lábios, sem emitir qualquer som, falou diretamente na cabeça de Unha:

– *Larga a arma, meu chapa, ou eu vou te enterrar ainda hoje!*

Unha vacilou, porque alguma coisa poderosa falava em sua cabeça. Um medo gigantesco apoderou-se de sua alma. Era uma ordem. As mãos começaram a tremer.

– *Solta a arma! Agora!*

– Não deixe ele chegar perto de mim! – gritou, soltando a arma e fugindo na direção da picape. – Não deixem esse demônio me pegar!

Jeff virou-se, assustado, e desviou a atenção que mantinha nos empregados. Gregório caminhava em sua direção.

– Eu vou atirar, parado aí – advertiu Jeff, visivelmente transbordando medo na voz.

– Não vai, não! – gritou Vera do alpendre, com a doze engatilhada.

– Se tocar nesse gatilho, eu estouro sua cabeça, Jeff. Chega!

Jeff estava confuso, havia lugares demais para ficar atento. Olhou para trás, os empregados ainda estavam lá. Olhou para o alpendre, Vera avançava, passo a passo, descendo a escada, com a coronha da doze encaixada no ombro, pronta para disparar. Gregório... *onde estava Gregório?* Girou o corpo, tentando encontrá-lo ao menos com a visão periférica. Quando focalizou o alvo, era tarde demais. A mão fechada socou seu nariz, fazendo-o ver estrelas. O gorducho caiu sentado, estatelado, bufando, como se tivesse uma tonelada.

Jorge apanhou um cabo de enxada e partiu para cima de Gregório. Golpeou duas vezes, em vão, pois o homem desviava-se habilidosamente do bastão, como se lesse a mente do agressor. Sabia com precisão o que ele faria no momento seguinte.

Jeff balançou a cabeça, recobrando os sentidos. Vera estava na sua frente, com o cano apontado para a cabeça do alcoólatra. Ele considerou que ficar quieto seria uma boa ideia. Era bebum, não burro.

Gregório tomou o cabo de enxada da mão de Jorge, girou como uma espada e começou a desferir potentes golpes por todo o corpo do inimigo. Acertou as costelas, que estalaram, os braços e, com força e violência, a lateral da cabeça, o que fez o homem desmoronar e contorcer-se espasmodicamente no chão.

De trás da curvinha, surgiu um carro preto, levantando poeira pelo caminho, em alta velocidade. Gregório eriçou-se e chegou a considerar, instintivamente, a possibilidade de correr para o milharal. Poderiam ser amigos de Jeff...

– Conheço aquele carro – disse Vera. – É o investigador Tatá.

Pablo desceu do barranco, retornando ao carro. Mandou Ney e o rapaz entrarem e voltaram à cidade. O garoto havia dito que o último carro que havia passado por eles era de um investigador da polícia. Por causa do cenário que o policial encontraria na fazenda, Pablo decidiu que era pouco produtivo continuar ali.

– E aí, chefe? Correu tudo direitinho?

Pablo tirou um cigarro de sua cigarreira e olhou para o rapaz no banco de trás, pegando um isqueiro.

– Até que deu tudo certo. De um jeito diferente, mas era assim que tinha que ser hoje. Eu devia acabar logo com esse safado metido a malandro que veio pagar de santo aqui no Cabrobó do Judas, mas não querem que a gente se meta, por enquanto.

– Cê tá com uns papos muitos misteriosos, chefe. Tá estranho pra cacete.

Pablo acendeu o cigarro e deu tragadas rápidas.

– Dirige aí, *brother*. Não tenho que ficar dando explicação nenhuma pra ninguém. Nem eu entendi nada ainda.

O investigador desceu do carro, lançou um olhar panorâmico e fitou as pessoas.

– O que diabos está acontecendo aqui? – exclamou, finalmente.

– Você tem alguma informação sobre meu marido? – perguntou Vera.

– Não, até agora nada, mas é justamente isso que me trouxe aqui. Pelo visto, não vou ter tempo pra falar dele agora. Vocês poderiam, pelo amor de Deus, explicar que diacho é isso aqui? – inquiriu, acocorando-se ao lado de Jorge para conferir se o homem estava vivo ou morto.

– É uma história complicada – balbuciou Jeff.

Ainda agachado, o investigador virou-se para o agressor:

– Eu sou pago para ouvir histórias complicadas.

CAPÍTULO 22

Assim que o sol começou a se pôr no horizonte e a luminosidade passou a fugir do salão, Samuel levantou-se do meio das sombras. A capela abandonada ficava nas terras da fazenda Belo Verde e havia sido construída muitos anos antes, com a missão de arrebanhar os empregados, trabalho realizado pelo pai de Samuel, o pastor. Depois de sua morte, aos poucos a velha capelinha foi sendo esquecida, e hoje, quase encoberta pela vegetação, a umidade apoderava-se das paredes de madeira, tornando-as podres, e o ar, viciado. Insetos zumbiam e cruzavam o salão, ao passo que inúmeros ninhos de teias eram moradas de aranhas.

Nas paredes laterais havia quatro pequenos vitrais sujos e empoeirados, que permitiam a parca entrada de luz, dois em cada parede. Ao contrário das capelas evangélicas tradicionais, esses vitrais traziam imagens, representações das míticas histórias narradas no livro sagrado. Adão e Eva partindo do Paraíso enquanto um anjo, com mãos postas em prece, ajoelhava-se atrás deles. A estrela de Belém, fulgurante, assinalando a chegada do Filho de Deus. Os irmãos Caim e Abel visitados, cada um por uma entidade, a luz e a treva, o anjo e o demônio. O último deles, o que mostrava Jesus carregando a cruz, estava incompleto, quebrado no passado, servindo de acesso a pequenos animais para dentro do prédio santo e, agora, para o novo Samuel.

Ele estava desfigurado. Só um bom observador olharia para o homem agachado em um canto do altar e perceberia tratar-se de um dos gêmeos. Samuel parecia um pouco inchado; a pele estava pálida, branca como leite; os olhos, afundados nas órbitas e com profundas olheiras. O corpo estava coberto pela batina hospitalar e por um lençol amarrado ao pescoço, lembrando uma capa. Movia a cabeça como se duelasse com pensamentos confusos. Sorria e, depois, mudava a expressão. Fechava os olhos, movia a boca articulando palavras que não saíam, que não eram ouvidas. Estava com medo daquela luz resistente no horizonte, mas não queria sair dali, não até que fosse noite completa.

Foi quando Samuel olhou para o lado e viu, amontoado em um canto da capela, um corpo humano. Pelos trajes, tratava-se de um funcionário do Hospital Municipal. Aparentemente, estava morto, mas essa quase convicção era quebrada por gemidos doloridos, um lamento choroso. Talvez as pernas estivessem quebradas, talvez estivesse sedado, contudo, certamente não estava em condições de fugir, de levantar-se e correr daquele cenário sombrio.

Quando o último raio de sol desapareceu da capela, Samuel colocou-se em pé. Quase num salto, chegou à porta dupla de entrada e, com alguns golpes, conseguiu arrombá-la, fazendo a grossa corrente que a mantinha trancada do lado de fora arrebentar, e a madeira, esfarelar-se. Voltou para o salão, empurrando os bancos para os lados. Ajoelhou no meio do vazio empoeirado e cravou as mãos no chão como um animal, um bicho da selva. Inspirou fundo e gritou. As mãos arranharam o assoalho da capela. Chorava gotas de sangue. Sua vida não era mais sua. Ele estava enfurecido, não sentia o coração, o corpo estava frio, os dentes estavam diferentes. Seu tempo era outro, agora era da noite. Não viveria mais ao sol. Sua plantação estava perdida, e, sem a luz do sol, tudo morreria, viraria sombra. Ele seria sombra.

Levantou-se e saiu para a mata. Samuel estava em suas terras, conhecia tudo ali dentro como a palma da mão. O poço estava a dezenove passos do pé da escada da capela erguida por seu pai. Arrancou as vigas e as tábuas que selavam o poço, a borda, uma mureta de um metro de altura de pedras negras, e puxou com força os sarrafos que estavam por baixo. Seu pai batizava ali os fiéis, as pessoas que se ajoelhavam e se entregavam para que a alma fosse levada ao Paraíso no dia do reencontro, de que ele agora se sentia privado, afastado. Não teve túnel de luz, não teve vozes chamando, não teve o calor dos acolhidos pelos anjos do senhor. Só havia aquilo que o enrodilhava agora, a escuridão. Seus únicos amigos e as únicas vozes que ouvia era a deles, a dos cães do inferno.

Samuel não sabia mais onde estava. Sua alma batizada não estava ali, dentro dele. Ele não tinha ido para o alto nem descido para o inferno, estava preso naquele entremeio, esquecido de Deus e do diabo, e com a barriga roncando por um alimento que era novidade. Delicioso, inebriante. Um banquete para manter-se unido ao fiapo de vida que animava sua carcaça sobre-humana.

Olhou para o fundo do poço. A luz das estrelas e os olhos de criatura da noite permitiam a ele ver as velhas pedras que selavam o barro e deixavam o fundo encontrar o lençol e acolher a água, onde via o rosto na água imóvel e seu reflexo. Estava vendo sua face.

Nunca tinha perdoado seu reflexo. Seu coração, agora morto, levaria essa ferida para sempre. *Não podia perdoá-lo, nunca!* Arrancou pedaços de pedra da mureta do poço, seladas com cimento havia décadas, que resistiram às investidas do vampiro que, cada vez mais furioso, começou a socar as pedras encaixadas que foram cedendo. Arrancou a primeira e arremessou ao fundo, destruindo o reflexo. Agarrou a outra, grande e pesada, e trouxe consigo debaixo do braço, voltando para a capela. Parou diante do vitral que expunha Caim e Abel. Um dos irmãos era secundado por um anjo que tocava seu ombro, e o outro era acolhido por um diabo, com forma de cauda de serpente repartida, que se enrolava em seu calcanhar.

Samuel tremia, os olhos estavam comprimidos em uma carranca, vermelhos, luminescentes. Ergueu a mão e atirou a pedra contra o vitral, destruindo a imagem de Abel. O homem aprisionado no altar gemia chorando. Samuel aproximou-se e pisou repetidas vezes em sua cabeça, fazendo-o apagar. Voltou para a porta dupla da capela, recebendo o vento da noite na face, que revolveu seus cabelos. Em um repente selvagem, saltou da frente da capela e, no segundo salto, parou nos galhos de uma árvore da mata que engolia o entorno. Samuel não estava indo para casa. Agora morava ali, na noite, na floresta e na escuridão. Samuel estava indo à caça.

CAPÍTULO 23

Por volta do poente, a turma retornava para a fazenda. Gregório, Vera e alguns homens foram convidados, formalmente, a prestar depoimentos na delegacia de Belo Verde, assistidos pelo investigador Tatá e por mais dois homens. O assunto principal era o desaparecimento de Samuel. A maioria das perguntas dirigidas aos funcionários concentrava-se nos hábitos do recém-chegado Gregório. Não havia queixas contra o homem, mas algo comum em todos os depoimentos: coisas estranhas começaram a acontecer depois da misteriosa e não menos surpreendente aparição dele. Depois, as perguntas sobre o humor do fazendeiro: como estava nos últimos dias, se tinha mudado de hábito... Nada foi, no entanto, percebido.

Foram, então, dispensados e alertados de que poderiam ter de prestar esclarecimentos novamente no distrito. Ninguém se incomodou, eram todos pessoas simples, sem ter o que esconder, e estavam empolgados com a possibilidade de ajudar a encontrar o patrão. Antes, disso, porém, outro fato chamara bastante a atenção dos policiais e por eles foi explorado no interrogatório: a história de Gregório ser violentamente espancado naquela manhã. Segundo todos os depoentes, o moço havia chegado a uma aparente inconsciência após a tentativa de afogamento por parte de Jeff.

Os oficiais se perguntavam como um homem quase morto tinha conseguido livrar-se sozinho dos três, encontrando forças para espancar dois, a ponto de rendê-los e ainda estar bem, recusando cuidados médicos. Os depoentes tinham dito que a surra havia sido para valer e que o rosto de Gregório tinha inchado e tudo. Parecia espantoso.

Tatá, quando sozinho com Gregório, perguntou se ele fazia uso de drogas, uma possibilidade investigativa. Gregório não tinha marcas, pontos roxos nem hematomas, não se queixava de dor, o que seria comum. Tatá chegou à conclusão de que Gregório era um sujeito que escondia bem os seus vícios ou era um homem um tanto raro.

Segundo os empregados, Gregório desarmara Jorge e, de relance, arremessara a espingarda por cima da casa a uma velocidade surpreendente. O fato é que os homens de Tatá levaram quase duas horas para encontrar a arma no meio da plantação, a mais de trezentos metros do local da briga! Nem um campeão de arremesso de dardo conseguiria tal façanha.

A única relação que o investigador conseguiu estabelecer foi que os dois irmãos estavam agindo de maneira bizarra, fora do normal. Só não sabia ligar aqueles pontos, não conseguia trazer tudo aquilo para o mundo racional. Tatá começava a achar que estava justamente aí o problema. A razão não o ajudaria dessa vez, e o que estava acontecendo emanava de outro lugar, de que ele não gostava. Ele precisaria de ajuda para entender a lógica das coisas.

Naquela noite, assim que Gregório fechou os olhos e mergulhou em sono profundo, Thal sentiu-se livre, pulou para fora do corpo do humano, estendeu as asas imensas e partiu, voando e singrando o céu. Havia uma missão a cumprir. Khel deveria estar fazendo seu trabalho agora mesmo, articulando-se com comparsas, conspirando contra os demônios. Não havia tempo a perder.

Chegando ao centro, Thal encontrou Alanca pousado em cima da lanchonete. Este ouviu o irmão alado em silêncio, ficando visivelmente perturbado com a possibilidade de a Batalha Negra acontecer ali, em Belo Verde. Alanca foi instruído a ajudar a recrutar irmãos para a Batalha, e deveria empenhar-se nisso dia e noite, todo o tempo, pois precisariam de muitos irmãos para ter chance de vitória. Pior era o fato de que dificilmente conseguiriam recrutar anjos suficientes, já que todos tinham direito de se recusar a participar do evento. Fazer parte dele significava morte certa aos melhores guerreiros. A morte da luz na Batalha Negra seria total, e a submissão à força maligna, a conversão em sombras, seria eterna.

Dois fatos provocavam transtorno nos anjos engajados na Batalha Negra. Todas as almas humanas tomadas pelos demônios durante as vinte e quatro horas de batalha eram transformadas em demônios para o exército da escuridão. As Energias da Vida davam aos dois exércitos a força de uma revolução solar. Enquanto as almas fossem feitas escravas, os corpos humanos, tal qual vasilhames vazios, não morreriam, mas se tornariam seres da noite, capazes de se proliferarem mais rápido que ratos nos esgotos, espalhando mortos-vivos por toda a superfície terrestre. O outro ponto era o destino dos anjos guerreiros, também hediondo: todos os destruídos durante a Batalha Negra desintegravam-se, passando da energia divina e reconfigurando-se para a energia do mal.

Os demônios tinham o tempo terrestre de uma revolução completa do Sol para atacar a área da Batalha Negra sem intervenção do primeiro escalão celestial ou infernal. Era um dia completamente neutro, em que a força sombria despejaria todos os seus exércitos, com o duplo objetivo de levar quantas almas terrestres conseguissem e matar o maior número de anjos possível. A Batalha Negra era aberta imediatamente à apresentação dos exércitos. Seria o dia do inferno na Terra, em que os dois exércitos travariam mais um capítulo sangrento.

Thal decolou, dirigindo-se para o sul, enquanto Alanca voou para o norte. Antes de o sol raiar, o grupo de anjos zunindo para todos os lados ultrapassava a casa de vinte. O exército celeste começava a tomar forma e a ganhar vida. Durante a noite, nenhum dos anjos avistou demônios agrupados; eventualmente, percebiam pares de olhos vermelhos cortando ligeiros a escuridão, ora vagando entre as árvores das florestas, ora cruzando pastagens distantes, mas nada de matilhas.

Acobertados por orações em missas maléficas, os demônios agruparam-se sem ser descobertos, e já havia uma legião com mais de duzentas feras. A cada momento, mais e mais demônios reuniam-se às sombras, engrossando o furioso Exército do Mal. Os demônios, na grande maioria, aceitavam o temido engajamento na Batalha Negra, pois nada tinham a perder além das próprias vidas. Ao contrário dos anjos, quando as feras bestiais eram derrotadas e desintegradas durante a luta, não corriam o risco de ter sua energia e consciência destinadas para o grupo oposto, o Exército de Luz. Simplesmente desapareciam – e isso, na Batalha Negra, contava muito.

Naquela noite, anjos e demônios invadiram mentes humanas, buscando mais forças em seus grupos de orações. Os humanos que viviam em Belo Verde não sabiam que o Ponto estava em disputa, que suas almas estavam à mercê das espadas. Pouquíssimos ali ainda conheciam o velho código, o livro mantido em segredo, não professado pelos pastores nem pelos padres, o livro que falava da Batalha Negra e que descrevia o horror da única noite registrada em palavras riscadas em um papel mais antigo do que podiam contar como foi quando os anjos perderam. Quando uma vila inteira sucumbiu às trevas e seus corpos tomados tornaram-se cascas que perambulavam pela Terra. Já era dito lá no Velho Código: ouvidos e olhos se abririam com mais potência, e o tecido fino que separava os dois mundos ficaria rarefeito por aquelas vinte e quatro horas.

Thal visitou Vera antes da alvorada, aparecendo em um sonho. Pediu para a mulher ajudar no recrutamento do Exército de Luz, buscando orações para os anjos. O anjo sabia que o tempo era curto e se esvaía precioso, como grãos de areia em mãos humanas. Sabia que, em poucos minutos, Gregório despertaria e o aprisionaria novamente na carne até outro lampejo de inconsciência. Pediu a seus irmãos que, mesmo durante sua ausência, garimpassem atrás de mais força, de mais anjos, dos padres da cidade. A ideia era que o clamor para a união fosse transmitido aos ouvidos de carne.

Thal voou até a casa do pastor Elias para pedir a realização da tarefa terrena mais crucial durante a Batalha Negra. Porém, antes que tomasse de assalto a mente do homem outra vez, percebeu o corpo desintegrar-se em milhares de partículas de luz. Gregório, uma vez mais, estava acordando.

CAPÍTULO 24

Às sete horas da manhã, o sol já estava mostrando toda a força. Mesmo àquela hora, normalmente com ventos frescos, o dia já estava quente e abafado. Gregório se juntou aos homens nos reparos finais do barracão. Com a reforma adiantada, quatro pessoas foram lidar com a colheitadeira. Por causa das chuvas, os reservatórios da fazenda estavam repletos. Assim, acionaram o sistema de irrigação e mandaram água ao milharal.

Vera entrou no galpão, à procura do cunhado. Chamou Gregório, levou-o para fora e teve uma conversa em particular.

– Quero pedir desculpas pelas palavras de ontem – disse ela.

Gregório encarou a mulher que, na adolescência, havia sido sua namorada, com quem já tinha um dia sido verdadeiro, aberto o coração e revelado a alma inquieta.

Vera arrastava o pé descalço na grama em frente ao galpão e estava com a cabeça baixa, como se estivesse encabulada.

– Olha, sinceramente, não gostei nem um pouco do que ouvi, mas que remédio? Todo mundo sabe que uma porrada de merda aconteceu depois que vim pra cá. Eu sei, você sabe, o Tatá sabe – disse Gregório, que voltou a colocar o chapéu. – Não estou chateado com você, só estou aqui tentando ser alguém, mas não sei se consigo ser essa pessoa. Quero ajudar em tudo aqui até acharmos o Samuel. Quero ajudar você, mas tem algo dentro de mim que parece não querer estar aqui.

– Você sempre foi assim, Gregório, sempre quis ser outra coisa, ir para outros lugares.

– Eu sei! É por isso que estou sofrendo. Agora que quero ser só eu, ser só um cara junto com a família e sossegar meu facho, parece que vai dar tudo errado. Parece que preciso ser outra coisa. Não quero mais isso, estou cansado. Quero o Samuel de volta e quero recomeçar aqui, na fazenda, com vocês.

– Eu estava nervosa, estou perdida. Não sei se meu marido está vivo ou morto – Vera pôs a mão no rosto, comprimindo os olhos com os dedos. Não queria chorar, as lágrimas já tinham secado.

– Só queria saber se tenho culpa nessas coisas todas, se tudo é apenas coincidência. Duvido muito, mas queria saber.

Vera abraçou-o.

– Você não é culpado de nada, e a gente sabe disso. Não quero que você vá embora, de verdade. Me ajuda a achar o Samuel, e trazer ele pra casa.

– Vou descobrir o que está acontecendo. Tô sentindo coisas estranhas, ando vendo e ouvindo coisas estranhas. Vem comigo – disse Gregório, saindo em direção à casa, após puxar Vera pelo braço.

Passaram em frente ao chiqueiro. A porca se alimentava da lavagem e a vara de filhotes mamava na mãe, que grunhia e atolava o focinho na bacia. Vera ficou olhando para a porca, que a encarou de volta. Era a primeira vez que sentia medo da criatura com a qual costumava se deitar para comungar a existência de suas almas entrelaçadas pelo simples fato de coexistirem ao mesmo tempo. A ligação agora parecia muito mais profunda do que uma irmandade. O devaneio de Vera com a porca parou quando Gregório estacionou e apanhou um latão.

– Pegue isso e encha a lata – ordenou ele.

Estavam parados em frente ao barril de água no qual ele quase havia sido afogado no dia anterior.

– Encha a lata, vou te mostrar uma coisa.

Vera obedeceu e, em silêncio, o seguiu de volta à entrada do distante galpão. Pararam junto ao trator estacionado na frente do depósito.

– Quanto você acha que pesa o trator?

– Sei lá, duas toneladas, ou mais.

Ramiro e Tonico surgiram na porta da frente, atraídos pela conversa.

– Ramiro, você acha que eu consigo erguer o trator com minhas próprias mãos?

– Sozinho? Tem jeito não, homem.

Gregório balançou os braços e agarrou o para-choque traseiro. Empregou toda a sua força muscular, mas o máximo que conseguiu foi um leve deslocamento com a ajuda dos amortecedores da máquina, que só moveu o chassi. Então, virou-se para todos, com um ar de "Viram? Desse jeito não dá certo".

Tonico coçou a cabeça, imaginando que Gregório estava com um parafuso a menos. *O que ele pretendia com aquela encenação?*

Gregório aproximou-se da cunhada e pediu:

– Joga esta lata d'água em mim.

– O quê? – perguntou Vera, espantada. – Você quer...

– É isso mesmo, e anda logo, todo mundo já tá achando que eu sou maluco mesmo. Vamos terminar com isso. Joga a água em... – Gregório ficou ensopado. Vera atendera ao pedido do moço. – Uau! Que gelada!

Gregório sentiu novamente aquele estalo interno, como se uma chavinha estivesse sendo ligada em sua alma. O cheiro da água da chuva inundou seu nariz, estendendo-se por todo o seu ser. Até o dia ganhava um colorido diferente quando ele estava naquele estado. Sentiu que podia tudo, como se um coro de mil vozes cantasse em seu ouvido que ele podia. Podia erguer o trator, podia vencer qualquer inimigo, mover qualquer obstáculo, podia simplesmente desejar e voar. Não duvidava, só sabia que podia. As vozes sussurravam, alimentavam sua alma, seu espírito. Sentiu a fé fortalecida milhões de vezes, não duvidava. Talvez aquele poder fosse simplesmente o resultado de sua fé ampliada, talvez o segredo fosse esse, simples e fácil... a fé. Sabia que era a chuva que trazia aquilo. Ele sentia-se o Senhor da Chuva.

Ramiro, Tonico e Vera caíram na gargalhada. O que pretendia aquele frango molhado?

– E agora, vocês acham que consigo erguer o trator?

– Sem chance – sentenciou Tonico.

Gregório estalou os dedos e agarrou o para-choque traseiro. Aplicou um pouco de força e fez a máquina balançar. Sentiu a energia fluir na superfície de sua pele e entranhar em suas veias, e o trator transformar-se em uma pluma. Levantou o objeto com facilidade impressionante, deixando os espectadores de queixo caído. Depois de sustentar o trator por alguns segundos no ar, soltou-o. O barulho da máquina tocando o solo fez a plateia despertar daquele estado catatônico.

Vera enfiou os dedos nos cabelos, Ramiro apanhou o chapéu no chão e Tonico deixou o rosto escancarado em um sorriso maravilhado com o que acabava de ver.

– Meu Deus!

– Como pode? – perguntou Tonico.

– Estranho, né? Também fico assustado – revelou Gregório. – Começou, como as outras coisas esquisitas, desde que cheguei aqui. Não sei como acontece, por que acontece, mas acontece. Resta descobrir se isso é bom ou ruim... e que preço vou pagar por este dom.

– Bom ou ruim? Acho que isso depende de você – disse Vera.

– Acho que é bom – opinou Tonico, eufórico. – Acho que é muito bom!

– Parece que uma coisa se apossou de mim, uma força que às vezes me inunda de conforto – explicou Gregório. – De vez em quando, essa mesma força me diz que dias sombrios ainda virão e que não sou mais quem sou. Diz pra nos fortalecermos, pra orarmos por meu irmão Samuel, porque, depois da tempestade, ele voltará. Temos de orar para que ele volte bem e por nossas almas, para não apodrecermos como mortos-vivos, sem espírito, com sede de sangue e medo da Grande Luz.

Os homens benzeram-se.

– Você tá falando com jeito de profeta – resmungou Ramiro, de cabeça baixa, reverente. – Parece que essas palavras não vêm mais de você, garoto. Acho que elas estão vindo lá de cima. – Ramiro olhou para os outros. – Quem tiver bom coração, que escute. Nosso patrão tá precisando de oração, então a gente tem que rezar.

Vera observava o cunhado como se ouvisse um discurso que ela própria tivesse escrito para a Grande Luz, para salvar almas em Belo Verde. Tinha estado mais uma vez no meio das raízes, no fundo daquele velho poço. Agora não tinha visto Samuel velado pelos vasos finíssimos, derivados das raízes que se manifestavam da terra úmida.

Só estavam lá as três: a Mãe de Toda a Vida, Vera e sua porca, sentada ao lado da Mãe. Vera levou a mão à boca, tocada pela revelação de Gregório, que a arremessou à lembrança perdida na terra dos sonhos. A Mãe pediu compromisso, precisavam de força de luz vinda de todo e qualquer lugar, e revelou que a luz morava em sua casa agora, e, por causa da luz, as sombras viriam. Tinham de se preparar. Vera sabia que era vista como uma desgarrada pelos fiéis de Belo Verde, que tinha deixado o rebanho e que vivia da Lua, da Terra e das forças que a Mãe entregava a todos que se conectavam com o chão da vida. O sal e o húmus, o lugar de onde vinham nossas cascas e para onde elas deveriam um dia voltar. Elias, seu ex-pastor, e ainda amigo, teria que escutá-la mesmo assim.

Vera não olhava mais para Gregório, rodeado pelos homens com as mais diferentes perguntas. Ela estava encalacrada em si mesma, imaginando como convenceria Elias e toda as pequenas igrejas de Belo Verde a acreditarem em uma mulher que eles começaram a chamar de "estranha", de "bruxa", de "Wicca". A vida de Samuel dependia da fé e do que a natureza sussurrava nos ouvidos de Vera, que estava ainda mais forte. Ela precisava escutar tudo como nunca escutara antes. A Energia da Vida fluía.

Vera arrancou as botas e andou até o milharal, observada pelo cunhado e pelos peões já acostumados com o jeito estranho da patroa. A Energia da Vida soprava e balançava as hastes do milharal. Vera a escutava mais uma vez... e se ajoelhava. A vida de Belo Verde dependia de toda a fé. A fé em todas as coisas da Luz. Iria encontrar o pastor Elias. Abandonou o grupo, montou no jipe e partiu para a cidade.

CAPÍTULO 25

Pouco antes do amanhecer, faltando precisamente duas horas para o primeiro raio de luz despontar nas colinas, Samuel não tinha como plano voltar para o esconderijo sagrado. Não havia viva alma nas ruas de Belo Verde, haveria ainda um longo aprendizado para a vida noturna, e a primeira lição ele estava para completar. Dez metros à frente, avistou o muro do cemitério municipal. Precisava de um abrigo seguro e adequado durante o descanso diurno, e ali encontraria o que buscava. Após breve corrida, saltou para cima do muro, como se fosse dotado de magia.

O cemitério estava completamente vazio de humanos, e o vento suave fazia a capa de lençol que ele vestia tremular levemente. Samuel podia ouvir apenas o gargalhar esganiçado de algumas feras escondidas entre os túmulos, e, eventualmente, pares de olhos vermelhos cruzavam o campo sagrado, como brasas desgarradas de um incêndio maior. Estancou na frente de um túmulo com adornos novos e velas crepitantes e avistou um morto novo. Seis ou sete coroas de flores enfeitavam a sepultura, impregnando o ar de um cheiro viciado e pesado que se misturava com o odor de enxofre que impregnava todo o cemitério. Em outros tempos, estaria amedrontado com aquelas feras diabólicas, zanzando e gargalhando ao redor, mas não agora. Agora pertencia a eles. Samuel também era um demônio, não tinha medo de silhuetas bizarras que andavam em matilhas, com olhos ora amarelos e terríveis, ora escarlates. *Seriam seus irmãos?*

Uma das feras chegou próximo ao fazendeiro morto-vivo e rosnou, nervosa, mostrando dentes afiados. O morto-vivo encarou o demônio, que resmungava e andava para lá e para cá, à sua frente, no corredor asfaltado do cemitério, como uma onça do inferno, tesa e rente ao chão, pronta para o ataque. A criatura abriu a boca e arregaçou os lábios, exibindo também as presas. Tinha dentes compridos, prontos para cortar a carne da matéria. Mas Samuel também era uma fera. Seus olhos brilharam vermelhos, mostrando que, apesar de ainda ser feito de carne, estava no entreposto do mundo físico e do mundo oculto. Ele não era mais um humano, seu corpo tinha mudado, e não era mais o fazendeiro, aquilo de que aquela carne tinha se orgulhado ser um dia. Ele agora era livre para atravessar as noites e comungar com o lado oculto. O tempo não mais o comandava. Samuel era um maldito, filho das sombras e da noite, e tinha um longo caminho de aprendizado pela frente.

Os demônios se calaram, invejando a carne que tocava as sombras, a criatura que era o que muitos deles queriam ser um dia.

– Não sou mais de vocês, me transformei, e não sou mais igual a eles. Mas não sou o que vocês querem que eu seja. Renego o medo que vocês carregam – proferiu o vampiro. – Agora andarei sozinho e andarei por mim. Saia de mim, demônio do inferno.

Esferas de luzes ofuscantes cruzavam o céu em alta velocidade. *Anjos!* Outrora as luzes provocariam ódio e terror nas feras ali embaixo, mas não naquela noite, quando os demônios estavam protegidos por orações e sangue derramado. Era parte do plano. Os anjos não ousariam guerrear em hora tão imprópria, perceberiam a inutilidade da luta e atenderiam a razão. Fugiriam de Belo Verde e deixariam a cidade livre para os demônios pelo tempo de um giro do planeta.

Khel abandonou o corpo de Samuel, e seu espectro tomou forma no plano espiritual. Rugiu para a fera que rosnava para o humano, fazendo o cão inferior afastar-se do líder, e saltou para cima da cabeça de um anjo de bronze que adornava o topo de um túmulo suntuoso. Olhou fixamente para Samuel, semicerrando os olhos, que passaram do vermelho-brasil para um amarelo vivo e demoníaco.

O ex-humano ficou tonto, enfraquecido, quando o espírito do cão deixou seu corpo. Caiu de joelhos e levou a mão à cabeça, arreganhou o cenho e grunhiu. Sentiu a força voltar às pernas e agarrou-se à lápide polida do túmulo. Um vento forte cortou o cemitério, e o som das folhas secas arrastando-se pelo chão chegou forte em seu ouvido. *O que eram aquelas criaturas? Eram tantas!*

– Acha mesmo que vai ser tão rápido assim para se livrar de nós? Eu tomei sua alma. Agora você é só um vaso vazio, é isso o que você é, nada nem ninguém. É só um corpo que vaga, Samuel. Mantenha seu nome para que tenha um rastro para onde voltar quando reencontrar a dor. Ha-ha-ha-ha-ha! – Khel gargalhou. – Mas não sou um pai de todo malvado: darei a você um presente para que comece a sua vida escura. Leve!

Samuel ficou parado, olhando para as feras infernais, que tinham medo da luz. Alguns demônios cavavam em cima de uma cova para desenterrar o morto novo. Levaram uns quatro minutos até alcançar o objetivo e, como leões de Satã, rugiram para Samuel, que se aproximou e atirou-se no buraco. Com pouco esforço, conseguiu elevar e retirar o caixão; com um salto fantasmagórico, deixou o buraco.

O caixão era grande e feito de madeira nobre, cercado de entalhes góticos, atraindo mais ainda a criatura. Passou a mão carinhosamente pelo esquife e abriu-o, arrancando, com a mão, o cadáver masculino em estado de putrefação. Arremessou-o de volta à cova, deixando a encargo de seus novos irmãos a tarefa de recobri-lo com terra.

– Vá, leve sua casa e descanse. Quero você renovado para a próxima noite. Quero você feroz e sedento por sangue. Espalhe o pavor, divida os humanos, destrua toda a fé no Pai de Luz! – ordenou Khel, gargalhando. – Não será tão fácil assim se livrar de mim, aprendiz de Satã.

Samuel obedeceu, puxando o caixão pela alça frontal com extrema facilidade. Estava mais poderoso, mas sentia urgência em retornar, pois deveria ter apenas mais uma hora de escuridão. Entendeu por que fora chamado de irmão: temia a luz do Sol. A estrela despontaria no horizonte, trazendo para ele o decreto de descanso, mas, se estivesse fora da toca, traria o decreto de destruição... da não existência.

Arrombou o portão frontal e suspendeu o caixão nos ombros. Retornou à floresta, com destino à velha capela. Era hora de descansar e de se preparar para uma longa batalha.

CAPÍTULO 26

Pouco depois da espantosa demonstração de Gregório, Vera estacionou o jipe em frente à igreja batista, junto a diversos carros. Era terça-feira, não havia culto, mas o movimento, pelo que pôde perceber, era anormal. Como a porta da igreja estava aberta, não foi necessário ir à residência do pastor. No salão grande, dispunham-se duas alas de bancos com doze fileiras cada, e havia cerca de quarenta pessoas zanzando e conversando em grupos espalhados. Alguma coisa estava mesmo acontecendo ali.

Vera deu uma olhada geral, mas não encontrou Elias, e viu Edna, a esposa do pastor, conversando com alguns fiéis, que tinham os rostos sérios e falavam em voz baixa. A mulher hesitou, em um primeiro instante, pois suas discussões sempre acaloradas com o pastor Elias a tinham afastado da igreja batista, frequentada por décadas por toda a sua família. Elias e ela tinham crescido juntos; ele, alguns anos mais velho e implicante, nunca aceitara que Vera dissesse ter encontrado Deus em outras formas e vozes diferentes das que estavam na Bíblia Sagrada, e não entendia ela chamar de Energia da Vida, porque acreditava que Deus estava também na terra, na chuva e dentro de cada animal que cercava os humanos.

Ele não aceitava que Deus se dividia em Pai e Mãe, ambos criadores e protetores, mas nunca tinha se transformado em um inimigo, muito pelo contrário. Era só um ponto de divergência daqueles dois que acreditavam na Energia Superior de maneiras diferentes, e se aceitavam assim, mesmo que o pastor, toda vez, quisesse trazer Vera "para o bom caminho", do "Deus Único", e quisesse que ela parasse com aquelas histórias de se deitar no chão e dizer que amava a terra e as coisas como amava a Deus, já que para ele aquilo era uma heresia. Para o pastor, um dia ela entenderia que o caminho ao Pai era um só; depois disso, ririam e se aceitariam como irmãos e seres humanos.

Mas Vera sabia que Edna era um pouco mais severa com tudo, bem mais fechada a pensar, e nem sequer ousava debater as possíveis e variantes formas do Pai de Toda Vida. Contudo, o momento não era de se preocupar com ideologias, era urgente que ela falasse com o pastor, como falou para Edna. A esposa de Elias explicou-lhe que o marido estava em um grupo de orações no salão menor, mas logo retornaria. Vera resolveu aguardar, e uma hora e meia depois o pastor adentrou o salão. Sorria e cumprimentava os presentes; quando viu Vera na primeira fila, foi em direção a ela como uma flecha.

– Irmã, que bênção encontrá-la aqui! Quem sabe não é hoje que te trago para o meu rebanho?

O pastor Elias a abraçou no mesmo instante.

– Pastor... eu tive um sonho... eu precisava...

– Acalme-se, irmã. Eu e mais onze pessoas também fomos visitados durante os sonhos desta madrugada; com você, somos doze. Eu ia até a fazenda esta tarde, mas estávamos temerosos em como você nos receberia nesta hora sombria. Sabemos que Samuel foi atacado e agora está desaparecido. Graças ao Senhor, não será preciso explicar nada disso a você. Sempre discutimos sobre as formas múltiplas de como nosso Pai se manifesta, estamos vivenciando aqui, em Belo Verde, uma missão espiritual, uma provação, irmã.

Vera abraçou Elias.

– Obrigada por me ouvir.

Elias abriu um sorriso e colocou a mão no ombro da mulher.

– Todos são bem-vindos aqui, Vera. Temos nossas diferenças, mas como negar que estamos sendo todos auxiliados por algo maior que nós?

– Estou com tanto medo!

– Ué! Como você não ficaria com medo disso? Essas forças se manifestando aqui e você e seu marido bem no meio de tudo isso! Como você foi preparada para vir até nós?

– No sonho, uma força de luz pedia que eu me juntasse ao rebanho. Fiquei receosa, faz tempo que não venho até a igreja.

– Não fique assim. Veja como a energia do Criador é boa, ela te chamou. Você está aqui entre os seus, e é isso o que importa. Vamos nos unir agora.

Vera assentiu com a cabeça e agradeceu, pois achava que teria problemas para conversar com o pastor e com a igreja, mas estava enganada. Estavam unidos, cada um tinha também recebido um chamado. O pastor passou a explicar o que pretendia e o significado do sonho. Vera concordou em participar das correntes de orações, que deveriam engrossar nas próximas horas.

Os familiares dos visitados estavam empenhados em contatar parentes e amigos dispostos a colaborar. Segundo o pastor, haveria uma grande batalha no plano espiritual, difícil até mesmo para o exército do Senhor. Caberia a eles, então, garantir o combustível para os combatentes com fé e união. Cada alma de Belo Verde que se juntasse à corrente de fé seria um escudo a mais para os guerreiros angelicais.

Vera comprometeu-se a dirigir o grupo da noite ali na sede da igreja. Voltaria à fazenda para preparar o almoço do pessoal e no início da tarde estaria de volta à igreja, a fim de aprontar-se para a importante tarefa.

Enquanto isso, na fazenda, só se falava no que Tiana, esposa de Ramiro, tinha ouvido de manhã na cidade. Alguém havia estado no cemitério durante à noite e violado uma sepultura. Quando veio ordem do delegado para exumar o corpo, nova surpresa. Quem estava enterrado lá era seu Décio, havia mais de um mês, e o assombroso da história é que na tumba estava só o corpo. Algum vagabundo violador de túmulos havia desenterrado o pobre Décio, jogado o corpo de qualquer jeito de volta à cova e levado o caixão. A maioria dos homens se benzeu, achando tudo muito esquisito. Normalmente, os ratos de cemitério arriscavam-se por dentes de ouro e joias, não por caixões. Com certeza, não era um ladrão normal. Ladrão de cemitérios não perderia tempo em Belo Verde.

CAPÍTULO 27

O grupo de orações era superior a cinquenta pessoas. Muitos parentes e amigos, sensibilizados, deram seu voto de fé e compareceram à vigília em nome da cidade e da luta espiritual que se travaria. Também oravam por Samuel, o filho perdido daquele pequeno rebanho. Naquele momento, nem todos acreditavam completamente no que ouviam dos parentes e do pastor.

Vera chegara à tarde, trazendo Tiana e Tonico para engrossar a turma. As pessoas participavam de uma vigília fervorosa, sem hora nem dia para acabar, e nenhuma das pessoas visitadas tinha respostas. Sabiam apenas que tinham pouco tempo para se preparar e para escolher entre acreditar ou não que suas preces eram necessárias naquele exato momento. Parecia um pedido simples, uma coisa comum entre os crentes, protestantes ou católicos, quando são chamados a dobrar seus joelhos e baixar a cabeça, humildes e servos de Deus, quando eram clamados a se juntar em favor de uma alma. Mas o pedido era maior.

O pedido que rodava de boca em boca dizia que, se não tivessem fé verdadeira, se não acreditassem no que estavam fazendo e no poder da união de suas preces, todos estariam em grande perigo, crentes ou céticos, iluminados ou perdidos. Todos seriam levados para as trevas, e Belo Verde estaria condenada a ser um portão do Inferno na Terra. Precisavam aumentar o número de pessoas na corrente de orações e ser mais fortes que o exército escuro, solidificar a proteção aos anjos guerreiros. Afinal, até mesmo Satã contaria com a ajuda de grupos de orações adversários dos soldados do Senhor.

A preocupação que começava a rondar era o possível confronto físico com os satanistas e aqueles que acreditavam na luz. Sempre souberam que, em pequenos grupos, eles existiam em Belo Verde, os adoradores das sombras, fiéis ao mentiroso e desagregador, e que eles tentariam de toda forma impedir a massificação do grupo do Senhor. Jogariam sujo, com certeza, e era preciso se proteger de alguma maneira, além de descobrir quem eles eram. Identificar os inimigos no plano físico seria parte da estratégia para lutar.

* * *

No sítio do velho Genaro, da madeireira, a porteira foi aberta por um homem de cabelos compridos, que pediu a identificação dos dois forasteiros que chegavam no carro preto.

– Bem, amigo, sinceramente, você não me conhece, mas estamos aqui pelo mesmo motivo que você, se é que me entende – explicou Pablo. – Também fomos visitados pelo amigo de bafo de enxofre.

O homem pediu que aguardassem dentro do carro e voltou cinco minutos depois, trazendo Genaro, que apertou as mãos de Pablo e Ney, aceitos em sua casa e levados para uma porta nos fundos. Aberta, ela dava passagem para uma escada que descia para um porão. Desceram em silêncio, e lá embaixo um lampião a gás estava posto em cima de uma mesa. Uma outra porta, adornada por entalhes que mostravam serpentes e uma montanha que subia ao céu, era banhada pela luz parca.

– Vamos. Todos aqui são bem-vindos na casa do Senhor.

A porta foi aberta por uma menina adolescente, vestida de branco, que sorria para Pablo e Ney e apontou para o interior sombrio do novo cômodo. Mais degraus e mais uma descida. O ar ficava cada vez mais frio a cada passo para baixo. A escada fazia uma curva, e uma luz bruxuleante emanava lá de baixo. Ao dobrarem o patamar, os dois homens da cidade ficaram espantados com o tamanho da sala, que apresentava um círculo de numerosas cadeiras maciças ao redor de um imenso pentagrama feito de barro em relevo no chão. No centro, pingava um líquido escuro, que escorria das vísceras expostas de um grande bode preto que flutuava no teto. A cabeça do bicho pairava no meio da sala, como que sustentada por magia, com os olhos brilhando e refletindo a luz das lamparinas penduradas nas paredes.

– É aqui que vamos começar a trabalhar, meus filhos – disse o velho Genaro. – Nossos guerreiros precisam de adoração e força para atacar nosso inimigo. O Rei das Sombras recebeu a chance de tornar nossa terra sua casa e abrir caminho para que nossos irmãos ganhem espaço e tragam adoração ao Pai Profundo.

Pablo olhou para Ney e abriu um sorriso.

– A galera não brinca aqui, não, meu chapa. Digam o que precisam, estamos juntos.

– Orem por Khel e pelo sangue.

CAPÍTULO 28

Uma hora após o sol se esconder no horizonte, o salão da capela abandonada na floresta encheu-se de barulhos. Samuel levantou-se do caixão gritando infernalmente, como quem desperta de um pesadelo horrível. O salão estava escuro para olhos humanos, mas para Samuel era claro como dia, e ele enxergava cada centímetro com absoluta nitidez. A única coisa que tornava seus pensamentos turvos era a desesperadora necessidade de matar a sede e a fome que fustigavam suas entranhas. Precisava ir para as árvores, para a mata, espreitar nos cantos escuros e caçar algo que tivesse sangue vivo.

Saltou através do vitral quebrado, alcançando o lado externo da capela, e ficou livre na mata, de onde sentia o cheiro da sede da fazenda, cheiro de gente. Eles, os vivos, estavam lá, sem saber que ele tinha se tornado outra coisa. Não estava nem embaixo da terra nem nas alturas, levado por seu espírito, mas ali, preso ao chão, ao mundo dos vivos, e libertado do tique-taque do relógio, pronto para existir pela eternidade desde que roubasse dos vivos a vida. Era um maldito vampiro.

O vento trazia um cheiro familiar do sangue de seu irmão. Samuel balançou a cabeça e aferrou suas garras no galho da árvore, arrancando a casca com as unhas. Correu como vento, invisível nas sombras, ao encontro de Gregório. Havia sido ele, seu irmão, que tinha trazido o desequilíbrio; ele, por quem tanto tinha esperado, que havia trazido sua separação da vida. Gregório tinha trazido dois mundos pulsantes para Belo Verde, esquecidos pelos homens. Dois exércitos que agora entrariam em contenda.

Na casa, os homens já tinham jantado e agora jogavam conversa fora no alpendre. Gregório balançava-se, apoiado nas pernas traseiras da cadeira de madeira, com o chapéu de palha no topo da cabeça. Conversavam sobre o sumiço do caixão do seu Décio e também se perguntavam sobre o paradeiro de Samuel, já que não acreditavam que ele estivesse morto. Gregório falava que aguardava o chamado do investigador Tatá para saber o que fazer, que, se o homem não se manifestasse na manhã seguinte, ele organizaria um grupo de busca para encontrar o irmão ou, ao menos, alguma pista do paradeiro de Samuel. Alguém tinha que ter visto o irmão, ou logo recairiam sobre ele os sumiços e as mortes que rondavam a cidade. Não podiam ficar ali, parados, como se nada estivesse acontecendo.

Em pé, em um galho, o novo vampiro podia ver os homens na varanda claramente. Em sua mente, imagens confusas mostravam aqueles rostos que deveria conhecer tão bem, entretanto, agora não os distinguia e mal sabia seus nomes. Reconheceu, com certeza, apenas Celeste, o capataz, e o irmão gêmeo, Gregório.

Ramiro, tirando lascas de fumo para enrolar o cigarro, descuidou-se do pequeno e afiado canivete, produzindo um corte no dedo indicador esquerdo. Apesar de pequeno, o ferimento deixou liberar uma gotinha de sangue, que se desprendeu da pele e caiu no assoalho de madeira.

A 150 metros do alpendre, Samuel sentiu o corpo estremecer e o abdômen arder ao detectar o odor de sangue humano injetado nas narinas.

– Ramiro – murmurou baixinho, saltando suavemente sobre as folhas secas, sem produzir ruído, salivando.

Ramiro benzeu-se:

– Credo em cruz, gente.

– Que foi, homem? – perguntou Celeste.

– Sei não, compadre, senti um trem ruim pra daná, um vento na minha cabeça, um zumbido.

– Deve de ser coisa de velho – brincou Celeste, rindo muito.

Os outros riram com ele, e Ramiro apertou o dedo, fazendo uma gota maior de sangue cair no chão e misturar-se com a areia solta no assoalho.

Samuel, escondido atrás do galpão, contorceu-se novamente ao ser chicoteado por demônios invisíveis vindos com o cheiro fresco de sangue humano. Sentia o corpo queimar, precisava tomar daquele sangue ou ficaria maluco. Lembrou que, lá de cima da árvore, havia visto telhas soltas no galpão. Aderiu à parede do galpão e, como uma aranha gigante, subiu, agarrando-se às reentrâncias da madeira até atingir o telhado. Entrou e atirou-se ao chão, sem medo da altura. Bateu no feno, levemente, como se fosse feito de ar. Espreitou entre as sombras, alcançando a porta semiaberta, de onde podia ver o grupo mais de perto e onde o cheiro fresco do sangue de Ramiro o açoitava com maior fúria. Arreganhando os lábios, deixava à mostra um par de caninos brancos como marfim, salientes e vorazes. O som das gargalhadas dos homens entrou em seus ouvidos e fez a expressão agressiva desaparecer por breves segundos. O vampiro encostou na porta de madeira e fechou os olhos com tristeza, com saudades da alegria da alma perdida.

As risadas pararam, e os homens retomaram a conversa. Se a polícia não ajudasse, iriam procurar por conta própria.

– Onde cê acha que o Samuel se enfiou? – perguntou Ramiro.

– Sei lá. Alguma coisa deve tê-lo assustado lá dentro. Vocês não chegaram a ver o enfermeiro morto no quarto onde ele estava, mas, acreditem em mim, o homem estava feio. Se Samuel viu a criatura fazendo aquilo, deve ter fugido alucinado; eu teria fugido, se tivesse chance. Ele estava enfraquecido psicologicamente... abalado.

– Eu acho que ele deve ter tentado vir direto pra cá, andando mesmo – sugeriu Jonas.

– É o que eu acho também – concordou Celeste. – Mas ele tava doente, deve ter se perdido pelo mato aí.

– É justamente o que estou achando que aconteceu – disse Gregório. – Acho que ele está vindo pra cá, é o único lugar que ele conhece.

– A gente consegue mais gente pra ajudar na procura pelo mato da fazenda – explicou Celeste. – Todo mundo aqui tem bastante compadre pelas fazendas vizinhas. Além do mais, o patrão era bastante querido nas redondezas... toda gente vai querer ajudar.

Gregório balançou a cabeça, assentindo.

– Posso arrumar uns cachorros com o cunhado do Unha – sugeriu Jonas.

– Aquele de ontem? – perguntou Gregório, espantado.

– É, mas tô falando do cunhado dele, gente muito boa, cristão da nossa igreja – explicou o caboclo.

– Se você confia nele, por mim tudo bem. Não podemos enjeitar ajuda.

– Falando naquele cria ruim, no que deu a história deles vim aqui batê em você? – perguntou Paulo.

– Eles não explicaram nada direito, ficou tudo dito por não dito. O Unha e o outro, que não lembro o nome agora, disseram que o Jeff pagou para eles virem aqui me dar um cacete, mas era muita grana praquele pinguço desperdiçar com uma surra à toa. O Jeff diz que ele veio aqui pra arrumar encrenca, não disse onde arranjou o dinheiro. O delegado vai deixar ele mais dois dias lá, pra ver se abre o bico. Depois vai liberar o cara, porque não dei queixa.

A conversa se estendeu por mais alguns minutos, depois todos se despediram. Gregório entrou, precisava de um bom banho e cama. Os homens partiram, cada um para seu casebre cedido pela fazenda. Ramiro estava atrás da turma, andando e pensando em acender o cigarro de palha.

Samuel, atocaiado nas sombras do galpão, viu, depois de algum tempo, os homens passarem pela porta e deixou-os avançar. Poderia agarrar Ramiro com facilidade, atraí-lo para dentro do barracão, se quisesse, mas preferiu a caça. Ramiro deu tchau, tragando o cigarro de palha, e entrou por uma estradinha no meio do milharal, o atalho para sua casa.

A plantação balançava suave, o milharal fazia barulho. Os sabugos estavam coroados pelo cabelo dourado e prontos para serem colhidos. Ramiro deu outra tragada, e a luz da lua jogava um pouco de claridade pelo caminho que já tinha feito milhares de vezes.

As estrelas coalhavam o céu. Pensou no patrão pela milésima vez.

– Ramiro, meu amigo – murmurou Samuel, quase inaudível.

Ele estancou com a sensação estranha novamente. Era uma voz esquisita na cabeça. Não entrava pelos ouvidos, ia direto ao cérebro, era pavoroso. Ramiro virou-se, assustado, com o cigarro de palha brilhando, pendurado na boca. Não havia ninguém, apenas a borda do milharal balançando ao sabor do vento, as folhas farfalhando docemente. Deu mais alguns passos apressados em direção ao casebre. O medo começou a crescer velozmente, não ouvia nem sentia nada, lembrou-se dos estranhos cães enterrados junto ao barracão. O medo o dominava, rugindo como um leão acuado, e não havia barulho nem sensação ruim, só silêncio. O milharal estava imóvel, o vento havia desaparecido. Alguma coisa se movia no meio da plantação, fazendo a borda balançar caprichosamente, e ele começou a correr.

Samuel percebeu o medo crescer no homem, e por um segundo pensou que Ramiro o tivesse visto, mas não era possível. No entanto, ouviu o coração do homem disparar. O vampiro deixou o abrigo e entrou na estradinha; já o homem adiantara-se uns vinte metros. No instante seguinte, com a velocidade do pensamento, alcançou-o e pôs uma das mãos no seu ombro.

– Ramiro! – gritou. – Pare, eu ordeno!

O homem virou-se, fitando Samuel. O pavor foi tamanho que caiu no chão, sem forças para andar.

– Sa... Sa... Samuel?

– Ra... Ra... Ramiro – brincou o vampiro.

– É você mesmo, patrão?

– Meio que sim, meio que não. É a minha cara que você vê... mas não meu velho coração.

– Ô, Deus! Então cê tá vivo?

Samuel levantou a cabeça, dando uma demorada gargalhada, o que só aumentou o medo em Ramiro.

– Vivo? Não, velho amigo, não estou vivo. E você, infelizmente, também não está mais – disse Samuel, revelando o par de caninos pontiagudos.

Ramiro tentou gritar, mas Samuel tapou-lhe a boca e jogou-o contra o chão. O homem esperneou e lutou para se livrar das garras do ex-patrão, mas suas forças desapareceram quando ele agarrou os cabelos e golpeou a cabeça do funcionário da fazenda contra o chão repetidas vezes.

O silêncio voltou ao milharal. Samuel estava com as mãos e com o rosto sujos de sangue, que espirrava do ferimento na cabeça de Ramiro. A vida daquela pobre alma minguava e se esvaía.

CAPÍTULO 29

Naquela noite, os anjos reagruparam-se sob a liderança de Thal. Assim que Gregório mergulhou no mundo de sonhos, o anjo libertou-se da carne. A nova prisão o preocupava, pois, quando chegasse a hora, Gregório teria de colaborar tremendamente. Esse era outro recado para o pastor.

Thal desenrolou as asas e transformou-se em uma criatura gigantesca que voou para fora do quarto, passando rente ao galpão, por cima do milharal. Repentinamente, uma cena demoníaca: um vampiro, deitado sobre o corpo de um homem, sugava-lhe todo o sangue. Thal desceu, pousando silencioso junto à criatura sem alma. Sua luz infestou o ambiente, chamando a atenção de Samuel.

– Pobre homem sem alma! Suma daqui! – ordenou o anjo.

Samuel deixou escapar um grunhido, incomodado com a repentina claridade.

– Quem é você que tenta me afastar de meu sangue?

– Sou um anjo de luz e estou aqui para defender os homens de alma, afastar todo o transtorno que causei. Isso inclui você, criatura das trevas – Thal desembainhou a espada. – Vá embora enquanto pode e nunca mais volte.

– Você fez isso comigo, anjo, me atirou aos cães – protestou o vampiro. – Eles vieram atrás de você, vieram atrás de meu irmão.

Thal não conseguiu responder ao vampiro. Falava com o irmão perdido, a primeira vítima dos cães infernais. Khel agira rápido e tinha roubado uma primeira alma.

Afetado pela luz angelical e pelo brilho da espada chamejante, Samuel afastou-se da vítima, rugiu e desapareceu nas sombras do milharal.

Thal decolou novamente e prosseguiu ganhando altura. Percebeu um forte clarão vindo da igreja de Belo Verde, provocado por centenas de anjos agrupados. Junto ao templo, um delicado facho de luz subia ao céu, perdendo-se nas alturas. Em um segundo, Thal estava lá, postando-se ao centro dos anjos. Alanca veio reportar a situação.

– Nosso exército já conta com a união de seiscentos e vinte irmãos, porém o grupo de oração ainda é pequeno. Tem cinquenta e duas pessoas lá dentro, mas a fé verdadeira ainda é fraca; temo que não haja tempo hábil para o grupo fortalecer suficientemente nossos irmãos. Deve haver apenas quatro pessoas orando com fé verdadeira, são as que foram visitadas. Meu medo é que os não visitados descubram a fé verdadeira tarde demais.

– Junte guerreiros, vamos visitar mais gente. Acredito que a batalha começará nesta madrugada. Não temos muito tempo nem muitos anjos. Mantenha a maioria aqui, vigiando os quatro cantos. Reúna um grupo de trinta anjos para as visitas, mais duas patrulhas de quinze para dar buscas em Belo Verde. Se encontrarmos o grupo inimigo, teremos chance de enfraquecê-lo antes que comece a valer as almas humanas.

Em seguida, Thal foi atrás de sua visita mais importante naquela noite: o pastor Elias. O anjo desceu até a igreja, mas o homem não estava. Thal perdeu alguns minutos tentando encontrar uma pista do paradeiro do pastor, que, acompanhado de outros fiéis, havia partido para cidades vizinhas a fim de acordar pastores e clamar por ajuda nos grupos de orações. Thal decidiu, então, ir a Barra da Cana, cidade próxima a Belo Verde, provável destino do pastor.

* * *

Samuel estava enraivecido com a intervenção angelical. A sede de sangue estava saciada, mas agora ele era movido por algo maior e letal: o ódio. Esse sentimento tomava conta das atitudes do vampiro, e tudo o que ele desejava era matar. Com a rapidez de um corcel, a criatura dirigiu-se à cidade à procura de vítimas fáceis e varou a floresta, imerso na escuridão. Avistou a cerca que demarcava a fazenda, e, junto a ela, um cão vermelho.

– Pare, vampiro.

– Parar? Pra quê, se eu posso seguir e matar? – indagou Samuel.

– Queremos que mate, sem dúvida, mas sabemos um nome que você não sabe. Conhecemos uma vida que você não conhece. Siga-me, ordeno, sirva ao meu Senhor das Trevas e será aceito mesmo sem alma. Ordeno que me acompanhe na noite escura para ouvir de seus irmãos das trevas o nome que precisa seguir, o nome que deve apagar da existência do plano dos homens, pois você é carne e pode feri-lo com agilidade mortal.

O demônio fitava os olhos de Samuel, o fantasma pálido, que se sentiu encantado por aquele cão. Sem oferecer resistência, seguiu-o, sem medo, sem restrição. Chegaram a uma clareira, parando no centro, onde o cão mandou que aguardasse e distanciou-se, embrenhando-se no matagal, deixando ver apenas os rastros de seus olhos de fogo entre ramas e galhos.

– Você é importante para o nosso desígnio. A partir de agora, tem uma missão a cumprir. Apresento nossos irmãos – disse a fera, distante e com voz quase sumida, lá do meio do mato, deixando apenas o par de olhos satânicos, como brasas vermelhas, à mostra.

Samuel não tirava os olhos do par de brasas vermelhas do cão maléfico. Elas deixavam um rastro pelo caminho e eram vivas como o brilho expelido pelo anjo. Samuel surpreendeu-se, pois, pouco a pouco, mais pares de olhos vermelhos foram chegando à beira do matagal. Virou-se e notou que estava completamente cercado por aquelas brasas satânicas. No início, algumas dezenas de pares; dois segundos depois, via-se cercado por milhares de olhos, tendo a impressão de que o matagal e as árvores começavam a ser consumidos por um incêndio, com brasas flutuando e se amontoando a observá-lo. Dezenas de milhares de cães-demônios agrupados, invisíveis, escondidos, revelando-se por poucos segundos ao novo irmão em carne.

Lentamente, o incêndio foi se apagando, até no minuto seguinte restar apenas o par de olhos original brilhando na escuridão. O demônio anfitrião. A fera tornou a sair da mata, aproximando-se de Samuel.

– Criatura maldita, queremos Elias. Você se lembra dele?

– Não – limitou-se a responder, sinceramente, Samuel.

– Ele é o pastor que fortifica nossos inimigos. Veja-o com meus olhos – ordenou o cão, transferindo telepaticamente uma cena em que o pastor era protagonista, dirigindo um carro, seguindo por uma estrada escura. – Mate-o o mais breve possível. Nesta madrugada, ele deve estar morto.

Do meio do matagal, saiu um cavalo esquelético que, apesar de horrível, exalava o vigor de um guerreiro. Lento, o cavalo aproximou-se do cão, abaixando e erguendo a cabeça de modo arisco, impaciente. O cavalo assombrado raspou os cascos no chão, batendo nervosamente as patas.

– Elias está longe daqui, mas o cavalo o levará mais rápido do que a tempestade pode avançar. Nossos irmãos cuidarão para que você encontre Elias. Você estará acompanhado por demônios durante a empreitada.

– Se podem encontrá-lo, por que não podem matá-lo? – perguntou Samuel.

– Porque Elias é carne, e nós somos Luz. Infelizmente, esse degrau nos distancia de certas vantagens, como liquidar inimigos inconvenientes apertando sua garganta. Você, meu irmão, está na linha média para atender aos nossos caprichos. Você é mais carne que Luz, e com ela pode destruir nossos inimigos e será recompensado em sua existência maldita. Para encarnarmos e possuirmos a matéria, despendemos muita energia e nos abrimos para muitos riscos. Agora temos você, nossa arma entre os homens. Parta agora, pois sua jornada será longa.

Do matagal, dirigindo-se para o centro da clareira, surgiram cerca de trinta demônios corcundas, cobertos por uma capa de pele apodrecida. Exalavam um fedor medonho, superior ao do cavalo, fazendo o resto de humanidade dentro de Samuel se contorcer.

Os demônios, liberando guinchos como morcegos, fizeram aquela capa, que poderia ser considerada pele podre em uma primeira olhada, estender-se em um par de asas. Um a um, decolaram, voando em círculos acima do cavalo. Mediam um metro e meio, eram horríveis e extremamente assustadores, emitindo grunhidos selvagens e assustando com os olhos penetrantes. No entanto, não chegavam aos pés do último demônio que saiu do matagal.

Samuel percebeu aquele par de brasas perdido no escuro do mato, aproximando-se da clareira, lento e garboso, afastando galhos e mato com o tórax proeminente. Quando a luz da lua atingiu o gigante, Samuel pôde enxergá-lo por inteiro e ficou feliz por não ter problemas com ele. Era uma criatura forte, de dois metros e meio, tão imponente quanto o anjo que o havia afastado do corpo de Ramiro. Ao estender o par de asas, produziu um som semelhante a um trovão e aproximou-se do vampiro.

– Eu sou Crepúsculo, trago a espada ceifadora de anjos. Fui designado, e sua vida, a partir de agora, é minha vida, sou seu anjo da guarda. Nada nem ninguém jamais o tocará. – Crepúsculo ajoelhou-se sobre uma perna, em reverência a Samuel. – Saiamos agora, sejamos a tempestade do pastor.

Samuel montou o cavalo sem sela, e uma película brilhante subiu pelas patas da montaria até terminar acima de sua cabeça. Ele estava embalado pelas trevas e não apareceria para os humanos se não quisesse.

Os demônios alados avançaram pelo céu. Eventualmente Samuel percebia esferas de luz cruzando o firmamento, deixando rastros luminosos. Sabia que eram os anjos de luz, que agora eram seus inimigos. Samuel cravou os calcanhares no cavalo e iniciou o trote, que logo se transformou num galope poderoso, fazendo os cascos tirarem brasas do chão e produzirem trovões a cada batida, semelhantes aos sons que Crepúsculo criava, como se fossem códigos. O cavalo sabia para onde o anjo satânico iria, e o demônio sabia onde o cavalo estaria. Os alados formaram uma fila encabeçada por Crepúsculo e seguiram para o sul. O cavalo ganhou velocidade, saiu de um grande pasto e saltou para a estrada de asfalto. A noite tornara-se mais escura; nuvens encobriam a brilhante lua e as estrelas. As únicas luzes que maculavam o firmamento provinham das espetaculares esferas cintilantes que cruzavam o céu com velocidade impressionante. Os anjos agiam enquanto os demônios também jogavam o seu jogo.

* * *

Chegando a Barra da Cana, Thal dirigiu-se certeiro à igrejinha da cidade. Ao contrário da de Belo Verde, estava quieta e silenciosa. Não havia fiéis nem outras pessoas nas ruas. Thal penetrou o telhado, atingindo o salão de orações. Ninguém. Supunha que o pastor deixara Belo Verde havia mais de uma hora e certamente estaria com o pastor de Barra da Cana. Palpite errado.

Para não ter viajado em vão, Thal vasculhou os cômodos e viu o pastor adormecido em seus aposentos. Apareceu-lhe em sonho pedindo orações para Belo Verde, expondo claramente o grande perigo da Batalha Negra. Todos os pastores do Velho Código sabiam o significado daquela horrível ameaça que rondava os seguidores do Pai e que já se desenlaçaram centenas de anos atrás. Assim que Thal atravessou o telhado para visitar outra cidade, o pastor já se encaminhava para o salão de orações, iniciando a preciosa ajuda ao grupo. Thal rumava agora para a cidade da represa, Água Brava.

Anatã sentiu uma forte vibração vinda da clareira logo abaixo do grupo. Sinalizou para os irmãos e desceram. Ao tocar o solo gramado, teve certeza de que ali se concentravam feras demoníacas, encobertas por orações de seguidores do mal. Vasculhou a mata densa onde pouco antes Samuel havia estado com o batalhão de feras. Nada.

O grupo de quinze anjos, pouco a pouco, pousou, alguns ajoelhando, outros tocando o chão com as mãos, e trocavam sinais positivos. Os olhos brilhantes de Anatã estavam atentos e nervosos. O anjo fez o sinal da cruz e pousou a mão no cabo da espada. Cheiro de luta. *E os inimigos?* Inspirou fundo. Mantinham-se protegidos. Só isso explicava a dificuldade de detectá-los. O cheiro de enxofre também estava encoberto, camuflado. Observou os soldados atentos: a pele de bronze dos guerreiros resplandecia luz viva, cada qual envolto em sua película luminosa, hermeticamente lacrado e protegido pelas orações que os filhos do Pai Celestial começavam a acumular.

A presença maligna vinha em ondas do meio das árvores. Anatã apertou o cabo da espada nas mãos e logo um rugido bestial sufocou o silêncio. Um par de brasas surgiu no meio do mato e trotou em direção à clareira.

O anjo desembainhou a arma chamejante e foi imitado por todo o grupo, enchendo a clareira de luz divina, que revelou mais olhos vermelhos escondidos. De imediato, os quinze anjos estavam completamente cercados por centenas de cães do inferno que rugiam e arreganhavam as mandíbulas, preparados para destroçar todo e qualquer anjo de luz que encontrassem.

– Fujam enquanto podem, seus pedaços de merda – bradou o cão maior e mais assustador. – Dou apenas esta chance a vocês.

Anatã abriu as asas e ergueu a espada. Não era fuga, apenas a confirmação de que ficaria para guerrear até a morte. As asas abertas intimidavam as feras. Os anjos restantes o imitaram, formando um círculo, um de costas para o outro, espadas desembainhadas, aguardando o primeiro ataque.

Os cães esperavam que os adversários debandassem devido à minoria, mas a satisfação da horda satânica aumentou quando perceberam que a decisão dos anjos era o confronto direto. Estavam ansiosos; iriam estraçalhar as criaturas de luz, mastigar os corpos e escarnecer de sua sorte. Conforme a excitação dos demônios crescia, o ar mais e mais se impregnava do cheiro de enxofre.

Anatã visualizava mais de quarenta demônios e imaginou que cada um dos irmãos tinha a mesma e pavorosa visão.

– Meu nome é Anatã! Lutarei até a morte! – bradou o anjo, com convicção. – E juro por meu Pai de Luz, meu Deus, que levarei mais de vinte de vocês comigo!

Os demônios soltaram gargalhadas entusiasmadas e xingamentos. O odor fétido dobrou. Eles aproximavam-se lentamente, centímetro por centímetro, empurrados pelos de trás, fechando o cerco. Os anjos já podiam sentir o hálito pestilento e quente expelido pelas mandíbulas gigantes. Entretanto, à medida que se aproximavam, os demônios se afastavam, pois os anjos eram da Luz, e seus olhos vibrantes e determinados impingiam temor às feras. Sabiam que os anjos guerreiros eram poderosos e habilidosos com suas armas de fogo.

– Vocês vão morrer! – bradou o líder dos demônios. – Não podem com todos nós. Somos muitos!

A gargalhada do líder fez coro. Demônios alados voavam acima do grupo luminoso, cacarejavam e xingavam, tornando o céu ainda mais sombrio. Eram criaturas de pequeno porte e dotadas de dentes afiadíssimos. Havia também os voadores, maiores, com asas de morcegos, que manejavam longos tridentes pontiagudos.

A turma de anjos concentrou-se um pouco mais ao centro, afastando--se das mandíbulas caninas, e todos farfalhavam as asas alternadamente, demonstrando nervosismo. Com as espadas erguidas, cada um fazia sua prece, sentindo a ainda leve e sutil energia vinda dos grupos de orações. Prevendo a iminente carnificina, um dos anjos soprou energicamente sua trombeta, fazendo eco no céu e espalhando o som por todos os lados. O efeito foi imediato: a horda de cães satânicos atirou-se sobre os anjos. As espadas chamejantes mergulharam no peito da primeira leva, mas os cães gigantes cobriram o grupo de anjos com saltos felinos e ataques selvagens.

Anatã, atacado por todos os lados, perpassava a espada no maior número de cães que podia. Muitos transformavam-se em fumaça de enxofre, dissolvendo-se na ponta da longa arma. Sentiu um cão cravar os dentes em seu ombro direito, e como não havia tempo nem espaço para dor, retirou a espada do cão à sua frente. Antes, porém, que a fera desaparecesse em uma bola de fumaça amarela, cravou o objeto no meio dos olhos de fogo de outro cão que avançava enlouquecido. Sentiu um pedaço do ombro ir embora na boca do cão, que agora também se tornava uma bola de fumaça, vítima de um irmão celeste. A dor era excruciante, mas só havia uma maneira de seguir adiante, lutando com determinação. Sua mão livre agarrou a cauda de um voador, enquanto a espada desenhava um arco na altura dos olhos, decapitando dois cães.

O líder dos demônios não durou muito tempo. O anjo arrancou a cabeça do rival, mas não pôde evitar que mais um profanasse seu corpo, fechando a mandíbula na coxa direita de Anatã. A dor fez o líder dos anjos gritar, mas ele conseguiu se livrar, enterrando a empunhadura da espada na testa do monstro. Em seguida, no entanto, uma patada rasgou a face do anjo e o levou ao chão. Mesmo com a visão prejudicada, Anatã teve um breve segundo para observar o horrível cenário que o cercava. Pelo menos quatro irmãos já tinham tombado sem luz. Os outros, sem exceção, apresentavam ferimentos graves em várias partes do corpo. Mais uma fera cravou os dentes em suas costas, ferindo-o dolorosamente.

O anjo soprou fortemente a trombeta, fazendo o som espalhar-se como um trovão. Um inimigo saltou, preparando-se para engolir a cabeça do líder angelical, que colocou o braço na boca do agressor para proteger-se. A dor foi tamanha que ele pensou que desmoronaria. Anatã cravou a espada e transformou o atacante em fumaça, impregnando o ar com enxofre. Sua visão periférica captou dois anjos debandando, quase sem luz, quase mortos.

Ainda restavam inúmeros cães, mas certamente os anjos conseguiram aniquilar metade. Os anjos remanescentes eram nove, cansados e próximos da morte. Um cravou a espada no cão que permanecia pendurado às costas de Anatã, proporcionando ao companheiro alívio inacreditável.

Os cães cessaram o ataque, e os anjos voltaram a ficar em pé, reagrupando-se no centro da clareira. Um deles vacilou, deu dois passos para trás, mas não resistiu, tombando em agonia. Os cães atiraram-se em nova onda e pelo menos dez morreram nas espadas celestes. Dois anjos alçaram voo, quase mortos, restando seis para enfrentar os cães. Novamente os demônios investiram todos ao mesmo tempo, aprisionando os adversários entre os dentes. Os que conseguiam espaço deixavam de golpear defensivamente a fim de alçar voo e retirar-se com vida daquela batalha perdida.

Três fugiram e dois tombaram mortos. Em pé, em meio a mordidas e gargalhadas demoníacas, restou apenas o guerreiro Anatã.

Ele afundou a espada no abdômen de mais um cão, e outro saracoteava agarrado em seu ombro ferido, retirando mais um pedaço do anjo, enquanto um terceiro mordia o glúteo, provocando mais um extenso ferimento em Anatã. Quando as feras perceberam que ele estava sozinho, cambaleante no meio dos corpos dos irmãos mortos, afastaram-se.

Anatã não enxergava quase nada. Os olhos, outrora brilhantes como a espada, pareciam dois espaços vazios, escuros. O guerreiro, ferido e fraco, chegava a golpear o ar sem inimigos, de modo patético. Os cães pararam de gargalhar e escarnecer, assistindo ao anjo cambalear e tropeçar, caindo sentado e gritando de dor ao comprimir a ferida.

Os cães se entreolharam e começaram a gargalhar freneticamente, zombando do guerreiro derrotado, à mercê de suas garras e dentes. Formaram um círculo em torno dele, escarnecendo, cuspindo e xingando. Apoiando-se na espada, Anatã pôs-se em pé. Iria morrer, porém antes calaria mais demônios. Um corte profundo próximo aos olhos prejudicava a visão do anjo. A pele cor de bronze estava aberta em vários pontos, permitindo que sua energia vital fluísse e se esvaísse do corpo em grandes quantidades. Logo estaria morto.

Os cães afastaram-se. Apenas um saltou para o centro do círculo, galopando de encontro a Anatã. O plano era divertir-se com ele, um a um, antes de matá-lo. Anatã ouviu os passos e o rugido da fera, mas faltavam-lhe forças para enfrentar o cão. A fera foi para cima do anjo, que caiu, largando pela primeira vez a espada. Deu as costas ao cão, tentando recuperar a arma, e sentiu o bafo quente em sua nuca. Morreria sem clamar, sem gritar ou sem implorar. Agarrou o cabo da espada, sabendo que não teria tempo para virar e golpear. O cão, caprichosamente, abocanhou a orelha do anjo, arrancando-a com ferocidade, e escapou às gargalhadas.

Despertado pela dor, Anatã levantou-se e golpeou mortalmente no dorso um segundo cão que se aproximava. Mais dois cães entraram na roda, um pela frente, outro pelas costas. O anjo concentrou-se no primeiro, sem se dar conta do outro. O cão apenas grunhia, exibindo os gigantescos caninos, prontos para devorá-lo. Repentinamente, bombardeado às costas, o anjo caiu de bruços, quase desmaiado. Os dois cães entreolharam-se e prosseguiram. Um deles pousou as patas dianteiras nas costas do anjo, imobilizando-o, enquanto o outro abocanhou a asa esquerda do inimigo, arrancando-a aos poucos. Inerte, sentindo a asa desmembrar-se do corpo, Anatã desmaiou, vencido pelas bestas e pela dor sem fim.

Naquele instante, o céu encheu-se de luz. Um grupo de vinte anjos aproximou-se da clareira, presenciando a cena bárbara de um demônio correndo para todos os lados, louco, levando uma asa de anjo presa à boca. Anatã jazia no centro da clareira com os demais irmãos, apagados de suas luzes. Ao verem os novos inimigos, os cães debandaram. O único emboscado e destruído foi o que carregava o troféu.

Os anjos recuperaram a asa de Anatã e o corpo dos irmãos, carregados no colo, como crianças adormecidas. Quando levantaram Anatã, o líder angelical expeliu um gemido, talvez um "obrigado". Percebendo o irmão ainda vivo, aquele anjo auxiliador transformou-se em uma esfera de luz, sumindo no céu em velocidade extraordinária na tentativa de salvar o guerreiro ferido. Os demais foram levados, lentamente, para onde os anjos estavam concentrados: a igreja batista de Belo Verde.

* * *

O cavalo esquelético saiu da estrada, acompanhando a horda de demônios alados e embrenhando-se em um canavial. Depois de cinco minutos, caíram em uma estradinha vicinal asfaltada. Àquela hora da madrugada, ninguém circulava pelas ruas de Barra da Cana. Crepúsculo começou a descer lentamente. O cavalo abandonou o galope, marchando calma e silenciosamente. Um carro ultrapassou-o e sumiu em alta velocidade. O anjo pousou, emparelhando-se com o cavalo.

– Não precisaremos esperar – disse para Samuel, com voz rouca.

Os demônios alados também foram pousando, um a um, dispersos.

– O pastor chegou naquele carro? – perguntou o vampiro.

– Sim, protegido. Agora a missão é sua. Mate-o.

Samuel, ainda cheio de ódio, apeou do cavalo, desvinculando-se da película mística que vestia para montaria. Correu, saltou em direção ao galho inferior de uma árvore, fazendo a capa esvoaçar. A árvore estava totalmente pelada, permitindo a qualquer um que passasse por ali notar o homem amalucado escalando-a até o topo. Lá de cima, Samuel pôde ver o carro do pastor Elias estacionar em frente à igreja, um prédio de madeira, com uma torre alta encimada por uma cruz.

De frente para a árvore havia uma loja de dois andares, afastada cerca de dez metros. Samuel saltou direto no telhado, atravessando o céu, sem peso algum, qual um fantasma cruzando a madrugada. Caiu levemente na cobertura plana do prédio, dirigindo-se para a edificação vizinha. Repetiu o voo fantasmagórico, chegando ao telhado seguinte. Os demônios alados o acompanhavam, mas só eram vistos por Samuel.

O vampiro desceu do prédio imitando uma aranha, grudado ao concreto e aos tijolos; saltou da parede cimentada faltando poucos metros para o chão e pousou sem produzir ruído. Correu pela rua estreita, sucumbindo às sombras, invisível. Do fim da rua, avistou a igreja. Elias permanecia à porta da casa do pastor da cidade, bem ao lado da igreja. O homem demorou a atender, tempo suficiente para Samuel aproximar-se ainda mais. Já podia ouvir o bombear ritmado do coração de Elias, rendendo-se ao desejo de apertá-lo na palma da mão, espremendo-o até parar, tomando dele o suco da vida.

Crepúsculo pousou no meio da praça, roubando a atenção de Samuel por um segundo. O anjo das trevas era imponente, temido pelo exército inimigo. Tinha os braços grossos, feito dois troncos maciços, mas movia--se com incrível agilidade. A espada pesada era própria para combates.

Crepúsculo fechou as asas, que pareciam querer envolver todo o seu corpo, e bufou, lançando uma nuvem de vapor fedorento. Os músculos definidos pareciam tensos; os olhos, ora amarelos, de um tom borrado e monstruoso, ora vermelhos em brasa, exalavam selvageria e ódio, capazes de enlouquecer instantaneamente qualquer ser vivente. De novo, Samuel viu a criatura bufar, lembrando um cavalo, e então ela voltou os olhos terríveis para o lado do vampiro. Quando ele despertou do transe, o pastor estava adentrando a casa do colega de Barra da Cana, recepcionado por uma mulher.

– Vá, vampiro! Entre na casa e mate todos! – ordenou Crepúsculo.

Samuel assentiu, mas algo o detinha nas sombras, embaixo da árvore. Não podia entrar; queria pegá-lo do lado de fora. Contudo, arriscou, dirigindo-se silenciosamente, ereto, passadas firmes, coberto pela estranha capa feita do lençol hospitalar, reforçando o ar sombrio e fantasmagórico.

* * *

Quando Thal chegou à igreja de Água Brava, encontrou algumas pessoas alvoroçadas no salão de orações. Procurou com os olhos, mas não localizou o pastor Elias. Escutou os homens, esperando por qualquer pista.

Um grupo, nos bancos de madeira, pôs-se de joelhos e iniciou, concentrado, as orações. Algumas pessoas conversavam afastadas, planejando os próximos passos para a batalha. Falaram de Elias. O pastor havia tomado o rumo de Barra da Cana.

Thal viu-se metido em um jogo atrapalhado, em que cada erro, cada minuto perdido, era de imensa importância para o desfecho do episódio. Precisava voltar a Barra da Cana, precisava encontrar o pastor e conectar-se ao humano. Atravessou o telhado voando velozmente. Cada segundo, cada segundo, cada segundo...

* * *

Bateram à porta da casa. Elias e o pastor Durval viraram-se ao mesmo tempo.

– Está esperando alguém? – perguntou Elias.

– Não. A esta hora?!

Sandra, esposa do pastor Durval, abriu a porta e soltou um grito. Havia um homem, pálido como parafina, vestindo uma espécie de túnica e coberto por um comprido lençol, com uma aparência doentia, parado na entrada da casa. Ela cobriu o rosto, mais por vergonha do que por medo. Poderia ser um mendigo, um doente mental. Certamente, alguém buscando ajuda da igreja. Elias, a distância, conseguiu entrever o inesperado visitante. O homem fantasmagórico tinha fisionomia conhecida. Aquele rosto...

– Posso entrar, pastor Elias? – perguntou Samuel.

O pastor Durval correu os olhos da esposa para Elias. O pastor de Belo Verde permanecia com a cabeça inclinada para a frente, tentando desvendar o rosto nebuloso. Estava quase próximo de lembrar de quem eram aquelas feições tão familiares, mas toda vez que um rosto e um nome relacionado pareciam solidificar em sua mente, a combinação fugia, transformando-se em outro rosto conhecido e logo em outro e em outro e em outro... como um feitiço.

– Sim, pode entrar, pobre homem – autorizou Durval, percebendo a hesitação do amigo.

Samuel esboçou um sorriso malicioso e, adiantando o pé esquerdo, cruzou a porta. Sim, podia entrar, a permissão era uma chave mágica. Agora, Samuel sentia-se completamente livre para finalizar o que tinha ido fazer. Mas, no momento em que o vampiro tocara o chão da casa, Elias o identificou. Era Samuel, sem sombra de dúvida. Estava pálido, a pele extremamente branca, como se o sangue tivesse abandonado seu corpo. A franja, de fios negríssimos, cobria a face espectral, e do rosto emanava uma atração mágica. Elias percebeu que Samuel vestia o camisolão do Municipal, coberto por um lençol que provavelmente havia sido branco no passado. A roupa fez o pastor lembrar-se do desaparecimento recente do fazendeiro.

– Que faz aqui, Samuel? – perguntou Elias, atônito. – Estão todos preocupados com você.

– Não precisa mais, meu amigo – sentenciou o vampiro. – Vim ter uma conversinha com você... em particular.

Elias pestanejou, sem entender. Durval ainda estava paralisado, atento ao estranho mendigo que havia adentrado sua casa. Sandra, parada na porta da cozinha, gritou quando Samuel, magicamente, em um piscar de olhos, desapareceu da vista de todos, surgindo atrás de Elias e empurrando-o de modo animalesco para fora da casa.

– Vamos, pastor! – ordenou, arreganhando os lábios e exibindo os caninos desenvolvidos. – O dia vai lhe parecer lindo pela manhã. Você vai ver tanta coisa que terá vontade de ressuscitar para contar pra todo mundo.

Elias caiu na varanda, rolando a escada na frente da casa. Samuel irrompeu pela porta, dirigindo-se como um cão na direção do pastor, que tentava se levantar quando foi atingido por Samuel. Dessa vez, Elias bateu o rosto em uma pedra, e, antes de erguer a cabeça, sabia que tinha se machucado de verdade. A mente navegava em um oceano de incompreensão, zonza pelo golpe físico e pelo atabalhoamento mental. *Por que Samuel o atacava de modo tão selvagem? O que estava acontecendo? Samuel fora sempre um rapaz tão doce, tão generoso com a comunidade. O que estava acontecendo, afinal de contas?*

O vampiro agarrou o pastor pelos colarinhos e o levantou.

– Não tente entender, Elias. Você não poderia.

O pastor estava apavorado, percebia o ódio queimar nos olhos do homem, mas, se pudesse ver os demônios alados que bailavam e gargalhavam ao redor, certamente teria o pavor multiplicado. A vontade maior não era que Samuel aliviasse a pressão que fazia em sua traqueia, mas entender o porquê da situação.

– O que vo... você... quer? Me larga Sa... muel, pelo amor de Deus – pediu o pastor.

O sangue vertia da testa do pastor, e um filete grosso e quente desceu pela bochecha direita. Quando chegou ao pescoço, escorreu pela mão do vampiro. Samuel fechou os olhos. Lembrar não era bom àquela hora.

Crepúsculo olhou para trás: um clarão, em velocidade fenomenal, avançava pela floresta a cerca de quatro quilômetros. Desembainhou a espada, inundando o lugar com luz vermelha. Nervoso, ordenou a Samuel:

– Mate-o agora, vampiro! Mate-o e vamos embora!

Samuel olhou para o demônio, espantado com o tom de urgência, e percebeu que algo estava errado. *Por que o guerreiro animalesco estava com medo?* Virou para o pastor Elias, quase desmaiado pela falta de ar, e arreganhou os lábios, preparando-se para cravar os caninos gigantes em seu pescoço, mas foi impedido. Durval jogou-se contra o corpo do vampiro, derrubou-o no chão e libertou o amigo. Sandra correu para assisti-lo. Com o rosto transformado pelo ódio, Samuel levantou-se para descobrir o que o havia atingido e deparou-se com a figura do outro pastor, em pé, empunhando um crucifixo de madeira.

– Suma daqui, criatura do inferno! Desapareça em nome de Jesus! – gritava o pastor Durval, na intenção de fazer Samuel evaporar.

Samuel arreganhou a boca, soltou um grunhido feroz e desatou numa comprida gargalhada.

– O que vai fazer com isso, pastor? Me bater? Só se for. Ha-ha-ha!

– Mate o pastor agora ou não haverá mais tempo! – gritou Crepúsculo, com tamanho nervosismo que chamou a atenção. – Esta é sua missão, seu saco de merda!

Samuel olhou para o lado e para o alto: de cima da floresta copada, emergiu uma criatura de luz azul, com um par de asas imensas, dirigindo-se para eles em alta velocidade; espada desembainhada, ameaçadora. O vampiro entendeu que não poderia demorar um segundo. Olhou para a frente e viu de relance um punho cerrado acertar em cheio seu nariz, jogando-o ao chão.

Samuel levantou-se, furioso. Viu Elias correndo para casa, com o auxílio de Sandra. Dessa vez, o golpe de Durval acertou seu estômago, sem causar dor, extremamente ineficiente; os outros golpes apenas tiraram seu equilíbrio. Samuel ouviu um tilintar às costas; os demônios alados começaram a gritar e a xingar. Provavelmente, Crepúsculo já estava usando a espada, batendo-se contra o anjo. Rajadas de luz dançavam por toda a volta. A coisa não era uma piração da sua cabeça. Ele era mesmo uma criatura da noite, misturada com o mundo até então escondido dos anjos e demônios.

A rápida digressão distraiu Samuel tempo suficiente para o corajoso e teimoso Durval golpeá-lo mais uma vez, no estômago. Dessa vez, o vampiro sorriu, agarrando o braço do pastor e abrindo a boca de modo assustador, enfeitando o seu rosto branco como mármore.

– Sabe, normalmente fico bem irritado quando as coisas mudam na minha vida, pastor, mas curti essa coisa de ter força sobre-humana. Você gosta de mudanças?

Durval respirava em haustos, sentindo o punho doer conforme Samuel comprimia seus ossos com dedos que pareciam alicates de aço. Lutou para se livrar do aperto, em vão. Samuel aplicou um solavanco e balançou o punho do pastor com tamanha violência que os ossos de seu braço se quebraram, fazendo o homem urrar de dor e caminhar para trás, arqueado, gemendo e segurando o braço esfrangalhado com o braço bom, dando as costas ao vampiro e tentando fugir.

– Mais rápido! – vociferou Crepúsculo, fazendo a espada trinar contra as armas dos inimigos de luz. – Pega o pastor certo!

Samuel olhou para a fera sobrevoando o entorno e para os anjos em maior número. O ferido chorava à sua frente. O saboroso cheiro de sangue inundou as narinas do vampiro. A vítima caminhava com dificuldades em direção à casa, o braço quebrado e sangrento balançando, inutilizado, pingando sangue no chão gelado, fazendo uma trilha brilhante e convidativa. Mais adiante, Elias corria pela ruela de terra e entrava em um carro. Era hora de agir.

O velho Crepúsculo, bailando enfurecido acima da cabeça de Samuel, com espadas retinindo e palavrões sendo berrados, estava fazendo um trabalho formidável. O vampiro via pedaços de anjos sendo decepados e rechaçados, mas o grandão com cara de morcego também estava sangrando. Samuel olhou para Durval, que insistia em ganhar tempo, tornando a parar no meio do caminho e a virar para encará-lo. Reparou mais uma vez na assimetria de seu ferimento. Um braço quebrado e outro bom. Isso não era legal. Avançou para o homem, que tinha o semblante apavorado. Era patético ver uma figura daquela querer resistir, querer defender Elias.

– Você é muito corajoso. Vai mesmo tentar me impedir, com um braço quebrado? Sabe, essa coisa de ímpar dá azar. Um braço quebrado é mau agouro. Coisas de um... coisas ímpares... um Deus só... dá um azar danado. Deixa eu ajudar.

Samuel agarrou o pastor e prendeu o braço bom do homem com as mãos. Sorriu mais uma vez e torceu os ossos do desesperado, fazendo-o gritar e se contorcer, mal ficando em pé. Um cheiro ácido sobrepujou o sangue. Samuel sorriu mais uma vez.

– Ei... tsc, tsc, pastor, que coisa de pré-primário. Você já é homem. Se é homem, não pode ficar mudando para moleque e mijando nas calças.

– Pega o diabo do pastor! – urrou Crepúsculo, aferrado com dois anjos que atacavam pela frente e pelas costas.

Durval ergueu a cabeça pela primeira vez, pressentindo algo forte e nefasto rondar logo ali.

– Pai do Céu amado, prepara este filho para defendê-lo – rogou o pastor.

– Não tem Pai nenhum aqui, não. Eles estão de férias.

Samuel deu de ombros, agarrou o homem ferido à sua frente e o ergueu acima da cabeça, arremessando-o para longe, com violência. O pastor, desmaiado ou morto, não se movia nem gritava. Samuel olhou para a casa, buscando sinal de Elias, que estava no carro e partia desenfreado, em marcha a ré, para o acesso da ruela de terra. O vampiro crispou os lábios e correu na direção do veículo.

Crepúsculo livrou-se da poderosa espada de Thal, mas sabia que já estava condenado pela extensa ferida no abdômen que lhe permitiria poucos minutos de vida. Com sorte, poderia oferecer o mesmo destino ao graduado anjo do Exército de Luz. Sua espada suportava os ataques duros da arma do oponente. A cada impacto, o corpo voava para trás, ao sabor da inércia. Crepúsculo, enfurecido, mal conseguia se defender. Queria bater no inimigo de luz. Queria cortá-lo ao meio. Chispas escapavam dos encontros das armas. A espada de Thal cintilava, ardendo em tom amarelo, enquanto a do demônio tinha uma coloração avermelhada, em virtude do espectro flamejante.

Cerca de trinta demônios alados avançaram, envolvendo o anjo numa nuvem de podridão e libertando Crepúsculo, o que deu espaço para o ceifador de anjos reorganizar seu ataque. O grande demônio perdeu altitude, buscando por Samuel. Viu-o correndo velozmente no encalço de Elias. Pôs a mão na ferida, percebendo que o líquido viscoso vazava generosamente. Maldisse o anjo de luz e voou no encalço de seu protegido. Precisava deter o carro, precisava usar um truque, talvez o derradeiro truque, que lhe consumiria as últimas forças.

Elias, em grande desespero, principiou a chorar e a orar. Quando aceitou a missão em seu sonho, estava ciente de que encontraria problemas com as forças de Satã, mas nunca, nem em seus piores pesadelos, pudera imaginar algo tão físico e apavorante. Enfim, existiam os vampiros. Engatou a quinta marcha; com o carro, teria chances de fugir. *Para onde?* Não sabia, mas alcançara a estrada de asfalto. Bateu os olhos no retrovisor e, apesar da escuridão, divisou uma estranha silhueta. Era Samuel, ou algo muito parecido com ele, com um tecido esvoaçante às costas.

O pastor voltou à estrada, quando, surpreendido, puxou o volante impensadamente para a direita. Gritou. Havia alguma coisa pavorosa no meio do caminho, algo parecido com um demônio, o próprio Satanás no meio da estrada... uma criatura grotesca, com asas de dragão abertas e chifres de carneiro. O carro bateu com violência no barranco da estreita rodovia, levantando a frente de maneira cinematográfica. A única coisa que passou como um relâmpago pelo cérebro de Elias foi lamentar não ter colocado o cinto de segurança. O motor do carro bradou como bicho louco quando as rodas descolaram do chão, capotando de modo fenomenal. Elias chacoalhou-se, batendo em todas as partes internas do veículo. Sentiu pedaços de vidro na boca e o mundo emudecer, ouvindo apenas o barulho da lataria do teto arrastando-se no asfalto.

Quando tudo se aquietou, Elias não sabia se estava vivo ou se estava morto. Ouviu um galopar sinistro. *Cavalo?* Poderia ser uma alma caridosa, chegando para libertá-lo daquele pesadelo recheado de demônios. Precisava sair dali. O carro, de cabeça para baixo, deixava o pastor em posição desconfortável, mas, numa primeira avaliação, Elias percebeu que havia espaço para escapar, apesar das janelas amassadas e estreitadas. O ombro doía e a mão direita tremia, não conseguia fechá-la. *E se o carro explodir?* O cheiro de gasolina. Ao tentar se mover, o pastor sentiu uma dor lancinante no conjunto esquerdo de costelas. Desistiu. Tomou fôlego, pensando no que fazer.

Samuel parou quando o pastor perdeu o controle do carro. Aproximava-se vagarosamente, com sua montaria espectral, avaliando a segurança da situação. Viu Crepúsculo pousando no topo do barranco, atrás do carro, com a mão no abdômen, tentando tapar um grave ferimento.

– Mate-o agora, vampiro. É sua tarefa! – ordenou o demônio, com a voz apagada. – Não poderei deter o anjo por muito tempo.

Samuel foi até o carro.

– Saia, pastor Elias. Minha paciência se esgotou.

Ele não respondeu e Samuel abaixou-se para arrancá-lo, mas levantou-se, surpreso. Elias não estava. Contornou o carro, procurando o corpo do homem, que talvez estivesse agonizando ao lado, mas não encontrou nada. Olhando para trás, viu a esfera de luz se aproximar. O anjo, ocupado com três demônios, logo estaria atracado com Crepúsculo, que não parecia nada bem. Certamente ele, Samuel, seria o alvo seguinte.

Um vento frio cortou a noite. As árvores à beira da estrada chiaram baixinho. Samuel girou o corpo, tentando ouvir um coração amedrontado. Concentrou-se. Detectou algo delator, que fazia explodir seus sentidos, que eliminava seu raciocínio lógico. Algo vermelho e vivo. O sabor envolvia a língua; o cheiro atropelava seu olfato. *Sangue, sangue, sangue. Humano. Fresco e vertente.* Samuel pulou para cima do carro com uma leveza vampiresca.

– Saia, pastor, eu sei que está aí. Posso senti-lo transpirar apavorado. Posso senti-lo perdendo sangue. Ha-ha-ha!

Samuel percebeu uma luminosidade crescendo atrás dele, sabia que era o anjo. Virou-se a tempo de assistir à primeira investida de Thal contra Crepúsculo. As espadas chocaram-se, espalhando chispas pelo ar. Os pingos de luz caíam na estrada e rolavam pelo asfalto, desaparecendo com rapidez. O anjo também estava ferido, porém visivelmente mais forte que o demônio. O vampiro percebeu que perdia tempo ao observar a peleja. Olhou para o barranco, onde sabia que Elias se esconderia. Arregalou os olhos ao ver um brilho quebrar a escuridão. Uma chama brotava de forma mágica das mãos do pastor.

– Por que quer me matar, Samuel?

Ele arreganhou os dentes pela enésima vez, liberando um aterrorizante rugido.

– Sem perguntas, pastor. E sem respostas também.

Elias atirou a chama mágica em cima do carro, tentando atingir o vampiro. Em um lance, Samuel percebeu que não se tratava de uma chama divina, como suspeitava, mas de um velho isqueiro, que, a propósito, acabara de acertar e quicar por cima do carro, saltando ao chão e atingindo a gasolina perdida. O pastor protegeu-se, levantando a mão à frente da face.

Uma chama amarela tomou a estrada e tornou-se azul antes de dar origem a uma explosão de calor que iluminou tudo, impregnando o bosque ao redor de sombras sinistras. Quando a primeira labareda surgiu, o pastor viu o vampiro ser tragado pelo fogo, perdendo a expressão enfurecida. Elias ficara quase feliz, mas nem sempre o que nossos olhos mortais captam é de fato o que acontece. Para a surpresa do pastor, no instante seguinte, mais rápido do que o pensamento pudesse montar a razão, o vampiro estava colado em seu peito, apenas levemente chamuscado.

– Bom movimento, pastor, mas ainda não foi o suficiente.

Elias gritou desesperado; queria fugir e não podia. Samuel comprimia seu braço, prendendo-o firme com uma mão que parecia rocha. O vampiro se levantou e arremessou o pastor com violência. Elias cruzou o espaço como um fantoche inanimado, chocando-se contra o tronco de uma mangueira.

– Mate-o! – gritou Crepúsculo, caindo no chão, enfim atingido por Thal.

– Eu... estou... fazendo isso! – bradou Samuel, furioso com o pastor, com o demônio e com tudo.

Ele aproximou-se, então, de Elias. Imaginava que o impacto o teria liquidado, mas o homem permanecia vivo, tentando se arrastar na lama, lutando.

– Você é resistente, hein?

Samuel ergueu-o pelos colarinhos até a altura da cabeça. Elias parecia consciente apenas porque movimentava os olhos para os lados. Sangue vivo escorria pelo canto da boca, revelando perigosa hemorragia interna.

– Se eu largar você aqui, vai morrer sozinho, mas meu amigo quer que eu faça agora. Bem, não é nada pessoal, amigo... – Samuel agarrou a garganta do homem com a outra mão, pronto para despedaçá-la com um leve e suave movimento. Antes, porém, o vampiro, seduzido pelo sangue, lambeu o rosto e os lábios, engolindo o sangue que escorria lentamente.

– Samuel, você... já era...

Samuel espantou-se. *Como o infeliz podia ameaçá-lo prestes a ser esmagado por sua mão poderosa? Que ousadia!* O vampiro olhou para trás, pensando que o anjo o atacasse pelas costas. Na verdade, Crepúsculo ainda resistia bravamente às investidas do anjo guerreiro. Espadas retiniam, vigorosas, e o demônio defendia-se, cravado ao chão, sem forças para voar e fugir. Ganhava tempo. *Tempo*. Essa palavra ressoou como uma campainha biológica, de alerta; um disparo na mente do vampiro.

A cabeça do pastor bloqueava a visão de Samuel para o lado oeste. Por isso, o vampiro abaixou-o alguns centímetros, permitindo que tocasse o chão e respirasse mais uma vez, rouca e profundamente. Aterrorizado, Samuel deixou o corpo agonizante do pastor cair no chão. Agora, o homem caído tossia, tentando puxar o máximo de oxigênio para dentro dos pulmões. Samuel teria gritado naquela hora, mas o pavor era tanto que as cordas vocais pareciam paralisadas.

– Contarei para Vera no que você se transformou... e como você morreu, Samuel – disse o pastor, com a voz embargada e engulhada pelo sangue na garganta.

Uma leve e preocupante linha vermelha brotava no horizonte. Aquilo significava a luz do sol. *Sol*. Em poucos minutos, o céu estaria infestado pela luz solar, a alvorada se concretizaria. Samuel virou-se, correu para a estrada, saltou de cima do barranco e tocou o asfalto negro. *Não tinha tempo!* Estava desesperado. *Pastor desgraçado! Crepúsculo desgraçado!* Precisava de abrigo. O cavalo maldito estava lá; correu e montou-o, disparando rumo a Belo Verde. Tempo. *Não tinha tempo!* O trotar do cavalo aumentou até parecer com o som de trovões. Samuel passou pelo carro em chamas e, antes de cobrir o primeiro quilômetro, ouviu um grito enlouquecido, possesso.

– Não fuja, desgraçado! Mate-o!

Foi o último grito de Crepúsculo antes de cair ao chão, com a espada de Thal enterrada nas costas.

O anjo recolheu a arma e avaliou os ferimentos, vários e doloridos. Sobreviveria mais uma vez. Flutuou até o pastor, que estava mal. Olhou para a frente e viu o cavalo levando o vampiro, que agora era apenas um ponto distante. Thal poderia alcançá-lo em um piscar de olhos, mas, se abandonasse o pastor, ele morreria. Precisava de Elias, da fé verdadeira daquele homem. Apesar das feridas que o guardião alado trazia, estava íntegro em sua energia angelical. Então, ele estendeu os braços, mantendo as palmas das mãos voltadas para baixo, e emanou energia azul para o corpo de Elias. A aura do anjo foi enfraquecendo à medida que transferia sua força de cura para o homem. O pastor moveu a cabeça de maneira espasmódica e abriu um olho, sofridamente.

– Obrigado... obrig... – balbuciou, quase inaudível.

Estaria o pastor, de fato, vendo-o?, perguntou-se o anjo.

Quatro minutos depois, um carro encostou ao lado do acidente.

– Elias! – gritou a mulher, desesperada.

Ele tentou mover-se, mas foi impossível. As costelas doíam como nunca, apesar de o anjo ter eliminado as fraturas. Não conseguiu distinguir nada com a visão. Parecia inteiramente quebrado. Com esforço, ergueu o braço direito.

– Olhe lá! – gritou Durval.

Sandra correu, ajoelhou-se ao lado do marido, chorando. Pôs a cabeça do pastor no colo, extraindo-lhe um sonoro gemido. Elias parecia inconsciente... e a um passo da morte.

Thal, vendo o pastor assistido, olhou para a estrada. Nenhum sinal do vampiro. Abriu as asas e disparou como um raio, voando rente ao asfalto. Seu corpo metafísico extravasava uma intensidade de vontade a ponto de pedriscos presos ao mundo dos homens voejarem com o deslocamento de ar que a criatura provocava. Percebendo a claridade no horizonte, o anjo entendeu por que Samuel abandonara a vítima e fugira desvairado momentos antes de completar o intento.

Vampiros são homens que perdem a alma para algum demônio. Não são bons nem maus, são suscetíveis às entidades. Tornam-se poderosíssimos quando não se autodestroem durante o aprendizado, a iniciação. São monstros que bebem sangue, conhecedores de dois mil truques quando descobrem "A Cartilha da Escuridão". Príncipes da escuridão semi-indestrutíveis. Para a sorte dos mortais, ainda hoje existem algumas regras que jamais mudarão. Uma delas: vampiros morrem à luz do sol.

* * *

Samuel estava firmemente agarrado à crina do cavalo. Fincava-lhe os calcanhares para que o animal decolasse. Os cascos arrancavam chispas do asfalto, criando um rastro de fogo onde batiam. Samuel já não tinha a escuridão envolvendo-o, amando-o e, sobretudo, o protegendo como uma mãe zelosa e adorável. A mãe, naquele exato momento, abandonava a cria involuntariamente, soltando os dedos, perdendo a conexão.

A faixa vermelha avançava galopante no horizonte. Logo, o sol despontaria na primeira colina como pai severo e zangado, punindo o filho que ainda não se recolhera, surrando-o com raios mortais. *Para onde vai a consciência de um vampiro sem alma? Para onde vão as lembranças? São finitas?* São, porque não vão para os santos no Céu. Não vão para os demônios no Inferno. Não vão vagar, jogadas ao rio. Não vão chorar no fundo dos mares. Inefáveis. Um vampiro não é mais nada do que o agora. Um vampiro é o sangue que ele bebe durante o devaneio alucinado. Um vampiro é a sombra que ele toma. É o gato que ele mata por nada. É o pensamento que ele lê e arranca sem permissão. É o grito que provoca. É o sangue que ele gela. É o minuto-segundo que suspira, imaginando sentir o coração pulsar. É a lágrima que cai quando o fim nos parece certo. Um vampiro é exatamente isso, a magnífica ação, ou sensação, que cabe dentro de uma fração de segundo. Portanto, não tenham medo do vampiro. Ele não é nada quando o sol chega. Ele não é nada na ponta da estaca. Não tenham medo do vampiro; ele é apenas uma assombração de si mesmo.

Samuel temia o tempo, mas estava certo de que conseguiria. Restavam poucos quilômetros, porém restavam também poucos momentos. Abandonou a estrada. O cavalo entrou no pasto, rasgando o verde que começava a ganhar cor. Começava a existir claridade. Os olhos de Samuel tornaram-se vermelhos sanguíneos e doloridos. Sua pele ardia, queimava. O cavalo embrenhou-se na mata. Estavam quase em casa. O caixão. A escura proteção.

* * *

Thal avançou para o pasto. O vampiro estava próximo. O rastro entrava agora em uma floresta. Não virou uma esfera de luz, pois a velocidade excessiva poderia fazer com que o perdesse. Seus poderosos ouvidos captaram um galope ritmado. Dois segundos e avistou Samuel, aferrado ao cavalo cadavérico. Aumentou a velocidade. Mais dois segundos, alcançou-o definitivamente, derrubando o vampiro da montaria sobrenatural. Ao interromper a fuga de Samuel, interromperia a salvação do vampiro.

Samuel rolou violentamente, levantando folhas secas, atordoado. Thal pousou a seu lado. O horizonte vermelho crescia assustadoramente, devorando a noite morta. Mais três minutos até o primeiro raio de sol... talvez dois. Samuel levantou-se e arremessou um olhar nas profundezas. Um minuto de corrida... talvez mais.

– Eu te avisei!

– Amigo de asas, sinceramente eu não tenho tempo para isso agora – bufou o vampiro.

– Preciso detê-lo. Você pode tentar novamente...

– Dou a você minha palavra – bradou nervosamente o vampiro. – Devo a você minha vida... ou o que quer que seja este arremedo de existência. Não precisa mais me atacar, ele me deteve! – gritou Samuel, apontando para o horizonte escarlate, onde o sol despontava.

O anjo perdeu um instante admirando o sol, como se...

Samuel correu na direção da capela. Poucos metros faltavam.

O anjo flutuou, pousando à frente dele, a espada desembainhada.

– Sua palavra vale o quê?

Samuel saltou por cima da parede de penas brancas que o anjo formava com as asas gigantes, surpreendendo Thal.

– Não tenho tempo para isso! O sol é meu inimigo, e ele está acordando. Com ele, acordará o mundo. Deixe-me ir, detesto o mundo acordado. Irei embora desta terra, não sou mais daqui, não sou mais ninguém. Tudo foi perdido quando você veio para cá.

Samuel caiu de joelhos a um metro e meio da porta da capela. Raios de luz alcançaram a floresta. O vampiro começou a se arrastar para os degraus da frente, enquanto Thal, combalido pelas palavras da criatura das trevas, baixava sua espada e recolhia as asas.

– Eu não pedi nada disso, não sabia o que eu seria. Eu só mudei. Sou outra coisa. Só peço perdão por ser esta nova coisa que vive na noite e nas sombras. Não tenho mais ódio do que já se passou. Não tenho ódio de você, meu irmão. Agora entendo que certas mudanças devastam tudo que existe dentro de nós, é impossível continuarmos a sermos o que éramos antes. Eu, que sempre amei estar aqui, não posso mais...

O vampiro disse uma coisa que congelou o anjo. Era importante deter o vampiro antes que ele matasse o pastor, mas o anjo, vendo o monstro rendido, compadeceu-se. O vampiro era irmão do corpo que hospedava sua alma, e isso, mesmo que não quisesse, ou pudesse ser, já tinha se misturado à sua essência, criando uma conexão estranha em seu âmago. Agora ele não era apenas o general Thal, mas também o homem Gregório, que tinha o irmão de joelhos à sua frente, pedindo perdão.

Com a chegada do sol, o mundo acordaria. Gregório acordaria. Isso significava que ele voltaria a ser prisioneiro da carne durante horas importantes, e deveria voar como a luz para os alertas finais. O vampiro permaneceria entocado, pelo menos até o pôr do sol. Portanto, Thal poderia se ocupar dele depois, mas somente se esse depois existisse. O anjo pressentia o início iminente da Batalha Negra. Aquele, certamente, seria o dia das horas de horror. Então voou como flecha até a torre da igreja, onde os irmãos estavam concentrados. Era hora de definir a defesa. Naquela noite, a qualquer momento, a batalha feroz teria início.

CAPÍTULO 30

Havia oitocentos e dez anjos dispostos a defender o Exército de Luz durante a Batalha Negra. Entretanto, a maioria dos que foram abordados para a grande luta demonstrou verdadeiro pavor e decidiu não aderir a uma guerra em que a destruição dos corpos angelicais era o menor de seus problemas. Os anjos temiam a transmutação. A alma, a essência de vida, seria convertida em um novo demônio para as hostes diabólicas. Esse era o Inferno dos Anjos.

Thal reuniu-se com vinte irmãos e nomeou comandantes. Alertou mais uma vez sobre a possibilidade de a Batalha Negra começar ainda naquele dia, muito provavelmente ao pôr do sol, quando os guerreiros das sombras se sentiam fortalecidos. Consumiu quase meia hora com sugestões e estratégias de comportamento para os grupos que iriam lutar. Teriam que contar com eles próprios e torcer para que o número de demônios não fosse tão superior. Thal era o general, o alvo principal. Ele havia quebrado a lei e permitido que o palco para o flagelo fosse montado.

Logo chegaram notícias de Alanca. O anjo da patrulha estava quase sem vida. Não sabiam se poderiam contar com o importante guerreiro para as horas críticas que se avizinhavam. Thal lamentou a perda daquele valoroso combatente e de sua patrulha. Espadas a menos. Irmãos destruídos.

Cada vez mais seu pequeno exército dependia do reavivamento da fé dentro dos parcos seres humanos que ainda acreditavam neles. Que ainda lembravam do tempo em que o Filho de Deus andara entre eles. Que ainda acreditavam que tinham sido salvos da escuridão por anjos protetores, por anjos intercessores. Thal tinha visto nos últimos anos esse número de crentes diminuir, e sua tristeza tinha aumentado dia após dia. O caminho agora se invertia. Era Thal quem tinha de crer que o homem ainda podia se conectar à sua crença, acreditar nos seres celestiais e nos protetores.

Mas o anjo temia o tempo escasso, afinal, Gregório acordaria a qualquer segundo. Thal relembrou essa dificuldade inusitada aos comandantes. Os anjos deveriam manter Gregório adormecido durante todo o tempo da Batalha Negra. A presença de Thal na peleja era, sem dúvida, o pilar de sustentação da fé na vitória. Contavam imprescindivelmente com ele.

O anjo Rafael aproximou-se, pedindo desculpas pela intromissão. Trazia uma esperança para os comandantes. Vuhtiel, o anjo-general do Oriente, aproximava-se de Belo Verde. Imediatamente, Thal alçou voo, subindo alto e alto até conseguir avistar o pelotão de Vuhtiel, e, como uma bala, disparou para interceptá-lo.

Ele trajava uma túnica vermelho-escura, e na bainha a legendária espada repousava em paz. A pele tinha um tom acobreado, muito mais escuro que a de Thal. Tinha o rosto agigantado, desproporcional ao dos demais, e mãos poderosas. As asas pareciam feitas de prata, refletindo fortemente a luz do astro-rei. Ao avistar Thal, acenou para seus sete acompanhantes, fazendo-os parar e pousar.

Thal aproximou-se, saudando demoradamente o tão estimado combatente, que, aliviado, estava sóbrio, como se aguardasse um diálogo ruim.

– Grande irmão guerreiro. Chegou em boa hora – disse Thal. – Precisaremos enormemente de sua experiência.

– Lamento não vir para ajudá-lo, estimado irmão – ribombou a voz do general do Oriente, evocando sons metálicos. – Venho para informar que meu exército usará do direito de abster-se. Não temo por minha vida ou pela vida de meus homens, mas pelo Oriente desprotegido.

A expressão esperançosa no rosto de Thal esmoreceu.

– Como sabe, precioso general, a luta será amarga. Muitos cairão e irão para as trevas sem salvação. Todos temem passar a eternidade aprisionados ao exército de Satã. Se perdermos, nada poderá ser feito. Precisamos de toda a ajuda com que pudermos contar para massificar a vitória, para incentivar os guerreiros. Clamo para que não deem as costas aos meus combatentes.

– O que incentiva os homens são as orações. Lamento, Thal. Você não esteve na última Batalha Negra. Eu, como os outros velhos generais, estive. Éramos cinquenta mil anjos lutando contra o horrível exército do mal. A maioria dos velhos generais nunca voltou. Provavelmente, hoje eles tramam contra nós. Éramos cinquenta mil. Hoje, nem mesmo temos tantos anjos no céu. E seu exército ainda não alcançou mil homens, como pude ver. Não arriscarei existências tão preciosas. Certamente, se trouxesse para cá todo o meu exército, o Oriente ficaria inteiramente descoberto. Como sabe, isso selaria o futuro das almas humanas, deixando o caminho livre para a Besta.

Thal desviou o olhar por um breve minuto. Olhou para as árvores, para os pássaros. Tudo de belo estaria em jogo naquele dia. As palavras do general faziam completo sentido. Todos eles, sem exceção, poderiam cair durante a batalha. Eram poucos, insuficientes para o exército de Satã. A maioria dos exércitos experientes se acovardava, fazendo uso do direito de abstenção. Thal lutaria apenas porque o Ponto era dele. Ele havia quebrado a lei, era o único que não tinha o direito. Talvez também se abstivesse caso não fosse obrigado. *Quem cuidaria dos guerreiros de sua região?* O medo pairava sobre as asas dos anjos. A Batalha Negra era o mais legítimo passaporte para o inferno. *Afinal, para que arriscar a liberdade do espírito eterno, ao lado da Luz do Senhor, por um anjo que quebrara a lei?*

Sem o apoio do poderoso exército do Oriente, Thal sabia que estaria desprotegido durante a batalha. O exército do Oriente traria pelo menos seis mil anjos. Sabia que a recusa de Vuhtiel selara o destino daquele pequeno grupo de anjos comprometidos. Todos cairiam, porém todos lutariam bravamente até o último estar em pé. Encerrariam a existência de um número grande de demônios. Seriam lembrados para sempre pela bravura naquela batalha. Certamente, cada anjo acovardado lamentaria por toda a sua existência ter escondido a espada durante o confronto. Desejariam transformar-se em senhores do tempo, podendo, assim, voltar para aquele dia e alertar os irmãos a unir-se àquele pequeno grupo.

– Obrigado por sua preocupação conosco, irmão Vuhtiel. Mas pergunto: para que veio, então?

– Para orar ao lado dos seus, irmão.

Thal, abandonando o grupo de Vuhtiel, voltou rápido para a torre da igreja. Noticiou o triste encontro com o anjo do Oriente e percebeu a tormenta crescer entre os guerreiros. O peso da Batalha Negra começava a arquear as asas de muitos dos guerreiros.

Thal sentia medo. Um medo de não existir mais. Um medo que tinha crescido de modo incompreensível. *O que viria depois de ter sua cabeça arrancada? Para onde iria sua consciência? E se a luz de Deus nunca mais tocasse sobre ele? Por que teria vivido milhares de anos lutando para proteger tantas almas, para manter a fé viva no plano do Senhor?* Dúvidas que ele nunca tinha experimentado. Desfechos que ele nunca tinha cogitado. As incertezas e o rosto confrangido que os humanos carregavam durante boa parte de suas existências, apartados da luz, carcomidos por incertezas, se manifestavam agora na face do guerreiro de luz.

No solo, ao lado da entrada da igreja, Thal percebeu que Sandra acabara de entrar no prédio. O anjo dirigiu-se para o interior da casa sagrada, atravessando a porta frontal. Aproximou-se da mulher e ouviu o importante relato que ela trazia: o pastor Elias encontrava-se no hospital de Água Brava, recebendo atendimento intensivo; estava muito ferido e provavelmente ficaria internado por vários dias.

Thal rumou para Água Brava, transformando-se na esfera de luz. Segundos depois, pairava sobre o hospital. Desceu lentamente, atravessou o telhado e chegou ao corredor do último andar. Desceu à recepção, onde um grande relógio no corredor apontava cinco e meia da manhã.

Tonico havia sido o primeiro a acordar. Eram cinco da manhã, e o sol já havia aparecido. Esperou pacientemente dez minutos sentado em frente à casa. Como o pai não dava sinais, decidiu caminhar até a sede; talvez Vera ou Gregório já estivessem de pé. Estranhou Ramiro não estar por ali ou perto do poço. Geralmente ele era o primeiro a pôr o nariz para fora e preparar o café.

Após pegar um caminho no meio do milharal, Tonico bateu os olhos no relógio digital: cinco e vinte e dois. À direita, percebeu uma barulheira de insetos. Pareciam abelhas, muitas, voando aos montes, porém nunca percebera nenhuma colmeia por ali. O som não vinha de muito longe, provavelmente estariam encravadas no meio da plantação, um perigo para a gente que trabalhava na colheita. Parou para ouvir melhor e, talvez, descobrir de onde vinham. Poderiam estar no caminho que Ramiro fazia para ir e vir.

Ele embrenhou-se nas altas hastes verdes enfeitadas com os frutos amarelos. Depois de várias passadas, a plantação atingia a estradinha que levava para a casa de Ramiro. O som das abelhas estava bem mais volumoso ali e vinha do lado da casa do empregado. Moscas varejeiras passavam zunindo pelos ouvidos, confundindo-o com os sons das abelhas.

Alguns passos à frente, percebeu a nuvem de insetos voando de cima das espigas até o chão. Tonico foi descendo lentamente o olho, acompanhando as moscas. Não havia abelha, tampouco colmeia, mas um corpo estendido. Tonico virou, debatendo-se contra os insetos, que pareciam convidá-lo a banquetear-se, a dividir com elas o cadáver. Correu para a sede, gritando o nome de Vera.

Na fazenda, o rapaz não encontrou a patroa quando chamou ao redor da casa. Então, de repente, parou em frente à janela do irmão do patrãozinho. Ele servia também. Começou a esmurrar a janela e a gritar.

– Gregório, Gregório! Me ajuda, pelo amor de Nossa Senhora!

Gregório remexeu-se, despertando dos confins da terra-dos-sonhos.

* * *

Thal apenas encostou o dedo na testa da mulher para imediatamente saber o número do quarto do pastor. Ele estava se submetendo a uma operação para salvá-lo da hemorragia. Centro cirúrgico, sala sete. O local ficava no terceiro andar. Thal decolou.

Quando alcançou o centro cirúrgico, Elias estava envolto em uma parafernália médica; mesmo assim, reconheceu o mortal. Estava despido e com vários ferimentos. Thal desembainhou a espada, preparando-se para invadir a consciência do homem. Precisava alertá-lo sobre Gregório. Naquela noite, o irmão de Samuel deveria cooperar, permanecer adormecido. O anjo deveria estar livre para comandar o exército e não abandonar seus irmãos. Antes, porém, que conseguisse tocar a testa de Elias, Thal sentiu-se evaporando, desintegrando-se em centenas de partículas de luz.

* * *

Sentado na beirada da cama, enrolado no lençol, Gregório levou um minuto para entender o que estava acontecendo, ainda grogue pelo sono profundo, em que escutava barulhos de monitores hospitalares e a voz de Vera ao fundo. Alguém estava espancando a janela. Levantara-se aturdido e a abrira com força.

Desavisado, Tonico foi atingido na testa. Tombado, contorcia-se de dor, enquanto Gregório arregalava os olhos por ver o garoto estatelado.

– Posso entrar? – gritou Vera.

– Em um segundo – respondeu o cunhado.

Gregório vestiu uma calça e saiu. Vera o esperava, atônita.

– Era o menino, o Tonico. Você acertou ele em cheio.

– E o que ele quer? – perguntou Gregório, seguindo a cunhada. – Eu tava sonhando... com um hospital ou coisa assim.

Deram a volta na casa e encontraram Tonico se levantando e limpando a roupa. Com expressão de dor, tinha um pequeno corte na cabeça e uma trilha de sangue descendo da testa.

– O que está havendo? – perguntou Vera, nervosa.

– O Ramiro... ele tá caído lá na estrada. Acho que ele tá mortinho.

Gregório e Vera trocaram um olhar ligeiro. Ele voltou para casa e dois minutos depois saía com a espingarda na mão, vestindo uma camisa xadrez de mangas longas sem abotoar, usada por Samuel.

Os três correram para o milharal, embrenhando-se na estradinha que Ramiro costumava trilhar. As espigas estavam soberbas. Vera quase chorou imaginando quanto o marido ficaria feliz em vê-las daquele tamanho, prontas para a colheita e para a venda. Afinal, a maioria dos plantadores da região já tinha negociado as mirradas espigas uma semana antes, sem acreditar na chegada de chuva.

O zumbido era gigante. Parecia uma cachopa de marimbondos tamanho família. Uma muralha formada por um sem-número de moscas varejeiras verdes e gordas surgiu na frente deles, zunindo e cobrindo-os. Nas fazendas, aquele era o som da morte. Tonico e Vera tentaram espantá-las, agitando os braços. Gregório fixou-se no cadáver largado na estradinha. Parecia um defunto gordo e verde, mas era o mirrado Ramiro, que estava vivo até a noite anterior, quando todos conversavam na varanda.

Vera apanhou o isqueiro e acendeu uma tocha feita de folhas secas de milho. A fumaça começou a afastar parte das varejeiras. Na outra ponta da estrada, surgiam os companheiros do finado Ramiro. O jovem Tonico tentava proteger o ferimento na testa, limpando o sangue e evitando o alvoroço dos bichos incômodos.

– Que foi que fizeram com ele? – perguntou Celeste, com a voz embargada. Gregório entregou a arma para Tonico. Abaixou-se ao lado do corpo de Ramiro, apoiou a mão com firmeza no peito do homem e confirmou o que todo mundo já sabia. – Este homem foi morto! – afirmou Celeste, consternado. – Ai, Pai... quando isso vai parar? Quando?

Um fio de sangue preto e coagulado estava escondido entre os cabelos do cadáver, e somente Celeste havia notado. Viraram o corpo para observar melhor. Havia um ferimento estranho no pescoço, dois pequenos buracos paralelos, de onde aparentemente brotara o sangue. Parecia uma...

– Mordida. Parece uma mordida de bicho, sei lá – falou Tonico.

– É mesmo – concordou Paulo.

– Vou ligar para a polícia – avisou Vera.

A nuvem de insetos voava em torno do grupo, afastada pela tocha improvisada. O vento batia na plantação, o que provocava um som gostoso... Mas nenhum deles podia dar atenção: lamentavam a morte de mais um amigo, de mais uma pessoa em Belo Verde.

* * *

Uma hora depois, o investigador Tatá chegou. Após botar os olhos no falecido Ramiro, pediu um carro do IML pelo rádio da viatura. Os homens estavam reunidos na frente da casa. Todos, exceto Celeste, que providenciava o funeral do parceiro, iriam em busca de alguma pista sobre o paradeiro de Samuel.

Toda vez que tocava no nome de Samuel, Vera sentia-se agoniada, levando a mão à garganta, querendo falar. Sua intuição apitava, depois de repetidos sonhos, pesadelos e conversas com a Energia da Vida através da boca da porca, mas tinha medo de ser julgada, ninguém entendia muito bem a ligação que ela tinha com o mundo do lado de lá – nem ela mesma conseguia traduzir todos os sinais. Mas tinha algo repetido, algo que parecia querer dar um alerta a ela. Segurou a voz mais uma vez, não seria prudente falar na frente do policial, mas queria encontrar Samuel sozinha.

Tatá, por sua vez, alimentava cada vez mais a suspeita de que Gregório e o irmão desaparecido estavam diretamente envolvidos nas mortes e em todos aqueles fatos sinistros. Samuel tinha sido atacado ali na fazenda, por um dos cães doentes do velho Anderson. Talvez as criaturas estivessem infectadas com a raiva, com alguma doença ainda desconhecida. Tinha sido traumático, mas nada justificava tamanha violência. O fato é que ninguém tinha visto Samuel depois do desaparecimento.

O investigador contatara a polícia da capital e sabia que Gregório já havia sido preso algumas vezes; pequenos furtos, tráfico, nada de assassinato. Mas os fatos falavam mais alto. Tudo tinha começado depois que ele aparecera no meio daquele milharal, ensanguentado, meio morto. Teria ele mesmo dado cabo de Samuel? Afinal, sendo irmão, Gregório teria direito a boa parte das terras se, de fato, o dono desaparecesse. *Alguém que chega assim, do nada... e as coisas começam a acontecer...* Já tinha visto muito daquilo. Muita morte por muito menos. Motivo o forasteiro tinha.

– O senhor vai nos ajudar na busca? – perguntou Gregório ao investigador.

– Lamento, amigo, mas não vou – respondeu secamente, dirigindo-se para o carro. – Meus homens também têm um plano de busca. E vocês... – virou-se para o pessoal veterano da fazenda – sei que vocês já estão acostumados a sair caçando crianças perdidas e homens desaparecidos, mas o cara não sumiu de lá sozinho, nem sabemos direito o que aconteceu. Se fugiu, se foi raptado. Só estou pedindo para não darem uma de heróis, ok? Não se separem. Não banquem os pistoleiros. Qualquer pista, chamem nossos caras. Tomem cuidado. Fiquem todos juntos, quem anda sozinho por aqui está caindo morto – sentenciou gravemente, tirando os olhos dos trabalhadores e encarando fixamente Gregório.

Antes de Tatá chegar à porteira, teve de desviar de duas caminhonetes que entravam, trazendo mais gente para ajudar na procura pelo fazendeiro. Já eram vinte para as oito da manhã quando o grupo de busca saiu, distribuído em três times de vinte homens. O pessoal da fazenda manteve-se reunido, pois iria vasculhar a mata dentro da propriedade – havia lugares muito propícios para estabelecer esconderijos; se Samuel estivesse com algum problema na cachola, perdido em algum tipo de loucura momentânea, provavelmente estaria escondido por ali.

Mas havia medo rondando o semblante das equipes. Todos benzeram-se antes da partida. A morte de Ramiro só deixara tudo mais confuso, mais pesado. Ele vivia na fazenda havia mais de quinze anos. Era mais que um companheiro, era quase um pai para muitos dos meninos que tinham crescido ali, em Belo Verde. Samuel, os enfermeiros e agora Ramiro. Aquilo nunca tinha acontecido na cidade, e o buchicho que crescia nas igrejas do centro, nas evangélicas e na matriz católica, ganhava cada vez mais força, fazia cada vez mais sentido. O demônio estava ali em Belo Verde, querendo separar o povo da luz de Deus, matando a gente da cidade e comendo suas almas.

Estavam todos com medo – e não era o medo puro e absoluto da morte. A morte era coisa da vida, era coisa sabida que fazia parte do jogo. Estavam com medo das sombras e das tentações. Os que tinham correntes adornadas com crucifixo trataram de botá-las à mostra. Criaturas bizarras rondavam a mente das pessoas. Cães-zumbis prontos para saltar nas jugulares pareciam espreitar a cada sombra mais aprofundada. Cães mortos que andavam mordendo gente inocente e levando as pessoas a perambular com os capetas. *Vampiros... Talvez os cães fossem vampiros. Quantos haveria ainda? Um, dois, quinze?* Perguntavam-se a todo instante, apavorados. No entanto, deviam o esforço, o mergulho na mata, ao amigo desaparecido. Ele, que já os ajudara e confortara tantas vezes.

Todos os monstros que já povoavam o imaginário do grupo de busca foram, porém, aumentados e alimentados pelas notícias que o veterinário Ivan, um dos últimos a chegar, trazia. Além da disposição para ajudar, ele trouxe também os resultados dos exames e das amostras colhidas dos cães: degeneração acelerada, incompatibilidade de datas para a suposta morte dos animais afirmada e testemunhada pelos funcionários da fazenda, principalmente por Gregório. Isso porque alguns elementos presentes nas amostras não faziam sentido, e, de acordo com os tecidos, os cães estavam mortos havia mais de um mês. Outro mistério era a estranha pigmentação vermelha encontrada no couro dos animais, tornando-os demônios escarlates. O pigmento não era resultado de doença catalogada. Ivan demorara um bocado para acreditar que aqueles monstros um dia tinham sido dálmatas.

– São demônios – afirmara Gregório, traindo-se. – Eu sei, são demônios.

Todos perderam quase um minuto ficando em silêncio, o rosto entristecido e cansado. Agora estavam embrenhados na mata, cada um amontoando o medo interno de suas feras imaginárias. A maioria dos grupos já andava há mais de uma hora por aquelas matas sem ter qualquer pista. Cada time torcia para que, ao retornar, um deles reservasse boas notícias. Com sorte, algum grupo traria Samuel de volta, desidratado, ferido, louco, mas vivo.

O grupo em que se concentrava a maior parte do pessoal da fazenda partira na direção da sede velha, e dele faziam parte os três irmãos, André, Paulo e Jonas. E também Teodoro. Além da velha casa, esse grupo, do qual Gregório não participava, também estava incumbido de verificar a capela abandonada, justamente onde se desenrolaria a pior parte da expedição. Os que adentrassem a capela levariam para suas covas lembranças horríveis. A única sorte que poderiam ter seria a de chegarem lá com a luz do dia. Só isso.

Gregório estava no grupo responsável pelo rio Jumaí, que cruzava a cidade e, em um pequeno trecho, a fazenda vizinha à da família. Dariam uma busca de ponta a ponta dentro dos limites do município.

CAPÍTULO 31

Era uma hora da tarde quando o pastor Elias recuperou a consciência. Abriu os olhos com dificuldade e viu que estava deitado numa sala toda verde, mas não se lembrava de nada, só sabia que tinha o culto da manhã para celebrar. *Havia deitado para dormir na noite anterior e...* Uma névoa formava-se quando tentava lembrar-se das últimas horas. Um acidente de carro passou pela mente. *Ele havia assistido a um acidente na rodovia... Não! Estava dentro do carro acidentado... Sim! Então sonhara que havia deitado para o culto... Ah! Que confusão!* Com a visão periférica, percebeu um ser com uma capa verde aproximando-se. Os olhos arregalaram-se, desesperados. Uma capa de hospital... um lençol, um monstro. Tentou levantar-se e fugir, gemendo e contraindo-se no leito.

– Ufhiss! – uma dor lancinante fez com que desistisse. – Socorro... – murmurou.

O espectro verde avançou sobre o indefeso pastor. Felizmente não era nenhum monstro. Nenhum vampiro. Era uma enfermeira.

– Bem-vindo de volta, pastor. Que susto, hein? Não tente se mover por enquanto, ainda está sob efeito dos sedativos. Procure dormir um pouco mais; acredito que sua estadia aqui vá ser um pouco demorada.

– Não posso... – murmurou, lembrando que alguma coisa indefinida o compelia a levantar; precisava falar com alguém, não podia... – Precis... – mas foi vencido pelos medicamentos e dormiu novamente.

* * *

No pequeno sítio de Genaro, duas dúzias de carros estavam estacionadas em torno do galpão. O bom e velho Gê saiu da casa trajando uma túnica preta, com as bordas das barras e das mangas vermelhas. Atrás dele vinham dois homens que traziam um caixote coberto por um pano acetinado, demonstrando dificuldade para carregá-lo até o porão.

Dentro da gruta de culto, na primeira fila, Pablo e Ney aguardavam o início do ritual. O salão tinha sido transformado da noite anterior, quando a congregação das trevas se reunira, trazendo acólitos das sombras das cidades do entorno. Apesar do corpo do bode atado ao teto baixo, com os olhos negros e vigilantes da criatura que um dia já fora viva, e do pentagrama desenhado no chão, com o relevo de barro, as cadeiras tinham sido dispostas em fileiras, deixando a gruta com o aspecto de uma igreja católica ou evangélica. Havia um altar muito bonito, feito de madeira escura e lustrosa, ornado com filigranas feitas de ouro, formando letras em uma língua que parecia latim. Inúmeras imagens encontravam-se espalhadas pelas dependências do templo, imagens sinistras e bizarras. Algumas evocavam agonia e terror. As cruzes, pelo menos dez, estavam viradas de ponta-cabeça. Velas pretas enfeitavam, acesas, o topo de cada cruz, queimando e iluminando o estranho santuário. Mas a gruta permanecia na escuridão – as velas tinham função apenas ritual, enquanto as lamparinas presas nas paredes forneciam um bafo de luz bruxuleante. Havia gravuras de demônios estampadas nas paredes, alguns comendo homens vivos. Outras imagens os mostravam dilacerando anjos com os próprios dentes ou com grandes espadas.

Foi a primeira vez que Pablo sorriu aquela noite. Era isso. Ele era um escolhido das trevas. Enquanto os cristãos gabavam-se de ter anjos da guarda, ele certamente poderia contar com um guardião das trevas, soprando em seus ouvidos. Fora uma coisa monstruosa dessas que visitara o seu sono e pedira para preservar Gregório por mais algumas horas. O desgraçado estava embrenhado no plano das feras sombrias.

Acima do altar, um crucifixo, também de ponta-cabeça, era ornado com o que parecia corações... corações de verdade, espetados em punhais, pendurados por todo o crucifixo e sobre uma imagem de Jesus. A imagem era bastante sinistra, pois Jesus não tinha rosto, apenas cabeça, e dois veios de sangue descendo de seus olhos, chorando. Sentadas, trinta e duas pessoas conversavam em pequenos grupos, a maioria aos pares, em tom baixo, sem chamar a atenção. Esperavam o pastor.

Genaro entrou por uma porta lateral, próxima ao altar. Os dois homens traziam o caixote coberto pelo pano acetinado. Puseram-no em cima de uma peça de mármore, onde encaixou perfeitamente. A peça o prendia em cada uma das quatro pontas, deixando a parte inferior desprotegida. E, embaixo do caixote, havia uma jarra com capacidade para cinco litros d'água, aparentemente vazia. Genaro posicionou-se no pequeno palanque do altar.

– Senhores, convoquei esta sessão em horário tão incomum porque é chegada a hora de nossa Congregação atuar no plano físico – as palavras fizeram sorrisos brotarem na face da maioria dos presentes. – Nosso mestre e senhor, Khel, nos alertou sobre o perigo dos homens de luz se aproximarem da nossa arma importante. Devemos detê-los, pois estaremos bastante desfalcados se os homens a destruírem. Perante a necessidade de uma participação física imediata, nomeei alguns executores sem prévia consulta. Precisamos de pessoas com experiência em assassinato e que não vacilem. São elas: sargento Messias, Pablo e Ney, e também Olavo e Unha. Vocês cinco estão incumbidos de defender, custe o que custar, nosso primeiro irmão da escuridão. Ele não pode ser morto; devem guardá-lo como o mais precioso bem, como um portal mágico. Ele é o exemplo vivo do que nos tornaremos quando o exército negro caminhar sobre a Terra. Seremos seres eternos, seres eternos! – repetiu veementemente Genaro.

Em seguida, os cinco foram conduzidos para a frente do altar, bem próximo ao caixote.

– Venham, irmãos – continuou Genaro. – Recebam agora suas armas e alimentem-se para a missão.

Os dois auxiliares trouxeram pistolas e espadas e amarraram um cinto em cada um dos escolhidos. Uma das mãos segurava a pistola, e a outra repousava na empunhadura do aço cortante. Um auxiliar puxou o pano acetinado, revelando tratar-se não de um caixote, mas de uma pequena gaiola com um filhote de bode adormecido.

Genaro aproximou-se, desembainhou a espada de Pablo, tomando-a para si, e ordenou:

– Alimentem-se agora!

Genaro atravessou com a espada a gaiola, tocando a ponta no corpo do animal nascido havia poucos dias.

– Sangue será o seu alimento até a eternidade! – bradou o pastor, atingindo o filhote na altura do coração. – Esta é nossa oferta ao grande Exército da Escuridão, o sangue do filho, o sangue do cordeiro. Que eles também se alimentem e façam de vocês guerreiros valentes e ágeis!

O animal soltou um breve gemido, perdeu a força e empalideceu em segundos. Um grosso fio de sangue corria e depositava-se no fundo da jarra abaixo da gaiola. Quando o sangue do imolado completou o recipiente, foi oferecido aos cinco selecionados.

Após sorver cada gota, os homens sentiram-se capazes e injetados de bravura para o cumprimento da missão. Abandonaram o galpão e entraram no carro preto de Pablo, e Ney os conduziu ao endereço do emissário que deveriam proteger. O horrendo e bizarro ritual desenrolou-se às oito horas da manhã.

CAPÍTULO 32

Os homens vasculharam todos os cômodos decadentes da velha sede. Era de manhã, mas, apesar de o sol brilhar, dentro da casa estava escuro e um vento percorria os corredores fantasmagóricos, com plantas cobrindo as paredes, o que prenunciava mais chuva. Dez entraram, os outros esperaram do lado de fora, atentos aos ruídos da floresta.

Os homens palmilharam o interior, passo a passo, entrando em cômodos em que ora faltava o teto, com ramos de árvores invadindo o telhado, ora faltavam pedaços da parede, deixando entrar mais vento e barulho. Andavam por trechos escuros e por cima de chão escorregadio, com medo das sombras e das possibilidades sinistras que a escuridão trazia: um cão-demônio, um psicopata, um ladrão de internos dos hospitais. Talvez um personagem macabro do cinema, carregando um machado afiado e despedaçando intrometidos.

Teodoro, Paulo e André faziam parte do grupo que estava dentro da casa e tentavam manter contato visual a maior parte do tempo. Quando um era tragado pela escuridão, restava a outro rezar para que aqueles poucos e intermináveis minutos logo passassem.

Os outros, aparentemente tranquilos, empunhavam nervosamente suas armas.

– Nada aqui – disse Jonas, com a espingarda erguida.

– Num tem nada, nem um rato sequer – afirmou Aloísio, um dos vizinhos.

André afundou o chapéu de palha na cabeça.

– Bem, vamos para a capela. Talvez tenhamos mais sor... – ia dizendo quando Teodoro o interrompeu.

– Alguém olhou o porão? – perguntou Teodoro.

– Tem porão aqui? – espantou-se Paulo.

– Estas casas velhas todas têm. Eu já tava esquecendo, mas têm – afirmou Teodoro.

– Quem vai? – perguntou André.

Todos deram de ombros e avisaram aos de fora que não havia nada no interior da casa, mas que faltava o porão. Circularam a sede e, nos fundos, acharam uma porta dupla, a entrada. Uma corrente enferrujada, com um cadeado velho, trancava a passagem. As madeiras estavam esverdeadas e apodrecidas.

Teodoro se adiantou e, antes que alguém perguntasse como entrar, deu um golpe com a coronha da arma bem em cima do cadeado. A porta balançou, mas o cadeado não cedeu. Mais um golpe e ele arrebentaria. O homem ergueu novamente a espingarda e desceu com força. O maldito cadeado continuou selando a corrente, mas a entrada se fez livre quando as portas podres, não resistindo às investidas, desprenderam-se dos batentes enferrujados. Quando retiraram a primeira folha, um vento morno e fétido subiu pelas escadas e bombardeou o grupo.

– Que merda é esta? – perguntou Aloísio.

– Sei lá. Este ar deve estar preso aí faz tempo – explicou Teodoro. – Isso aqui tá fechado há uns dez anos, desde que mudaram para a sede baixa – coçou a cabeça. – Algum candidato?

O pessoal se entreolhou, tentando descobrir alguém mais empolgado. Diante da demora, Teodoro se ofereceu.

– Tudo bem. Eu vou – disse ele. – Alguém me empresta a lanterna?

– Eu... deixei na picape – disse um dos voluntários.

– Então não adianta. Alguém tem fósforo? – perguntou Jonas.

Os homens tiraram as caixinhas e apareceu também um isqueiro.

– Ótimo, agora eu vou – disse Teodoro, imbuindo-se de coragem.

André pegou duas caixas e também desceu. Apesar do vento morno, embaixo estava muito mais frio e escuro do que na casa. Logo após os primeiros degraus, a luz do sol abandonava os expedicionários. Teodoro faiscou o isqueiro, trazendo luz para o cômodo. As paredes estavam deformadas e rachadas, invadidas por grossas raízes; o chão, coberto por musgo e vegetação rasteira. A chama tinha pouca força, iluminando com eficiência apenas um metro à frente. Nenhuma pista de que alguém houvesse usado o lugar para se esconder, pelo menos não nos últimos dois anos. André acendeu um maço de palitos, o que ajudou bastante.

– Ninguém veio aqui, não, Teodoro.

– Eu sei, mas a gente já tá aqui, vamos olhar tudo, ué.

Os dois continuaram aprofundando-se na catacumba gélida. No último cômodo, encontraram alguns caixotes empilhados. Um vento morno voltou a varrer as dependências do porão, apagando as chamas fracas. Assustado, André virou-se em direção à porta, e o cano da espingarda impactou-se contra a arma de Teodoro, que deixou cair o isqueiro no chão.

– Cuidado, diabo!

André derrubara as caixas de fósforo também.

– É que ouvi um barulho esquisito, Teo.

– E precisa cagar nas calças por causa de barulho, caralho?! – Teodoro estava nervoso e, na verdade, ouvira alguma coisa também. Um sonzinho estranho, passos, talvez.

– Cadê meu isqueiro? Acha aí. Também tô ouvindo um negócio.

Começaram a andar em direção à parede dos fundos, próximo às caixas empilhadas e afastando-se da porta. André tentou encontrar os fósforos, ou o isqueiro, mas, toda vez que abaixava a mão, os dedos afundavam no musgo e nas folhas apodrecidas, o que lhe passava uma desconfortante sensação de repugnância.

Os ouvidos aguçaram-se e a visão começava a se adaptar ao ambiente escuro. André abaixou-se, perdeu o equilíbrio e caiu, perdendo a arma no negrume. Os joelhos afundaram alguns centímetros, como se penetrassem na barriga de um cavalo morto e podre. Ele aproveitou a proximidade com o chão e começou a procurar o isqueiro e os fósforos. De repente, um som de rastejar.

André sentiu o sangue congelar nas veias. Se Teodoro não estivesse ali, teria gritado.

– André? Cadê você, homem? – a voz de Teodoro estava carregada de ansiedade.

Ele ainda estava no chão, imobilizado, para ter certeza de que não era ele quem provocava a barulheira. O som.

– É você, Teodoro?

– Eu não, eu tô quieto.

André se preparava para levantar e correr quando alguma coisa passou entre seus dedos. Algo cilíndrico. Assustado, retirou a mão, mas arrependeu-se. Podia ser o isqueiro. Voltou a tatear.

– Vamos sair daqui, cara – disse Teodoro, abandonando o canto e correndo para onde acreditava ficar a porta.

André concordou imediatamente. Agarrou o cilindro e tentou girar a pedrinha. Teodoro chocou-se contra um dos caixotes na tentativa de fuga, bateu a perna e praguejou umas tantas vezes. De novo, o ambiente encheu-se com o rumor sinistro, vindo de todos os lados, como se um gigante os estivesse cercando. Sem êxito com o isqueiro, André voltou para o chão, em busca da arma, e ouviu o som mecânico de Teodoro preparando a agulha da espingarda. Se houvesse um intruso ali, estaria correndo o risco de levar bala. Lembrou-se da escuridão: poderia tomar um tiro também.

– Cuidado com isso, eu tô aqui – alertou.

– Cê num saiu ainda? Diacho! Que é que tá fazendo esta zoeira toda?

O som vinha de várias direções, no teto, no chão, nas paredes.

– Sei lá. É bicho! – respondeu André, à procura da espingarda.

As mãos tocaram algo que se moveu ligeiro, cravando os dentes para se libertar.

– Aaaargh! Ô, peste do inferno! – gritou, doloridamente.

– Que foi, diacho?

– Um bicho me mordeu na mão! Puta, que dor, acho que tô sangrando – reclamou, tentando adivinhar a gravidade do ferimento com a outra mão. Percebeu um líquido morno e viscoso. Era sangue.

– Que droga é esta?

– Sei lá, Teodoro, pode ser rato. Vamos sair daqui, homem de Deus. Eu tô sufocando...

Com André pousando a mão boa no ombro de Teodoro, os dois começaram a abandonar o cômodo sombrio. Teodoro, como um cego, tateava o caminho com a espingarda, guiando o parceiro. Foi o cano da arma que encontrou a saída, e, no corredor, Teodoro arriscou passadas mais rápidas. André o acompanhava com dificuldade. Um halo de claridade guiava a dupla, mostrando o caminho até as escadas. O barulho recomeçou. Primeiro por trás, perseguindo os invasores. Depois, alastrou-se para os lados, com o característico som de tremedeira.

– Que droga é esta?! – berrou Teodoro, correndo sem enxergar um palmo diante do nariz.

O ruído vinha da frente também, alimentando cada vez mais a imaginação dos dois. André sentiu o sangue gelar nas veias quando arranharam seu braço.

– Corre, Teodoro! Tem alguém me segurando! – gritou André. – Tem uma mão aqui...

Foram as últimas palavras que Teodoro ouviu do companheiro. Continuou correndo rumo ao bafo de luz que mostrava apenas a direção, correndo naquele corredor sem fim, aquele corredor que nunca parecera tão longo. O medo só aumentava, e piorou quando ouviu André gritar às suas costas.

O jovem, com o braço arranhado, tropeçou em algo que julgou ser uma raiz saindo do chão. Mas a raiz se moveu. Algo agarrou seu braço e o puxou para a parede. De repente, dúzias de mãos agarravam seu corpo, puxando-o contra a parede fria, desprovida de tijolos. André sentia seu corpo afundar no barro, entrar na terra. Ele gritou até que a lama entrasse em sua boca. Gargalhadas demoníacas ecoavam por todos os lados. Demônios que riam e matavam.

Teodoro, horrorizado, continuava correndo. Os degraus nunca chegavam. Raízes apareciam no caminho, fazendo-o tropeçar e bambear. O porão não era tão grande assim. Parecia afundar-se cada vez mais numa caverna, indo para o fundo de uma cova sem fim. Estancou quando um lume destacou uma silhueta. Seus pelos se arrepiaram dos pés à cabeça quando percebeu um pequeno bode parado no caminho. O animal soltou um balido enquanto Teodoro era apanhado por garras na escuridão.

Cinco horas da tarde. O pastor acordava pela enésima vez naquele dia. Parecia mais consciente e via as coisas de modo mais ajustado. Já não o assustava a coloração verde do ambiente. Lembrava-se. As enfermeiras não estavam fora de contexto: ele estava internado na Unidade de Tratamento Intensivo do Município de Água Brava. Sentia uma sede tremenda. Tentava buscar saliva para aliviar a secura na mucosa bucal, mas não havia mais saliva. Quando a primeira enfermeira se aproximou, estendeu o braço com esforço.

– Preciso de água, estou com sede.

– Só um pouquinho, está bem?

Balançou a cabeça, concordando. Em seguida, a moça voltou com um copo, mas, para desapontamento de Elias, apenas embebeu a gaze no líquido divino e pingou algumas gotas na boca seca do pastor.

– Lamento, por enquanto esta é toda a água que o senhor vai beber. Precisa esperar mais um pouco e poderá tomar uma caixa d'água inteira, se aguentar.

Dez minutos depois, a maca acolchoada encostou. Elias, com alta da UTI, foi transferido para um quarto particular. Na porta, várias pessoas queriam ver e tocar o pastor. Depois de muito barganhar com a encarregada, elas se revezavam aos pares. Dentro do quarto, permaneciam sempre dois acompanhantes e a esposa de Elias, presença constante.

Os primeiros a entrar foram Vera e o pastor Durval, bastante parecido com Elias, coberto de bandagens, trajando roupas hospitalares, apoiado em um par de muletas. Queria ser o primeiro a entrar justamente para alertar o amigo sobre um detalhe importante: ele não havia revelado às autoridades o que realmente acontecera durante aquela madrugada. Fazer com que eles acreditassem na história de um ataque promovido por um vampiro seria bastante difícil. Oficialmente, ambos haviam sofrido um sério acidente de carro.

Aos poucos, Elias recuperava a lucidez e lembrava-se cada vez mais dos últimos acontecimentos, inclusive de seus propósitos. As missões ainda estavam incompletas. Olhou para Vera. *Como contar o acontecido? Como dizer que Samuel fora o responsável?*

Decidiu não revelar nada ainda.

– Vera, preciso que você organize uma tarefa muito importante para hoje.

– O que é, Elias?

– Você tem que encontrar seu cunhado, Gregório. Precisamos protegê-lo, ele será uma peça importante durante a batalha que se travará no plano espiritual. Ele é a chave de nossa salvação.

– Não estou entendendo... Peça? Chave? Protegê-lo... de quem? – mas, no fundo, ela não se espantava com o envolvimento de Gregório; uma esquisitice a mais, outra a menos... não faria diferença. Queria entender definitivamente por que elas estavam acontecendo, isso sim.

– As forças do inimigo tentarão infernizá-lo, e esta noite ele precisa de toda a paz do mundo. Temos que fazê-lo dormir o tempo todo. Ele precisa estar adormecido durante a batalha das almas. É imprescindível.

O pastor tossiu, pigarreando para tomar o fôlego.

– Dormir? Mas o que está acontecendo, pastor? Dormir pra quê?

– Recebi o recado e não perdi tempo questionando os porquês, por favor, não perca o seu também. Sei o quanto você ama esta terra e o quanto ama as pessoas que escolheram viver aqui. Se quiser que Belo Verde continue existindo, encontre Gregório e reserve-o. Coloque-o para dormir cedo esta noite, em segurança. Não deixe ninguém chegar perto dele, Vera. Ninguém. O Exército de Luz precisa dele adormecido, compreendeu? Posso me despreocupar quanto a isso?

– É claro que pode – respondeu a moça, sem entender, mas sem questionar. O pastor fora contundente o suficiente.

Elias encarava a mulher. Não pensava só na missão agora. Sentia-se fraco. Não por conta do corpo machucado, das feridas. Sentia-se fraco por não conseguir contar a ela sobre Samuel e no que aquele bom homem tinha se transformado. Um monstro, uma fera. Precisava encontrá-lo. Talvez houvesse algo que pudesse ser feito para reverter aquela transformação hedionda.

– Farei o que for preciso, Elias – disse a mulher, como se ouvisse seus pensamentos.

Seguiu-se um breve silêncio. Durval estava encostado na cama, quase sentado no colchão, tentando aliviar o peso.

– Tem muita gente aí fora? – perguntou Elias.

– Tem – respondeu a esposa.

– Bem, deixe algumas entrarem, então faremos o seguinte...

Eram aproximadamente cinco e vinte da tarde.

* * *

Teodoro saiu desesperado do porão, desabou, debatendo-se no chão, tomado por um manto negro e brilhante que era vivo e dançava ao redor de seu corpo. Os homens tentaram socorrê-lo, mas não conseguiam entender o que acontecia. Garras em seu corpo impingiram-lhe um pânico brutal.

Assim que Teodoro deixou o porão, vencendo a velha escada de madeira, uma horda de grandes e gordos ratos pretos também irrompeu pela abertura. Eram centenas, milhares talvez, passando por cima dele, correndo para a mata. Pegos de surpresa, os homens primeiro ficaram estáticos e só então entenderam que precisavam acudir Teodoro, que ele era o alvo da legião de roedores se apoderando de seu corpo caído, destinando-lhe vorazes mordidas.

O rapaz gritava; não fazia ideia do que estava acontecendo. Parecia vítima de uma maldição. Abriu a boca para pedir ajuda e, no instante seguinte, sentiu alguma coisa fisgar a sua língua. Com o reflexo natural de autoproteção, fechou a boca para evitar o intruso. Algo se contorcia, querendo escapar, ferindo ainda mais a língua e arranhando seu rosto com unhas duras e afiadas. Um rabo grosso batia em seus lábios e a ponta áspera entrou por uma de suas narinas. Depois, seus dentes venceram uma espécie de couro pouco resistente, cravando em carne mole. Sangue morno. Sentiu vários intrusos em outras partes do corpo, mordendo sem piedade. Descontava a fúria pela vida daquele que estava preso em sua boca. A língua, livre agora, roçou algo macio e coberto de pelos. *Que seria, por Deus?*, perguntava-se Teodoro, que, desesperado e aturdido, ainda não tivera como identificar os agressores. Pequenos alfinetes picavam o céu de sua boca; guinchos frenéticos ecoavam em sua mente.

Os companheiros começaram a arrastar Teodoro pelo chão de terra. *Estaria delirando?* O sol estava forte demais. A escuridão rendera-lhe uma cegueira difícil de desfazer-se. Pareciam pequenos animais tentando devorá-lo. *Se eram animais... aquilo em sua boca também era! Não era imaginação porcaria nenhuma! Estivera mastigando alguma coisa viva!* Os alfinetes eram, na verdade, os bigodes do bicho. A visão começou a aflorar. Uma gorda ratazana dançava ao seu lado sem cabeça, com as patas movendo-se, perdidas. Enojado, ele cuspiu a cabeça do animal. Os amigos esmagavam ratos com as botinas, chutavam e agrediam com a coronha das armas, tentando debelar o feroz ataque a que foram submetidos.

– Catem o André! O coitado tá lá dentro! – foi o que Teodoro conseguiu gritar antes de sentir um enorme calor dominar o corpo e um súbito resfriamento geral, tirando-lhe o fio de consciência e de sanidade que lhe restava.

Paulo e Jonas, irmãos de André, praticamente atiraram-se dentro do porão. Após alguns minutos, voltaram cobertos de ratos pendurados por todo o corpo. Gritavam. Choravam. Jonas teve a orelha direita dilacerada ao tentar remover uma ratazana faminta, que parecia querer entrar em sua cabeça através do orifício auricular e alimentar-se do cérebro.

Levaram muito tempo para retirar os ratos de cima do corpo de André. Ele estava praticamente nu, pois os animais devoraram quase toda a sua roupa. O ataque tinha sido tão selvagem que os roedores produziram buracos enormes, fazendo o sangue esvair-se em grande quantidade. O corpo do rapaz apresentava centenas de ferimentos, transformando-o num borrão vermelho e inflamado. A única coisa que ainda revelava vida era a respiração e esporádicos gemidos de dor. O sangue borbulhava nas feridas em sua garganta.

O grupo improvisou uma maca, construída com galhos e amarrada com cintos. Paulo, o irmão mais novo, e quatro homens encarregaram-se de André e dos dois outros feridos. Jonas usava um lenço para apoiar sua orelha estropiada e providenciava curativos para tentar estancar a hemorragia no pescoço do irmão André. Paulo prontificou-se a seguir com a missão de levar o grupo até a velha capela. Os doze homens restantes prosseguiram com a expedição.

Jonas ficaria com os feridos e, por meio do *walkie-talkie*, pediu para alguém chamar uma ambulância com máxima urgência, pois o estado de saúde dos rapazes era extremamente grave. Se juntaria ao grupo de busca quando conseguisse levar o irmão e Teodoro para o hospital de Belo Verde.

A velha capela ficava a dezesseis minutos dali, talvez mais, se o caminho estivesse coberto pela mata. Paulo levava o rifle de Teodoro, e outros homens também estavam armados. Às dez horas, o sol já estava forte, e os homens transpiravam muito. Próximo à capela, havia um grande trecho de mato alto, um velho poço, mas não havia árvores. Em uma primeira olhada, a capela parecia tão deserta quanto a casa principal. Aproximaram-se passo a passo.

Certamente, se aqueles pobres homens pudessem prever o futuro, teriam congelado ali mesmo e fugido como coelhos medrosos. Infelizmente, como nenhum tinha o dom da premonição, prosseguiram com passos firmes, ao encontro da morte.

* * *

Eram seis e meia da tarde quando três pessoas deixaram o hospital apressadamente. Mesmo vestindo um agasalho de brim e um chapéu de vaqueiro como arremate, o pastor Elias não despertou atenção nenhuma. No hospital da cooperativa, era comum avistar agricultores valendo-se de combinações estilísticas das mais variadas e duvidosas. Um enfermeiro experiente, todavia, teria percebido o caminhar debilitado daquela pessoa. Foi assim que o pastor Elias, acompanhado por Vera e a esposa, Edna, deixou o hospital muito antes de receber alta. Em seu lugar, ficara Durval.

Os três entraram no jipe de Vera, e Elias foi cuidadosamente acomodado no banco da frente. Ainda sentia dores, principalmente nas costelas, onde sofrera pequena cirurgia. Sua mão direita estava envolta numa bola de bandagens, imobilizada por uma peça de ferro que apoiava seus dedos.

Em cinco minutos, chegaram à igreja. As portas frontais estavam abertas, porque a multidão não cabia nas dependências. Conduziram o pastor para sua casa, anexa ao templo, a fim de que ele pudesse trocar de roupa.

Às sete, Elias e mais dois irmãos estavam num carro emprestado por um fiel a caminho de São Paulo. Elias havia perdido um tempo precioso com o incidente do hospital e por isso deixara de avisar dezenas de igrejas próximas. Precisava espalhar um alerta, potente e rápido. Conhecia alguns evangélicos influentes na capital que, por sua vez, conheciam as profecias do Velho Código, homens que realmente iriam ajudar. Andando rápido, chegariam por volta das onze da noite. Espalhariam o chamado ao povo de Deus.

Vera e Edna ficaram em Belo Verde para conduzir o exército de oração nos derradeiros momentos de preparação. Vera teria de encontrar Gregório e fazê-lo se submeter aos desígnios. Gregório, de alguma maneira, estava unindo a luz e as trevas em Belo Verde.

Pediriam pelos anjos e pela luz. Muitos se depararam com os anjos de luz em suas horas de sono e juravam que, em um relance, realmente podiam ver asas magníficas cruzando o céu. Os guerreiros precisavam de fé. Precisavam ter as armaduras reforçadas. Precisavam de orações poderosas e carinhosas.

* * *

Uma revolução da Terra, uma volta em seu eixo. O maior mistério se desenlaçará quando a Batalha Negra começar. Chamem seus filhos, ajuntem seus netos, gritem para os vizinhos e orem juntos, com todo o coração. A Batalha Negra está próxima. Não saiam, prendam os animais. Tenham medo de estranhos, daqueles que carregam sangue na boca. Tenham medo de quem não tem medo de Deus ou do diabo, pois serão os primeiros capturados. Os primeiros a terem a alma carregada do corpo; que passarão a ser meros vasos vazios.

Recolham-se e orem de todo o coração; é sua única chance de salvação. Clamem pela luz e alimentem os anjos com sua fé – só a fé verdadeira. A Batalha Negra está começando. Como saber? Basta apurar os ouvidos. Percebem o choro dos anjos? Percebem o riso das feras? Apurem a visão! A noite é delas, das asas de morcego, dos rabos partidos e dos chifres marcando o céu. Vejam o céu enegrecido, o campo coberto de sangue. Em breve, os corpos celestes estarão estraçalhados; os homens estarão famintos. E, se tudo falhar, se não houver orações suficientes, se não houver anjos o bastante, se sua fé particular não o tranquilizar, é melhor que sua vida acabe rapidamente. Depois, nada mais além de sofrimento eterno e dor. Sem memória de amor. Sem memória de bom paladar. Sem memória de perdão.

Tudo estará podre e morto, e lhe restará apenas perambular e matar enquanto o encanto do tempo parecerá imutável. Não haverá luz, apenas trevas. Não haverá novos filhos, apenas as bestas. Suas lágrimas secarão e seus olhos queimarão. Enquanto ainda bebe da vida para existir, perseguirá a morte. Mas essa Senhora, brincalhona, estranhamente não os ouvirá, e lhes dará as costas noite após noite, de agora para todo o sempre. Vocês não conseguirão descansar. Suicídio não será mais possível. O astro-rei, a única maneira, parecerá tão dolorida e apavorante que, ao menor sinal da possibilidade de que ele se faça presente, sua mente os abandonará; suas pernas correrão, e seu corpo desesperado irá buscar abrigo para lançar-se novamente às trevas, retornando intacto à noite escura. A doce casa, o doce lar, onde vocês procurarão a surda Senhora... e a única morte que encontrarão será borbulhando entre seus caninos, esvaindo-se do corpo de outrem.

Agora, enquanto seu corpo é quente e vivo, não chorem, orem com fé verdadeira. Para seus soldados, seus defensores. Os soldados da luz são sua última defesa. Nas mãos deles está seu futuro. Orem do fundo do coração. Sua fé será verdadeira... a salvação.

Boa fortuna é tudo o que posso desejar.

* * *

Voltando às horas de sol daquele fatídico dia, às dez e seis da manhã, os homens cercavam a capela. Ouviram barulhos semelhantes a passos, mas poderiam ser ratos, é verdade. Os que estavam armados dirigiram-se para a entrada da construção. Os outros esperaram do lado de fora, embrenhados na mata.

Paulo foi o primeiro a entrar. Empurrou a porta de madeira, que abriu sem oferecer resistência. Empunharam a espingarda, prontos para disparar. Já estavam dentro do salãozinho, onde o fedor de carniça dominava. O cômodo estava completamente escuro.

Gauchão dirigiu-se para um dos vitrais e quebrou-o com a coronha da espingarda. Os homens não sabiam se Gauchão estava fazendo aquilo para que entrasse luz ou para que o cheiro saísse. O cheiro não se foi, mas metade da sala emergiu da escuridão, e o restante ficou um pouco mais iluminado.

O chão estava coberto por vegetação rasteira; não ouviam mais os estranhos ruídos. O cheiro de podridão parecia concentrar-se à frente do grupo, na direção do altar, onde havia uma imagem de Jesus crucificado, de tamanho natural, completamente deformada e coberta de bolor, obscurecida pelas sombras e, provavelmente, pelo tempo.

No piso do altar, jazia um caixão trabalhado em madeira de lei, ornado com metais. O cheiro de podridão aumentava à medida que se aproximavam do objeto. Os homens entreolharam-se e chegaram mais perto. Certamente um cadáver em avançado estado de decomposição. Paulo lembrou-se dos cães mortos: havia vomitado duas vezes, e olha que ele não era fraco; aquele de agora era horrível, mas não chegava nem perto do cheiro dos cães.

Gauchão tomou a dianteira e aproximou-se lentamente do altar. A parte do fundo estava escondida pela escuridão; somente a ponta dianteira do esquife recebia um pouco de luz. Ergueu o rifle e fez pontaria. Pensou ter ouvido alguma coisa se mover no fundo da capela e ficou em silêncio por alguns instantes. Apontou a espingarda para o caixão, imitando o companheiro.

* * *

Dez horas da noite. Dentro do carro que seguia para a capital, todos oravam. Sabiam que a Batalha Negra já havia se iniciado, que poderiam ter vivido seus últimos dias em Belo Verde como a conheciam. Se tivessem sorte, se o mal prevalecesse de fato, as coisas ruins poderiam ficar limitadas àquele local. Mas o pastor conhecia o Velho Código, sabia que o mal se espalharia com a vitória do exército das sombras. O mundo se infestaria mais uma vez de homens sem alma, malignos e facilmente manipulados pelos demônios, como aquele que havia tentado liquidar sua vida.

Aquele não era mais Samuel, sua alma o tinha abandonado com o ataque de algum demônio, largando-o no mundo escuro das lágrimas eternas. Não contaria a Vera. Aquele não era mais o amado marido da mulher, não deveria atormentá-la com coisas tão sinistras como as que enfrentava agora, uma batalha de cada vez. Precisava que a mulher continuasse acreditando em Deus, na luz ou naquilo que ela chamava de Energia da Vida.

Foi a primeira vez que Elias sorriu nos últimos dias. A amiga não estava errada. O Pai era a Energia da Vida. Na hora certa, conversaria com ela e contaria a respeito do Velho Código e da infelicidade de aquele homem que fora seu marido estar implicado nos desdobramentos da Batalha Negra. Samuel fora arrebatado por um demônio antes da luta pelo anjo do Ponto. *Teria ainda alguma chance de voltar a ser quem um dia tinha sido?* Elias não se lembrava de todas as minúcias esquadrinhadas nos escritos do Velho Código.

O motorista não poupara o veículo: em poucos minutos estariam na capital. Graças à ajuda de uma fiel bastante engajada e persuasiva, encontros começaram a se organizar por telefone para garantir que Elias fosse recebido pelos expoentes da fé cristã, encontros com as pessoas que iriam ajudar a palavra, o pedido de socorro a todos os que tinham fé verdadeira; ajudariam a fazer com que se debruçassem sob orações e fortalecessem os guerreiros da luz. *Bendita a graça de Deus!*

Usando aquelas figuras que chegavam a milhões de lares por intermédio de aparelhos eletrônicos, da televisão e do rádio, nem por um segundo elas duvidariam da emergência alertada por Elias. Alguns desses comunicadores pertenciam ao Velho Código e estavam aceitando atentamente o processo de alerta. Se conseguissem convencer uma importante emissora de TV evangélica, espalhariam o imprescindível pedido de orações em cadeia nacional. Certamente, todos os fiéis atenderiam ao apelo, enviando a força determinante à resistência e à vitória do Exército de Luz.

* * *

Gauchão pousou a mão na tampa do esquife e aguardou. Todos quietos, espingardas levantadas, pouca luz entrando. Um barulhinho... um arrastar de pés vinha da parte escura do altar. Silêncio. Sobre o esquife, a luz chegava somente até a ponta em que Gauchão permanecia com a mão encostada, pouco mais que quinze centímetros. O odor fétido castigava o olfato dos invasores. Não tinham mais dúvida, ali dentro repousava um corpo em decomposição.

Essa certeza era a única coisa que ainda segurava a mão do Gauchão. Finalmente, ele tateou para o lado, encontrando um encaixe. Firmou o punho e começou a erguer a tampa, lenta e cuidadosamente, e os homens puderam vislumbrar nos poucos centímetros a silhueta de um corpo humano. Gauchão respirava pesado, esperando receber mais uma onda de carniça. Porém, não aconteceu; o cheiro não se alterou, o que sugeria que o corpo não era responsável por aquela fedentina.

Tensos, mãos transpirando, agora se perguntavam de quem era o corpo. Gauchão ergueu a tampa, que rangia centímetro por centímetro. A luz do sol não tocava o cadáver, atingia apenas o forro da ponta, sem alcançar os pés calçados com botas de vaqueiro. A claridade foi suficiente para que os homens identificassem o rosto pálido e sem vida.

Era Samuel, com o corpo coberto por um sujo e danificado lençol.

Paulo, sem largar a arma, benzeu-se, abatido, resmungou e sentiu os olhos umedecerem.

– Creio em Deus Padre! É o seu chefe, Paulo... – balbuciou Gauchão, mais espantado do que sensibilizado. Tirou a mão e coçou a barba.

– E agora, Paulo, o que a gente vai fazer? – perguntou Sílvio.

Ficaram alguns segundos imóveis, bestificados com a descoberta. Talvez fosse essa bestificação a grande responsável pela tragédia.

De novo, a pequena capela encheu-se de barulho, de arrastar de pés. Mais pés vindos da parte oculta na escuridão do altar.

– E agora? Agora nada – sentenciou um homem com rabo de cavalo e sobretudo preto.

Os homens ainda estavam letárgicos, apalermados com a descoberta de Samuel. Gauchão abaixou a tampa. Como espectros fantasmagóricos e surreais, mais quatro homens surgiram das sombras malditas da capela. Dois do altar e dois das paredes, todos com um braço levantado e alguma coisa amarrada à cintura. Paulo girou, erguendo a espingarda. *O que os caras tinham pendurado na cintura? Pareciam espa...* Um disparo. O homem de rabo de cavalo foi o primeiro a atirar. Paulo largou a arma. Uma dor lancinante queimava as costas, causando falta de ar. *Aquelas coisas... pareciam espadas.* Mais um segundo de estupefação. *Tiro?*

Aquela sensação deliciosa fez com que Pablo apertasse o gatilho outra vez. Por dois segundos, Gauchão sentiu a cabeça doendo, explodindo. Pensava em sair e gritar, mas numa fração de tempo o cérebro desintegrou-se e as coisas perderam o sentido. As pernas não responderam. Gauchão experimentou a sensação real de cair dentro de um poço, o corpo espatifando contra o chão.

Os das sombras abriram fogo. Apenas Sílvio conseguiu revidar: dois tiros desesperados. Um se abaixou. *Correr, correr para fora daquela capela.*

Sílvio tentou fugir, quando sentiu o abdômen esquentar. Uma brasa nas costas. Caiu rodopiando. Gritando. Alguém chegou. Era um que esperava fora. Sílvio ergueu a mão. *Socorro!*

Pablo parou junto ao homem caído. Nem ao menos sabia seu nome, *mas quem se importa com nomes?* Encostou o cano da pistola no nariz de Sílvio e disparou duas vezes a automática, enchendo a luva de sangue. Desembainhou a espada e decapitou a vítima. Ninguém iria intervir nos planos das feras do inferno.

– Cortem a cabeça de todos – ordenou.

Os homens que ficaram na mata, alertados pelo voluntário que se aproximara da capela, fugiram, debandando em desorganizada correria.

CAPÍTULO 33

Eram dezessete horas quando os anjos dispostos a lutar apresentaram-se junto à torre da igreja de Belo Verde. Thal ainda não estava entre eles. O anjo mais velho e experiente do grupo assumiu a responsabilidade de manter o exército organizado para o início da batalha.

Dentro da igreja, apertavam-se aproximadamente quinhentas pessoas, orando, empenhadas em fortalecer os protetores que travariam terrível batalha em suas terras, no plano dos seres de luz. Muitos dos humanos testemunhavam, dizendo que já podiam sentir a presença dos seres de luz responsáveis por lutar e salvar suas almas.

O facho de luz que se desprendia da torre era potente e vivo, porém os olhos de carne não captavam aquela intrigante visão. O poderoso facho de luz tinha três metros e meio de raio, formando uma coluna de força viva e energética. Refulgia colorido, pulsante, passando gradualmente do verde até o laranja, e ia então para o amarelo e, por fim, o prata puro. A sensação emitida por aquele raio formado por oração e fé verdadeira era impossível de descrever. Apenas o exército de anjos alimentava-se de tão belo espetáculo, sentindo-se mais protegido e mais fortalecido para a batalha.

O raio explodia para o céu, sumia nas alturas e se manifestava nos guerreiros em forma de energia pura, como uma couraça de luz. Era uma espécie de bateria gigante, com a energia dividida igualmente para cada combatente. Como cada anjo tinha a sua própria armadura de energia brilhando em suas cores particulares, raramente brilhavam na mesma cor, afetados pela coluna de energia abastecida pelas rezas e orações das mentes e corações humanos, transmutando fé em armadura, em proteção aos guerreiros.

Quando essa força extra brilhava e pulsava, todos os guerreiros pareciam uniformizados, tendo o invólucro luminoso resplandecendo em sintonia, na mesma cor, formando uma armadura. Quando os anjos lançavam seus olhares para o horizonte, podiam ver outros fachos de luz singrando o céu e subindo até desaparecer. Sentiam a energia ser injetada em seu corpo, tornando-os cada vez mais poderosos e limpando, pouco a pouco, o medo que os assombrava; também imbuía de bravura o coração daqueles guerreiros destemidos.

Eram os pequenos grupos, as famílias reduzidas, os pares de amigos, os casais que se ajoelhavam em suas casas, as mulheres na mata, os homens redimidos, independentemente do credo, da doutrina de cada igreja subdividida. Não havia separação. Estavam religados ao céu, cada um com as próprias crenças, mas atendendo ao pedido de que unissem a fé, acreditando ao receber o chamado passado de boca em boca, carregado pelos tementes que levavam o pedido de porta em porta, deixando todos da cidade saberem que os anjos lutariam por suas almas naquela noite. Os sensíveis ao chamado dobravam os olhos, uniam a mente em oração; sabiam que precisavam vigiar, precisavam devotar a consciência a pedir ao Pai Celeste que seus anjos de luz enfrentassem o inimigo.

Com a manifestação da fé, crescia dentro dos anjos que recusaram a união o desejo de tomar parte naquela batalha histórica, de defender os irmãos de luz e as almas humanas, arrancar as espadas da bainha e investir contra as feras escarlates. Os novos fachos de luz tinham esse poder, subiam do teto de novas igrejas, de novas casas, de qualquer lugar, cada vez em maior número, e engrossavam a corrente de fé. Nenhum dos que ainda temiam a guerra tinha razão para a vergonha. Em outras guerras, em outros combates, todos depositavam sua fé no único ser em que se baseava a própria existência e a razão. Depositavam sua fé no Senhor, no Deus todo-poderoso, em Jesus, o nazareno. E quando deixavam de existir, quando eram repartidos pelas espadas inimigas, a alma e as energias iam embora ao vento, destinando-se aos propósitos do Senhor.

Durante a Batalha Negra, as coisas eram diferentes. Era algo mais primitivo, como duas gangues rebeldes, duas tribos brigando escondidas dos pais, dos criadores. Durante a batalha, o que importava era depositar a fé em si mesmo, acreditar em salvar a pele e derrubar o maior número de inimigos possível, sair vivo.

Naquele momento, em Belo Verde, isso parecia impossível. Eram poucos os anjos reunidos, e eles teriam pela frente ao menos cinco vezes mais demônios. E aquele temor estava sempre presente. Se um anjo fosse destruído pelas espadas dos demônios na Batalha Negra, sua alma e sua energia seriam capturadas pelo exército inimigo. Se tornariam um anjo. Um anjo negro. Um serviçal do demônio. A consciência tornava-se o inferno dos anjos, que, da escravidão para a frente, desembainhariam espadas para lutar a favor de um exército maligno e desgraçado, ocupado em roubar a fé dos humanos, desligando-os cada vez mais do saber e da luz.

Trombetas soaram, chamando a atenção de todos os anjos. Esferas de luz cruzaram o céu, reunindo-se junto à igreja. Era a última apresentação antes do enfileiramento para a temida campanha que se aproximava. Os anjos pareciam pedaços de rochas, firmes e resolutos em guerrear, mas os olhos traíam sua determinação: eram portadores de pesar e de indecisão.

Eles organizaram-se em grupos. Somados, chegavam a exatamente mil e duzentos. Thal, o general, ainda não se juntara aos contendores. A liderança, a força e a presença do líder seriam determinantes para terem alguma chance.

Eram cinco e meia da tarde. O sol beijava o horizonte, principiando a caprichosa dança de esconder. O céu começava a escurecer e a encher-se daquele odor de enxofre.

Não muito longe dali, as feras se agitavam, preparando-se para o confronto. Os anjos seriam mastigados e cuspidos, restando aos demônios gargalhar e dançar sobre os corpos mutilados que apodreceriam no campo de batalha. Depois que o anjo do Ponto fosse derrotado, estariam livres para correr de casa em casa, de igreja em igreja, tomando as almas mortais e fortalecendo o exército das trevas, fazendo novos demônios com as pobres almas, deixando para trás um sem-número de corpos vazios, corpos que vagariam sem propósito pelas ruas, temendo o dia e trazendo o horror para a noite. As feras amontoavam-se à beira do campo de batalha, ansiosas para a guerra.

CAPÍTULO 34

Oito e dez da noite. Gregório encarava a cunhada plantada em frente à porta do quarto, secundada pelo pastor e por mais fiéis que tinham vindo da Igreja Batista de Belo Verde para a fazenda. O que eles pediam beirava o insano. Diziam que, desde que ele chegara a Belo Verde, uma luta entre a luz e as trevas tinha se instalado na cidade. Vera agora dizia que muitos deles tinham recebido revelações durante sonhos, durante encontros com a luz. Ela mesma tinha se conectado com sinais que não conseguira interpretar.

A verdade é que ele, Gregório, era importante. Ele seria o responsável por salvar muitas almas naquela noite, se jogasse bem o jogo. Falavam de um Velho Código, de crenças antigas, de coisas que os pastores e os padres mais velhos conheciam e que, nos dias correntes, tinham caído no esquecimento. Diziam que uma batalha entre as espadas dos anjos de luz contra a feras das sombras aconteceria em Belo Verde – e agora. As trevas já tinham começado a fazer seu trabalho, e, infelizmente, Samuel teria sido uma das primeiras vítimas desse cenário.

Vera ainda tinha esperanças de reencontrar o marido ou, ao menos, o corpo, para dar a ele o merecido descanso. Por mais que lhe doesse estar tali, fazendo aquele papel, ela não poderia procurar Samuel agora. Ela tinha que manter Gregório sob a proteção da Luz.

Gregório coçava a cabeça, queria sair daquela casa e procurar o irmão. Não aceitava ficar ali, parado, esperando o pior acontecer. Queriam que ele se deitasse e simplesmente dormisse, ficasse imóvel, sem fazer nada. Gregório nunca tinha sido um homem de fé, não era um devoto, não ia à igreja, mas sabia que algo de extraordinário estava, sim, acontecendo. *Desde quando?* Ele tinha pedido ajuda numa noite escura e chuvosa. Tinha se percebido amparado e passara a acreditar que algo maior que tudo em seu entorno existia. Tinha se sentido religado com as forças ancestrais que cercavam os homens e as mulheres do planeta e, por um brevíssimo instante, se sentira acolhido. Existiam coisas que nossos olhos não viam. Ele não podia mais negar isso. Não podia.

– Vera... não sei no que pensar. Nem mesmo acreditava nessas coisas até ver aqueles bichos no milharal. Eu queria...

Vera adentrou o quarto e atirou-se nos braços de Gregório, apertando a nuca e o corpo do cunhado contra o seu. Ela começou a chorar. O pastor fechou a porta, na crença de que, deixando os dois a sós, a mulher convenceria o rapaz a cooperar, a entender sua missão.

– Ele deveria estar aqui, Gregório. Ele saberia exatamente o que dizer para fazer você deitar nessa cama e adormecer. Precisamos disso, precisamos que acredite.

– É algo comigo? É algo que está dentro de mim, como um demônio desses?

Vera deu um passo para trás e passou a mão no rosto do cunhado.

– Me ajuda a trazer meu marido de volta, Gregório. Não sei viver sem ele aqui. Não conheço outra vida além desta terra, desta fazenda. Sou deste chão, e este chão está dentro de mim. Sei que parece esquisito, mas não discuta mais, cunhado. Durma e faça sua parte nesta história. Precisamos tanto disso! Precisamos tanto de você!

Gregório inspirou fundo e andou até a penteadeira. Gabava-se de sempre saber ler o rosto das pessoas. Como agora. Sabia que a cunhada falava a verdade. Ela estava sendo sincera. Ela achava mesmo que ele tinha que enfiar a cabeça naquele travesseiro e dormir, por mais contraintuitivo que aquilo pudesse parecer naquele momento. Contudo, seus olhos encontraram-se com seus próprios olhos. Uma eletricidade poderosa percorria seu corpo. Ele não se reconhecia ali. Via apenas um rosto de um homem que queria lutar e que teria uma luta pesada, longa e fora do corpo. Seria uma luta de alma, de espírito; uma luta travada por algo ou alguém que ele desconhecia, por uma coisa que estivera perdida em sua vida e que se reacendia agora, naquele instante.

Gregório acreditava que tinha se tornado outra pessoa e que, sim, tinha que ajudar as luzes a vencerem as feras da escuridão. Acreditava, tinha fé. Foi até a porta e a abriu. A esposa do pastor Elias estava junto à porta, com outros fiéis. Ele encarou a cunhada e os demais.

– Acredito e quero ajudar na luta espiritual que se abateu sobre este lugar. Acredito do fundo do meu coração que estamos sendo protegidos neste momento.

Gregório sentou-se em uma cadeira no meio do quarto com as pernas abertas e colocou a cabeça entre os joelhos por um instante.

– Vera, vou fazer o que vocês estão me pedindo. Mas, se em três horas nada mudar, levanto e vou atrás dos filhos da mãe que deram sumiço nos caras na capela. Os que ficaram para fora disseram que ouviram tiros; isso significa que os homens podem estar mortos agora. Não quero mais gente morta no meu rastro. Mais cedo ou mais tarde, aquele investigador vai estar na minha bota, querendo me arrastar pra cela. Posso ter toda a culpa do mundo de as sombras terem vindo comigo, mas Deus sabe que não puxei o gatilho de nenhuma arma. Deus sabe que tentei salvar meu irmão dirigindo como um louco para o hospital.

– Se você acredita, então venha, corra. Não há um minuto a perder.

Gregório, Vera e os fiéis da igreja partiram da casa da fazenda em disparada pela estrada de terra, fazendo uma nuvem de poeira se levantar atrás. Mais quatro carros vinham na sequência, todos com homens da igreja, prontos para defender aquele homem a qualquer preço. Todos sabiam que a guerra espiritual dependia da integridade de Gregório. Não estavam lutando contra os satanistas de Belo Verde, estavam lutando contra o demônio em pessoa.

Chegando à igreja de Belo Verde, Gregório e Vera ficaram sozinhos na sacristia. Poucos minutos depois, Edna voltou com quatro pessoas, uma maleta de couro preta e lençóis. Tonico, o filho de Celeste, com os olhos vermelhos de tanto chorar àquela tarde, desde que o pai também tinha desaparecido, trazia uma cama dobrável nos braços. Ao lado do rapaz, o doutor Jessup, circunspecto, também trazia um semblante sombrio e solene.

Gregório passou as mãos pelos braços. Estava uma noite quente, e a pequena sacristia era abafada.

– Eu não acreditava em nada. Não achava que outros cuidassem de nós no nosso dia a dia – revelou Gregório na sala, olhando para as Bíblias nas mãos das pessoas, escutando o murmúrio uníssono das vozes que vinham do lado de fora, dos fiéis que rezavam.

– Não pense nisso agora – apaziguou Edna. – Muito tempo se passou desde que precisamos lutar para nos apartar da escuridão. Acostumamos tanto com a luz que esquecemos que ela é verdadeira, Gregório. Só isso. Esquecemos que não somos só o que vemos e que antes da luz nada sabíamos. Nosso Deus venceu por todos nós um dia, e seus anjos ficaram aqui, do nosso lado, para que as trevas jamais morassem em nossa mente e nosso coração de novo. Mas não gravamos em nossa mente esse pedaço da nossa história, esquecemos que fomos ignorantes e, sem perceber, acendemos uma luz e apagamos outra.

Gregório sentiu as lágrimas descendo pelo rosto. A mão de Vera segurou a sua. Pensou no irmão apartado da luz. Soube que era isso. Samuel não estava mais na luz. Tinha que se doar, por inteiro, para que seu irmão fosse resgatado.

– Quero que você relaxe o seu corpo físico, para que o seu espírito interceda por nós. Vou orar por você agora, me permite?

Gregório aquiesceu e ajoelhou-se. Edna colocou a mão na cabeça dele, e Vera estava ao seu lado. A voz das mulheres encheu a sacristia. Edna pedia a Deus para que força e poder iluminassem Belo Verde, passando pelo cordeiro aos seus pés, o jovem Gregório, que um dia estivera perdido daquele rebanho, mas que agora voltara e se colocava de joelhos, aos pés, para que fosse usado como uma ferramenta a fim de apartar o mal que tinha se materializado entre os homens. Edna pedia que Gregório fosse a espada de Deus, fosse o cordeiro iluminado, que cumprisse a missão entre os homens. Assim rogaram em nome de Deus Todo-Poderoso.

Encerrada a oração fervorosa das mulheres, Gregório levantou-se, imponente. Seu semblante estava calmo. Todos que entraram na sacristia sentiram ao mesmo tempo aquela corrente de energia percorrer o ambiente. Tonico tremia ao encarar Gregório, enquanto doutor Jessup se colocava de joelhos. Quando Gregório falou, sua voz era outra voz, e seus olhos eram outros olhos. Vera chorava descontroladamente, soluçando, enquanto Edna, a esposa do pastor, erguia a mão e tocava a face de Gregório, comovida e deslumbrada com o que via e ouvia.

– Há muito meu coração tinha se enregelado. Os homens pareciam cada vez mais distantes. Sim, a culpa é toda minha por Belo Verde estar passando por esta provação. Sim, fui eu quem concedeu ao inimigo o direito de atacar suas almas quando me abriguei aqui – a presença encarou Vera e tocou a face da esposa de Samuel. – Não chore, mulher. Lamento pela perda de seu marido, mas lutarei para que ele ainda tenha uma chance de voltar para ti. Lutarei para que todos nesta cidade estejam protegidos como nunca pelo exército de nosso Pai Celestial e que se sintam cuidados pelo exército de luz. A missão será dura, mas lutarei por vocês até o fim de minhas forças, como já lutei inúmeras e inúmeras vezes ao lado de nosso Pai Celestial. Não deixem que esqueçam desta noite jamais. Esta noite em que, finalmente, caminhamos juntos novamente, como irmãos, como um. Não deixem que esqueçam que nós que lutamos na luz estamos aqui todos os dias e todos os instantes e não permitam jamais que a fé verdadeira se apague de novo. Só assim o vazio que veio oprimir a todos os viventes de nossa amada Terra será sanado mais uma vez.

A voz se calou. Dezenas de fiéis se juntavam à porta, enfileirando-se no corredor. O corpo das pessoas tremia, pois seus ouvidos tinham testemunhado e ouvido, presenciado a voz de um anjo. Um torpor generalizado tomou todos ao redor de Gregório, que ainda estava em pé.

Vera soluçava, em prantos, e Gregório tornou a encará-la. Ele tocou o rosto da mulher mais uma vez, tomando em seu dedo uma das lágrimas dela. Levou a gota até sua língua e disse:

– Lutarei para trazê-lo de volta. O sal da vida, o sal que emana de ti, está comigo agora. De nós foi retirado todo o sal, e poder experimentar de ti o sal da vida nos une de uma maneira que nunca poderão separar. Este corpo que agora habito me ensinou sobre a dor da escuridão. Não chorem mais e não temam o próximo passo. Existe uma estrada inteira do outro lado. Vamos lutar, por cada um de vocês.

Gregório silenciou-se novamente, e, com exceção de Vera, as pessoas estavam de joelhos ao seu redor, entoando cânticos. Seus olhos se fecharam, e Gregório sentiu o corpo pesar uma tonelada. Os fiéis montaram a cama no meio da sala e deitaram o corpo mole de Gregório, que tinha os olhos revirados, os globos brancos tomando as pálpebras.

– Precisamos agir agora – disse Edna, retomando o comando.

Tiraram as botas e apagaram a luz. Edna pediu que todos se ajoelhassem novamente ao redor do leito improvisado. Gregório sentia como se seu corpo tivesse sido usado para correr uma maratona ou escalar uma montanha. Seus músculos pesavam, sua consciência oscilava. Começou a ouvir o cântico das vozes embalando sua consciência, conduzindo-o à inércia, ao reconforto e à paz. Gregório percebeu que o murmúrio do lado de fora, vindo do corredor, aumentava, ritmado – um cântico para Deus, para os anjos. Ele fechava os olhos e o som transmitia uma energia que o abraçava, que o entregava para o Pai Celestial, que fazia seu corpo ferver, mas sua mente desacelerar, cada vez mais, até que os olhos se fecharam por completo e ele não se sentiu mais ali. Gregório precisava dormir.

CAPÍTULO 35

Oito e meia da noite. Os anjos estavam divididos em pelotões de duzentos, e, portanto, seis grupos aguardavam ansiosamente o início da jornada. Até o momento, Thal não havia se mostrado.

Estavam atrás da igreja, afastados a cerca de 150 metros, à margem do centro da cidade, beirando o longo pasto da primeira fazenda de Belo Verde. Era uma fazenda de gado com pequenas áreas onde os boiadeiros plantavam mandioca, batata e verdura para o próprio sustento. A grande parte do gado estava resguardada nos currais. Não mais que dez cabeças circulavam no pasto gigante, completamente limpo. Ao fundo, alguns quilômetros além, começava a floresta. Foi lá que os anjos detectaram os primeiros movimentos satânicos: eram eles, os demônios, com os olhos vermelhos, chispantes. Não precisavam se esconder mais. Tinham se reunido para a contenda. O cheiro de enxofre que invadia as narinas era inconfundível. O medo congelando até as asas; eram eles, e gargalhavam.

Ele pousou a mão em sua espada. *Quantos seriam? Quantos dentes? Quanta agonia estariam trazendo, guardando?* Ouvia seus companheiros de batalha ao redor. Alguns rezavam. Outros falavam alto, bradando, dizendo que viessem os demônios. Era para isso que existiam. O anjo orou ao Pai, mesmo sabendo que a Batalha Negra era uma passagem de sombra, era um passo na penumbra dos anjos que separava os dois guerreiros. O Pai não podia ouvi-los. O Inimigo liberava seus filhos para brincar. Seus irmãos de luz se uniram para defender um general por vontade própria, se uniram na penumbra para combater os cães do inferno. Ele também tinha escolhido defender o anjo do Ponto, defender o general Thal, que já tinha estado à frente do exército de luz milhares de vezes, lutando pelas almas daqueles que eram iluminados, daqueles que ainda carregavam a fé verdadeira, a fé em tudo o que tinha sido dito e entregue aos humanos até que partiram do Éden. A decisão já estava tomada, e sua mão apertava ainda mais firme o cabo de sua espada.

O medo que os inimigos urdiam, aglomerando-se e mostrando de modo selvagem a sua superioridade numérica, não seria suficiente para fazê-lo soltar sua arma ou dissipar sua determinação. Combateria até seu corpo inteiro se despedaçar, até sua alma desgarrar-se dos desejos da Luz, até o último segundo em que tivesse lucidez e vontade. Era isso que todos os anjos fariam. Defenderiam o general, defenderiam a qualquer custo, porque depois dele nada haverá para as bestas, apenas as almas humanas, as hordas de homens sem alma. Agora, nesses poucos minutos que os separavam, antes que o hálito pútrido das feras encobrisse tudo à sua volta, o anjo acariciava a mão no cabo de sua espada fulgurante. Ela vibrava, pronta para saltar da bainha, ganhar vida, riscar o ar e decepar os cães inimigos. A energia da fé verdadeira estava aumentando, dando vigor a guerreiros e armas, cobrindo cada um deles. A armadura de luz! O fim do vazio. A certeza de que toda a vida valia a pena. Que toda vida era sagrada. Essa era a sua proteção. E toda proteção seria agora necessária.

A pele acobreada do anjo arrepiou-se quando percebeu o primeiro par de olhos desgarrando-se dos milhares de lanternas à beira da floresta. Arrepiou-se de medo no primeiro, e no instante seguinte arrepiou-se de ansiedade, de antecipação. Queria que o primeiro trinado de armas viesse da sua lâmina contra a de um demônio. Que a primeira cabeça arrancada, voando pelo céu acima do pasto, fosse decepada pelo fio da sua espada. *Como ousavam enfrentá-los? Eram guerreiros de Luz! Feitos e criados para isso! Para defender o Exército de Deus!* Ainda esperava o sinal. Queria desfraldar as asas e liderar os irmãos, rumando contra o mar de feras que se soltava das margens da floresta, invadindo o gramado, fazendo com que o pasto parecesse incendiar-se de olhos vermelhos.

Minha mão quer agarrar a espada, e minhas asas querem me levar. Sou anjo, filho da Luz, sou filho do Pai, e nada temerei. Mesmo que caminhe no vale das sombras e da morte... nada temerei. Meu nome é Mikaela, e agora meu sangue congela. Estou na primeira fila de ataque. Estendo as asas, sentindo uma onda de tensão se esparramar entre os guerreiros que me secundam. Será esta a hora do primeiro ataque? Nenhuma trombeta de ordem é acionada. Meu coração bate forte. Quero ir, mas preciso da ordem. Recolho as asas. A fera se aproxima. É um anjo das sombras, não é um cão. Voa rente ao pasto. O som das asas cortando o ar chega aos meus ouvidos, atingindo-os como trovões. Quero correr. Percebo o farfalhar das asas de meus irmãos prontos a se lançarem contra o inimigo que chega próximo. O anjo das sombras para faltando duzentos metros para atingir a primeira fila, e pousa no gramado. Ele vocifera, emitindo sua voz rouca que atravessa o campo.

– Onde está o general?

Sua voz fura meus tímpanos. Sua imagem ferve no meu cristalino. O anjo das sombras, sem feições humanas, desembainha a espada. O rosto assemelhava-se a um réptil, com dois chifres curvados brotando da testa. Era um demônio tão antigo e repugnante que, ao respirar, exalava não apenas podridão e enxofre, mas também uma nuvem amarelada que abandonava as narinas e a boca a cada respiração, a cada baforada, e formava um fio nojento que se perdia no céu. As asas eram duas membranas como as de um morcego, apodrecidas e deformadas, envolvendo todo o corpo quando em repouso. Caminhava lentamente, recurvado, exalando aquela fumaça amarelada espectral, as pernas semelhantes às de cabras.

– Onde está o general? – bradou novamente o demônio.

Alanca destacou-se para responder, ganhando cinco metros de altura, com as asas magníficas. A pele resplandecia em bronze, e a aura cintilava em verde.

– O general ainda não está entre nós. Vai, anjo das sombras, e avisa teu general. Boa sorte a você, soldado sombrio. Nossas espadas se encontrarão muito em breve.

A fera rugiu, contrariada com a ausência de Thal.

– O que acontece com teu general, valoroso soldado de luz? Está acovardado perante a derrota certa?

Os anjos agitaram-se.

– Não! Nenhum destes soldados está acovardado. Nem nosso ausente general. Não se intimide, besta, e ordene ao seu comando que ataque mesmo sem nosso general – disse Alanca, sabendo que não o fariam, pois Thal era o anjo do Ponto; teriam de esperar mais um pouco. – Não debandaremos. Como disse, valoroso soldado do inferno, nossas espadas se encontrarão no campo de batalha.

– Seja como quiser – disse o demônio, retornando para a margem da floresta.

Os anjos empertigaram-se, farfalhando as asas em ondas de expectativa. Seguiram-se minutos de silêncio e de absoluta calmaria.

* * *

Oito e trinta e cinco.

– Não adianta, não consigo me desligar – reclamou Gregório.

– Mas você tem – disse Vera. – Se quiser que as luzes sejam completamente apagadas, ou...

– Não adianta. Esta expectativa toda está me deixando empolgado, não consigo relaxar. Fico pensando no meu irmão. Quero encontrá-lo, não ficar aqui deitado. Sei que preciso, senti isso dentro de mim, mas quero o meu irmão. Vocês me desculpem a falta de jeito, mas... quem trouxe esta cama do cacete? Ela é muito desconfor...

– Acho que só tem um jeito – cortou o doutor Jessup. – Me deem três minutos; vou preparar um sedativo que faz até elefante dormir na hora.

– Boa, doutor. Um empurrãozinho pode vir a calhar – Gregório levantou o tronco, sentando-se na beira da cama desconfortável.

Acenderam as luzes. Jessup, em cima de um dos armários, preparava uma poção que parecia mágica, retirando os frascos da conhecida valise de médico.

– Você é alérgico a alguma droga, meu filho?

– Não. Pelo menos, nenhum analgésico. Já tomei anestesia geral duas vezes. Local, uma renca, nem sei. Cocaína, maconha, clonazepam... nunca tive problema, não.

Jessup limitou-se a balançar a cabeça, enquanto enchia uma seringa.

– Não vai demorar nada.

* * *

Oito e trinta e cinco. Na mesma hora em que Gregório se preocupava em dormir, o irmão, Samuel, abria os olhos para a consciência. A tampa do caixão levantou-se lentamente, leve como neblina, e, sem precisar mover um músculo sequer, Samuel pôs-se em pé. Nem bem se iniciara na escuridão e já estava envolto em guerra.

Olhando em volta, percebeu que não estava na aconchegante capela. Parecia uma gruta. Um cheiro delicioso e convidativo o fez mover-se. Não havia luz, então os olhos clarearam e o fizeram enxergar cada inseto dentro do recinto. Não eram apenas insetos que rastejavam por ali. Havia muito mais. Havia um altar. Fiéis. Homens. Havia sangue com fartura.

Os homens estavam calados, amedrontados, esperando alguma coisa. *Seria seu despertar?*, perguntou-se o vampiro. *Talvez*. Alguns estavam dormindo profundamente. O cheiro forte de sangue vinha de corpos decapitados, amontoados ao lado do altar. Era diferente do cheiro de sangue vivo. Era um cheiro atraente, ao mesmo tempo rançoso. Era sangue morto. Inútil. Fixou a visão num homem gordo e sonolento, cochilando na segunda fila.

Os homens acordados estavam com os olhos arregalados, sem nada poder enxergar na escuridão. Provavelmente, tinham escutado algum barulho revelador, alguma coisa que denunciasse a presença do vampiro acordado. Mas ainda estavam confusos. *Deveriam despertar o grupo da oração? Deveriam alertar a todos? Estariam enganados? Podia não ser nada...*

Aproveitando-se da confusão, um segundo depois Samuel estava ao lado do gordo dorminhoco. Com uma das mãos, tapou a boca do homem, que se esticou, fazendo seus pés tocarem o banco da frente com inesperada violência.

– Ele está aqui! – gritou Pablo, sentado no banco dianteiro.

Lanternas foram acesas, vasculhando todo o salão. Estavam na igreja satanista. Aguardavam no escuro, como recomendado por Genaro, para que o vampiro estivesse mais à vontade naquele ambiente diferente, para que não se retraísse. Pouco conheciam, na prática, a natureza daquelas criaturas. Genaro apontou a lanterna para a segunda fileira. Não havia nada. Mais dois dorminhocos acordaram. Um foi ao chão, assustado.

– Cadê ele? – perguntou Ney para o chefe.

– Nos cadáveres... – alguém gritou.

Apontaram os fachos de luz para lá. Os corpos permaneciam amontoados, sem o menor sinal da criatura. O caixão estava aberto e vazio.

– Ele está aqui – afirmou o velho Gê.

Continuaram rastreando. Genaro sentiu uma gota líquida, quente e melada pousar no rosto. Passou a mão e espalhou o líquido em sua face. Pablo trombou com ele e apontou a lanterna para o velho.

– Que é isso, cara?! – perguntou o traficante, espantado.

– É sangue. Acho que alguém me fodeu...

Antes que terminasse, foi bombardeado por outra gota.

Pablo, com a lanterna apontada para o rosto do homem, descobriu de onde vinha o sangue. *Do teto!* Abandonou o rosto do velho Gê, rastreando o teto com a luz. O vampiro estava lá, segurando o gordo com uma das mãos. Com a outra, apoiava-se numa das vigas de madeira colocadas na gruta, equilibrando-se para não cair da madeira que cruzava o teto.

– Ali tá ele – disse baixinho —, próximo ao Gê.

Os homens se agruparam. Juntaram suas lanternas, apontando para o hóspede.

Samuel interrompeu o banquete quando os fachos de luz convergiram para ele.

– Ele tá com o Doglinhas... – sussurrou um dos satanistas.

– Esse Doglinhas já era – disse Ney, pouco penalizado com a situação do defunto gordo.

– Irmão! – gritou Genaro para Samuel. – Por que está matando dos nossos se lhe trouxemos tanto do que se alimentar? – perguntou, apontando para os corpos decapitados.

Samuel soltou o corpo obeso, que se espatifou contra o chão, sangrando espetacularmente. O gorducho soltou um gemido curto, involuntário. Um braço tentou levantar-se e suplicar pela vida, mas não tinha mais forças.

O grupo espalhou-se, evitando que Doglinhas matasse algum deles na queda. Apontaram novamente as lanternas para o teto. Nada mais havia ali. Logo em seguida, a atenção do grupo foi tomada pela voz fria do vampiro, que parecia vir de todos os cantos.

– Aquilo que estão chamando de alimento eu chamo de bosta. Aquilo é gente morta. De que me serve carne morta? Se me valesse de alguma coisa, eu atacaria açougues, não humanos vivos. Ha-ha-ha! – ria Samuel, enquanto os homens zanzavam freneticamente as lanternas, tentando localizá-lo. – Vão e enterrem estes pobres coitados. De nada servem... Que tenham os sacramentos completados para não vagar na beira do rio. Os corpos só servem para estercar a terra.

– Irmão, não mate mais nenhum de nós. Trouxemos você para cá para somar, para nos ajudar. Precisamos de sua força para atormentar, precisamos de você nesta guerra.

– Lamento decepcioná-los, mas hoje está havendo uma guerra muito maior do que qualquer um de vocês sonha ou pode vislumbrar. Hoje é dia de espalhar terror. Hoje é dia de as forças das trevas se agruparem e se deleitarem. Me tiraram da cova. Com que permissão? Fui usado por demônios! Quase destruído ao sol! O que mais querem vocês? – Samuel moveu-se e continuou. – Hoje já tenho uma missão, uma promessa a cumprir. E não é aqui com vocês, não será ao lado de vocês.

O vampiro silenciou. As luzes continuaram percorrendo o salão à sua procura. Depois de alguns minutos de busca, o medo crescendo, os homens daquela igreja das sombras concluíram que o demônio havia abandonado o lugar. Perguntaram a Genaro se poderiam acender as luzes. O homem concordou, resmungando. O aliado fora embora.

As luzes voltaram a funcionar. O amontoado de cadáveres continuava lá; apenas um estava faltando: o Doglinhas. Um rastro farto de sangue corria em direção à escadaria que deixava a gruta, desaparecendo degraus acima, rumando para o sítio de Genaro.

– Ele se foi – lamentou o velho Gê. – Por quê?

* * *

Oito e quarenta da noite. Gregório sentiu uma leve picada no braço e um líquido queimando as veias. Se doutor Jessup estivesse certo, dormiria em dois minutos. Gregório sentiu um peso repentino nos olhos. Estava olhando fixamente para o rosto aflito de Vera. Piscou e abriu os olhos novamente. Vera estava mais para a esquerda agora, *havia cochilado?* Era possível. As coisas principiavam a perder a ordem.

– Durma, Gregório. Nos ajude.

Gregório sentiu os braços pesados, não podia movê-los. Piscou e abriu os olhos. Havia algo diferente: mais luz na sala. Piscou novamente e percebeu um movimento no canto do recinto. *Seres iluminados estavam ali dentro!* Tinham formas humanas, mas os corpos emitiam luz. *Não, não emitiam – eles* eram *a luz!*

Eram quatro, um em cada canto da sacristia, e murmuravam algo como: "Liberte-o". "Liberte-o." Gregório piscou. Sentia o sono sugá-lo com força para a Terra do Nunca. Sentia-se literalmente agarrado aos últimos segundos de consciência, tomado por uma sensação angustiante, como se fossem os últimos de sua vida. Lembrou-se das esferas de luz sobrevoando a fazenda. *Eram eles! Estiveram lá! Estavam ali agora! Para quê?*

Ao se perguntar, Gregório percebeu que o lugar brilhou ainda mais. Os olhos pesaram definitivamente. *Será que estava dormindo e sonhava com aquilo?* Agora era o próprio corpo que brilhava. Ele tinha luz, tinha asas. Gregório estava vendo o corpo com asas de anjo, gravitando, abandonando seu outro corpo, que dormia estirado na cama dobrável, rodeado pelas pessoas ajoelhadas em oração. Foi então que sua visão turvou.

Só escutava as orações e "sentia" a luz do lado de fora de si. Estava na cama e sabia que o corpo de luz, abrindo as asas protetoras, estava acima de sua cabeça. Fez força para abrir os olhos. A luz começou a cessar, diminuindo a intensidade, cada vez mais: diminuindo... diminuindo... diminuindo...

Antes de tudo escurecer, Gregório estava em pé no quarto, separado de seu corpo e separado da luz. O anjo olhava-o nos olhos. Os outros alados se aproximaram, amparando o novo anjo. Parecia que ele estava fraco, pronto para desmaiar, para apagar. O anjo sorriu, Gregório retribuiu. *Que familiaridade...*

CAPÍTULO 36

Oito e quarenta da noite. Thal tinha despertado, mas daquela vez havia alguma coisa errada, diferente das outras vezes. Algo errado estava acontecendo na hora errada. Percebeu que estava em uma sala fechada, cercado por quatro companheiros, quatro anjos vigiando Gregório. Exatamente como havia recomendado. Demorou para levantar-se. Pela primeira vez em sua existência, os pensamentos estavam desorganizados. Não conseguiu abrir a boca para falar e sentia uma necessidade desesperada de fechar os olhos e dormir. *Anjos não dormem! Que era aquilo? Deveria ser exatamente o que os humanos chamavam de sono.* Estava fraco. Levantou-se e viu a sala se iluminar mais com sua presença.

Os irmãos de luz aproximaram-se, notando o estranhamento. O general não estava bem. Thal quase caiu ao tentar ficar em pé. Virou e por um fio não perdeu a consciência. *O homem. O homem estava acordado.* Gregório admirava-o de olhos arregalados.

Thal esforçou-se para sorrir. Queria agradecer, se pudesse. Os anjos ampararam o general, mantendo-o ereto.

– O que há? – perguntou um deles.

– Não sei. Sinto-me estranho. Os humanos provavelmente usaram algum remédio para fazer o mortal dormir, alguma coisa que afetou a mim também. Estou tempo demais ligado à sua carne, nossa essência está se fundindo.

– Receio que tenhamos que escoltá-lo, general. Receio que tenha de estar agora com suas tropas – alertou um segundo anjo.

– É chegada a hora, general.

– Aceito a ajuda, amigos. Mas advirto que voltem o mais rápido que puderem e não abandonem este mortal que hoje será vítima de hostis investidas por parte do lado das sombras. A face espiritual virá, querendo me enfraquecer... mas temo por estas vidas bondosas e unidas... elas são fortes o suficiente para não se deixar enfraquecer pelos demônios espirituais. Temo que clamem ao vazio sem alma que venha e interfira.

Os quatro anjos aquiesceram, rapidamente meneando a cabeça.

Ampararam o general cambaleante, atravessaram o telhado da igreja, varando os obstáculos físicos, voaram trezentos metros e postaram-se à frente do exército, que aguardava ansiosamente.

Os anjos perceberam a debilidade do general e houve um murmurinho geral, que logo cessou. Thal parecia recuperar rapidamente o próprio controle.

– Quantos somos? – perguntou o general.

– Mil, duzentos e um – respondeu Alanca. – As tropas estão separadas em seis grupos de duzentos. Devemos começar a qualquer segundo, agora que o general está presente.

– Homens... – bradou Thal. – Milhares de almas humanas estão em jogo. Este será nosso campo de batalha. Lutaremos pela Luz. A Luz que vem se apagando nos filhos do Pai Celestial. Precisamos garantir hoje que a luz de Belo Verde não se apague. Precisamos lembrar por que nos separamos dos homens. Não queriam que conhecêssemos o medo, o medo que carregam de não encontrarem mais o caminho para casa. Vamos lutar para que esse medo seja apagado, para que saibam que cada um deles tem um guardião, uma ligação infinita com o Pai!

Thal destacou dois anjos para a apresentação. Alanca e Taguinel voaram até o meio do campo com as asas batendo rapidamente, em voo rasante, a luz dos anjos lambendo o pasto. Dos milhares de olhos vermelhos que os observavam, quatro pequenas lanternas se desprenderam do mar de brasas e foram ao encontro dos anjos. Dois demônios, dois anjos das sombras que tinham sido anjos de luz e, agora, após terem sido capturados pelo mal numa Batalha Negra anterior, lutavam para Satã. Aqueles guerreiros sabiam lutar bravamente. Tinham o mesmo tamanho intimidante, garbo e imponência dos anjos de luz. Mas a face e as asas eram bastante diferentes. Os anjos da escuridão tinham rosto como gárgulas e asas de morcegos. Voaram rente ao solo, pousando junto aos anjos do Exército de Luz.

– Estamos prontos para o confronto – iniciou o anjo Taguinel. – Como manda o regulamento da Batalha Negra, estamos aqui para a apresentação – sua voz estava carregada de emoção, pois sabia que instantes depois os lados entrariam no campo de batalha para o combate decisivo.

Taguinel deixou os olhos passearem na gigantesca muralha vermelha postada distante, na margem oposta do pasto. *Eram tantos, meu Deus!* O braseiro de olhos pulsava vivo. A natureza de um anjo é regada de fé, de amor e de bravura, mas, olhando para aquele exército incontável, a sensação era de que jamais o lado da Luz venceria.

– Valoroso irmão, como manda o regulamento, pergunto se o anjo do Ponto está no campo.

– Nosso general está no campo, ansioso por desembainhar a espada e terminar este horrendo episódio – respondeu Alanca.

– Quantos são os anjos de luz?

Taguinel voltou-se para trás. O pequeno grupo formava um retângulo perfeito. Com as asas farfalhando, estavam prontos para entrar em combate, decididos a batalhar até o fim. A visão dos irmãos acabava reacendendo a bravura e a determinação, porém, ao voltar-se e olhar para os infinitos pares de olhos vermelhos, Taguinel tentava adivinhar qual seria o tamanho da encrenca que estava para abocanhá-los – literalmente. Sentiu um peso sufocante tomar conta de suas asas, querendo cimentá-las ali mesmo. Ânimo inconstante.

– Somos mil, duzentos e um anjos de luz para destruir a tentativa tola de seu exército escuso de apoderar-se deste Ponto e das almas humanas desta cidade. – A palavra "destruir" saiu mais frágil que cristal da boca do anjo Taguinel.

Para sua surpresa, os dois anjos-demônios começaram a gargalhar. Alanca desembainhou a espada com presteza.

– Peço sinceras desculpas pelo desrespeito, valorosos guerreiros – disse suavemente uma das feras. – Mas creio eu que esta batalha é tolice. Realmente, uma tremenda tolice para o seu lado – começou a gritar, com fúria. – Vocês são tão poucos que não fazem ideia de quão rápido vão evaporar na ponta de nossas armas! – terminou, rugindo ferozmente, também desembainhando sua espada. – Por que retira sua arma, anjo de luz? Estamos nas preliminares ainda! Se quer uma amostra de minha lâmina, não se faça de rogado e peça agora mesmo. Terei imenso prazer em terminar com sua existência para a luz! – completou a fera, exalando o terrível odor de suas entranhas.

– Criaturas imbecis! – xingou e cuspiu o outro demônio. – Por que não entregam cá teu general? Para que desperdiçar tanta energia, guerreiros mortos?!

Obedecendo a um sinal de Taguinel, Alanca recolheu a espada, cessando o clarão que a chama da arma produzia.

* * *

Dez e meia da noite. O carro estacionou em frente a um prédio no bairro da Bela Vista, em São Paulo. Era um edifício bonito, classe média, na rua Ribeirão Preto, próximo ao hotel Maksoud Plaza. Na portaria, identificaram-se e chamaram pelo pastor Guilherme, contato com o qual principiaria o tremendo esforço de levar o aviso às igrejas evangélicas, de preferência via televisão, a maneira mais rápida. Guilherme havia deixado ordens para que fossem conduzidos diretamente ao seu apartamento. O pastor aguardava-os à porta.

– Amigo, quanto tempo, hein? – cumprimentou, abraçando fortemente Elias. – Como estão as coisas na sua calma cidadezinha?

– Nada calmas, irmão. Na verdade, anjos e demônios estão em guerra neste momento.

Guilherme era conhecedor do Velho Código. Quando Elias começou a desfiar os comprometedores eventos dos últimos dias, tornou-se claro como água para Guilherme o que estava para acontecer. Era uma coisa rara, da qual não gostaria de ser testemunha, mas para a qual fora preparado a vida toda para reconhecer. Os fatos descreviam os preparativos para um dos mais terríveis rituais do velho código: a rixa maior entre anjos e demônios. A Batalha Negra se avizinhava. As almas humanas corriam risco sério e real.

– Amigo Elias, precisamos correr. A fé em nosso Deus está sendo colocada à prova. Que Jesus nos proteja, Elias.

Em menos de cinco minutos, chegaram ao subsolo, apanharam o carro do pastor e saíram seguidos de perto pelo Fiat Palio que levava os dois amigos de Elias a bordo. Dirigiram-se para a zona sul, diretamente para os estúdios da maior rede evangélica do país. Eram quase onze da noite. Se contatassem as pessoas certas, talvez recebessem a autorização antes da meia-noite, entrariam com o apelo no início da madrugada e, com sorte, mobilizariam um especial, uma vigília eletrônica.

Conhecedores do Código, ambos os pastores sabiam quanto era valioso para o Exército cada novo humano acreditando e orando por eles, fortificando-os para a batalha. As orações eram a pedra fundamental para a luta. Eles sabiam como eram sofridos aqueles episódios e quão duro era o destino dos perdedores. Precisavam dar força aos anjos do Senhor. Não era uma Batalha de Luz, não era uma batalha qualquer. Os anjos com certeza estariam tementes, implicados em seu destino, o Velho Código dizia claramente o que acontecia à energia da vida que vibrava dentro dos guerreiros de luz, para onde ia a sua essência. Quanto mais homens e mulheres orando com fé verdadeira, mais poderoso e fortificado estaria o Exército de Luz, afiando as espadas e fortalecendo as armaduras. Precisavam correr. O coração mandava. A alma gritava. Os anjos pediam.

* * *

Oito e quarenta e cinco da noite.

– E, como manda a Lei, vocês também devem nos revelar quantos são – avisou Alanca.

Os demônios voltaram a gargalhar.

– Somos muitos, muito mais do que vocês poderiam contar em uma hora.

Os anjos não se animaram a desembainhar as espadas. Deixaram apenas os olhos repousar no horizonte, onde um mar de lanternas vermelhas amontoava-se, cobrindo a paisagem. Agitadas, afoitas. Eram tantas.

– Quantos? – perguntou Taguinel, com voz apagada e os olhos varrendo o princípio de floresta, que parecia arder num incêndio monstruoso, espectral.

– Somos vinte e três mil, seiscentos e sessenta e seis demônios – disse a fera, com aparência de cansada.

Quando o anjo das sombras revelou o número, o ar pareceu congelar e as estrelas apagarem-se. O tempo havia parado. O ânimo dos dois anjos foi sugado. Não se via esperança naqueles corações. Estavam previamente massacrados; a noite estava perdida. Seria melhor entregar as espadas ali, na hora, pois não faria diferença quantos demônios matassem, quantas feras detivessem. O número atravessou os ouvidos como fina adaga. Aquela noite seria infinita para muitos deles. A vontade era voltar correndo e gritar para o grupo de irmãos de luz dispersar-se e desaparecer.

Era, porém, um fardo que teriam de enfrentar. Deviam ao general. Estavam comprometidos com a Batalha Negra. Não poderiam recuar até terem o corpo retalhado pelas feras ou até saírem vitoriosos do campo (o que era mais improvável). Sem emitir uma única sílaba, os dois anjos de luz abandonaram o encontro de apresentação, carregando o número impossível para seus líderes. Vinte e três mil, seiscentos e sessenta e seis.

Thal, quase restabelecido por completo, adiantou-se para receber os irmãos e percebeu que os dois estavam abalados, carregando a tragédia dentro do coração. Em um relance, o general viu os anjos das sombras retornando para o grupo à margem da floresta. Já seus anjos pousaram no pasto ao fim do retorno, com a igreja ao fundo, de onde o jato de luz incandescente subia ao céu.

– Quantos são?

– Vinte e três mil, seiscentos e sessenta e seis demônios.

Thal calou-se. O rosto expressava desapontamento, não medo. Nem uma ponta de desespero se abatia sobre o guerreiro. Só desapontamento. Talvez dentro do anjo residisse uma esperança, uma esperança de que o número fosse justo. Reconheceu nas faces de seus emissários a dor que os humanos também carregavam. Tinham se irmanado frente à enorme desesperança. O anjo tinha sonhado com uma luta de um para um; dois demônios para cada anjo, até mesmo três para um, seria justo e possível de vencê-los, libertando aquela cidade da dor de ter as almas roubadas. Os anjos de luz eram muito mais determinados, mais puros e letais. Os demônios estavam interessados em odiar os anjos, em feri-los, xingá-los, humilhá-los... então, perdiam a objetividade. Eram menos perigosos que os verdadeiros anjos.

A ameaça maior guardada pelo exército inimigo residia nos anjos das sombras: tinham experiência em batalha e eram tão implacáveis quanto os anjos de luz. Esses, sim, manejavam com perigo as espadas, raramente apelando para as mandíbulas ou garras. Sabiam como matar rápido e com eficiência. *Quantos seriam? Os outros demônios não passavam de criaturas desorientadas.* Os grandes voadores, os pequenos, eram descontrolados e medrosos. Alguns alados carregavam tridentes afiados, mas eram ansiosos e pouco hábeis para montar um ataque organizado. Os cães terrestres, dentre as bestas, eram os mais preocupantes.

O ódio descontrolado também tomava conta da mente desses animais, que eram feras legítimas: matavam e destroçavam anjos apenas por prazer. Eram os maiores responsáveis pelas Batalhas de Luz, inversas à que travariam, em que os anjos tinham direito ao Ponto. Era quando os anjos enfrentavam os demônios – se não em superioridade numérica, ao menos em proporção mais justa – e tinham a chance de resgatar almas para a luz. Os cães quebravam as regras com mais facilidade, já que eram vulneráveis a provocações e assassinos capazes: fileiras de dentes pontiagudos, boca descomunal, garras afiadas, força indescritível e ódio, muito ódio.

Thal encarou o grupo de mil e duzentos soldados, quase vinte demônios para um anjo. A cada baixa, a dificuldade se multiplicaria absurdamente. Não seriam fáceis as próximas horas. Dependendo do método de ataque adversário, a peleja poderia acabar para os anjos de luz em menos de uma hora. As feras teriam vinte e três horas para apoderar-se de toda a população da cidade. As almas estariam vulneráveis, desprotegidas, indefesas. Tarefa simples diante da impotência dos humanos em evitar o ataque de criaturas que não veem. Os humanos apenas perceberão o momento em que a alma estiver sendo retirada do corpo quando a escuridão se abater sobre seus destinos. O coração para; o sangue congela; a pele empalidece, abandonando para trás uma casca vazia. Resquícios de lembranças, uma herança geralmente maligna, destruidora e proliferante. Vampiros.

Thal olhou em direção à floresta. O oceano de lanternas vermelhas permanecia imóvel. Arrepiou-se ao imaginá-lo despregando-se do horizonte e avançando implacável para cima de seu diminuto exército como uma onda de maremoto, todos ao mesmo tempo: pelo céu, pela terra, pelos lados, pelas costas, como água de represa rompida. Em poucos minutos, tudo estaria acabado. Se ao menos Vuhtiel tivesse aceitado... os anjos seriam mais que o dobro. O exército Oriental geralmente agrupava mil e seiscentos homens para batalhas auxiliares. Com um número assim, teriam muito mais chances: aproximadamente oito demônios para cada anjo. Um número mais aceitável, muito mais justo. A realidade, no entanto, era outra: quase vinte para um, uma contenda sem precedentes.

Thal admirava o chão. Olhando comovido para a grama verdinha, observava uma joaninha dourada caminhando entre as folhas verdes, quando a voz de Alanca o despertou do oceano.

Um par de olhos vinha em sua direção. Um único demônio voava ou corria rasteiro.

– Desembainhar espadas! – vociferou Thal.

A concentração de armas chamejantes tornou a área mais brilhante. Thal percebeu a armadura recebida pelas orações humanas cintilar, envolvendo todo o corpo e as asas. Realmente, parecia armadura. Ora acinzentada, ora avermelhada, e em sintonia com o facho de luz que escapava da igreja.

O demônio galopava bastante próximo. Era um cão. O cão Khel. O inimigo direto de Thal, portador do mal que devorava aquela cidade. Que transformara Samuel. *Maldito!*

– Seus homens são insuficientes, general! – praguejou. – Estamos prontos para iniciar a batalha. A partir de agora, temos vinte e quatro horas terrestres para destruí-lo e tomarmos nossas almas.

– As almas não são suas, criatura fraca! – retrucou Thal.

O cão rugiu, esticando o dorso, como gato acuado, expelindo o característico odor ao abrir a bocarra. Era grande, imponente e exemplificava a fúria guardada dentro de todos os cães que viriam para cima deles.

– Eu, criatura fraca? Você, Thal, que é o Ponto nesta batalha, descobrirá em poucos minutos o que é ser fraco. Ha-ha-ha! Lutarão por esses descrentes. Vejam quantas casas têm suas luzes apagadas. Quantas casas não se importam com vocês. As pessoas se esqueceram daqueles que lutam por elas! Hoje vocês nada podem. Seu Deus não virá salvar seus rabos. Hoje vocês não podem contar com Sua Luz. Ele está impedido de ajudar, Ele não pode ajudar. Ele, sim, é fraco – rugia e gargalhava Khel.

Os anjos agitaram-se. Não talvez pelo desrespeito, mas porque, em parte, o demônio tivesse razão. Como dizem os humanos: "a verdade machuca". Não poderiam contar com a ajuda de Deus nem com Seu consolo. Era uma guerra independente. A alma dos anjos não estava segura pelo Protetor, mas à mercê deles mesmos, prontos para servir ao pior de todos os anjos.

– Ele não é fraco. São regras... – murmurou Alanca.

– Ha-ha-ha! Que seja... Regras, então! Percebo a tristeza em seus olhos perante a morte certa para a luz, mas não se preocupem. Todos vocês, escutem! – começou a gritar Khel, como se fosse dizer algo da maior importância. – Em breve, todos estaremos juntos no mesmo exército, destruindo e matando muito mais anjos fracos, como este bando. Companheiros! Ha-ha-ha!

Taguinel descolou-se do grupo e cravou a espada na pata direita de Khel, prendendo-o ao chão. Os anjos assustaram-se. Por puro reflexo, lançaram olhares para o oceano vermelho. O urro dolorido de Khel poderia despertar o iminente ataque. Travado ao pasto, o cão urrava, movendo bruscamente a pata e tentando libertar-se. Thal aproximou-se e ergueu a espada à altura do pescoço do demônio.

– Você é a causa de muita dor e perda – disse, em voz baixa, o anjo. – Como fez questão de lembrar, hoje não estamos na presença d'Ele. Portanto, não preciso me envergonhar de nada que eu fizer neste campo. Ele não poderá julgar nem desmerecer nenhum de meus homens que estão dando a vida por mim e pelas almas de Belo Verde. E por eles, e por mim, quero experimentar agora uma das motivações humanas mais odientas que sei existir, e que você, Khel, fomenta e ilustra tão bem. Quero experimentar o gostinho que a vingança tem, o gostinho que a deslealdade tem. O sabor da trapaça e do constrangimento frente ao seus...

O cão estava enlouquecido. Agora, Alanca é quem espetava a outra pata, enterrando bem fundo a lâmina no pasto, prendendo irreversivelmente o cão. Khel retorcia-se e urrava, xingava e praguejava, amarelando o ar e impregnando-o de enxofre. As espadas de luz não eram matéria da terra. Não se podia atravessá-la e escapar ileso. As espadas de luz feriam e matavam.

Thal tornou com sua voz baixa e controlada:

– Você causou tudo isso, fera infernal. Você me atacou deslealmente naquela noite. Mesmo a chuva não foi suficiente para me ajudar. Você trapaceou. Agora, criatura fraca, vou dar o troco. Todos seus asseclas verão como você é incapaz de me deter.

O anjo ergueu a espada ardente e desceu-a velozmente, separando a orelha esquerda do cão de sua cabeça. Ao mesmo tempo que o demônio se encolhia todo e gritava um sonoro "Não!" acreditando que seria desmembrado.

Os anjos riram vendo Khel encolhido.

– Quer continuar vivo, demônio? – perguntou Alanca.

Khel babava de ódio e seus olhos flamejantes fixaram-se em Thal.

O general de luz ergueu mais uma vez sua arma fulgurante e arrancou a segunda orelha do cão.

Thal fez um sinal para seus companheiros mais próximos que libertaram a fera e deram um passo para trás.

– Parta, Khel, antes que eu arranque sua cabeça. Não sou como você. Só quero que tenha a vergonha de entrar em combate ferido por mim. Você talvez não me ouça chegando, mas fique atento. Eu vou te encontrar no campo de batalha.

O grupo da frente olhava, sem piscar, para os demônios à beira da floresta, ainda imóveis.

– Reagrupar! – ordenou Thal. – Lutem, amigos! Lutem com todo o coração! – gritava Thal, enquanto uma fatia do oceano vermelho desprendia-se silenciosamente do horizonte, tomando conta do pasto e do céu, como nuvem de horror. – Não economizem golpes e sejam bravos. Temos as orações. Não temam as espadas inimigas. Garanto que estaremos todos juntos em outras batalhas, como anjos irmãos, anjos de luz. Com amor! Com paz! Buscarei cada um que cair. Tirarei o rastro do mal que cada um contrair. Os que forem para a escuridão por mim serão salvos. Não temam, não chorem, não sofram. Cumprirei minha palavra, irmãos! Guerreiem com o coração! Eu juro!

Os anjos abriram as asas, gritando enquanto a sombra de Khel, humilhado e ferido, exalando enxofre e ódio, sumia no pasto, reduzindo até se reunir aos seus.

– Primeiro batalhão! Tomem posição! – gritou Taguinel, o líder do batalhão.

Os anjos deram alguns passos para a frente, separando-se ainda mais dos restantes. O grupo de olhos vermelhos agora tomava formas mais nítidas. Inúmeros voaram e correram até atingir o meio do campo, aguardando o primeiro batalhão.

– Primeiro batalhão, ao campo! – ordenou Taguinel, com a espada em riste.

Os anjos lentamente desdobraram as asas esplêndidas, produzindo um som melodioso. Uma corneta fez-se ouvir. Decolaram, a caminho da Batalha Negra. *Quantos retornariam? Quantos ainda viveriam para a luz?* Os rostos duros como pedra expunham a tristeza que carregavam. Para muitos, apesar do discurso inflamado do líder, aquele seria o último combate.

Thal, por estratégia, estava alocado no último batalhão. Afinal, ele era o Ponto, a chave para que os cães pudessem iniciar a destruição humana. O sexto batalhão era o único que tinha duzentos e um anjos, tensos e preparados para destruir e ser destruídos. Instantes depois, subindo vinte metros, os anjos aumentaram a velocidade, mas não se transformaram em bolas de luz.

Eram nove horas da noite.

* * *

Nove e dois da noite. Na igreja de Belo Verde, muitas pessoas foram simultaneamente invadidas por uma sensação de desconforto. O que as unira para aquelas horas de oração tinha começado. Havia uma guerra espiritual perto dali, estavam certos. As vozes intensificaram-se. Os dispersos, percebendo algo no grupo, concentravam-se. Oravam. Mais gente chegava. Foram montados toldos do lado de fora para abrigar um número sempre maior de pessoas de cidades vizinhas, solidárias com Belo Verde, que chegavam a todo instante.

Os que tinham parentes religiosos ligavam e pediam que se unissem à corrente de orações. Os anjos estavam precisando. As pessoas não conheciam o Velho Código, em que os incrédulos se tornavam crédulos; o invisível se tornava visível; os anjos eram conhecidos; o bem e o mal se misturavam e coexistiam. Mesmo assim, a corrente aumentava, e, como não acontecia havia muito na face da Terra, centenas de fachos de luz subiam aos céus, destinados aos anjos de Belo Verde. Concentravam-se na Casa Celestial, voltavam para a Terra e envolviam os anjos naquela corrente de força, naquela armadura valiosa.

* * *

Os cães rugiam embaixo. Os anjos começavam a encontrar os primeiros demônios voadores, os primeiros entre milhares. Os monstros vieram ao ataque em um grupo de mil. Provavelmente seria assim até todos os anjos perecerem. De certa maneira, se aquele fosse o padrão, as coisas poderiam ser mais suaves para o minúsculo exército angelical. Talvez pudessem resistir mais tempo, umas poucas horas, com sorte.

As primeiras espadas chamejantes chocaram-se contra as armas inimigas, lançando chispas no céu e enchendo os ouvidos com o tilintar apavorante, o retinir da guerra. Espada contra espada, vida contra vida.

Thal podia vê-las. Seu coração apertou quando o primeiro batalhão desapareceu entre a turba satânica. Percebeu a armadura cintilar novamente. Olhando para o céu, notou que a cada minuto o facho de luz, saindo da igreja, aumentava e que novos acendiam no horizonte. Cada vez mais humanos estavam envolvidos no conjunto de orações com a finalidade de fortificá-los. Realmente, podia sentir sua força aumentar. O efeito disso era que poderia resistir sempre mais às investidas das feras e até ser seriamente ferido sem medo ou dor. As feridas sarariam. *Mas quanto tempo suportaria aquelas investidas violentas?*

Taguinel desviou-se de um demônio alado. Não queria os pequenos. Preocupou-se em enterrar a espada no tórax de um anjo das sombras que, por sua vez, estava ferindo um anjo de luz. Taguinel não encontrou resistência ao perfurar as costelas do anjo, percebendo a espada explodir do outro lado. O anjo rival encarou-o, perdendo o brilho do rosto e as palavras. Taguinel retirou a espada, e, antes que o anjo das sombras atingisse o pasto, seu corpo desmaterializou-se, transformando-se numa bola de fumaça amarela que cheirava a enxofre.

Mas Taguinel não teve tempo de vislumbrar o feito. A cada golpe, investida e transfixação (que resultava na morte de um demônio), um novo anjo das sombras surgia. Taguinel sentiu uma fisgada dolorida na panturrilha direita. Um demônio alado, dos pequenos, tentava engoli-lo pela perna. O anjo distraiu-se dois segundos para retirá-lo e foi despertado por uma espada atravessando o lado esquerdo do peito. Ele rugiu de dor. Ao despencar, a espada saiu de seu corpo. O anjo das sombras pairou um segundo, admirando o resultado do ataque. Taguinel sentiu a armadura brilhar: a dor diminuiu. Havia alguém orando por ele.

O anjo de luz desceu até tocar o chão, a grama verde. Antes de decolar, porém, precisou destruir dois cães vermelhos que pularam com bocas gigantes, prontos para engolir sua cabeça numa única dentada. Olhou em volta; via dezenas de anjos de luz desfalecidos no chão, aparentemente mortos.

Bem ali, enrolado nos pés de Taguinel, o anjo Mikaela estendia a mão. A criatura de luz estava bastante ferida e tinha uma das asas praticamente arrancada, pendurada por restos de nervos e peles, o que tingia a túnica azulada de sangue celeste. Taguinel sentiu sua armadura de luz vibrar, ganhando força e diminuindo a dor das feridas. Não teria como curar Mikaela ali, no meio da nuvem de enxofre, de espadas e da dor, mas apanhou o corpo do anjo, que já tinha um dia combatido sentado ao ombro de Jeová, segurou-o em seus ombros e zarpou. Desviando-se de centenas de anjos das sombras, ocupados como seus irmãos, abandonou o fervor da batalha, o vespeiro.

Thal viu um dos seus soldados deixando a guerra, recuando. Voava rapidamente, rasteiro, quase tocando o pasto, e carregava um anjo de luz nos ombros. Assim que se aproximou um pouco mais, notou que se tratava de Taguinel, já com vários ferimentos. O anjo depôs Mikaela no gramado próximo à concentração de guerreiros de luz e lançou um olhar demorado para o segundo batalhão. Três anjos foram ao encontro do guerreiro caído. Taguinel zarpou e retornou heroicamente para a Batalha Negra, onde muitos irmãos já abandonavam a luz.

Agora, Taguinel adentrava o núcleo da batalha. Gritava enlouquecido, tentando intimidar quem à sua frente aparecesse, cruzando a espada contra o ar. Lutava bravamente; os irmãos no alto já eram poucos. Muitos, feridos, digladiavam desesperadamente contra os cães à altura do chão. O coração doía, percebendo que o ânimo se avizinhava e que, provavelmente, num próximo episódio estaria ajudando as forças adversárias. Decapitou um anjo das sombras com um único e eficiente golpe, enquanto a perna esquerda era atravessada por um tridente inimigo. Não se importou e tratou de afundar a lâmina na cabeça do atacante, transformando-o numa nuvem amarela.

Os anjos das sombras também estavam desaparecendo, mas ainda eram muitos. Eram demônios alados, com quase três metros de altura, fortes e com mandíbulas mortíferas.

Taguinel sentiu a armadura espiritual cintilar mais uma vez e a dor amenizar, mas dessa vez ela não desapareceu. Sentiu-se bravo, mas a força não parecia renovada, não o suficiente. A espada encontrou outra fera alada, penetrando o peito musculoso. Só que a fera não morreu, mas gritou e caiu, dando tempo ao anjo para desviar de ataques traiçoeiros. É verdade que os anjos já tinham destruído muitos demônios, mas o problema era que o primeiro batalhão de guerreiros do Pai já estava chegando ao final. Taguinel observou que seus guerreiros brigavam furiosamente e que os demônios revidavam cada vez mais enraivecidos, talvez porque estivessem amedrontados, vendo que praticamente a metade deles fora derrotada pela primeira leva de anjos.

Thal via a luta feroz empreendida por seus guerreiros. Estavam aguerridos. Aproximadamente cem anjos ainda resistiam, vivos, lutando. O exército das sombras ainda era superior, mas não chegava a duzentos agora, tendo seus demônios derrubados, cortados ao meio, um atrás do outro. Certamente, o primeiro batalhão sobreviveria à primeira onda demoníaca.

Ao lado de Thal, também os demais anjos assistiam, ansiosos, prontos para entrar em campo e destruir tantos demônios quanto pudessem. O general sinalizou para que aguardassem. Precisavam operar estrategicamente para terem chance de fazer frente ao exército das sombras. O tempo, sabia ele, seria a chave para aquela noite. O pastor trabalharia para que os anjos fossem favorecidos. A primeira parte, ao menos, ele havia cumprido. Reservara Gregório, protegendo-o entre amigos, longe da perturbação, mantendo Thal desperto e livre para combate. Era assim que deveria ser por toda a noite. Sem interferências.

Ao lado das primeiras filas, Thal viu Mikaela receber cuidados dos companheiros. Dois anjos, com as mãos estendidas sobre o corpo do irmão, enviavam energia curativa em ondas de luz, como feiticeiros. Provavelmente, ele, que já tinha lutado no ombro de Deus, não estaria bem o suficiente para retornar à batalha, mas não iria perecer diante das forças do mal. Vendo-o consciente e aparentemente melhor, Thal percebeu o bem que fizera Taguinel em trazê-lo de volta.

O general destacou mais quatro anjos do segundo batalhão e disse:

– Vão até o campo e tragam quantos irmãos feridos e vivos puderem. Devemos isso a eles. Podemos salvar muitos dos nossos. Tomem cuidado para não interferir no conflito. Preocupem-se apenas em trazer nossos queridos irmãos de volta.

Os quatro aquiesceram e partiram, voando rente ao pasto, banhando o chão com os corpos iluminados.

Cada anjo poupado, cada anjo que pudesse ser recuperado pela energia dos que emanavam a cura, faria Thal ganhar mais um minuto de resistência contra os demônios que ameaçavam Belo Verde. Cada minuto a mais de resistência seria um minuto a menos que os demônios teriam para tomar a alma dos pobres moradores do Ponto da batalha. Thal daria sua vida para que nenhuma alma fosse roubada.

CAPÍTULO 37

Quinze minutos para a meia-noite. O prédio do Canal 3 estava fervendo. Para sorte de Elias e de Guilherme, o diretor de programações, pastor Marcelo, apesar de não ser um crente do Velho Código, tinha ouvido muito sua mãe falar dos ensinamentos passados do seu avô para o seu tio. Não fora de todo instruído, mas sempre tinha sido muito atraído pelo mistério com que os mais velhos falavam do código. Que a hora da Batalha Negra chegaria e que os joelhos deveriam se dobrar prontamente aos anjos do Senhor.

– A luz está em batalha, não é? – perguntou Marcelo ao pastor Elias.

Elias balançou a cabeça em sinal positivo.

– Um dos anjos do Senhor veio até a mim, filho. Ele conversou comigo como deve um dia ter conversado com a mãe Maria. Como deve ter conversado um dia com Noé. Ele pediu ajuda ao povo fiel. Precisamos orar, filho.

Marcelo não duvidou, percebendo a fé verdadeira que fluía do pastor de Belo Verde, que emanava de seu corpo energizado, refletida em seus olhos brilhantes. Ordenou que a equipe de jornalismo preparasse alguma coisa para entrarem no ar com o pedido e o assunto antes da meia-noite. Não perdeu tempo em localizar e acordar o bispo Rufus, pois a urgência clamava por uma dose de audácia. O pedido de socorro aos anjos de luz tinha que ser enviado o mais rápido possível.

Um redator, com velocidade considerável, terminou o texto e enviou ordem de impressão para a mesa do diretor Marcelo. Depois de apreciar a matéria-apelo, os pastores concordaram, alterando duas ou três palavras.

Marcelo acompanhou os pastores até o estúdio. O jornal noturno já havia terminado. O programa que estava no ar naquele instante era um *talk-show* pré-gravado com personalidades e celebridades do mundo gospel – o programa que tinha o maior índice de audiência da emissora.

Elias e Guilherme ficaram impressionados com a quantidade de holofotes acesos e com a velocidade com que o *set* se encheu de pessoas fazendo de tudo que se pudesse imaginar. Um homem se vestia enquanto uma maquiadora o penteava. Era o apresentador de plantão. Câmeras eram ajustadas em segundos, enquanto o jornalista encarava a folha de papel colocada em sua mão. O papel começou a tremer entre seus dedos, e o homem fechou os olhos enquanto seus lábios começaram a se mover rapidamente.

Elias olhou para Marcelo, que foi até o apresentador e o abraçou. Através de um pequeno monitor, Elias e sua escolta podiam apreciar a montagem do cenário. Televisores espalhados pelo *set* exibiam o programa que iria ao ar, aguardando o fim dos comerciais. No apresentador, plugaram um discretíssimo microfone, fizeram os últimos acertos de maquiagem e, em dois minutos, tudo estava pronto. Uma voz vinda de trás das câmeras avisou:

– Cinco segundos!

Pelo monitor, os pastores viram todos desaparecerem do cenário, abandonando o sóbrio apresentador ao lado do pastor Marcelo.

– Quatro... três... dois... um...

Quando a imagem entrou no ar, substituindo a mensagem de letras amarelas, ninguém diria que outra pessoa estivera ali, senão os dois homens em frente ao monitor. O apresentador evangélico pedia desculpas pela interrupção da programação e, com o texto jornalístico, introduziu a importante mensagem que o pastor Marcelo trazia. Depois de uma breve fala, as câmeras focalizaram o rosto cansado do pastor.

– Irmãos, como já alertou nosso amigo Calabresi, hoje venho aqui apelar por união... – começou o pastor.

* * *

Cinco para a meia-noite.

– Irmãos, como já alertou nosso amigo Calabresi, hoje venho aqui apelar por união. Nosso povo será provado nesta madrugada. Nosso povo precisará estar mais unido que nunca, como jamais esteve. Este é um apelo franco e genuíno para que todos se juntem nesta noite e orem com toda a força de seus corações e com todo o calor da fé cristã... – o homem discursava com sinceridade, enchendo a sacristia vazia da igreja de Belo Verde com a voz emocionada e o discurso franco, ao vivo e em cores.

A legenda identificava o homem como pastor Marcelo. A porta estava aberta, com sinais de arrombamento. Ninguém mais em vigília, ninguém mais protegendo Gregório. Ele não estava mais ali. Se ainda dormia, mantendo o anjo Thal liberto, era um mistério. Para o bem dos anjos, o melhor era que sim, que ele estivesse adormecido e ainda protegido. Infelizmente, o bem não era o lado da moeda que reinava naquela noite.

* * *

Cinco para a meia-noite. O apelo voou para todos os lugares. Da emissora, a mensagem foi enviada para a torre de transmissão. Da torre de transmissão, enviada para o satélite. Do satélite, voltou para a Terra, chegando a cada televisor sintonizado no Canal 3 em todo o Brasil e na América Latina. Argentinos, uruguaios, paraguaios e bolivianos sentiram-se tocados pela mensagem brasileira. Os países ao norte do Brasil puderam perceber que ali acontecia alguma coisa diferente, um pedido de socorro clamava pelas orações, pelas preces, pelas intenções positivas de todos que acreditavam que ao nosso lado existiam guerreiros precisando de luz e de força, que ao nosso lado existiam anjos que intercediam por nossas almas todos os dias, e que esses seres especiais, cada vez mais, estavam sendo esquecidos e enfraquecidos. Agora eles precisavam de nossa fé e de nossa luta.

Centenas de milhares de famílias atenderam ao apelo, muitas ajoelhando ali mesmo em suas salas, de frente para a televisão. Oravam, enviando fé verdadeira e força para o Exército de Luz. O pastor nem sequer havia mencionado o Velho Código, em que os iniciados tinham todas as dúvidas saciadas e todas as provas carregavam os crentes até onde a memória se perdia. Não tinha permissão para usar o Velho Código assim, de maneira aberta. Entretanto, a fé era tão intensa em seu clamor, tão clara, que mesmo o mais cético estremeceu naquela noite. Muitos, que jamais tinham aberto o coração para a palavra cristã, que apenas passeavam com o controle remoto de canal em canal e que, ao zapear para o Canal 3 normalmente pulariam para o próximo, naquela noite pararam. Naquela noite havia alguma coisa de diferente no orador. Naquela noite as palavras soavam verdadeiras.

Naquela noite, muitos oraram e tiveram fé pela primeira vez na vida. Emoção, lágrimas inexplicáveis descendo pelo rosto, o vazio no peito... tudo parecia preenchido por um instante. Não pensavam agora sobre o amanhã e as incertezas, sobre a promoção que aguardavam havia três anos para entrar em outro financiamento de carro. Não pensavam se tinham notado a cor do cabelo, se tinham emagrecido dois quilos. Sentiam. Sentiam que pediam ajuda a todos que viviam e respiravam para fortalecer aqueles que não eram vistos e estavam no meio de nós.

Não foram poucos os que acompanharam aquele homem em suas lágrimas sem saber o porquê. A audiência do Canal 3, surpreendentemente, era unanimidade naquela noite. Havia um apelo no ar, um apelo para os anjos, que perdiam a vida no campo de batalha. Um pedido em favor dos bravos guerreiros, das pobres almas daquela pequena cidade do interior do estado. Havia uma guerra entre o bem e o mal. Anjos e demônios estavam em guerra.

CAPÍTULO 38

Sangue. Samuel queria mais sangue.

Estava no centro da cidade. Eram nove horas da noite, deveria haver gente por ali, mas, estranhamente, as ruas estavam desertas. *Será que já o temiam?* Desconfiou que esse, por enquanto, ainda não era o Ponto. Abandonara o corpo do rechonchudo Doglinhas junto a um eucaliptal, próximo às cercas que delimitavam o sítio do velho Gê, o satanista oculto de Belo Verde.

Mais sangue traria mais energia para aquele momento, todavia somente o tempo traria o verdadeiro poder. A criatura da noite sabia disso. Levaria muito tempo para fortalecer-se verdadeiramente. Muito sangue ainda iria rolar.

Samuel escalou a parte lateral do supermercado, obtendo, lá de cima da letra S, uma excelente visão das poucas ruas centrais. Os ouvidos aguçados não captavam nenhum barulho denunciador, nem as narinas alcançavam o cheiro do precioso combustível. Ninguém sangrava ali perto. Saltou da letra S velozmente ao chão, mas era como se fosse feito de vento, como uma pluma. Não produzia barulho nem impacto. Não tinha peso; era mágico. Era sedutor imaginar. E esse era apenas um de seus novos poderes. Ele misturava-se às sombras, caminhando invisível. Caminhando como um mago.

Samuel olhou para o céu e, pela primeira vez, se deu conta daquela luz incomum. Um portentoso facho corria para o firmamento, como um gigantesco cordão umbilical cintilando e trocando suas cores maravilhosamente. *Como não percebera antes?* Prestando mais atenção, mais longe, beirando a linha do horizonte, ele podia perceber outros fachos, bem mais tênues, de menor intensidade e luz que aquele robusto. Contou, considerando os quase invisíveis: quase trinta. Intrigado, esgueirou-se em direção ao facho e descobriu que vinha da igreja de Belo Verde. Descobriu também por que a cidade se encontrava tão deserta. *Todos estavam ali!*

Atrás do templo, onde começava uma nova fazenda, Samuel notou algum movimento. O que via era indescritível. Seus olhos se encheram de anjos e demônios. Eles se digladiavam furiosamente, selvagens. Próximo à igreja, já no pasto da fazenda, era o quartel-general dos anjos de luz, presumiu. Centenas de anjos, em pé, enfileirados, aguardando um sinal.

Ao lado do pelotão garboso e iluminado, havia um grupo de anjinhos da asa quebrada. O vampiro quase sorriu com seu modo de pensar. Eram soldados feridos. *Teriam escapado da morte, capengando lá do meio do pasto?* Viu sua pergunta respondida quando, do meio do vespeiro, da arena romana, surgiram três anjos carregando dois desmaiados. Voavam velozmente.

Lá no meio, a coisa estava brava. *Tantos anjos no chão!* Pouquíssimos demônios jaziam imóveis, mortos. A maioria absoluta dos tombados e feridos compunha-se daqueles anjos, próximos a ele. Novamente, entendeu o porquê, com um audiovisual muito esclarecedor. Um anjo, bastante machucado, à altura do chão, conseguiu enfiar a espada toda no peito de um demônio alado. Ao cair, aparentemente morto, transformou-se numa colorida esfera fumegante, desaparecendo com o vento.

Avançou a visão para além da batalha. *Inacreditável!* Havia um mar de demônios avermelhados amontoando-se à margem da floresta. Ainda para dentro da mata, ele podia perceber incontáveis luzinhas vermelhas, ondulando, aguardando a hora de avançar pelo pasto, palco do confronto. Eram os olhos das feras. Não podia contar, mas tinha a impressão de que eram cem vezes mais do que os anjos de luz.

Repentinamente, foi atacado por uma fúria violenta. Os demônios o tinham usado. Fora seduzido. *Quem disse que ele era um demônio também?* É verdade que um anjo tentara matá-lo, mas, percebendo um senso de injustiça pairando no ar, decidiu se divertir um pouquinho. *O que tinha a perder?* Era um vasilhame sem alma. Já estava morto...

Repetiu o salto, alcançando rapidamente o pasto à frente. Dessa vez, caminhou devagar, sentindo o chão. Gostava do chão. Gostava do cheiro de sua terra, mas agora era outro, tinha mudado. Não queria ser cria de demônios nem voltar a ser o que já tinha sido. Adentrou o pasto com passos lentos, observando, interessado, aquele espetáculo invisível aos olhos dos mortais.

Samuel aproximou-se do exército iluminado e notou que os soldados estavam divididos em grupos, em pelotões. Os anjos viram um homem sem alma, um vampiro. A maioria dos anjos já tinha visto uma criatura daquelas antes, mas era inevitável o ligeiro espanto e desconforto, quase uma culpa. Muitos anjos conheciam a natureza daquelas criaturas; não eram obstinados fazedores do mal. Eram tristes, sem alma, sem luz, vítimas dos demônios guerreiros. *Que fazia ali?* Se estivesse sob o domínio de algum demônio, poderia causar transtornos. Quando novos na vida sombria, eram facilmente seduzidos... pelo bem e pelo mal... extremamente instáveis e imprevisíveis. Esse era o problema com os vampiros...

Samuel dirigiu-se para o grupo de anjos feridos, algo em torno de quinze. A maioria estava deitada por cima das asas enroladas, inconscientes. Outros tantos, deitados, acordados, respirando rapidamente. Todos diferiam em uma coisa dos soldados que aguardavam em pé: a pele estava diferente. Samuel percebeu que não resplandeciam como a dos anjos saudáveis, que mantinham a pele acobreada, naturalmente reluzente. Os anjos feridos traziam a pele escura, que não lembrava a cor do cobre nem tinha brilho nenhum. *Estavam morrendo? Anjos morriam também?* Samuel sorriu. Ele então era mais que um anjo.

Agora, livre da alma e tocado pelas sombras, Samuel navegava livre do tempo e da morte. Seu sorriso arrogante apagou-se ao notar que ambos os grupos, anjos saudáveis e anjos feridos, apresentavam uma coisa interessante em comum. O vampiro notou que vez por outra uma cintilante camada aparecia, por um breve segundo, e desaparecia. Era semelhante a um saco de luz envolvendo todo o corpo do anjo, acompanhando seu contorno, revelando-se como energia pulsante.

Observava-os calmamente, até que aconteceu de novo. Os corpos dos anjos acenderam. Uma armadura. As cores alternavam entre vermelho e azul. Depois, entre amarelo e marrom. Os feridos respiravam mais prolongadamente quando o saco de luz estava visível. Samuel olhou para a igreja. Os sacos alternavam em sincronia com as cores exatamente como fazia o facho portentoso que ia até o céu. Era impressionante. A energia vinha dali, aliás, deveria vir de todos os raios de luz que subiam ao céu.

Samuel inspirou fundo. Prometera ao anjo naquela manhã, quando quase se desintegrara perante a luz do sol. Os demônios o colocaram sob esse risco. Não se importavam se ele viveria ou morreria. E, provavelmente, eram os responsáveis por essa sua nova condição: vampiro. Samuel deu alguns passos no meio das imponentes criaturas celestiais. *O que fazia ali?*, perguntava-se. Ergueu a cabeça. Do outro lado, o oceano interminável valsava com luzes vermelhas. O inimigo. O mar de demônios intimidaria qualquer um, exceto o vampiro. Samuel permitiu-se um sorriso sereno. Abaixou-se, quase ajoelhando, e apanhou a espada chamejante de um anjo ferido e inconsciente; assim, não encontraria qualquer impedimento.

Os anjos machucados fitavam-no com certa preocupação. *O que o morto-vivo queria com a espada de luz?* Alguns anjos saudáveis aproximaram-se, temendo um ataque inesperado, traiçoeiro, bem ali, no meio deles. Porém, de algum modo, sabiam que o homem sem alma não portava má intenção, pelo menos não voltada para os anjos. No momento em que Samuel apoderou-se da espada, esta perdeu a característica chamejante, tornando-se uma arma comum.

O vampiro virou-se para os batalhões, fez uma reverência com sua nova espada, apontando-a para os anjos, e, trazendo-a em pé, na posição de meio-dia, encostou-a chapada na testa. Virou para o funesto campo de batalha e, com passadas lentas, porém firmes, começou a aproximar-se do vespeiro. Iria guerrear, não tinha mais alma para ser roubada, iria dilacerar demônios, ajudar o Exército de Luz. Era o certo a fazer.

Ao tomar a decisão, Samuel notou algo diferente. Sentiu-se tocado. Um zunido em seu ouvido. Como vozes em oração. Samuel olhou para a igreja. Estava longe demais para ouvi-los. Sua pele fria e pálida eriçou-se. Ele sentia-se conectado, acolhido como era. Então aconteceu. Algo cintilou em seu corpo. *Uma armadura?* Um saco de luz o envolvia, energia pura percorrendo seu corpo e provocando comichão nos poros. Os olhos cintilaram, tornando a noite ainda mais clara. *Aquilo... aquilo era uma armadura... uma armadura de luz!*

Samuel aproximou-se mais do campo de batalha, com vontade redobrada. *Coragem!* Outra vez pôde admirar a nova vestimenta. E a espada comum, como num passe de mágica, acendeu-se, ganhando chamas amarelas nos dois gumes. As chamas crepitavam e envolviam o metal, transformando-o num guerreiro de luz. Elas ardiam, dando um ar mais belo àquela silhueta longilínea. Pequenas labaredas atingiam a mão do vampiro, sem machucá-lo; pareciam alimentar ainda mais seu corpo. Era como recuperar por um instante a alma perdida. Estava pronto para entrar na batalha.

O vampiro deixou os caninos brotarem e escancarou a boca, num rugido ferino, começando a correr e mirando seu primeiro inimigo. A necessidade de sangue ainda não fora suprida. Queria sangue, e não importava de quem ou do que viesse. A espada de luz embateu-se contra a arma, um tridente, tinindo demoradamente. O diabrete quase perdeu sua arma, mas firmou as garras e partiu para novo ataque, raivoso, os olhos chispando de ódio.

– Um homem de carne? Ha-ha-ha-ha-ha! Quando eu abrir sua barriga e...

A criatura do umbral não terminou a frase. Samuel puxou a cabeça para trás e então projetou-a para a frente, ombro a ombro com a fera, dando-lhe uma testada que atordoou o demônio tempo o suficiente para deixar o vampiro girar o gume da espada e arrancar a mão da criatura. O diabrete gritou com uma coluna de fumaça jorrando de seu punho decepado. Samuel golpeou de lado, agora na altura do ombro da fera. A espada era pesada. A lâmina enterrou-se no pescoço do demônio, que rodopiou e então evanesceu-se em névoa amarela.

* * *

Nove e meia da noite. Thal esperava o momento certo para enviar o segundo batalhão. Observando o campo, viu que o vampiro já estava no meio da briga. Quando os cães tentavam alcançá-lo, eram repartidos pela espada que o homem sem alma carregava. Ele realmente estava lá para ajudá-los. Lembrou-se do vampiro fugindo pela manhã, temendo os raios de sol mais que tudo. A estranheza da situação veio-lhe à mente. *Que motivos tinha a criatura para estar ao seu lado?*

O general observou que finalmente seus homens eram superiores à quantidade de demônios no campo de batalha. Estavam pelejando havia cerca de meia hora. Thal imaginava a razão pela qual os demônios não investiram com força total, implacáveis. Afinal de contas, eram mais de vinte mil. Seria impossível deter todos ao mesmo tempo. Poderiam ter atacado com cinco mil logo de início. *Por que vinham em número tão reduzido?*

Conseguiu formular apenas uma resposta: estavam se divertindo à beça. Os demônios queriam apreciar a destruição das criaturas de luz assim, pouco a pouco, provocando o máximo de sofrimento físico e mental, arranhando as feridas lentamente. Se enviassem uma carga potente, a peleja terminaria antes da primeira hora.

Thal podia ver os generais satânicos deleitando-se com a dor dos anjos de luz. Estavam se deliciando com as feições de tormenta e desesperança que cada anjo carregava. Não os preocupavam as baixas no número de demônios. A agonia das criaturas de luz era muito mais interessante, insuperável. Para eles, valeria a pena continuar enviando pelotões com mil soldados, enquanto o exército reduzido mandaria arremedos de tropas, duzentos indivíduos por vez.

Uma nova onda de olhos vermelhos desprendeu-se das margens da floresta, como que lendo os pensamentos de Thal. Mais mil demônios entraram no campo contra parcos soldados quase inconscientes, mal erguendo a espada para revidar e aniquilar o restante de criaturas. Alanca olhou para Thal e percebeu que o general recomendava sua entrada.

– Segundo pelotão! – bradou o anjo, ouvindo em resposta um farfalhar de asas e o retinir de quase duzentas espadas sendo desembainhadas.

– Atacar! – ordenou Alanca, o comandante da tropa.

Outra vez os soldados apreciaram aquele espetáculo marcial. Os anjos estenderam as asas e, um a um, abandonaram o chão, alcançando o céu. Asas gigantes, brancas, varrendo o ar, impulsionando os guerreiros. Na frente, uma onda vermelha avançava para os soldados sobreviventes ao primeiro ataque. O segundo batalhão chegaria a tempo de contê-los, estraçalhando os cães e demônios alados. Pouparia os irmãos exaustos.

Lá estavam eles, os duzentos, com Alanca à frente, transpondo a distância entre a concentração e o ponto de guerra. Começavam a diminuir a altura, tirando o pasto verde das trevas. Os demônios estavam agora a poucos metros. Mais dois segundos. O choque. Espadas retiniam e chispavam. Alanca foi atingido por um anjo das sombras. Juntos, caíram livremente até chocar-se contra o chão. *Tanta agonia espalhada!*

Os rugidos das feras eram tão volumosos que ecoavam incessantes, dando a impressão de ser um só. Os cães, que não voavam, aproximaram-se, galopantes. Alanca livrou-se do anjo rival, transformando-o em fumaça. Teve a impressão de ver uma ponta de agradecimento escapando no último olhar que lhe lançou o demônio. O guerreiro de luz, intocado, levantou-se, pelejando contra os cães terrestres.

Thal recrutou quatro anjos do terceiro batalhão para continuar a missão abandonada pelos irmãos do segundo, que agora enfrentavam a Batalha Negra, incumbindo-os de resgatar os anjos gravemente feridos. Lá foram os quatro, sem medo, como flechas. Direto ao alvo, voando rente ao chão.

* * *

Ragkin adiantou a fileira. Seus aliados satânicos pareciam mais ansiosos do que ele próprio. Rugiu, aliviando daquela maneira um pouco da expectativa. Um grupo de generais estava à frente da multidão demoníaca. Os desgraçados apreciavam a guerra e vibravam, como os inúteis humanos perante as caixas de espetáculo ou nos campos de esporte. Acabavam de separar um grupo, um novo batalhão. Ragkin estava ali, pronto para partir. Queria mais que tudo encher a boca com a carne iluminada dos inimigos celestiais. Como eram frágeis! E tão poucos! Poderia eliminá-los em minutos. Chegava a ser decepcionante. Por que os imundos generais não ordenavam um ataque completo, maciço, com todos os bandos, com todas as criaturas numa só leva? Esmigalhariam as poucas centenas de inimigos. Partiriam seus ossos. Odiava-os por permitirem a vida dos anjos.

O cão-demônio rugiu, ansioso. Queria comê-los vivos. Todos: os anjos, os generais pertinentes, todos! Olhando para o campo, viu quando o último irmão das sombras, ainda da primeira leva, foi destruído por um anjo de luz. Estavam ali, parados, quando poderiam estar lá, espalhando terror e dor. Agora, os anjos aguardavam, fracos – presas fáceis. Queria ir ao ataque! *Que liberassem a segunda leva de demônios!*

– Ora, esta! Ataquemos! – gritou Ragkin. – Os filhos da puta estão descansando! – berrou, incontido.

Rugidos desafiadores cortaram a floresta. Conheciam a natureza daqueles cães. Os generais confabularam por breves segundos. Sabiam que contrariá-los por demais era inconveniente. Tornavam-se incontroláveis. Perigosos, sobretudo.

– Tropa! – vociferou um anjo das sombras. – Carga!

O cão Ragkin sentiu o coração disparar. Estava autorizado. Impulsionou-se com tamanha força e vontade que fez a terra debaixo dos pés voar para trás. Raras vezes suas ações se manifestavam no plano físico. As garras vibravam na mesma frequência que a terra e as coisas do mundo físico. Sua luz continuava separada, distante da vibração dos olhos de carne, mas, se um ser humano estivesse ali, provavelmente morreria de susto ao ver terra voando sem motivo natural ou talvez ficasse intoxicado pelo ódio que sobrecarregava a área, exalado pela milícia das trevas.

Ragkin rugia, galopando. Arreganhou o cenho, expondo a horripilante dentição amarelada. Os olhos permaneciam fixos no anjo que vira assassinar o último demônio. O corpo subia e descia com ferocidade. O galopar dos incontáveis cães irmãos ecoava poderoso em seus ouvidos. Era uma canção de guerra. Trovão, trovão, trovão. A sede por matança impulsionava-o para o meio do campo, percebendo toda a potência do ataque avizinhando-se. Seus irmãos vinham atrás. Ele era o primeiro, o líder da segunda leva. Na crista da onda. Mil demônios malévolos, despregados do oceano escarlate, voavam para o campo de batalha como numa tatuagem oriental. A visão periférica percebeu o céu ser invadido por luz. Anjos vinham para ajudar os moribundos remanescentes. Eram tão poucos.

Iria se divertir, iria matar. Alcançou o centro do campo, lá estava sua presa. Fraca e ferida. Sentiu o coração cantarolar pela segunda vez, acelerar. Uma deliciosa ansiedade prestes a se saciar. O gozo do poder e da morte. Para ele, o deleite máximo seria despedaçar aquele ser de luz, repartindo-o numa bocada só. E era exatamente o que faria.

A presa mal conseguira erguer a espada. Demorou dois segundos a mais do que deveria. Ragkin derrubou-a com um salto assemelhado ao de um tigre. A garra potente desferiu um golpe preciso na mão do anjo, livrando-o da espada. Era melhor assim. Sem intervenções nem preocupações. Uma olhada ligeira revelou que tinha tempo para acabar calmamente com aquela vida, porém decidiu não arriscar. *Talvez com o próximo eu me divirta mais*, pensou. A boca escancarada mergulhou em direção ao anjo. Os dentes superiores tocaram o campo gramado e, com a arcada inferior, a fera encaixou o pescoço do anjo relutante na mandíbula. Fechou com força e rapidez, sentindo o interior se umedecer cada vez mais à medida que a ferida do anjo aumentava dentro da boca. Quando soltou, praticamente não havia vida dentro daquele ser celeste. O anjo arregalou os olhos e deixou Ragkin deliciar-se com o espetáculo das chamas se apagando. Os olhos do anjo escureceram lentamente até tornarem-se dois orifícios negros cheios de carvão. Lágrimas de piche escorreram. A boca escancarou uma última vez; o peito inflou uma última vez. A cabeça estava quase separada do corpo.

Ragkin, impiedoso, mordeu o rosto do anjo já sem vida, separando a cabeça do tronco, e gargalhou estridentemente. O céu estava cheio de trovões. Nuvens gigantes agrupavam-se. Os anjos cruzavam o céu, sempre perseguidos por vários demônios. Carnificina. O sangue do anjo pingava pela boca. Atirou a cabeça metros além. Um outro anjo grande e majestoso caiu ao seu lado. Ragkin estava pronto para um novo ataque.

* * *

Poucos minutos antes, Taguinel sentira-se extremamente cansado. Matara o último demônio da primeira leva, caindo sobre o joelho, ferido e fraco. Percebeu a armadura invisível refulgir, como se tomasse um breve fôlego para o que viria. Estava determinado a continuar até o fim. Ergueu os olhos para o mar de cães que se estendia à frente. Não venceriam nunca. Sentiu toda a sua fé drenada e impotente diante do infinito vermelho no horizonte.

O anjo olhou para os lados; talvez houvesse ainda trinta guerreiros. Não aguentariam a próxima carga. Sentia a energia lhe faltar. Sentia a visão, vez por outra, apagando. Ergueu os olhos. Lá vinham eles. Taguinel inspirou de modo prolongado. Milhares de demônios odientos carregando destruição e dor em vez de alma.

– Irmãos, ergam suas armas uma última vez – clamou Taguinel. – Cada minuto em combate é uma alma a menos que esses bestiais tirarão desta vila.

Seus parcos companheiros levantaram as espadas chamejantes.

– Lutaremos, senhor! – bradou o anjo ao seu lado. – Por Thal e pelos filhos do Pai Celestial.

Taguinel viu a armadura de seus guerreiros refulgir brevemente. Mais força das orações chegando. Encarou a nuvem de demônios que se erguia pelo pasto, varrendo em sua direção. Espadas e tridentes. Garras e presas.

Olhos amarelos, injetados de ódio. Taguinel apertou a mão no cabo da espada, cambaleou um passo adiante enquanto murmurava:

– Por Thal e pelos filhos do Pai Celestial.

Taguinel percebeu um cão feroz e gigantesco aproximando-se. Tentou erguer a espada, mas o braço não respondia. A exaustão roubara-lhe a presteza. A onda de demônios arrebentava sobre a cabeça, obscurecendo o céu carregado de nuvens. Já podia ouvir os rugidos animalescos das feras a poucos metros. O anjo expirou demoradamente. Não morreria tão fácil; viveria para ver o próximo ataque; destruiria todos aqueles demônios odientos. Jamais colocariam as garras em seu valoroso general.

Inesperadamente, porém, tudo se tornou leve. A luz esmaeceu; o cão estava ali, e o anjo, impotente. O cão infernal era rápido demais para ele. E os demônios, muitos. Perdeu-se nessas observações por uns segundos, e como foram preciosos! Quando olhou, o demônio voava em sua direção. Taguinel tinha se desconcentrado, e isso lhe custara a vida. Caiu, chocando-se dolorosamente contra o campo. A espada voou longe, abatida da mão. O fim se avizinhava. De repente, a visão tornou-se turva e lágrimas escuras o cegaram.

A boca quente da fera envolvera seu pescoço; ao fechar-se, uma dor jamais experimentada explodiu. Sentiu a cabeça deslocar e uma grande desordem. O corpo estava insensível; nada obedecia. Os olhos nublaram-se ainda mais, e a luz da vida foi se apagando enquanto via os irmãos bailando lindamente, brilhando, livres dos cães. Via-os passeando e voando. A escuridão chegava aos olhos. Em nada pensava o anjo. As lágrimas sombrias voltaram. Tudo era escuridão.

Thal tentava avaliar aquele início de combate. Torceu para que os guerreiros da primeira batalha tivessem tido tempo para descansar. Observando o campo, viu, na outra margem, um pequeno grupo de dez cães grandes e ferozes correndo enlouquecidamente, mas não iam na direção da batalha. Contornaram a periferia do evento e atravessaram o campo, afastados da concentração dos anjos.

O general alertou alguns soldados do último batalhão e ordenou que perseguissem as feras. Algo de ruim estava prestes a começar.

CAPÍTULO 39

Nove e cinquenta da noite. Os homens encapuzados apearam da picape. Cumpriam ordens do velho Gê, que não acompanhava o grupo. O velho, que, como outros deles, havia recebido a visita de Khel, dizia ser esta a missão mais importante do dia: um sequestro. Buscariam Gregório, escondido na igreja. O homem era importante demais para ficar nas mãos dos cristãos. Era a chave para certificar a vitória do exército das sombras e um curinga a ser usado na hora certa.

Seis homens armados com pistolas e espingardas esgueiraram-se na escuridão. Encostaram na parede de madeira nos fundos da igreja. Segundo Genaro, encontrariam uma janela fácil de arrombar. E lá estava ela. Ney enfiou um pé de cabra e, sem muito trabalho, abriu a janela, fazendo o mínimo possível de barulho.

Todos estavam na sacristia. Gregório dormia tranquilamente, e Vera observava a programação do Canal 3, ansiosa por notícias. Dali a meia hora, começaria o programa de maior audiência, o *talk-show* das celebridades do mundo gospel. Adorava entrevistas com cientistas que tentavam desconstruir Deus de maneira feroz. Parecia que aqueles homens, quanto mais sábios se diziam, mais distantes ficavam da luz. Vera amava os que iam para tentar "traduzir" Deus.

Ainda que os pastores do Canal 3 torcessem o nariz, Vera sentia muito mais sintonia com o pensamento de pluralidade da energia do Criador do que com a ideia estranha de tentarem colocar a imensidão do amor de Deus em pequenas caixas, em pequenos e exclusivos compartimentos. Deus não pertencia a caixas ou etiquetas. Deus estava em tudo, em todos, em qualquer credo, em qualquer lugar do Universo. Deus era união. O Criador também estava na terra que ela amava, nas criaturas da natureza com as quais ela se conectava. No amor em que ela sentia pelo marido. Na luz das estrelas que atravessavam bilhões de anos-luz para se refletir em seus olhos. Deus era tanto.

Um turbilhão de pensamentos assaltou a mente de Vera enquanto ela ouvia as preces dos guardiões de Gregório, murmuradas. Doutor Jessup tinha caído no sono na cadeira ao lado. Aquela noite seria longa.

Mais quatro criaturas estavam no cômodo, invisíveis aos humanos. Outrora quietas, agora agitavam-se. O anjo Mael, próximo à porta, foi quem percebeu primeiro. Com um rápido sinal, pôs os irmãos em alerta. Desembainhou a espada e apurou os ouvidos. Sons suspeitos vinham do corredor. Mael atravessou a porta, ganhou o corredor e, no fundo da igreja, viu alguém arrombando uma janela que daria no esconderijo dos humanos. Atravessou a parede e avistou seis homens que forçavam a entrada no ambiente. Perigo.

Mael retornou e explicou a situação. Um dos anjos aproximou-se do doutor Jessup, cochilando, recostado em uma cadeira, e balbuciou ao ouvido:

– Tenha medo!

O médico acordou, sobressaltado. Tinha a impressão de estar sendo perseguido por demônios... um pesadelo.

– Tranque a porta... – sugeriu o anjo.

Passos no corredor.

– Esta porta está trancada? – perguntou o médico a Vera.

A mulher balançou a cabeça, negando. Num salto, o médico já estava girando a chave na fechadura.

– O que está acontecendo? – perguntou Vera, assustada.

– Não sei. Pressenti algo.

Bateram na porta. Com a agitação, as pessoas que se encontravam orando foram interrompidas.

– Quem está aí? – adiantou-se Jessup.

– Estão precisando de vocês lá no salão – respondeu uma voz familiar.

– Não podemos sair agora – disse Vera, em tom baixo, para não acordar o cunhado.

Um dos anjos cobria com as mãos os ouvidos de Gregório, protegendo, preservando-o dos barulhos.

– Eu preciso entrar...

– Pra quê? – perguntou Vera.

– O Gregório tá aí? – perguntou Pablo.

Vera gelou. Todos estranharam, mas ela teve medo.

– É o bicho-papão! – gritou o homem.

Um segundo de silêncio. Então, veio o barulho de madeira cedendo. Ney novamente estava usando o providencial pé-de-cabra. Mael aproximou-se da porta, estendeu as mãos e criou um campo de luz que parecia penetrá-la. Com isso, Ney forçava, mas a maldita porta não cedia. Pablo adiantou-se para ajudá-lo.

– Vamos logo, macacada. A gente só quer uma coisinha – gritaram os homens.

– Empurrem os armários para cima da porta. Temos que ganhar tempo – comandou Edna.

Doutor Jessup e os outros homens começaram a arrastar os móveis prontamente, quando todos ouviram pancadas bruscas nas portas. A aflição crescia entre o grupo resistente. Gregório balançou a cabeça.

– Meu Pai, ele vai acordar – gemeu Vera.

A porta chacoalhou.

– Abram esta merda. Não é pra sobrar pra ninguém, mas, se não for por bem, vai ser por mal, essa porra! – ameaçou o traficante do lado de fora.

Mael estendeu a mão para a madeira da porta, fazendo-a resistir aos novos golpes, cada vez mais potentes. Os móveis tremiam a cada impacto.

– Vou medicar Gregório novamente. É sorte este cara não ter acordado ainda.

Doutor Jessup foi rápido e, antes de um minuto, já estava procurando uma veia para aplicar mais uma dose no homem. Mael continuava expelindo seus raios enquanto o outro anjo protegia Gregório e observava o médico, atônito. O que pretendia ele? Para que a medicação inesperada? Os anjos estavam absortos quando tudo veio abaixo.

Seis cães-demônios pularam para dentro da sacristia, rugindo.

– Afastem-se daqui! – ordenou o anjo Cardinal. – O campo está lá fora. Deixem os humanos em paz.

Os cães arfavam, furiosos, medindo os adversários. Os quatro anjos estavam imóveis. Vera caiu de joelhos e sufocou com as mãos um grito que queria escapar pela garganta. Sentia pontadas por todo o corpo, sentia medo. Alguma coisa queria atacar Gregório. Alguma força sombria e pestilenta queria arrancar o cunhado de seu sono.

Mael alimentava a porta com raios, o que consumia sua força, pois a luminosidade da pele já havia diminuído consideravelmente. Suas armaduras de energia cintilaram rapidamente, chamando a atenção das feras. As pessoas recolheram-se a um canto da sala. Pareciam assustadas, mas certamente não viam os cães. Se pudessem vê-los, sem dúvida já estariam tentando cavar uma saída pela parede com as unhas e os dentes. Os cães rugiram ameaçadoramente enquanto as espadas flamejantes eram erguidas. Mael precisou desviar-se da porta para dar cobertura a seus irmãos e proteger o vaso que abrigava seu general.

Gregório agitou-se. Mas doutor Jessup havia aplicado a medicação, e, em questão de minutos, ela faria pleno efeito. Gregório não acordaria nem com um bando de demônios pulando em sua cabeça... literalmente.

As entidades permaneciam imóveis, esperando o primeiro ataque. Mael encarava o cão à frente, enquanto Cardinal erguia ainda mais a espada. Um cão pulou, rugindo bestialmente, e abocanhou o braço de Cardinal, que foi jogado para um canto da sala. Por reflexo, o anjo que protegia Gregório sacou a espada, e Mael, agora longe da porta, enterrava a lâmina no tórax de uma fera. O animal transformou-se em uma bola de fumaça, infestando o ambiente com aquele cheiro característico.

Logo outro rugido estremeceu o ambiente, fazendo Vera espernear mais uma vez, soltar um pequeno grito e bater contra a parede. Por um segundo, anjos e feras encararam os humanos. Vera foi socorrida por Edna.

– Eles estão aqui, estão aqui! Agora – disse a mulher, apavorada e trêmula.

Os homens seguravam a porta, enquanto olhos acompanhavam Vera, que se encolhia contra a parede.

– Quem, Vera? Quem está aqui? – perguntou Jessup, sussurrando.

– O mal. São demônios.

A porta foi chacoalhada mais uma vez.

– Estamos segurando eles do lado de fora – disse um fiel entredentes. – Eles não vão entrar.

Vera balançou a cabeça em sinal negativo.

– Não. Vocês não estão entendendo. Eles já estão aqui. Ao nosso redor.

O demônio aproveitou a distração para desferir um golpe contra um dos anjos guardiões. Foi a vez de Cardinal descer sua espada, destruindo a fera. Do corredor, ouviram-se disparos de arma de fogo. Novos empurrões contra a porta levaram os móveis para o chão, enquanto o grupo se encolhia, amparando Gregório em seus braços, afastando-o dos invasores encapuzados e armados.

Vera saltou de seu canto e puxou a cabeça de Gregório para o meio de suas pernas, aninhando a cabeça do cunhado entre as coxas e comprimindo o máximo que podia os ouvidos do rapaz com as mãos.

Os homens parados à porta, examinando o quarto e entrando devagar, cuidadosos, começaram a sorrir. Tinham conseguido. Tinham achado Gregório. Pablo sentiu uma comichão na mão. Queria levantar a pistola a atirar no meio da cabeça do inimigo, tamanha a raiva ao reencontrar seu traidor tão de perto. O espertalhão achou que ia lhe passar a perna. Quando essa patacoada de proteção dos infernos acabasse, o criminoso iria acertar as contas com o vacilão. Queria ele acordado, bem desperto, para saber que era Pablo quem mandava no jogo e que acabaria com a raça dele.

Os anjos estavam ocupados demais para intervir. Mael queria decolar, livrar-se de um cão que se prendera em suas costas, ferindo-o seriamente. Um anjo era devorado vivo, caído, com metade do corpo dentro da sacristia, metade para fora da igreja.

– Deem o homem. Não vamos matá-lo, apenas transferi-lo – disse Pablo.

– Deixe-nos em paz! – gritou Edna.

– Como quiserem – respondeu, apontando a pistola.

Todos gritaram.

– Ora, essa é a paz que posso dar a vocês. Por que gritam? Pedem paz... mato vocês. Pronto! Paz eterna.

Mael saiu da igreja, livre do cão. Lá fora, havia mais cães em luta contra outros anjos de luz: os reforços.

Os homens engatilharam as espingardas e apontaram para o bando amedrontado. Ney e mais dois ocupavam-se de Gregório. Deram-lhe alguns tapinhas no rosto, sem resposta.

– Acho que este safado tá morto, Pablo.

– Pode ser. De todo jeito, vamos levar o arrombado. Vou ganhar mais do que o otário me tirou.

Quatro dos homens carregaram Gregório, com dificuldade. Saíram pelo corredor e o passaram pela janela danificada, enquanto os vigilantes do mortal eram mantidos sob a mira das espingardas. Um dos encapuzados adiantou-se e aproximou a picape o máximo possível. Acomodaram Gregório na traseira do veículo e zarparam, deixando para trás a igreja de Belo Verde. Pela rua de terra batida, chegariam à rua central, e de lá rumariam ao sítio de Genaro.

Tudo parecia dar certo até que o motorista da picape sentiu a roda traseira patinar. A impressão era de que o veículo tinha afundado em uma poça de lama. Automaticamente, ativou o sistema 4x4, e patinou mais um pouco. O motor roncou furiosamente e a frente ganhou empuxo, mas o veículo continuava parado, como que travado por mágica. O motorista já pensava em descer quando outra estranheza abateu-se sobre os sequestradores. Um estalo esquisito... uma batida de carro. Algo havia atingido o capô da picape, fazendo-a chacoalhar. Os homens gritaram, surpresos. Repentinamente, o carro estava livre, tomou impulso violento e devorou a estradinha de terra, dando trabalho para voltar ao controle.

– Calma aí! Temos que entregar este porra vivo, é o trato!

Devia ser uma poça de lama, pensava o motorista.

O céu escurecera ainda mais. Nuvens negras e pesadas cobriam todo o firmamento. Trevas. Relâmpagos começavam a cruzar o céu, transformando a noite em algo ainda mais tenebroso. Medo.

* * *

Nove e cinquenta e cinco da noite. A segunda avalanche de criaturas do inferno parecia muito mais feroz que a primeira. A matilha que permanecia abaixo da batalha rodopiava ansiosa, esperando, carniceira, os anjos caídos.

Alguma coisa diferente precisa acontecer, pensou Thal. Elias tinha que obter êxito absoluto. Precisavam reforçar o grupo de orações. Calculava que, se as coisas não mudassem, suportariam, no máximo, até a meia-noite.

Quando sentia o escudo fortalecer-se, era sinal de baixa nos anjos em batalha. Os mortos paravam de receber energia vinda da Casa Celestial, que, por não ser consumida, retornava ao grupo vivo. Era considerável, mas precisavam de muito mais. E somente com as orações, com fé verdadeira, multiplicada várias vezes, poderiam trazer energia suficiente para protegê-los e fortalecê-los ainda mais.

Os anjos feridos melhoravam bastante quando retirados da batalha. Cerca de cinquenta permaneciam imóveis, como num estado de hibernação. A luminosidade em suas peles retornava gradativamente, conferindo aparência saudável. Talvez houvesse tempo de se restabelecer e voltar ao campo de batalha. Talvez.

Do meio da briga, os quatro anjos resgatadores traziam mais dois. Voavam em velocidade média. Deixaram os feridos à margem do grupo para que se juntassem aos demais. Quanto aos quatro ajudantes, já estavam novamente a caminho da batalha, do vespeiro, esperançosos em resgatar mais irmãos das garras da morte.

Thal os observava quando sentiu uma sensação ruim: uma perda de energia. *Coisa estranha.* Pairando, para melhor observar a batalha, perdeu altura até tocar o chão; de quatro, desequilibrou-se ao deixar os joelhos fincados no campo gramado. Estava perdendo a força. Seus olhos pesaram e o som ficou abafado em seus ouvidos. *Gregório*, pensou o general.

Trovejou. A chuva viria, o que aumentava as esperanças do anjo. Com a chuva, teria energia extra, mesmo que temporariamente. Atacaria com fúria e rapidez. Aproveitaria o poder da chuva, que o fazia praticamente indestrutível. Thal olhou para o braço: a pele clareou; podia ver o chão através da túnica e do membro. Estava desaparecendo. Isso não podia estar acontecendo. Não agora. Olhou para trás, para a igreja. *Era isso!* Aqueles cães tinham ido acordar Gregório. Não podia permitir. Estaria tudo acabado. Quando Gregório adormecesse novamente, se adormecesse, poderia ser tarde demais; poderia não haver por que lutar.

O anjo gigante decolou. Precisava chegar o quanto antes. Algo de errado, no entanto, estava acontecendo. As asas perderam a potência após um segundo. Thal sentia medo. Caiu involuntariamente e bateu em um morro, jogando terra para os lados e arrancando plantas. Uma dor profunda no tronco. Estava interagindo com o plano físico. Raramente acontecia, a menos que fosse preciso e que ele desejasse... Estava perdendo o controle enquanto se desintegrava. Sentia-se tonto, desorientado, como acontecera ao abandonar o corpo de Gregório. O braço do anjo formigava... uma fisgada, como se algo penetrasse seu corpo espiritual. Sono.

Thal levantou o rosto do chão e olhou para a igreja. Estava chegando. Lá de trás, pôde ver os homens escapando por uma abertura. Havia um corpo. Era Gregório, inexplicavelmente ainda adormecido, sendo carregado nos braços. Thal levantou-se com dificuldade, esforçando-se ao máximo para não tombar em decorrência do torpor que o consumia. Estava dopado, drogado. *Como era possível sentir-se assim? Não podia esmorecer, precisava lutar!* A vida de muitos anjos dependia da consciência do general. *Precisava lutar!*

Estavam colocando Gregório num veículo. Thal tinha de detê-los. Os anjos e cães próximos à cena estavam ocupados demais para intervir. Decolou. Tomou velocidade. Iria detê-los. Se Gregório acordasse, se Thal adormecesse... não haveria amanhã para as almas de Belo Verde.

Mael viu quando Gregório foi colocado no veículo. Destruiu mais um cão e dirigiu-se para a caminhonete. Os homens subiram. Mael agarrou o para-choque da picape firmemente. Veio o tranco: não precisaria empregar tanta força, pois seria fácil detê-la. O único inconveniente era um cão aproximar-se e molestá-lo, mas, com a visão periférica, percebia que restavam poucos animais, e os irmãos estavam levando a melhor. Uma esfera de luz aproximava-se à esquerda. Era um anjo. Era Thal.

O general vinha muito rápido. Por um instante, tudo se tornou brilhante demais para Mael. Em seguida, os olhos perderam o brilho, lentamente. Thal não chegara até ele ainda. Não suportando mais o peso do veículo, o anjo soltou a picape. A força sobrenatural esvaía-se. Escurecia. A ponta de uma espada apareceu em seu peito e um hálito quente aproximou-se da nuca.

– Morra, miserável! – balbuciou, baixinho, um anjo das sombras.

Descontrolado, Thal bombardeou o capô da picape, sacudindo-a violentamente. Os humanos assustaram-se e o veículo começou a movimentar-se; desembestou-se pela estrada, levando Gregório em seu bojo. O anjo tentou levantar-se, mas caiu de costas. Via agora as lanternas afastando-se. Eles não poderiam levar Gregório. Queria levantar-se, porém foi impedido pela ponta da espada de um anjo demoníaco, de peito largo e braços fortes, que tinha os músculos proeminentes e trajava um saiote vermelho. Os chifres eram curtos e pontiagudos. O demônio sorria. Tinha o anjo do Ponto à sua mercê. O general estava indefeso.

– O campo é lá – disse Thal, apontando a espada para o pasto.

– Não precisa dizer, seu filho da mãe. Só quero que saiba que eu poderia ter liquidado você aqui mesmo – advertiu o anjo do mal. – Por que está no chão, rolando na lama como os porcos, guerreiro? – perguntou o inimigo, balançando a cabeça, indignado.

Thal ficou em silêncio. A visão o abandonava. Estava sem forças até para falar.

Sentiu que o levantavam e ouviu o barulho de asas demoníacas sendo abertas, espalhando som de trovão. Desejou a chuva. A chuva o recuperaria. Estava sendo carregado com consideração e cuidado. Voava rápido. *Para onde?* O pânico começou a crescer. Poderia estar sendo carregado para o lado dos demônios, que avançariam contra ele, todos ao mesmo tempo. Seria estraçalhado, arremessado ao mar de olhos em brasas. Tentou mover-se. O corpo não obedecia. Temeu desmaiar, como quase acontecera naquele dia no beco em que Khel lhe parecera tão poderoso.

Então, sentiu o corpo liberto. Despencava das alturas, como naquele dia no beco, quando despencara de cima do prédio. Quase podia ver tudo acontecendo novamente. *Estaria sonhando como um humano sonhava?* Thal gritou, invadido pelo medo, o medo que conhecera dentro do humano, o medo que devorava os filhos do Pai Celestial. O medo de desaparecer. Seu corpo bateu contra o pasto. O anjo abriu os olhos, assustado: estava cercado pelos seus. Lá em cima, pairava o anjo inimigo. O anjo das sombras fez uma reverência para os anjos outrora irmãos e partiu para o seu lado, esperando a hora certa de enfrentar o soldado do Ponto.

* * *

Um tenente da FAB, a Força Aérea Brasileira, fazia o exame rotineiro dos seus instrumentos. Aquele posto-radar sempre fora pacato, sem tráfego intenso, nada de suspeito para animar, apenas a vigilância constante, em busca de naves pequenas que pudessem estar a serviço do tráfico de entorpecentes ou contrabandos. Nada na tela. Monotonia, como sempre. As rotas comerciais eventualmente trocavam de horários, mas, até o momento, tudo se encaixava perfeitamente na planilha que recebera. Tomara uma dúzia de xícaras de café, partindo agora para a seguinte. Levantou-se e foi à mesa do lanche.

O filho mais velho resolvera comprar uma motocicleta. Repassava, mentalmente, todo o arsenal de argumentos que seria obrigado a utilizar para tirar a ideia da cabeça do guri. Era uma guerra dificílima. Ele próprio, contra a vontade do pai, tivera uma moto. *Como era delicioso pilotar*, pensou, liberando um melancólico e prolongado suspiro. A moto lhe trouxera a esposa e um coma de dois meses. Sobrevivera por vontade de Deus. Só isso para explicar a recuperação total do trauma. O filho nunca teria moto. Tinha fé no garoto, sabia que ele era um menino ajuizado, mas motos eram demônios de duas rodas, tiravam o sono de qualquer pai.

Despejou o café no copo plástico, sorveu um gole amargo, fez careta. Tentava abandonar o açúcar, mas adoçante era ruim demais. Detestava a barriga que estava ganhando, *mas que mal faria um pouquinho de açúcar no café?* Despejou três colherinhas. Primeiro gole. "Pem! Pem! Pem! Pem! Pem!" Assustou-se. Era o Alarme de Parâmetros, que disparava sempre quando o radar detectava alguma aeronave trafegando na região e fora dos indicadores, fosse velocidade, tamanho ou altitude. A luz tripla era novidade para o tenente: disparara pelos três motivos. Geralmente, eram balões meteorológicos que escapavam aos padrões, falhas do sistema e, raramente, nuvens sobrecarregadas. Saberia o que causava aquela amolação assim que examinasse a tela.

Soltou a xícara de café na bancada. Bateu o dedo na tela do radar. Uma, duas vezes. *Tinha que ser um defeito. Só podia ser um defeito.* Aquele objeto, detectado pelo radar, manchando a tela defeituosa, tinha o tamanho de seis campos de futebol! Não era um balão. Decididamente, não. Não era um avião. Pelo menos, não um terrestre. *Não terreno?! Meu Deus! No que estava pensando, afinal de contas? ETs?* Foi isso que passou pela cabeça do tenente. *Não eram ETs coisa nenhuma! Provavelmente, mais uma falha idiota daquele satélite idiota ou dos radares terra-ar, também idiotas.* Checou o sistema de novo. Conferia. A coisa estava ali, a oito mil pés. Se fosse de dia, seria possível vê-la a olho nu. Para ser verdade, precisava ser um veículo extraterreno.

O tenente resolveu apelar. Desligou todo o sistema e religou-o. Costumava funcionar. Passaram-se dois agonizantes minutos. Então lá veio ele: "Pem! Pem! Pem!". O homem abaixou o volume do alarme e checou se o equipamento estava funcionando corretamente pela nona vez. Se aquilo fosse um alarme genuíno, o suporte tinha que estar funcionando. E estava. Fitas magnéticas gravavam os dados visuais. O computador armazenava dados importantes, fazendo análise dos parâmetros, tentando identificar o negócio. Uma imagem tridimensional poderia ser obtida rapidamente, se o tenente desejasse. Correu para o computador.

Antes que iniciasse, o telefone tocou.

CAPÍTULO 40

Encostaram a caminhonete em frente ao galpão, transformado em igreja para os encontros sinistros. Não compreendiam como Gregório ainda podia estar dormindo. Antes de removê-lo, Pablo pediu uma lanterna e examinou as pupilas, descendo com o facho de luz pelos braços. No esquerdo, encontrou.

– Drogaram ele. É isso – explicou aos parceiros burros e sem imaginação.

Carregaram o rapaz para dentro do galpão de Genaro e o recostaram num banco. Pela intensidade de relâmpagos e trovões, logo estaria chovendo canivetes.

Genaro estava ajoelhado, aparentemente orando.

– O que ele diz? – perguntou Pablo ao velho, ajoelhando-se ao lado.

– Não diz nada. Tem alguma coisa errada. Nosso Senhor prometeu que estaria aqui para nos orientar até a hora de beber o humano, de nos alimentar de seu precioso e especial sangue.

Pablo levantou-se.

– Mas ele havia ordenado que acordássemos o humano, certo?

Genaro aquiesceu, sem levantar o rosto ou abrir os olhos.

– Vamos levá-lo para baixo? Para a gruta?

Genaro levantou a cabeça e a balançou em sinal negativo.

– Lá é perigoso agora. Melhor ficarmos com ele aqui, armados e prontos. Se o vampiro voltar para pegar o irmão, não acho bom estarmos lá embaixo. Ele nos surpreendeu da última vez.

– Até que você é esperto, velho. Vamos deixar tudo pronto pra festinha do seu Senhor, então.

Pablo retirou-se e espalhou ordens, movimentando o pessoal da igreja. Levaram Gregório para a parte traseira do galpão, um depósito vazio no térreo. O mezanino acondicionava diversos tipos de madeiras. Bem no meio do pavimento, uma coluna de sustentação. Com pedaços de corda, amarraram Gregório ao poste pelos pulsos e firmaram seu tórax. Gregório tinha um metro e oitenta e era pesado. Desmaiado, parecia pesar o dobro. Perderam bastante tempo, não se preocupando em deixar a vítima em posição confortável, mas sim que estivesse bem presa. Iriam acordá-lo e não sabiam do que ele era capaz. Os irmãos visitados por forças satânicas diziam que aquele homem era o ponto-chave na batalha que se desenrolava no plano espiritual. Talvez tivesse poderes mágicos, forças conferidas pelos anjos de luz. Era imprevisível.

Pablo saiu do salão e voltou minutos depois, com algumas latas de cerveja que estavam na picape.

– Tá na hora de acordar, querida.

Apanhou uma lata e agitou-a intensamente. Abriu e espirrou o líquido, que escapava em jatos, no rosto do homem. Gregório ainda não demonstrava sinal de despertar, mas depois da quarta lata iniciou uma série de piscadelas e ergueu a cabeça. De olhos fechados, resmungou, tossiu e enfim acordou. Pablo continuou esguichando as cervejas até ter certeza de que ele estava consciente. Deu alguns tapas no rosto, agarrou-o pelos cabelos e ergueu a face.

– Acordou?

Gregório tentou balbuciar alguma coisa e abriu os olhos. Estava em pé, pisando em algo que parecia chão de terra, pois sentia o atrito de areia na sola das botas. A cabeça estava dentro de uma colmeia. Ouvia pancadas ritmadas; os olhos pareciam cheios de areia. Sono. Um tambor sob os ouvidos; um som ruim que vinha de todos os lados; tinha dificuldade para ordenar as ideias. Um desafio. *A igreja...* lembrava-se do último lugar onde estivera, *mas onde estava agora?*

Uma dor forte vinha dos pulsos. À medida que recobrava a consciência, mais dor Gregório sentia. Primeiro, os pulsos, onde mais doía, depois as costas e o peito. Tentou apoiar-se nos pés, mas era difícil, faltavam forças. Por vezes, quase adormecia, mas o sofrimento era insuportável. Se conseguia erguer a cabeça, sentia náuseas.

– E aí, espertinho? Tá doendo, não tá? – perguntou Pablo.

Sobressaltado, Gregório bateu a cabeça com força contra o poste em que estava amarrado. *Amarrado?* Imaginava-se sozinho até então, *mas aquela voz... ele conhecia aquela voz... era uma pessoa... sua vida antiga e anuviada...* A cabeça pendeu para a frente. Estava fora de si, embriagado. *O doutor... ele havia aplicado uma injeção. Era isso. Mas por que diabos estava amarrado?*

– Sabia que já era pra você estar mortinho? – perguntou o homem de voz familiar. Aos poucos, Gregório ia recuperando a consciência. – Se não fosse por uns chegados seus, você já teria rodado. Gostou da visita do Jeff? Eu que agendei pra você.

Ouviu risadas. Tinha muito mais gente. O tambor sinistro continuava repicando, tamborilando. Um barulho de explosão. *Onde estou?*, perguntou-se. O mundo apagou-se, e uma imagem veio-lhe à cabeça.

Anjos, muitos anjos, ele passava entre eles, enfileirados, olhando-os nos olhos. Eram anjos, tinham expressões que emanavam coisas benignas. Tinham coloração bronzeada, cintilante, tinham aura e asas maravilhosas. Pareciam aguardar um sinal dele, queriam-no. Estava experimentando uma sensação relaxante quando um relâmpago irrompeu em seus devaneios. Devia ter gritado, pois os homens riam. *Seriam eles?*

Do mesmo modo que vira os anjos, agora Gregório via demônios enfileirados, esperando. Eram diferentes tipos de demônios, mas reconheceu aqueles que o atacaram na fazenda. Eram milhares agora, milhares! Sentiu medo: *eram eles que gargalhavam? Eram eles que tinham levado seu irmão?* Um tapa dolorido no rosto o fez procurar o agressor.

– Não dorme, não. Já dormiu demais por hoje, seu puto – ordenou a voz.

– Pablo?

– Ah! A mocinha resolveu falar, então...

CAPÍTULO 41

Khel raspava as garras contra o pasto e corria em direção ao círculo de anjos onde tinha visto Thal ser arremessado por um alado. O general celestial, o anjo do Ponto, finalmente tinha voltado ao pasto. O demônio galopava enfurecido, secundado por um volumoso grupo de feras que bramiam e expunham presas pontiagudas. A ideia era arrebentar o círculo de proteção como uma onda. Do seu jeito, selvagem e inconsequente. Os anjos entrariam em combate com a horda de cães, e ele pegaria o anjo do Ponto. Thal era dele. Todo aquele confronto tinha se armado por conta de sua oposição ao general Thal. Esmagaria o corpo do anjo em seus dentes, mastigaria cada pedacinho com gosto e o veria, com prazer, renascer como um deles, um demônio alado, um serviçal, ao seu dispor.

Os anjos protetores viram, com surpresa, a onda preparada por Khel se aproximar de maneira desorganizada e inesperada. Os olhos amarelos das feras terrestres luziam, e a fúria no disparo da matilha se refletia no mundo físico com o pasto sendo jogado para os lados e para o alto a cada galope. Os anjos ergueram as espadas. Não deixariam que chegassem perto do general.

Thal, de joelhos, sentia os músculos arderem enquanto se colocava de pé, entorpecido, apoiado à espada, como se essa fosse mais uma bengala que uma arma para defrontar feras. Os ouvidos captavam urros das feras. Os olhos focaram o líder da matilha, que galopava em sua direção, a língua fendida para fora, os dentes salivando. Seu antagonista, seu inimigo, Khel, vinha para a contenda. Thal forçou um passo para a frente e apertou o cabo da espada. Não tinha mais forças, mas precisava resistir, resistir até o último segundo.

Os humanos tinham se reunido e juntaram tanta força que os bravos guerreiros celestiais resistiam de modo milagroso. Os humanos eram a razão do milagre. Aquela noite terminaria como uma das mais sombrias para as hostes celestiais, mas seria lembrada para sempre como a luta de homens e anjos contra os inimigos da luz. Finalmente baniriam o vazio que consumia o homem desde que se apartaram da fé pura e verdadeira. Ele estava ali para garantir que assim fosse. Thal inspirou fundo e ergueu sua lâmina. Os olhos do anjo nos olhos de Khel. Estava pronto. Que fosse feita a vontade do Pai Celestial.

* * *

A visão começava a entrar em foco, a clarear. A caricatura humana começou a tomar forma. Sim, era Pablo. E, se não estivesse enganado, o outro vulto atormentado, logo atrás, era um dos desajeitados capangas, Ney. Como sempre, Pablo vestia o sobretudo preto e dele sacou uma pistola 380. Gregório sentiu o cano gelado da arma pressionar e empurrar dolorosamente a cabeça contra o pilar onde estava preso. Já estivera sob armas apontadas mais de uma vez, porém era a primeira em que desejava que o carrasco puxasse o gatilho.

Os últimos dias foram rápidos e confusos demais, como em sonhos infantis. E as estranhezas estavam chegando a um ponto-limite. Gregório queria que elas parassem de acontecer. Um tiro, bem no meio da testa, talvez resolvesse o problema. Perdera o irmão, e a culpa não o abandonava. Mais gente tinha morrido naquela manhã; isso, considerando que ainda estivesse no mesmo dia. E ele sentia-se responsável por tudo, por aquele sangue. Quisera nunca ter voltado para a terra natal. Certamente, as coisas continuariam como na última década.

O pior não era a culpa, a autocomiseração – era sentir-se responsável pelo sofrimento da cunhada. Aquilo acabava com ele. A falta que Samuel faria. Aquilo só alargaria o abismo que se tinha fendido entre eles. Não era um cara legal, ele não era do time dos mocinhos, mas um demônio, alastrando peste negra. Não tinha que ter voltado. Gregório só queria saber quem ele era. Só queria ser alguém em quem pudessem confiar. Não estava ajudando. Isso tinha que acabar, e melhor que fosse agora, daquele jeito: rápido e, com sorte, indolor.

– Eu podia esparramar esta porra que você chama de cérebro bem aqui, na frente de todo mundo. Ninguém iria fazer nada – murmurou Pablo no ouvido de Gregório.

– Vai em frente! – balbuciou Gregório, quase desacordando.

– Não me provoque, filho de uma putinha. Seu sangue vale merda para mim, mas tem umas pessoas aqui que discordam, para sua sorte. Estou contente em ajudá-los com esses problemas, mas de você quero uma coisa além de sangue – fez uma pausa, esperando uma pergunta. – Quero minha grana, meu dinheiro. Se você não devolver, vou pra fazenda da sua família e toco fogo em tudo.

Gregório ergueu a cabeça. Os olhos arregalados.

– Toque fogo em mim, seu covarde.

Pablo riu.

– Eu, covarde? Você que veio esconder seu rabo aqui e eu é que sou covarde?! Dá um tempo, Greg. Você me trouxe pra cá, a culpa é sua, filhão. Deixou o coitado do Renan pra trás. Ele contava contigo, até o último minuto, sabia?

Gregório ainda o encarava, com os olhos injetados de ódio. Mas Pablo não havia terminado:

– E, antes de ir embora, vou comer aquela sua cunhadinha gostosa. Quem sabe ela não se apaixona por mim e decide ir comigo? Não vai ter mais marido mesmo, afinal, seu irmãozinho tá desaparecido ainda, não é? É, você tem a quem puxar mesmo. Ninguém nessa família sossega o facho. Ha-ha-ha-ha!

Gregório agitou as cordas, tentando se libertar. Aquele verme maldito não iria botar os olhos em cima de Vera. Era culpa demais. Queria viver mais alguns minutos para ter certeza de ter levado embora da face da Terra aquele cuzão.

– Uau! De repente, ficamos lúcidos aqui, não é verdade? – ironizou Pablo.

Chegou junto de Gregório e aplicou-lhe um forte soco na boca do estômago. O rapaz gemeu. O próximo acertou o rosto.

– Pare! – ordenou o velho Gê, entrando no salão.

Gregório o reconheceu. Por um instante, imaginou que chegara sorrateiramente, no intuito de salvar-lhe a pele, mas logo mudou de opinião.

– Ele deve estar consciente e intacto até recebermos outro chamado de nosso Senhor. Até lá, não encostem um dedo nele. Podem se arrepender.

Pablo, visivelmente contrariado, afastou-se.

– Só quero saber onde tá a minha grana! – gritou para Genaro.

– Tá enfiada no rabo da tua mãe! – respondeu Gregório.

Pablo virou-se furioso, vermelho, colérico. Avançou para Gregório e o acertou no tórax diversas vezes. Gregório não exprimiu qualquer sinal de dor, talvez porque ela fosse intensa demais. Um disparo explodiu no galpão, fazendo cacos de telhas voarem para todos os lados. Genaro empunhava uma espingarda, com o cano para cima, e disse para Pablo:

– A próxima vai direto em você, meu irmão.

Pablo fez menção de apanhar a pistola, mas percebeu que não seria sensato. Estava consternado. O que aqueles caipiras queriam? Sorte deles ele também ter sido advertido pelo cão em sonho. Não fosse assim, já teria terminado com a festa daquele povo estranho e de Gregório.

– Afaste-se – ordenou Gê. – Você vai ter seu dinheiro se tudo der certo.

– Não precisa falar duas vezes, vovô. Não precisa. É que isso aqui é rixa velha. Não curto quem me passa pra trás. Vocês são sortudos.

– Por quê? – perguntou o velho, apontando a arma para Pablo.

– Por nada... – desconversou o traficante.

– Ele tem que ficar acordado. Você não está ajudando. Por que não vai para o salão da igreja? Pode ser mais útil – sugeriu Genaro a Pablo, que recusou, ajeitando-se num banco improvisado com tocos de madeira no fundo do galpão. Precisava esfriar um pouco para não fazer bosta antes da hora. – Agora, vamos todos esperar – disse Gê.

Dez e cinquenta da noite. Ele havia desaparecido diante de seus olhos. Não fossem alguns anjos estarem cientes dessa probabilidade, teriam enlouquecido naquela mesma hora. A matilha de Khel se dividiu, passando ao largo do círculo de proteção, xingando e maldizendo o destino. O maldito general tinha se tornado uma nuvem de pontos cintilantes e evaporado num piscar de olhos. Xingavam Thal de covarde e, queimando em ódio, fizeram a volta, retornaram ao numeroso exército de demônios. Khel não deixaria Thal fugir assim.

O responsável pelo quinto batalhão, anjo Mael, tomou conta da situação. Estavam sem o precioso general. Provavelmente, estariam liquidados antes que o anjo do Ponto voltasse. Cardinal comandara o ataque do quarto pelotão, mas deixara de existir para a luz. A terceira e a quarta cargas foram extremamente valiosas. Tinham retido as feras por um bom período, prolongando o tempo útil. E agora, por alguma razão desconhecida, o mar de demônios permanecia imóvel na outra margem do extenso pasto. Apesar de não agradar, esse hiato de paz serviria para boas coisas.

À esquerda de Mael estavam os 399 anjos restantes, ou seja, a quinta e a sexta cargas. À direita, repousavam os anjos feridos. Vários restabelecidos permaneciam agrupados aos anjos convalescentes por determinação de Mael. Eram 98 anjos, que ainda poderiam ser úteis. Mais da metade estava apta a retornar à batalha. A cada minuto, a força das orações revelava-se mais potente, tornando os corpos dos anjos enfraquecidos brilhantes e cada vez mais recuperados, viçosos.

O campo continuava limpo de guerreiros, mas, por outro lado, centenas de corpos de anjos de luz jaziam no pasto. O coração de Mael parecia urrar cada vez que os olhos varriam o gramado. *Quantos amigos...*

O céu gemeu. Relâmpagos banharam de luz a face dos guerreiros. Gotas d'água começaram a cair na terra. Um vento forte cruzou o campo de batalha. As espadas aguardavam as novas tropas do mal. A chuva desabava, cadenciada. Trovejadas e relâmpagos pareciam comemorar a proximidade do fim daquele tormento. Os anjos dos dois pelotões restantes insistiam em manter a face dura e um falso entusiasmo, um tentando motivar o outro. E aquela pausa só drenava sua bravura. Tinham muito tempo para fitar a muralha de olhos satânicos à beira da floresta. *O que tramavam as feras? O que aguardavam?*

Mael destacou dois anjos: Yahel e Matatees.

– Vão e tentem contá-los, tentem descobrir quantos restam. Podemos vencê-los ainda, mas precisamos conhecer o inimigo – pediu Mael, tentando encontrar um argumento de incentivo.

Os anjos decolaram lentamente, voando rente ao pasto. A chuva tinha aumentado e urrava em seus ouvidos. O mar de olhos vermelhos continuava impressionante. Parecia que os anjos não tinham derrotado um demônio sequer. Estavam todos rindo à beça do arremedo do Exército de Luz. As feras estavam divididas em grandes blocos, o que facilitava a tarefa. Ainda restavam demônios demais.

* * *

Dez e cinquenta e cinco da noite. Gregório recobrava a clareza dos pensamentos minuto a minuto. Lembrava-se por que estava enfrentando dificuldades para manter-se acordado. Doutor Jessup tinha aplicado uma dose generosa de sonífero. Não fazia ideia, no entanto, de como tinha parado ali, naquele estranho galpão, com um monte de amalucados em volta mantendo-o de olhos abertos. Os estranhos sons, o tamborilar no telhado e as explosões eram resultado de uma violenta tempestade que castigava a cidade. Lembrou-se do milharal. Da chuva. Os olhos rodaram pelo galpão. Lembrou que poderia erguer um trator se tocasse a água da chuva. Aqueles malditos teriam uma surpresa caso ele conseguisse se molhar.

Havia uma janela distante, por onde gotas de chuva entravam. Como a janela estava no alto, quase toda a água caía no mezanino, e apenas um pouco vinha ao chão para formar uma pocinha. *Se conseguisse alcançá-la...* Olhou para a direita; o chão estava molhado pertinho dele. Podia alcançar essa outra poça com mais facilidade. Mas um cheiro de cevada fermentada invadiu as narinas de Gregório. Aquilo não era água da chuva, era a cerveja que lavara seu rosto.

Já desistia quando notou a poça estremecer. Pequenos círculos concêntricos formaram-se por um breve segundo, abrindo e aumentando de dentro para fora. Sorriu. Uma goteira. Era discreta. Demorou até a água ondular novamente. Eram gotas da chuva. Ergueu o rosto, procurando a resposta. E lá estava. Enquanto sua cara servia de saco de pancadas para Pablo, Genaro disparara para cima, abrindo um buraco no teto. Em intervalos de oito segundos, o chão recebia generosas gotas d'água vindas do céu, da chuva. Se quisesse escapar vivo, era melhor alcançar a poça. Seria questão de tempo até a água se ajuntar e a ação se tornar possível.

Gregório esticou o corpo, empurrando a cabeça para a frente. Se desse certo, talvez as gotas atingissem sua cabeça. Esforçou-se ao extremo, até o pulso gritar de dor. Não dava. Se abaixasse um pouco, o pé direito alcançaria a poça. Lamentava a bota não ter um furo na sola. A água jamais atravessaria aquele calçado.

– Que cê tá querendo fazer? – perguntou Ney, que o observava, curioso, fazia alguns minutos. – Tá se esfregando aí nesse pau...

– Não enche, Ney. Tô com um problema aqui...

Ney aproximou-se.

– Que problema, bonitão?

– Acho que entrou um prego na minha bota. Um prego dos grandes. Meu pé tá parecendo uma bica de tanto sangue que tá saindo. Argh! Como dói...

– Que se foda, Greg – retrucou o capanga de Pablo, dando as costas.

Gregório continuou simulando gemidos por mais alguns segundos, tentando se livrar da bota. Esfregava a batata da perna contra a coluna, procurando uma reentrância na madeira em que a boca da bota pudesse se enroscar. Assim, talvez conseguisse se livrar da peça.

* * *

Dez e cinquenta e cinco da noite.

– Eles ainda têm aproximadamente quinze mil soldados.

– E o que esperam? – inquiriu Mael.

– Estão separados em grandes grupos, com mil demônios cada. Não sei o que aguardam... Talvez saibam que Thal não está aqui.

– É bem possível.

– Devemos atacar, Mael?

– Não. Vamos dar mais algum tempo. Vamos tentar descobrir se é isso mesmo que retarda as bestas. Aproveitemos para nos fortalecer na fé, na energia das orações. Conseguimos destruir muitos demônios, mas, agora que a batalha se afunila, as coisas parecem mais difíceis. Como disse, vamos esperar e aproveitar esta pausa. Thal não deve tardar. Assim espero, pois precisamos de nosso general para prosseguir.

Mael abaixou as asas, fixo ao chão. A pele cor de metal refulgia brilhante. A armadura proveniente das orações cintilava, cada vez mais espessa, envolvendo os guerreiros em confiança e força. O anjo gritou ordens às duas tropas. Determinou que permanecessem separadas e prontas para os instantes finais do confronto. Eram quatrocentos homens, fora os anjos feridos e separados, com os quais ainda não poderia efetivamente contar.

– Nosso inimigo aguarda! – gritou. – Preparemos nossas espadas justas para defender nossa integridade. Estejam alertas. Não morram com medo no coração. Morram bravamente. Enterrem fundo a lâmina chamejante em cada fera estúpida que cruzar o caminho. Que a vitória final seja nossa!

Os anjos concentraram-se nas palavras de Mael, o comandante no momento. Sabiam que Thal voltaria. Muitos, ao admirar o "revestimento" espiritual sempre mais potente, sentiam-se, de fato, mais fortes, mais encorajados. Entretanto, toda aquela fortaleza era abalada ao descansarem os olhos no horizonte, observando o oceano escarlate, o inferno, a fogueira viva que permanecia imóvel como uma muralha, bem ali em frente, ondulando como lanternas vermelhas lançadas em um mar maldito.

Restavam ainda quinze mil feras abomináveis. Quinze mil. Eles, os anjos intactos, eram apenas quatrocentos. Eram quase trinta e oito demônios para cada guerreiro de luz.

Ao primeiro movimento do inimigo, estaria decretado o último ato daquela aventura.

CAPÍTULO 42

Onze e dez da noite.

– A caminhonete é aquela mesma? – perguntou o investigador Tatá.

– É ela mesma – respondeu Vera.

Apesar do aguaceiro, da cortina de chuva, ela sabia que era aquele carro que tinha levado seu cunhado. Tatá tirou o revólver do coldre. Estavam no sítio do velho Gê. A roupa começa a grudar em seu corpo. Estavam desprotegidos e encharcavam-se rapidamente fora do carro do policial, que já tinha ficado para trás.

– Pssiu! Vera! Volta aqui, garota – sussurrou o policial, enérgico.

Ela parou, abrindo os zíperes da bota e tirando o calçado. Tinham deixado o carro um pouco afastado do galpão, encoberto pelo mato à beira da estradinha de terra que, àquela hora, já tinha virado lama.

O investigador alcançou a moça com certa dificuldade para equilibrar-se. Sentindo o pé dançar no barro, entendeu por que ela tinha removido as botas.

Dois acompanhantes desceram da viatura: doutor Jessup e Edu, outro policial civil de Belo Verde. Jessup quase caiu ao dar o primeiro passo, batendo forte contra o capô do carro. O impacto produziu um barulho alto, o que provocou uma carrancuda reprimenda por parte do policial. O velho recobrou a pose e juntou-se aos demais.

– E agora? – perguntou Edu ao investigador.

– Não sei. Só não podemos largar o rapaz lá dentro, com aqueles caras armados.

– Ele não está em condições de se defender – interveio o doutor. – Apliquei drogas fortes nele, para que ficasse adormecido. Gregório nem deve saber o que está acontecendo.

– Você e Vera fiquem aqui. Edu e eu vamos tentar recuperar o rapaz. Por favor, não saiam daqui. Se tivermos algum problema, vamos precisar de vocês vivos para nos ajudar.

Vera agarrou o investigador pelo punho. A água escorria do queixo.

– Não vou ficar aqui parada se vocês demorarem. Não vou aceitar perder mais ninguém da minha fazenda. Se eu tiver que entrar lá, eu entro.

Jessup, ensopado, deu de ombros.

– Tome – Edu estendeu uma PT para doutor Jessup. – Sabe usar esta pistola?

– Sei exatamente como usar.

– Qualquer problema, não economize balas; tenho um estoque em casa.

Doutor Jessup sorriu. Vera jogou o cabelo molhado para trás. A chuva caía incessante, dificultando a visão. Tinham perseguido a picape até a entrada da fazenda do velho Gê, mas, como estavam desarmados, tiveram de voltar para buscar Tatá. Aquela insanidade tinha que acabar. Se os anjos estavam em guerra no plano espiritual, os homens tinham que fazer sua parte, combatendo os inimigos também no plano físico, mesmo que para tanto Vera tivesse de atravessar o mundo e defender Gregório, além de continuar procurando Samuel.

* * *

Gregório encontrou no poste algo que parecia um prego, onde prendeu a borda do calçado. Aos poucos, foi tirando a bota.

Os homens, sentados, aguardavam instruções do velho Gê, ávidos por mais matança. Pablo acalmara-se temporariamente, mas mantinha a ideia fixa de acabar com Gregório ainda naquela noite. Mesmo com a promessa de ser recompensado por ajudar no plano daqueles dementes satanistas, queria descobrir primeiro onde o filho da mãe tinha enfiado seu dinheiro. Simplesmente não engolia ser feito de otário.

A mente de Gregório estava mais clara e menos pesada. Conseguia guardar seu raciocínio e seguir em frente com o ardil. Observando, notou que a maioria dos adversários estava armada. Se o plano funcionasse, se ele alcançasse a poça d'água e molhasse os pés, se ele recebesse aquela força extra para se libertar das cordas, era bom que conseguisse velocidade sobrenatural também, pois teria de correr ligeiro o bastante para se mandar dali sem tomar uma azeitonada na cabeça e escapar para o exterior do galpão, embrenhando-se no mato o mais rápido possível. Gregório contara: só ali, tinha oito caras; lá dentro, depois de uma porta por onde pareciam descer para outro cômodo, era impossível saber. No mínimo, três. Sentiu a bota soltar-se completamente. Estava sem meia, descalço.

Agora, precisava concentrar-se na segunda parte do estratagema: alcançar a poça e molhar os pés na água da chuva. Esperou um segundo. Os homens estavam olhando para ele, como se decidissem sobre seu destino. Pelo menos dois perceberam que ele tinha tirado a bota. Temeu que estragassem a tentativa, mas, aparentemente, estavam cagando para o pé descalço.

Com os rivais distraídos e conversando em roda, o homem aprisionado teve chance de executar a tarefa. Abaixou o corpo, raspando contra a coluna, e aproximou-se alguns centímetros do objetivo. O pé arrastou-se ligeiro, tocando a generosa poça d'água. Sentiu a pele umedecer, molhar. Levou alguns segundos além do normal, mas aconteceu. A pele eriçou; a audição aguçou momentaneamente; ele ouvia as gotas da chuva cortarem o céu. Estava se conectando àquele mistério retumbante mais uma vez. Os olhos cintilaram, tornando tudo mais claro. Sentiu a força chegando, tonificando, queimando como eletricidade. Os músculos pareciam rocha. Ele tinha o "poder" novamente.

Os homens conversavam animadamente, sem dar bola para o prisioneiro subjugado. Por isso, nem perceberam quando Gregório arrebentou o cordame, como se fosse feito de manteiga, que prendia seus pulsos.

Apesar de livre, Gregório manteve-se na mesma posição, para disfarçar, fingir-se preso até detectar uma boa oportunidade para deixar o lugar. Apenas um homem deteve-se, com o queixo caído, tamanho o espanto. Atabalhoado, sem conseguir falar, cutucou um colega, que fez o mesmo com outro e assim por diante, até que todos estavam virados para Gregório, com surpresa estampada no rosto.

Dois trataram de engatilhar a espingarda. Gregório permaneceu imóvel. Os outros correram para suas armas, colocando-as em prontidão. Gregório tentava descobrir o que o havia denunciado, mas não encontrou nenhum indício gritante, exceto a bota fora do pé. Dois apontaram as armas em sua direção. Foi quando percebeu que o problema não era exatamente com ele. Estavam olhando para além dele.

Gregório ouviu uma batida de porta. Tentou, mas não conseguiu, olhar por cima dos ombros. Se forçasse um pouco mais, eles perceberiam que as cordas estavam completamente soltas. Um vento forte entrava no galpão.

Os homens esqueceram o prisioneiro. Os dois primeiros viram claramente um braço empurrando e abrindo a porta. O intruso permanecia escondido do lado de fora, sem revelar sua figura. Era um braço normal, com uma blusa comprida, encharcada pela chuva. A porta abriu-se por inteiro e depois começou a fechar lentamente, rangendo, empurrada de leve pelo vento cortante. Os outros, despertos pelo movimento da porta, apanharam as armas e agruparam-se. Subitamente, um vento forte e repentino atirou a folha da porta contra a parede do galpão, provocando um estrondo.

– É só o vento, seus palermas – grunhiu Pablo.

– Cala a boca. Eu vi um braço abrindo aquela porra.

– Eu também vi – disse Arthur.

– Se vocês viram alguma coisa, vocês vão lá e chequem – resmungou Ney.

Os homens se entreolharam. Todos pareciam apoiar Ney, livrando-se do problema.

– É foda. Eu vou.

Arthur seguiu o amigo. Os dois passaram por Gregório, sem perceber que as cordas estavam frouxas.

O prisioneiro aguardava um momento de distração para ter uma boa chance de se mandar dali inteiro. Agora todos estavam alertas, não seria inteligente se mover.

Os homens se aproximaram da entrada, mas o braço não apareceu, o que só aumentava a tensão. Teria sido um simples curioso, que, depois de presenciar um bando de gente armada com um cara amarrado a um poste, resolvera fugir? Seria encrenca? O único barulho que ouviam era o da chuva, caindo com estardalhaço. Os trovões retiniam como espadas, e depois como tambores gigantes, fazendo as mãos dos homens tremerem.

Arthur foi quem chegou primeiro até a porta. Havia alguém ali, ele tinha certeza. Resolveu verificar com precaução. Se atravessasse de uma só vez, podia ter um cara esperando para acertá-lo. Tinha que chegar de mansinho. Encostou-se na parede, ao lado da porta. O amigo o imitou, e Arthur fez um sinal para que ele esperasse.

Chegando bem perto da porta, ele enfiou a cabeça para fora. A chuva o impedia de enxergar direito, ainda mais porque o vento jogava os pingos para dentro do galpão, direto em sua cara. Entretanto, a chuva não reduzira o tato do homem, o que pôde confirmar quando um cano de revólver frio tocou sua cabeça. Recobrando o foco, reconheceu quem o empunhava. Era o investigador de polícia.

– Tatá?

– Arthur, cê tá numa encrenca, meu chapa.

Tatá puxou-o para fora. Tomou a espingarda e jogou-a na lama. Torceu o braço do homem, mantendo-o preso às costas. Arthur seria seu escudo para libertar Gregório daquela confusão.

– Num entra lá, Tatá, os caras são malucos. Vão te matar.

– Cala a boca, Arthur.

Tatá empurrou-o, apertando e torcendo o braço ainda mais. Arthur soltou um grunhido de dor.

Entraram pela mesma porta. Tatá e Edu ouviram armas sendo engatilhadas, prontas para disparar. No canto esquerdo de seu campo visual, o investigador localizou Gregório.

– Eu só quero o rapaz de volta! – gritou.

Tatá deu alguns passos para dentro. À esquerda, um homem nervoso empunhava frouxamente a espingarda. Se não estivesse enganado, aquele cara era filho do falecido Boa. Não era perigoso, estava congelado, pronto para mijar nas calças. Estava preocupado com os rostos da dupla de estranhos que via no meio daqueles caras esquisitos de Belo Verde.

– Que timinho de primeira tá aqui, hein? – disse Edu. – Só tem sangue bom.

Pablo, com a pistola erguida e apontada para Tatá, deu dois passos para a frente, chacoalhando o sobretudo.

– Ninguém leva o porra-louca daqui.

– Não sei quem você é, mas acho que não me escutou direito. Sou da polícia. Fica na sua, só quero levar o cara. Vocês deixaram uma porção de gente com medo lá na igreja.

– Quem não escutou foi você. Não tenho medo de policial cuzão nenhum. Se não querem morrer, é melhor você e seu amiguinho caipira largarem as armas...

– Sequestro é crime sério, amigão... – advertiu Edu.

– Matar cana também é! – juntou Tatá. – Aqui no mato ou lá no concreto.

Pablo estendeu o braço e disparou, acertando Arthur no abdômen. Arremessou-se ao chão, evitando o primeiro disparo da arma de Edu. Rolou para o lado, protegendo-se atrás de um pneu de trator. Tatá caiu com Arthur. O homem começou a sangrar. O desgraçado do cabeludo queria ter acertado os dois, o investigador e o comparsa. Antes de levantar-se, ouviu uma saraivada. Tatá certificou-se de que não estava ferido. À direita, viu Edu atingido e gemendo. Arrastou-se com ele até abrigar-se fragilmente atrás de um banco de madeira e levantou a cabeça, procurando o cabeludo. Arthur estava imóvel, provavelmente morto. Gregório estava abaixado no canto do galpão, protegido por fardos de feno.

Tatá saiu do esconderijo. Ao voltar para o meio, avistou oito pessoas no galpão, contando com Arthur. Apreensivo, de arma erguida, o investigador viu mais gente entrando por outra porta, vestidos com batas negras. Quantos? Não sabia. Apoiou-se numa das colunas do galpão para proteger parte do corpo. O ambiente estava ficando cada vez mais perigoso para um homem só lidar. O problema em mirar sua arma contra aquela gente era que a maioria era de Belo Verde; conhecia quase todos pelo nome. Que faziam, por que estavam armados, vestidos daquele jeito?

Os inimigos escoravam-se contra colunas e montes de madeiras provenientes da loja do velho Gê. Tatá acertou um na perna; era Romeu, ele o conhecia. Não queria matar ninguém sem saber o que estava acontecendo. Romeu, caído, começou a espernear, mas Tatá não estava comovido. "Antes ele do que eu" era sua filosofia; só não queria matar. Exceção era o cabeludo.

Ao lado, Gregório arrastava-se, tentando alcançar a porta. Atiravam em sua direção, mas os criminosos estavam tão nervosos que não acertaram ninguém.

Gregório arrastou-se para fora daquela prisão e deitou-se de costas. Recebendo a água da chuva no rosto, no peito e nas pernas, encheu-se de energia novamente. Quando o pé tocara a poça, havia sentido o mesmo, mas em escala muito menor, o suficiente para romper as cordas, mas não para enfrentar as balas. Agora, sim, estava forte o bastante. *Que viessem, que viessem em seu peito. Agora ele sentia-se indestrutível!*

Quando Tatá viu Gregório voltando pela porta, ensopado pela chuva, não entendeu nada. Imaginou que o cara já tivesse posto sebo nas canelas. O que viu nos instantes seguintes, porém, foi espetacular, aquelas coisas de contar para os netos, se sobrevivesse. Não teria ficado tão deslumbrado se soubesse o desfecho daquele ato, mas apavorado. Na verdade, teria evitado com a própria vida.

Gregório, com a água da chuva escorrendo de seus cabelos, pingando de suas roupas, voltou ao galpão pela mesma porta. O ar parecia mais frio. Procurou Pablo com os olhos. Vislumbrou espanto em duas ou três faces, mas nada do seu oponente. Por um segundo, teve a impressão de que uma camada de luz apareceu e desapareceu sobre o seu corpo rapidamente. Fazia sentido. Sentia-se cada vez mais poderoso. Parecia que uma usina de energia estava pronta para saltar de dentro do seu peito e devorar tudo ao redor. O senhor da chuva voltava com mais energia.

Uma rajada de balas correu na direção de Gregório. Nenhuma o acertou, e, antes que outra viesse, com uma cambalhota ligeira, ele alcançou a arma de Edu, abandonada no meio do galpão. Engatilhou a pistola. Energia. Conhecia aquela arma. Sentiu-se confortado em tocá-la. Levantou-se rapidamente, fazendo gotículas de chuva desprenderem-se da roupa ensopada e do cabelo molhado. Agora tinha uma espada para lutar; iria manejá-la como ninguém.

Um passo para a frente. Confusão. Mais tiros vindos dos seguidores de Satã, farpas de madeira estalando e detritos voando quando os projéteis passavam raspando pelo corpo de Gregório. Ele respirava compassadamente, controlado. Precisava colocar ordem na bagunça; acertar Pablo. Puxou o gatilho. O primeiro disparo acertou um cara abaixado atrás de um latão, deixando-o sem a orelha esquerda e fazendo-o espernear, como um porco no matadouro. O segundo disparo fez o homem parar de espernear, atravessando-lhe o coração e cessando sua dor.

Os bandidos procuravam proteção e coragem para disparar novamente. Estavam amedrontados. Tinha gente morrendo, morrendo de verdade. Por isso, mais tiros foram disparados para cima de Gregório, diante do olhar incrédulo de Tatá. Para o investigador, o rapaz estava louco, tomado por algum tipo de entidade; não tinha como explicar tamanha determinação e imprudência.

Uma vez que estavam concentrados em acertar Gregório, Tatá aproveitou e disparou também, acertando Ney no ombro.

Pablo estava escondido atrás do pneu, aguardando um bom momento para acertar a cabeça de Gregório. Precisaria de um só tiro.

O velho Genaro, desesperado, gritava da porta lateral, que dava acesso à gruta, para que não matassem Gregório; essa não era a vontade de Khel. Ele esperneava, desnorteado, agarrando o rosto com as mãos, sem coragem de entrar no tiroteio.

Gregório encerrou a agonia de mais dois ratos. Os que restaram estavam mais escondidos, fedendo a medo e covardia. Varreu o lugar com a visão. Ainda tinha seis homens entocados. Ney estava no chão, chorando, com o ombro sangrando. Desde que entrara no galpão, Gregório não parara de avançar em passos lentos. Alcançou Ney e apontou a pistola para sua cabeça.

– Esta é pelo Renan, seu merda.

A pistola explodiu, cuspindo um projétil certeiro. A bala entrou no olho de Ney, encerrando aquilo que ele chamava de vida. Ainda soltou um suspiro prolongado, misturado a um gemido. Mas estava morto. Agora, faltavam cinco.

– Você me paga, miserável! – gritou Pablo, abandonando o esconderijo.

Gregório disparou duas vezes, acertando somente o casaco do traficante.

Pablo passara correndo do pneu para um amontoado de caixas, à direita de Gregório.

– Você só acerta gente caída, não é? – berrou o traficante.

– Vou acertar você também, parado ou correndo.

– Cê tá morto, Gregório.

– Então, por que você é quem tá cagando nas calças?

Os outros quatro estavam quietos, tentando espiar o que acontecia, apavorados demais para serem os heróis da noite. *Que o forasteiro se virasse com o "protegido" do Gê.*

Mas Gregório não deveria ter dito o que disse para Pablo. O sangue do criminoso ferveu. Nenhum assassino gosta de ser pressionado. O ódio tomou conta da cabeça do inimigo. *Que morresse! Que se fodesse, mas levaria Gregório com ele,* pensou Pablo.

Tatá espreitava. Qualquer um que aparecesse para atirar levaria chumbo. Aquele Gregório era maluco da cabeça; ficar bem ali, no meio, não era o jeito mais esperto de pegar os caras. *Mas... que diabos! O pior é que aquele esquema maluco estava funcionando!*

* * *

Onze e quarenta da noite. Os anjos aguardavam o retorno de seu general, o anjo do Ponto. Então, um par de olhos descolou-se do oceano vermelho estendido à frente. Veio ligeiro, como raio, direto para o diminuto grupo de anjos. Era um soldado das sombras.

– Bravos anjos de luz... – rugiu a fera feito trovão. – Sabemos que o anjo do Ponto não está entre vocês. Respeitamos a coragem deste grupo insignificante, mas não esperaremos mais. Vamos voltar ao ataque. O anjo do Ponto será dado como desertor ao fim da contenda, e teremos o direito às almas desta cidade.

– Você diz que nos respeita, mas agora chama nosso líder de desertor. Como podem nos respeitar assim? – inquiriu Mikaela, gritando do meio do grupo de anjos feridos.

O anjo das sombras virou-se para a voz contestadora, encarando demoradamente a criatura de luz.

– Valente Mikaela, não é?

– Sou.

– Já lutei inúmeras vezes ao seu lado. Você é a criatura de luz que sentou um dia no ombro de Criador para salvar esta Terra engolida pelas trevas – disse o anjo rival, com a voz quase sumida. – Você não precisava estar aqui. Não precisava socorrer o transgressor.

– Estou onde precisam de mim, onde precisam de minha espada e de minha energia.

– Que assim seja, criatura. Hoje eu luto por sua destruição e, se te encontrar no campo, juro que o farei sem hesitar. Somente a lembrança das antigas batalhas nos chamam para o respeito. Nós os respeitamos ao nosso modo, mas não abuse, anjo fraco – o anjo das sombras decolou, com o rosto fechado e duro. – Não se ocupem em me entender agora, pois todos vocês me encontrarão no campo de batalha e, em poucos minutos, quando estiverem escravos nas trevas, saberão exatamente o que é e como funciona – gritou do alto.

Mael lançou um olhar para Mikaela.

– Quando nós todos cairmos, quero que você junte os anjos deste grupo de feridos e ponha-os o campo. Sei da sua capacidade de curar. Agrupe o máximo de anjos de cura e dê força aos feridos.

– Sem dúvidas que o farei, nobre irmão.

O comandante virou-se para as tropas e ordenou que a primeira se agrupasse. Depois, separou-a da segunda. Os dois pequenos blocos finais de anjos aguardavam a maré vermelha atacar.

Alguns minutos de silêncio absoluto se passaram, e então tudo começou uma vez mais. A onda escarlate decolou no horizonte; em segundos, transporia aqueles poucos quilômetros.

Mael, comandante do quinto pelotão, desembainhou a espada de luz e ordenou o ataque. Seus olhos perceberam que a onda que se aproximava a toda carga continha mil guerreiros, e o inimigo continuaria usando aquele padrão até que seus homens fossem exterminados.

Um a um, os anjos do quinto pelotão decolaram. As asas tamparam o céu, fazendo a noite e a chuva quase desaparecerem; os olhos e as mentes dos que ficavam para trás quase pacificaram-se, por um instante, com o balé de movimentos sincronizados, de armaduras espectrais reluzentes.

O pelotão foi de encontro aos algozes, sem medo, sem remorso, sem ódio. Estavam lá para batalhar. E fariam o que sabiam fazer de melhor: derrubar o mal, deter aquele oceano malévolo, interromper a Batalha Negra.

* * *

Onze e cinquenta da noite. Pablo estava furioso demais para continuar escondido como rato em porão de navio. Puxava o ar com força, tomando coragem para enfrentar a morte mais uma vez.

– Gregório, seu merda! – gritava ele.

O rapaz continuava no meio do galpão, aguardando o inimigo. Pablo abandonou o esconderijo, com o braço estendido, pronto para alvejar Gregório. Este, por sua vez, esperou um instante até ter certeza de que Pablo estava na mira. Com Pablo bem na sua frente, sem se mover, sem atirar, acalmou-se. Sabia que estava ao seu alcance. É verdade que ele também tinha uma pistola apontada para a cabeça, mas estava certo de que Pablo não escaparia. Terminara. A qualquer instante, estaria acabado. Descobriria onde seu irmão estava e o que acontecera aos homens da expedição à floresta. Logo tudo seria passado a limpo. Só queria exterminar aquele canalha que trouxera tanta morte.

– Seu miserável – começou Pablo, com passos lentos de encontro a Gregório. – Eu só quero meu dinheiro. Você me roubou e sumiu.

– Seu dinheiro tá comigo, sim. Escuta, não fugi coisa nenhuma. Não sei quanto tempo cê tá aqui nesta cidade, mas, pelo que pude ver hoje, você já percebeu que tem um monte de merda "estranha" acontecendo, não é?

– A única merda estranha que tá me preocupando é o sumiço da minha grana. Não deixo barato quando me enganam.

Tatá, com a visão prejudicada por objetos, não queria deixar o abrigo nem arriscar um tiro de longe. Caso errasse, poderia precipitar as coisas. Se pretendia fazer algo, tinha de fazer logo, até porque Edu estava prestes a entrar em choque, com pouco sangue. Tatá estava perdendo o parceiro.

Gregório e Pablo estavam separados por três metros apenas. Nenhum erraria. Gregório decidiu ser o primeiro a atirar. Estaria em confusão para o resto da vida se deixasse aquele sujeito vivo, e o que menos queria era causar problemas para o povo da fazenda. Puxou o gatilho.

Clic!

O som do cano da pistola batendo sem produzir a explosão gelou o sangue de ambos. A única coisa que Gregório teve tempo de ver foi um enorme sorriso brotando na boca de Pablo.

Paaaaaauuuu!

A pistola de Pablo não falhou.

Gregório já conhecia a sensação de ter o corpo atingido. O ar fugiu do pulmão perfurado; o corpo inteiro fraquejou. Afinal, não era tão poderoso como imaginava; era vulnerável. Entretanto, percebeu que não ia desfalecer, nem sequer cair. Continuou em pé, arqueando o corpo para a frente. O sangue tingiu as mãos, que foram ao ferimento.

Tatá saiu do esconderijo, aos berros. Os outros também. De repente, todo mundo ficou corajoso dentro do galpão. Os homens de Pablo, exceto o velho Gê, abriram fogo, obrigando Tatá a jogar-se no chão a fim de evitar os tiros.

Gregório, impossibilitado de correr, recebia toda a carga no peito e nas pernas. Eram tiros potentes, de calibre doze. As espingardas não se calaram até o último cartucho vazio bater no chão. O peito de Gregório transformara-se numa espécie de pasta de sangue e de carne picada, pesado demais.

Pablo e os três atiradores mantiveram uma expressão de assombro por um silencioso minuto inteiro, porque, durante esse espaço de tempo, mesmo depois de descarregar as armas à queima-roupa em cima do pobre diabo, Gregório permanecia em pé. Ele não sentia dor, apenas a sensação de que a bateria interna tinha descarregado rapidamente, por completo.

Seguiu-se um silêncio sepulcral. A fumaça escapava das armas. Ninguém disse nada, ninguém fez nada. Estavam estáticos, esperando. Esperando o morto-vivo despencar.

Então, para Gregório, o galpão encheu-se de luz. Estava ficando cego com tamanha intensidade. Finalmente, deixou o corpo despencar e bater de modo violento contra o chão. Seu sangue esvaía-se com velocidade impressionante. O rosto ficou pálido, branco feito leite. A luz intensificou-se até que ele não conseguisse enxergar nada. A não ser... a não ser aquela silhueta que já vira em algum lugar, em algum momento passado... Uma silhueta familiar. Aquele rosto cor de bronze, parecido com o de um bom amigo. Um amigo cor de bronze, que de segundo em segundo adquiria uma armadura de luz igual à que Gregório vira nele mesmo, em seu próprio corpo mortal. Aquele amigo que certamente estivera com ele nos dias estranhos... Aquele amigo que tinha tão lindas asas.

Gregório sorriu para ele, querendo erguer sua mão, mas sem conseguir movê-la. Aquilo – ele, o amigo –, Gregório sabia, era um anjo.

Thal levantou-se, livre do corpo de Gregório. Ao vislumbrar o acolhedor mortal ferido, o anjo encheu-se de emoção. Mesmo sabendo que cada segundo no campo de batalha era precioso, botou um joelho no chão, arqueando-se sobre Gregório. Não estranhou. Estavam unidos por tanto tempo que seria perfeitamente natural o mortal enxergá-lo por completo. Passou a mão no rosto lívido de Gregório, acariciando-o com ternura angelical.

Gregório retribuiu com um sorriso, e Thal pousou a outra mão no tórax do rapaz, enviando luz e aliviando a dor, para que o humano se desconectasse na mais serena paz. O peito do homem estava molhado. De sangue e de outra coisa. A bendita água da chuva. A água que tamborilava acima da cabeça de Gregório. A água que, agora, atravessava a camada de luz de Thal, girando por sua pele e triplicando sua energia.

O anjo levantou-se. Lembrou-se do campo de batalha, que clamava seu nome. Não transpirava mais ternura. Por culpa daqueles demônios imundos, vidas preciosas estavam sendo ceifadas. *Isso tinha de acabar... acabar agora!* A força e a vibração do anjo se intensificaram. Ele se concentrara a tal ponto que, olhando ao redor, notou que os humanos podiam vê-lo. Havia se revelado. Estava vibrando na mesma frequência dos humanos. Não sabia como explicar, mas a energia aumentava descontroladamente. Não conseguia condicioná-la em seu corpo celeste, transbordava, tornando-o visível até aos olhos cegos da carne que não cria.

Ninguém entendeu quando Gregório, caído e sangrando, abriu um grande sorriso. Aproximaram-se do corpo do homem, para certificar-se de que havia realmente morrido, já que os movimentos cessaram. Pela quantidade de explosões, Tatá calculava que tinham gastado até a última bala no corpo do jovem. Pensava em acudi-lo quando aconteceu outra explosão, surpreendente. Uma onda de luz e um pulsar cegaram e empurraram o grupo para trás.

Instantes depois, quando as pupilas voltaram a se abrir e a visão foi voltando gradativamente aos olhos dos homens, todos notaram uma criatura curvada acima do corpo de Gregório. Tatá, observando o rosto das pessoas, concluiu que não era só ele que estava vendo aquilo; não estava louco. Parecia que a cabeça de todos eles estava para cair do pescoço, tamanho o espanto. Se estivesse sozinho, o investigador duvidaria do que via, pensaria que era pura alucinação.

Gregório, resistindo à morte de maneira impossível, erguera a mão, tentando alcançar o amigo iluminado, mas não encontrou força suficiente no corpo agonizante.

Pablo sentiu o coração acelerar ao ver aquela criatura iluminada, bem na sua frente, acariciando sua vítima. Parecia um... um anjo! Por Deus! Estava ficando louco?! Quer dizer que os pesadelos eram verdadeiros! Se aquilo na sua frente existia, a fera que falara em seu pesadelo também era real.

Thal passou a mão por baixo da nuca de Gregório, erguendo a cabeça para que o homem pudesse observá-lo. Sabia que para os humanos, quando aquele momento raro de conexão acontecia, a visão de criaturas celestiais trazia conforto. A transição logo terminaria. Thal tinha conhecido o vazio dentro dos homens. O afastamento da luz tinha lhes arrancado o segundo coração. A tecnologia e o saber que, de modo antagônico, haviam trazido tanta luz para o mundo também tinham feito uma ponte com as trevas quando o homem se esqueceu dessa semente, dessa raiz. Esqueceram-se dos anjos e perderam a certeza do além e da outra vida. Thal havia se conectado àquele sofrimento e compreendido a incerteza. Agora era impossível duvidar daquela alma

– Paz, meu irmão. Sei quem você é, e você ficará bem. Faça sua jornada em paz. Estaremos lá para te dar a mão. Estaremos lá para recebê-lo para a continuação.

Thal a viu emergindo das sombras e chegando perto de Gregório. Ela estava ali, mas, mesmo naquele momento mágico, nenhum dos olhos de carne podia ver aquele segundo ser místico, aquele ser impossível de se vencer para os que eram feitos de carne. A ponte entre a casa dura e a casa etérea. Aquela que era vista como uma inimiga, mas que não era.

A doce dona Aranha tocou Gregório. O homem estava livre agora, livre para vingá-lo e vingar seus irmãos.

O anjo levantou-se. Havia gente demais ali; poderia eliminá-los para não ter problemas, para vingar o humano, mas a noite já estava cheia de mortes e de perdas.

Os homens sabiam que Thal era um anjo. Um anjo, bem ali, na frente deles. Talvez inconscientemente, resolveram se aproximar e viram a cara da criatura de luz se alterar, expressando raiva.

– Saiam de perto dele! Deixem o homem em paz! Afastem-se agora do meu guerreiro!

A voz do anjo parecia metal retinindo, assustadora, diferente de tudo o que já tinham ouvido. A figura, exceto o par de asas, não se assemelhava a nenhuma gravura ou escultura em que já tivessem botado os olhos. Era um guerreiro.

Sem êxito quanto às ordens, Thal desembainhou a espada de luz e viu o espanto transformar-se em medo.

– Almas que forem de bem viverão. Os que forem das sombras tombarão, se tocarem neste corpo.

Os homens se afastaram. O anjo assumiu o formato de esfera de luz e subiu em velocidade indescritível, explodindo o telhado do galpão e abrindo um círculo considerável.

CAPÍTULO 43

Meia-noite e cinco. A intenção de Thal era passar pelo telhado sem arrastar consigo nenhum pedaço do plano físico. Entretanto, as telhas voaram com o anjo, subindo, como impactadas por uma bala de canhão. Estava investido de um poder em um nível nunca experimentado. Só a chuva não explicava tanta força, tanta energia. Era hora de aproveitar e acabar com a raça dos demônios. Thal rezava para que ainda houvesse tempo para seus homens e seu exército.

Assim que botou os olhos no céu, o anjo confirmou por que não se continha dentro do corpo: transbordava em energia pura. O pastor Elias certamente tinha conseguido executar com perfeição sua tarefa. Milhares de raios de luz jorravam em direção ao céu, voltando aos anjos em forma de energia. O pastor tinha conseguido entregar a mensagem. Os humanos tinham se reconectado com a fé verdadeira, orando e emanando energia para a Casa Celestial. Dessa maneira, os guerreiros de Thal suportariam severas investidas do inimigo; estariam refeitos em questão de segundos; resistiriam muito mais. Restava saber se Thal ainda poderia executar sua tarefa... *Quanto tempo estivera aprisionado à carne do mortal?*

O anjo voou como raio em direção à igreja. O portentoso facho de luz parecia arder, tamanha sua intensidade. Lá estavam seus homens, pelejando como vitoriosos. A chuva intensificava ainda mais a confiança de Thal. Sabia que poderia vencê-los.

O oceano vermelho parecia uma represa prestes a ruir, mas, em vez de água furiosa, incontrolável, libertaria demônios enlouquecidos. Justo quando Thal começou a descer, pronto para entrar na batalha, aconteceu.

O mar vermelho desgrudou-se do horizonte, o dique que represava os demônios se rompeu, deixando-os à beira da floresta, todos de uma vez, como um estouro de manada, indomáveis. Eram mais de dez mil. De relance, Thal não tinha certeza se contava nem mesmo com cem anjos de luz ainda. Seria dura a batalha, mas levariam tantos quanto pudessem antes de tombar. Seriam a resistência. A cidade não morreria. Ele não permitiria!

* * *

Os generais satânicos tinham se impacientado. Por volta da meia-noite, o céu se iluminou intensamente, e seus homens começaram a levar a pior. A cada mil enviados, as baixas no exército de luz eram insignificantes. Havia um pequeno grupo separado, os anjos feridos. Não eram problema, deveriam estar imprestáveis para a batalha. Em luta, havia aproximadamente cento e vinte, investidos de muito mais força agora, certamente recebendo orações por obra de algum ardil dos crentes nos anjos de luz.

A hora de acabar com a brincadeira tinha chegado. Não segurariam mais as garras, as presas pontudas e as espadas e tridentes afiados de seus contendores. Destroçariam aquele grupelho de anjos assustados antes que o poderoso general Thal voltasse. O poder das preces que chegavam e alargavam o facho de luz e proteção seria inútil agora.

– Tropas, preparar para atacar! – gritou um general-demônio. – Todos ao mesmo tempo! Destruam cada um deles!

Os milhares de cães impacientaram-se, enfiando as patas no gramado e atirando terra para o ar. Anjos das sombras desembainharam as espadas, prontas para acertar os anjos de luz. Todos queriam estar na frente; do contrário, não teriam o prazer de destruir nenhum. Eram tão poucos, tão miseráveis!

Um demônio alado desceu das alturas, gritando e gargalhando:

– Thal está vindo!

– Atacar! Atacar! Atacar! – bradou o comandante.

Uma colossal onda de demônios, capetas, anjos bestiais e cães vermelhos tomou conta do gramado, avançando como uma parede de destruição.

Thal alcançou o grupo de feridos que estava recolhido à margem do pasto. Mikaela estava à frente, junto de outras criaturas de luz, emanando energia de cura e aguardando o momento para entrarem em campo com o time de reforço. O momento tinha chegado.

– Quantos vocês são, Mikaela? – perguntou o general dos anjos.

– Somos oitenta e dois.

– Estão todos recuperados?

– Ainda não.

Thal lançou um olhar para o campo. A onda chegava, implacável, e em segundos estaria em cima da cabeça deles.

– Quantos vão lutar?

– Todos, general.

Thal balançou a cabeça, agradecido.

– E quantos eles são?

– Onze mil.

Thal desembainhou a espada. Acreditava ser essa a última vez que usaria a inseparável arma amiga. Iria sem medo; cumpriria seu destino de um modo ou de outro.

A onda crescente, a parede de demônios, engolfou os guerreiros de luz que batalhavam no campo. Atacava com fúria devastadora, formando em um instante uma redoma escarlate, capaz de sufocar os anjos, separando-os do céu e da chuva.

O anjo-general olhou para os feridos, encabeçado pela lendária criatura de luz que já tinha montado no ombro de Deus, Mikaela. Juntos, formariam a última carga. Os guerreiros se colocavam de prontidão, erguendo o peito e deixando a água da chuva abençoar o corpo.

Um vento forte cruzou o pasto, balançando os cabelos dos anjos. Todos, como o general, sentiam a energia transbordar. Poderiam morrer, mas surpreenderiam as feras, isso era certo.

– Vamos – ordenou Thal.

Atravessaram a gigantesca redoma escarlate, abrindo caminho à custa de golpes de espada e empurrões, com o objetivo de alcançar o núcleo da batalha. Thal abriu um sorriso, revelando paz e perseverança a seus homens. A couraça espectral refulgiu.

Os guerreiros da leva anterior estavam colados ao chão, para onde foram empurrados. A avalanche de dentes e espadas inimigas era infinita. Thal alcançou-os, cortando caminho com a espada chamejante, e colocou-se no centro, onde havia uma diminuta bolha de calmaria. Os anjos, colando costas com costas, podiam cuidar dos que vinham à frente.

Os generais satânicos berravam ordens inutilmente, a fim de controlar a turba, quando perceberam Thal adentrando o campo de batalha. Do corpo, emanava energia: estava poderosíssimo. Precisariam de muita organização para detê-lo, para liquidá-lo. Os que estavam se digladiando com as criaturas de luz permaneceram; os que esperavam um espaço para entrar na batalha foram instruídos a se afastar.

Então, a redoma inchou, como um cadáver, prestes a explodir, liberando vermes e podridão pela barriga. Tornou-se muito mais compacta em volta dos anjos, escondendo por completo o céu. Uma parede fechada, viva, girando nas asas dos diabretes que empunhavam tridentes pontudos e presas afiadas. Os cães corriam em círculo, doidos para abocanhar corpos angelicais, mantendo um espaço vazio com raio de cem metros aproximadamente.

Os demônios não temiam a melhora da *performance* dos anjos, nem mesmo a joia preciosa que brilhava no centro daquele inferno. Eram muitos contra aquele mísero grupo celestial. Seria impossível perder. Bastaria uma nova ordem e fechar o cerco para o golpe final.

A maioria dos anjos sentia-se sufocada. As feras comprimiam por todos os lados. Alegraram-se imensamente quando o general Thal irrompeu da nuvem vermelha, trazendo luz e esperança para as tropas. A aparição aurática de Thal reacendeu a esperança nos anjos do cerco. Thal brilhava, e sua armadura de luz e fé recebida refulgia. Cada golpe da espada do general partia três, quatro demônios ao mesmo tempo, abrindo caminho para encontrá-los, para salvá-los e socorrê-los.

Os anjos mal conseguiam se mover, as espadas dançavam sem destino, tentando afastar os milhares de dentes e lâminas que a cada segundo lhes levavam um pedaço precioso do corpo e da vida.

Thal mantinha uma expressão intimidadora, mas, olhando sobre o campo, notava que em seu coração crescia um rugido feroz. Os irmãos, embora exibissem a armadura cintilante, tinham perdido o brilho da cor de bronze. A pele empalidecida indicava o quão enfraquecidos e debilitados já estavam.

Os anjos viram com surpresa quando a grande nuvem vermelha se afastou, deixando no campo apenas os que ainda lutavam. Mesmo assim, não se sentiam aliviados, e sim como que cercados por uma plateia próxima, que saboreava a hemorragia do inimigo, girando em torno da contenda como uma nuvem encantada.

Um anjo das sombras veio de encontro a Thal. A espada do demônio atravessou-lhe o peito, arrancando do anjo um grito de dor. Como um gato feroz, um cão saltou e abocanhou o pé de Thal, puxando-o até o chão. Um terceiro demônio enterrou a espada na altura do tórax, varando-a nas costelas do anjo-general. Thal urrou de dor e girou sua espada novamente, repartindo duas das feras à frente e fazendo-as evaporar.

Um irmão de luz acudiu e despedaçou o terceiro anjo das sombras, com a espada cravada no peito do general, enquanto também evaporava em uma nuvem de enxofre. A espada rápida de Thal alcançou o cão antes que lhe desferisse outra mordida. O ataque era organizado e decisivo.

Mikaela sentia mais energia explodindo em seu corpo do que na sua primeira incursão ao campo de batalha. Os antigos ferimentos eram coisas passadas. Quase perdera as asas nas bocas violentas dos inimigos sanguinários e já tinha ganhado novas feridas durante a travessia da redoma, secundando Thal, mas o coração estava em paz. A espada furava um cão após o outro. Depois de destruir uma dúzia de feras, o peito ardeu. Nele brotava uma ponta de espada, tingindo uma vez mais a túnica de escarlate. Num giro rápido, topou com uma criatura imensa, cara de lagarto e chifres retorcidos escapando da cabeça. Logo Mikaela fez a fera experimentar de sua arma também. Golpes violentos, retinir de metal mágico, perda de tempo precioso e uma multidão de feras acumuladas à sua volta. O ferimento já estava fechado; a armadura de luz curou seu corpo. Sorriu para o demônio, que arregalava os olhos ao notar a resistência. Destruiria uma porção deles antes de partir.

Atazon farfalhou as asas magníficas, afastando os inimigos que temiam os anjos. Os ferimentos, inúmeros, estranhamente eram indolores. Coisa esquisita estava acontecendo naquela noite. Em virtude das rigorosas regras impostas à Batalha Negra, sabia que não deixaria o campo com vida. Na próxima luta, estaria batalhando pelas trevas. Não pôde, entretanto, negar ajuda a um anjo honrado e merecedor de tantas vidas. Sabia que a tarefa não seria das mais fáceis, afinal, conhecia Khel, pois enfrentara-o várias vezes. O cão era ardiloso e desonesto, mas Thal faria o mesmo por Atazon, se fosse preciso.

O anjo tocou o chão, ajoelhou-se na grama e respirou. Uma chuva de cães direcionou-se a ele. Atazon abriu as asas, brandiu a espada e alçou voo, rompendo caminho entre os anjos das sombras antes que a matilha pusesse os dentes em cima dele. *Cães imundos.* No céu livre, viu acima um teto vermelho, formado pelos demônios alados, que mantinha a cúpula fechada – uma redoma, como se pretendessem atá-los por asfixia.

Atazon alcançou um lugar que nenhum guerreiro parecia pretender, mas, antes que pudesse descansar, percebeu centenas de feras aladas despregando-se daquele teto, como gotas envenenadas indo ao seu encalço. Sua armadura cintilou por um breve instante. A espada chocou-se contra outras tantas; era um lutador hábil, aniquilara três criaturas. Então, a primeira espada penetrou sua perna. Tentando destruir o agressor, outra e mais outra profanaram seu corpo, rompendo músculos e causando dor aguda dessa vez. Começou a perder altura com velocidade, enquanto cada vez mais feras despregavam do teto, envolvendo-o numa casca viva e gargalhante, com o propósito de retirá-lo da existência para a luz. Sabia que o fim se avizinhava. Continuou caindo. Perdeu a espada, e o corpo pesado bateu forte contra o gramado.

Se tivesse ossos como os humanos, Atazon estaria reduzido a pó. Talvez fosse melhor do que aquela dor fenomenal que consumia a consciência. Cães ferozes arrancavam a pele do anjo, indefeso sem a espada que havia muito se perdera. Levando a mão à cintura, ele encontrou a trombeta. Em seus últimos instantes de consciência, tentava fazê-la funcionar.

A trombeta soou por todo o campo. Um lamento para alguns, um grito de vitória para outros. O canto do instrumento levava a mensagem para todos os ouvidos sobrenaturais do planeta: *um anjo morreu.*

* * *

Vuhtiel estava na Casa Celestial, de onde assistia à terrível batalha que seus irmãos travavam na cidadezinha. Da Casa Celestial, a sete mil metros acima de Belo Verde, podia sentir o calor da batalha queimando sua face. Pelo que observava, logo tudo estaria terminado. Os demônios tinham coberto o reduzido grupo de irmãos de luz. Desde o início, percebera que aquela era uma luta perdida. Ele e seu exército de mil e seiscentos anjos chegaram a se emocionar com o excelente desempenho dos anjos de luz; entretanto, quando o mar escarlate deixou seu posto, atacando de uma só vez, as expectativas de um bom desfecho caíram a zero.

Aguardavam o fim com certo afastamento emocional, afinal, o desfecho era previsível. Não obstante, quando o apelo triste tocou, o coração e a alma do seu exército se agitaram de imediato, logo também dissolvendo a distância construída. Uma trombeta soava no meio do campo, clamando pela ajuda que nunca chegaria. Clamava por socorro, noticiava a morte de um irmão de luz. Um irmão que agora seria transformado num anjo das sombras.

Vuhtiel estava arrependido e amargurado com sua decisão. Ouviria aquela trombeta soar nos ouvidos por toda a sua existência quase infinita. Depois de ter se recusado a juntar-se ao guerreiro Thal, nunca mais poderia voltar. Quebraria as regras da batalha, e as consequências poderiam ser ainda mais terríveis. O anjo baixou a cabeça, em pesar; podia ver lágrimas descendo pelo rosto de alguns de seus guerreiros. Isso emocionava-o ainda mais. *Eram bravos, por que choravam? Foram criados para lutar e morrer em nome do Criador. Por que choravam?*

Meia-noite e quinze. Dois helicópteros da FAB pousaram no posto-radar dezoito, no extremo oeste do estado de São Paulo. Vários oficiais da Força Aérea desceram e correram para o abrigo mais próximo do precário hangar. A chuva persistia, teimosa. Foram conduzidos para dentro, tornando a sala de radar apertada e desconfortável. O responsável pelo plantão, tenente Celso da Costa, parecia muito empolgado e não parava de falar à pequena plateia de oficiais. Com muito custo, voltou ao início e enfim colocara a par da situação os vinte recém-chegados, incluindo o brigadeiro Jair Mendonça, tentando ser o mais claro e objetivo possível.

– Por volta das vinte e duas e trinta, os instrumentos detectaram "alguma" coisa "realmente" fora dos parâmetros habituais. Fiz e refiz toda a checagem de segurança pelo menos cento e vinte vezes, e não estou brincando, só para ter certeza da leitura. Acima de nossas cabeças, no céu brasileiro, há uma "massa" de sessenta metros de largura por duzentos metros de comprimento e... não sei explicar... essa medida não é fixa, tem hora que parece maior.

– Massa? – perguntou o sargento Lacerda.

– Sim – Celso, ansioso, puxou um painel móvel para o centro da pequena comitiva. – Vejam estas seis projeções feitas pelo computador. A "coisa" não tem uma forma estável... Ela imita os pequenos, veja, está no centro desta cúmulo-nimbo... Não consigo entender seu padrão de movimento.

– Pequenos?

Celso ligou um monitor de teto e, em poucos segundos, a tela de um dos radares foi reproduzida no monitor de quinze polegadas. Centenas de pontinhos dançarinos divertiam-se na abrangência do aparelho.

– Que diabos são essas coisas, tenente?

Celso recostou-se e coçou a cabeça, nervoso.

– Eu não sei. Apareceram por volta da meia-noite, como assombrações.

– Onde estão?

– Pelos dados cruzados de GPS e imagens atualizadas de satélite, a cento e vinte quilômetros daqui. Alguns desses pontos não estão exatamente no céu, vejam. São minúsculos, comparados à mãe. Movem-se muito rápido, voando. Ora tomam forma de esferas, ora são elípticos, com dois, três metros de altura e um metro de largura, às vezes dois. Estão limitados a este perímetro. Pelas coordenadas, aí fica a cidade de Belo Verde. Os dados cruzados confirmaram.

– Mãe? Nave-mãe, você quer dizer?

Celso olhou, reticente, para os superiores. Seu rosto estava lívido. Nunca tinha visto nada parecido com aquilo, ainda que ansiasse por um dia viver um contato. Balançou a cabeça em sinal positivo.

– São perigosos? – questionou o major.

– Não sei... não saíram dali.

– Precisamos de um reconhecimento imediato – advertiu o brigadeiro.

– Eu sei. Já preparei tudo. Aguardava os senhores apenas para que autorizassem a operação. Temos três aeronaves Tucano prontas para decolar com equipamento de fotografia, infra e tudo necessário para registrar e provar que esses óvnis estão lá, de fato – informou o tenente Celso.

– Quero as naves preparadas para fogo pesado, não só olheiros. Pode ser confusão, tenente – solicitou o major.

Celso aquiesceu. O superior, agora no comando, liberava os pilotos para o voo através do rádio da sala. Em menos de cinco minutos, os Tucanos estariam no ar rumo a Belo Verde.

Celso dirigia-se para o hangar, mas o brigadeiro o deteve.

– Tenente, diga-me. Esses "intrusos" podem ser elementos extraterrestres?

– Não sei se estou temendo ou torcendo, mas acredito que sim, senhor, são extraterrestres.

CAPÍTULO 44

Meia-noite e dezesseis. Gaza-el, comandante dos mais valentes do exército oriental, tinha lágrimas nos olhos. Como todos, trajava túnica vermelha com barra cor de ouro. As asas eram prata, e a pele, cobre-escuro. Havia se separado do grupo de guerreiros e conferenciava com Vuhtiel.

– Nobre líder, sei que estou indo contra sua vontade, sei que estou rompendo as regras desta maldita batalha, mas não posso deixar de clamar. Liberte-me, por favor.

Vuhtiel olhava-o profundamente nos olhos. Aquela trombeta tonitruante nunca mais calaria. Sua eternidade seria assombrada por aquele grito metálico. O guerreiro, porém, não sabia o que pedia. Vuhtiel não podia compactuar. Não daria aos demônios a chance de lançar sobre a Terra um novo flagelo em proporções ainda maiores do que presenciavam agora.

* * *

Meia-noite e dezoito.

– Desliguem os motores! – ordenou o comandante da operação.

– Permaneçam na aeronave e aguardem ordens.

Os Tucanos pararam; a velocidade de giro das hélices reduzia-se lentamente. Na pista, ecoava apenas o tamborilar dos pingos de chuva.

* * *

Meia-noite e dez. Ensopada de chuva, uma garotinha entrou na igreja de Belo Verde, que fervia com os fiéis em devotada corrente de orações. Empurrou os adultos ajoelhados até alcançar a vovó. Puxou-lhe a manga do vestido diversas vezes, interrompendo a oração da compenetrada senhora. A velha ralhou, mas rendeu-se ao rostinho angelical.

– Você estava na chuva?

– Quero fazer cocô.

– Corre no banheirinho.

– Não quero ir sozinha.

– Ai, minha filha! Justo agora?

A avó levantou-se e perdeu um tempo imenso para transpor a multidão de fiéis ajoelhados e prostrados até alcançar o corredor, milagrosamente livre para os passantes. Mudou de ideia quando viu a gigantesca fila de crianças necessitadas à porta do "banheirinho". Pegou a neta no colo e caminhou para fora do templo, lentamente vencendo o amontoado de pessoas. Chovia forte. Tomou emprestado o guarda-chuva de um adolescente e seguiu com a pequena para os fundos da igreja. Se tivesse sorte, o banheiro dos fundos estaria desocupado. O vento, combinado com a chuva, atrapalhava a visão cansada.

A senhora entrou com a menina no pequeno cômodo destacado do prédio da igreja, escutando a água bater com rajadas na diminuta janela basculante do recinto. Resmungava, incomodada com a água gelada que tinha empapado a barra do vestido de tecido fino, reclamando do frio que a envolvia enquanto a neta terminava o que tinha ido fazer. Abriu a porta do banheiro segurando a neta gelada e ensopada pela mão e voltou para o tempo inóspito fora do banheirinho.

As duas caminhavam sobre o chão gramado à beira do pasto que beirava o templo quando a neta balbuciou algo que chamou a atenção da avó.

– Anjinho...

A velha virou o rosto na direção para qual apontava a garotinha, parada, e espantou-se com o cenário. Dezenas de pontos luminosos dançavam distantes, a um quilômetro, talvez mais. A senhora andou com dificuldade na lama até alcançar a cerca de arame farpado de uma fazenda pegada à igreja.

– Virgem Santíssima, Mãe de Deus. Cê tá certa, aquilo ali são anjos, meu amor... – balbuciou a vovó, deslumbrada.

Minutos depois, entrou na igreja gritando pelo pastor, gritando para o povo. Tinha anjos lá fora!

* * *

Meia-noite e dezenove. Os Tucanos esperavam na pista. Na sala de radar, um verdadeiro barraco estava armado e dividia as opiniões.

– Pode ser um ataque?

– Não contra a gente – respondeu o comandante de operações.

– Dou razão ao comandante – prosseguiu Celso. – Veja, os novos pontos descem da mãe e "agrupam-se" ao redor desses que estavam imóveis por quase dois minutos. Eles cercam, mas não interagem. – Celso apontou para um grupo pequeno de pontos luminosos. – Estes aqui estavam quase desaparecendo, um a um. Restavam pouco mais de vinte, não é? Formando um círculo na altura do chão... provavelmente no chão. Fazem essas evoluções, voos curtos; parece um balé.

– Balé! Do que você está falando, tenente?

– Quantos são agora? – inquiriu o brigadeiro, cortando o comandante.

– Não sei... parece uma chuva de meteoros, são centenas. Só um minuto, o computador vai dizer – Celso selecionou um ponto vermelho; ao clicar, um pequeno triângulo cobriu o ponto luminoso. Enquanto selecionava outro comando, o ponto escolhido surpreendentemente desapareceu. – Calma, preciso de um que dure mais. Aqui, consegui – ao novo comando, sobre todos os pontos vermelhos e todos os novos que apareciam, surgiu um triângulo amarelo. No canto inferior da tela, os números que determinavam a quantidade de pontos vermelhos não paravam de aumentar.

– Mande os Tucanos decolarem.

O comandante de operações seguiu o brigadeiro, liberando as aeronaves.

– Inclusive os de artilharia pesada – concluiu Mendonça.

* * *

Thal não tinha nem sequer um músculo intacto. Sentia a consciência falhar. Lembranças esparsas. Estava na batalha. Ouvia as violentas espadas retinindo, lançando chispas ao redor. Estava protegido por seus homens.

Cansados. Eles não durariam mais dois minutos. O vespeiro fervia; estava tudo acabado. Logo estaria morto, sabia disso, mas tinha feito tudo que estava a seu alcance. Alongara ao máximo a resistência, mas sabia que os desgraçados teriam horas de sobra para devastar a pequena Belo Verde e fazer daquele lugar um portal para o inferno.

A armadura de Thal cintilava, amenizando a dor, melhorando a cabeça. No pasto, uma visão bizarra apertava o coração. Era como pisar num cemitério de anjos. Corpos estendidos, com os braços soltos e as asas mortas. *Eram tantos!* Os anjos de luz perdiam a vida, e o corpo espectral ficava ali, caído, largado.

Thal apanhou a trombeta; a espada estava perdida. *Quisera aqueles anjos mortos estivessem apenas dormindo, tirando um cochilo para acordar em hora melhor!* Sentia a tristeza dos mortais, estava decepcionado. Chegara a ter fé verdadeira de que sairiam vitoriosos daquele episódio, mas comprovava-se que tudo era finito, até os anjos de luz eram finitos.

Mikaela comandava o que restara dos anjos. Quando Thal fora acuado e brutalmente ferido, a criatura de luz que providenciava a cura dos irmãos agrupara-se com outros em uma operação suicida, retirando o general do meio das feras, o que custara a existência de dezenas de irmãos, sobrando algo como trinta guerreiros de luz. O general estava quase inconsciente, sangrava por todos os poros, gritava como uma criança de carne, desconexo, enfraquecido. A tristeza reinava nos olhos do guerreiro general. Perdera a espada e a capacidade de lutar.

Deixariam o guerreiro descansar seus derradeiros minutos. O grupo de guardas providenciado pela criatura de luz fechou-se em um círculo, preservando Thal ao centro, um prêmio cobiçado. Teriam que matar todos eles para se apoderar do guerreiro do Ponto. Após a captura de Thal, aquela nuvem compacta de demônios voaria por todas as partes de Belo Verde, apoderando-se das almas humanas. Nada mais poderiam fazer.

As feras sabiam que os anjos estavam rendidos, derrotados. Tinham cessado o ataque, causando o hiato derradeiro, e deleitavam-se com a debilidade e o desespero dos anjos restantes.

Drekul, anjo das sombras, destruíra inúmeros inimigos. Estava excepcionalmente forte naquela noite, o que aumentava o prazer de combater. Deliciava-se agora com a imagem do grupo inútil protegendo o bezerro de ouro. Ouvira a ordem de cessar o ataque. Provavelmente, os generais assumiriam. Queriam para eles a honra de exterminar o tão cobiçado guerreiro Thal, o general que percorria o solo brasileiro, o mais poderoso entre os mais jovens, o leão. Estava ali, agora, de quatro, rendido.

Quando o ataque cessou, Drekul contou dezesseis anjos de luz em pé, mais o guerreiro do Ponto no chão, enquanto eles eram seis mil. Sorriu, satisfeito. Tinham vencido. Teriam horas infinitas para capturar milhares de almas humanas. Infestariam novamente a Terra com aquelas criaturas chamadas vampiros.

* * *

Centenas de pessoas se amontoaram no terreno ao fundo da igreja para apreciar o espantoso fenômeno, já chamado de milagre por muitos. Sem dúvida, aquelas criaturas eram os anjos de luz. Moviam-se freneticamente em evoluções incríveis. Brandiam bastões de fogo e pareciam encenar uma coreografia ensaiada exaustivamente, uma dança. Vez por outra, horrendas sombras escuras apareciam grudadas aos anjos, ofuscando a luz e desaparecendo quando perdiam contato com eles.

Depois que vários deles sumiram inexplicavelmente, dezoito anjos ficaram parados no pasto, imóveis. Alguns meninos já tinham pulado a cerca de arame farpado e corriam em direção às luzes estáticas no chão. Enquanto apreciavam, embasbacados, outro fenômeno acontecia. Várias esferas de luz começaram a despencar do céu escuro, surgindo das nuvens pesadas de chuva. Quando apontavam, eram semelhantes a relâmpagos rompendo as nuvens escuras, mas logo via-se que eram globos em forma de luz e fogo. Caíam como estrelas cadentes, caudas extensas e cintilantes. Eram mais anjos. A certa altitude, tomavam a forma daquelas criaturas, que agora voltavam a se mover. Vinham todas de um mesmo ponto, mas aterrissavam em diversos lugares, formando um imenso círculo de luz. Algumas caíam na floresta lá longe, como a incendiar a mata, mas logo o clarão se apagava e outro anjo de asas incandescentes surgia.

A multidão estava quase recuperada do susto quando o céu se encheu de um ronco apavorante. Logo depois, identificaram-se pequenos aviões ligeiros que cruzavam o céu, velozmente e em baixíssima altitude, rente ao pasto, como se quisessem atropelar os pobres anjos.

* * *

A redoma escarlate bailava ao redor dos anjos apavorados. Finalmente seriam eliminados. De súbito, o céu escuro clareou. Uma esfera chamejante acendeu uma nuvem baixa e cruzou o céu, pousando a trezentos metros da redoma. O anjo de túnica vermelha e ouro pousou, atrevido, no campo. Desembainhou a espada ardente e cravou-a no solo.

Thal soergueu a cabeça. Os pensamentos embaralhados começavam, aos poucos, a se ajustar. Esperava a morte certa, entretanto, via a silhueta de um amigo através dos olhos feridos. *Vuhtiel teria permitido a ajuda? Quebraria as regras da batalha por ele?*

– Fizemos o possível, general – disse Mikaela, curvando-se sobre Thal e aparando a cabeça do líder em suas pernas.

– Não! – gritou o anjo, desorientado. – Meu peito dói. Meu peito. Não me tire da chuva, não me cubra, não me cubra!

Mikaela enrugou a testa, sem entender o general. Ele estava desorientado. Ele estava debaixo da chuva, ninguém o estava cobrindo. O trovão rugiu no céu. Mikaela estendeu as mãos e deixou sua energia de cura fluir para o peito de Thal, tentando dar-lhe algum conforto.

– Obrigado... – murmurou Thal, fechando os olhos.

A redoma de demônios interrompeu o gargalhar. Drekul rangeu os dentes, olhando para os generais.

– Vamos acabar logo com isso! – vociferou para os comandantes.

Khel destacou-se, secundado por sua matilha de cães infernais. O cão que provocara o combate olhou para o alto e rugiu, enervado.

– A hora do general dos anjos chegou. Ninguém vai te livrar dessa, Thal. Estou aqui para te fazer em pedaços antes que seja salvo.

Os demônios, impressionados com as esferas luminosas que despencavam do céu, congelaram sobre o pasto, deixando Khel avançar sozinho.

Thal sentia a dor em seu peito aliviar com o passe de Mikaela. Se os guerreiros de Vuhtiel não interferissem, somente um milagre reverteria aquele quadro. Ao menos, os guerreiros do Oriente já estavam servindo para distrair e interromper momentaneamente a batalha. O general, ouvindo a voz de seu adversário, apertou o cabo da espada e tentou se levantar.

– Khel... – murmurou, sentindo os músculos estremecerem e as forças falharem.

Mikaela olhava atentamente para as criaturas malditas que fechavam o cerco. Bastaria uma ordem dos generais para a batalha chegar ao fim.

Ao que parecia, os generais aguardavam o encerramento da manobra dos anjos do Oriente, que desciam do céu, um a um, cercando o campo de batalha.

O cão Khel também parou sua marcha ao ver os companheiros para trás. A fera estreitou os olhos, inalando fundo, e mirou o general enfraquecido. Khel sentia o ódio carcomendo suas entranhas. Não teria melhor chance. Thal estava fraco. Seus defensores estavam feridos. Passaria por eles, a dentadas, a empurrões, despedaçando-os com as garras. Nada e nenhum deles impediria que cravasse seus dentes no anjo do Ponto. Queria aquela vitória. Queria ser celebrado entre os cães infernais como o que tinha devorado o anjo do Ponto. Faria Thal, quando abrisse os olhos nas sombras, servi-lo como anjo guardião. Teria Thal como lacaio para toda a eternidade.

* * *

Uma garotinha arrastou-se por baixo da cerca e aproximou-se dos guerreiros. Gaza-el, que estava entre a batalha e a igreja, observou-a por um instante. Mais pessoas transpuseram a cerca na intenção de resgatar a guria que chegara perto demais dos guerreiros alados. A menina estava próxima a um anjo ferido, que recebia ajuda dos irmãos do Oriente.

A menina tentou tocá-lo, mas a mãozinha traspassou o rosto etéreo do anjo. Ela ergueu o rosto, ainda agachada, e perguntou para um dos sentinelas:

– Ele tá dodói?

O anjo de luz assentiu.

– Ela pode nos ver? – perguntou Yathal.

– Acho que todos eles nos veem – completou Gaza-el, olhando, perplexo, para os humanos que os rodeavam.

Yathal estendeu as asas, assustando alguns humanos, que correram de volta para a cerca. Decolou, retornando para a posição de sentinela. Não tinham recebido autorização do general Vuhtiel para interferir. A função deles era cercar os demônios e observá-los. Assim que terminassem com os anjos no campo de batalha, as feras estariam livres para a captura das almas. Os anjos do Oriente estariam ali para tentar confortar os humanos, tentar esconder os seres da Terra da gana indescritível das feras da escuridão. Mas, se um milagre não acontecesse, não poderiam detê-las.

* * *

O vampiro limpou o sangue que escorria da boca. Afastara-se do grupo de anjos muito tempo antes. Havia saciado a sede com as feras do inferno. Relâmpagos caíam a todo instante, batendo contra as árvores e assustando os humanos. Cheiro de chuva. O vampiro sentiu uma dor rápida no peito... talvez o coração morto...

Samuel trazia a espada flamejante e embrenhava-se na mata vizinha ao pasto da fazenda. Não precisava mais ajudar as criaturas celestiais. A promessa fora cumprida, a dívida com a compaixão do anjo fora paga. Destroçara um incontável número de demônios. O corpo estava coberto de sangue que vertera do ferimento provocado nas feras, mas, aos poucos, o líquido sobrenatural ia sumindo, desaparecendo de sua pele.

O vampiro acreditava que os anjos recém-chegados estavam ali para reforçar o grupo resistente. Não ficaria mais em Belo Verde; era hora de trilhar o próprio caminho, de aprender a viver na Noite Escura, habituar-se a dormir em caixões e a temer o sol. Era um vampiro e mais nada. Teria de aprender, sem mestres, sem padrinhos, que poderes e fraquezas tinha. Jamais viveria sua Aventura, jamais cruzaria os portões do Paraíso. Fora apartado de tudo isso. Apartado de tudo que era quente e pulsava. Era hora de ir embora, investir-se da escuridão... ser filho eterno da noite... aprender a ser vampiro e esquecer aquela que a tinha acompanhado por tantos anos. Vera.

Pensar na mulher foi a única coisa que fez os passos de Samuel vacilarem na beira do pasto. Apertou as mãos. Fugiria como um dia o irmão fugiu. Fugiria para não correr o risco de fazer mal a ela até entender no que tinha se transformado. Inspirou fundo, enchendo o peito imortal de ar frio da noite. Fugiria, mas, antes, diria adeus.

* * *

Thal abriu os olhos e percebeu que não estivera sonhando. Sorriu. Sentiu o corpo tocado, a fé recompensada. Orava por um milagre, e o milagre estava chegando. Suas feridas esperariam. Algo sussurrava no ouvido, misturado aos trovões, aos relâmpagos; algo pedia que ele se agarrasse à vida. Orava para que o tempo fosse suficiente, pois os generais autorizavam a avalanche final. Os urros das feras foram crescendo assustadoramente.

– Destruir! – bramiu Khel.

Mikaela levantou-se e ergueu os olhos, empunhou novamente a espada de luz e farfalhou as asas. Se os anjos estavam ali para ajudar, era hora de agrupar. A avalanche de demônios vinha varrendo o pasto e fazia o ar vibrar. O cão Khel vinha à frente, sendo alcançado pelos voadores, que traziam seus tridentes e suas espadas pontiagudas, fechando o cerco sobre o restante dos guerreiros.

Mikaela retesou os músculos e aferrou as mãos no cabo da espada, desdobrando as asas e mantendo-as erguidas. Um brilho dourado cruzou seu corpo, e a armadura energética vinda das orações humanas refulgiu. Não deixaria chegarem ao general tão fácil assim. Inspirou longamente e prendeu o ar. Quando Mikaela expirasse, a espada já estaria batendo contra as armas inimigas.

* * *

Meia-noite e cinco. Os disparos dentro do galpão tinham acabado fazia poucos minutos quando a extraordinária explosão libertou uma luminosa esfera para o céu. Vera e doutor Jessup não aguentavam mais aquela espera angustiante. Abandonaram o abrigo do carro e correram em direção ao galpão do velho Gê. Vera correu mais rápido, esperando pelo velho doutor somente depois de encontrar a porta dos fundos, por onde entraram os policiais.

– Estou com uma sensação muito ruim, Jessup. Meu Deus do céu! O Gregório tá precisando da gente, eu sei.

– Não vai enfartar agora, menina. Vamos entrar – disse o médico, engatilhando a pistola.

Eduardo estava apagado no canto direito do salão. O peito subia e descia lentamente, acusando vida. Passaram por outros corpos, sem a mesma sorte.

Vera levou a mão à boca. O coração batia acelerado. Onde estava Gregório? Tatá estava ajoelhado sobre um corpo. Era o do cunhado, estendido no chão, envolto por um oceano vermelho!

– Gregório! – gritou a moça.

– Vocês viram o anjo? – perguntou Tatá, com a cara embasbacada.

Jessup correu até o homem estendido.

– Está morto?

– Acho que sim... sim... Vo... vocês viram o anjo? – insistiu o investigador, ainda desconcertado.

Jessup fez cara de estranheza.

– Você está ferido, investigador? Bateu a cabeça?

– Não... não... é que...

Vera abaixou-se, pegando a mão do cunhado. Gregório estremeceu as pálpebras.

– Ele ainda está vivo, doutor! Ele mexeu os olhos!

Doutor Jessup tentou tomar o pulso, pedindo que Tatá chamasse uma ambulância pelo rádio da viatura. Tatá correu e aproximou a viatura do galpão. Com a ajuda do doutor, colocou o parceiro dentro do carro.

– Volto assim que deixá-lo no hospital. Tome, fique com minha arma também. Os caras puseram sebo nas canelas, mas pode pintar algum problema. Tem um cabeludo caído no chão, eu acertei ele. Dê uma examinada no cara, se ele ainda estiver vivo... descarregue minha arma no peito dele. Eu me viro depois – deu partida e correu em direção ao Municipal.

Vera apoiou a cabeça do cunhado sobre a blusa. De alguma maneira milagrosa, Gregório continuava vivo. Debaixo da chuva que caía em seu peito, lavava as feridas e forrava o chão com um regato escarlate.

Jessup voltou, tirou o blusão de náilon a fim de aquecer e começou a enxugar Gregório.

– Não! – gritou Vera. – Deixe a chuva... deixe ele na chuva – rogou a cunhada, pranteando e acariciando a testa do rapaz. – Ele fica forte na chuva, doutor. A chuva faz maravilhas por ele. Deixe ele na chuva, deixe ela na chuva.

Jessup não se intrometeu. A mulher estava chocada demais. Por sua experiência em urgências, ele sabia que Gregório não tinha a menor chance de sobreviver. Estava agonizando, e o prognóstico era sombrio.

* * *

Mais de vinte minutos se passaram até que a ambulância chegasse ao local. Primeiro, ouviram a sirene cortante se aproximando. Depois, os faróis do veículo iluminaram o ambiente, além das cores alternantes do giroflex. Os paramédicos trouxeram lanternas, uma maleta e também uma maca.

Puseram Gregório na maca e o cobriram, afastando-o da chuva. Vera, suja de sangue e lama, protestava, mas era repelida pelos paramédicos que socorriam o cunhado. Ela se debatia. Naquela maca não era levado apenas Gregório. Era levado tudo. Era levado Samuel. Era levada sua vida. Ela estava perdendo o chão, perdendo o passado, sendo apartada de suas raízes.

Gregório estremeceu as pálpebras e abriu os olhos, cerrados, fraco. As imagens já estavam bastante confusas. Via pessoas ausentes, ouvia vozes de bocas que não falavam. Espetaram seu corpo, enfiaram um tubo na boca, passando pela garganta. Escutava gargalhadas e estremecia quando ouvia o som de ferro chocando-se contra ferro. Recebia oxigênio. Ele sabia que não voltaria mais para a fazenda, o único lugar onde queria estar. O corpo estava morto. O coração não batia. A boca não emitiria nunca mais nem um pio. Não estaria mais com o irmão.

O médico da UTI móvel descobriu o peito do homem. Frio. Muito frio. Secaram a água da chuva. Apesar do tubo enfiado na traqueia, faltava ar. Prendiam coisas no peito. A mão enluvada espalhava uma espécie de gel. Gregório arregalou o olho por um instante, vendo o corpo brilhar. Uma película de luz cintilou, como uma proteção, como uma armadura. Eles não viam. Eles não acreditavam. O aparelho ligado ao corpo emitiu dois bips curtos.

– Afastem-se – advertiu o médico, esfregando entre as mãos duas placas pretas. – Vou aplicar choque.

Empunhou as placas e encostou-as no peito do rapaz. Um disparo, e a corrente elétrica passou.

Gregório sentiu o corpo pular e a energia percorrer os nervos. Viu a face do anjo bailando em sua mente. Se fosse possível, sorriria ao amigo. Ouvia o bater de espadas ao seu redor. Ouvia as vozes dos anjos, guerreiros de luz, lutando por sua vida. Agarrado a um fiapo de consciência enquanto o corpo estremecia e o coração doía, Gregório orou. Orou para que Thal saísse vitorioso da batalha. Naquele instante, um fino facho de luz desprendeu-se do peito e subiu ao céu em sintonia com as orações humanas. O fio solitário desapareceu nas nuvens. Gregório, à beira da morte, desejava ajudar o anjo guerreiro.

– Afastem-se! – tornou o médico, tendo de repetir o choque, uma vez que o coração do homem teimava em parar. – Vou aumentar a carga! – gritou, nervoso. – Vou aplicar outro choque. Ele está voltando! Vou conseguir trazer ele de volta!

Novamente os terminais elétricos foram ao peito do mortal, e uma descarga maior de eletricidade foi liberada.

No centro do círculo de resistentes guerreiros, Thal, batendo e girando, varria a frente com a espada, às cegas, com uma pilha de inimigos de cada lado. Thal sentiu um calor surpreendente crescer dentro de si, esparramando-se do peito para os membros e as asas. Ele gritou. Raios elétricos surgiam sobre seu corpo, serpenteando, alastrando-se da pele e agarrando a horda de feras junto a seu corpo. Eletricidade.

Um relâmpago potente rasgou o ar, unindo o céu e o chão com um clarão. Acertou em cheio o general, fazendo-o incandescer e brilhar no meio de um urro de surpresa. Os demônios malditos que se amontoavam sobre o guerreiro foram arremessados longe: caíram com o corpo fumegando e labaredas tomando conta das asas e dos membros, ressecando-os e transformando-os em pó e brasas assim que bateram contra o gramado.

Mikaela gritou de dor quando dezenas de espadas perpassaram sua pele. Tentou levantar-se, mas as forças abandonaram seu corpo. A criatura de luz tombou sem vida ao lado do general de luz.

O anjo do Ponto olhou em volta. As criaturas amedrontaram-se. Raios elétricos serpenteavam sobre a pele acobreada do anjo guerreiro, dando a ele uma aparência perigosa, ameaçadora. Thal varreu o campo de batalha com os olhos. Onde estava Khel? Não encontrou o algoz, mas viu Mikaela tombado; ninguém mais tinha sobrado para lutar a seu lado. Nenhuma espada amiga. Somente ele, em pé, reluzindo com tentáculos elétricos desprendendo do peito e indo cravar na terra, criando um hiato no ataque das bestas.

Os tentáculos elétricos começaram a engrossar, enquanto Thal erguia os olhos para o céu e gritava. Os raios serpenteavam pelo chão, aproximando e castigando os cães, que teimavam em se aproximar com choques estrondosos. Mas, aos poucos, eles começaram a recuar, maldizendo e xingando. Entre eles, Khel também retrocedia. Estavam com medo.

Khel urrava, furioso. Não podiam parar agora. Não podia deixar que se dispersassem. Tinham que voltar. Rugiu, chamando a atenção de seus parceiros.

– Não fujam! Fiquem!

Os cães ganiam e continuavam se afastando. As hordas aladas giravam no alto, paralisadas pelo milagre do general dos anjos ainda estar íntegro, em pé, espada erguida e pronto para a luta, sozinho.

Thal mal pôde entusiasmar-se, pois os olhos ainda estavam fixos nos corpos de irmãos destruídos, aqueles que tinham acreditado nele e o tinham apoiado até o último instante. Ele sozinho jamais daria conta de milhares de demônios. Para que servira aquela batalha? Precisava sair-se vitorioso. Devia isso aos irmãos mortos.

Recuperando o controle de sua respiração, Thal sentiu seus ouvidos se encherem de vozes. Não eram eles, os demônios. Eram eles, os humanos. Os protegidos. Thal curvou-se e baixou a espada um pouquinho, os olhos observando por cima dos ombros. Na beira do pasto, junto à cerca, as pessoas se juntavam. Os filhos de carne do Pai Celestial. Estavam ajoelhados, oravam e olhavam para ele.

Os humanos estavam vendo o combate. Os humanos estavam vendo o terreno com os anjos caídos e destroçados pelos demônios e, mesmo testemunhas de um cenário tão hediondo, não fugiam, não corriam para salvar a alma própria. Os pastores que conheciam o Velho Código deveriam tê-los prevenido sobre o que aconteceria assim que ele, o anjo do Ponto, fosse destruído pelos demônios e transformado em um soldado da escuridão. Os demônios tomariam as almas humanas. Eles não podiam estar ali, mas tinham escolhido estar à beira do pasto, orando, rezando, vindo de todas as religiões, vindo de todas as crenças. Aqueles fiéis, aqueles que acreditavam nas coisas além do manto, pediam por ele e. naquele instante, fortaleciam o escudo de Thal com a fé verdadeira. Eram testemunhas de que um anjo ainda lutava pelas almas humanas. O último anjo no campo de batalha.

Thal ergueu novamente a espada e encarou o mar de demônios pairando acima de sua cabeça, girando no alto, paralisado pelo medo que a fé verdadeira causava em cada um deles. As brasas dos demônios incinerados pelos raios terminavam de se assentar, e um silêncio inexplicável tomava o palco. O anjo estava com a espada erguida, mas Khel era o único que ousava se aproximar, pata ante pata.

* * *

O médico estava consternado. Tiros múltiplos. Sabia que o paciente não resistiria, mas toda vez que aplicava o choque, o coração batia, teimando empurrar vida pelas veias e artérias de seu dono, mas logo perdia o ritmo e parava. Tinha que continuar insistindo. Elevou ao máximo a potência da máquina, pois era a única chance que o homem tinha de chegar vivo ao hospital. A ambulância chacoalhava freneticamente, com a sirene gritando pela noite e os pneus dançando na lama.

O médico esfregou novamente os terminais, esperando a máquina de reanimação cardíaca recarregar. Um alarme disparou.

– Afastar!

Gregório, perdido na ponte entre a vida e a Aventura, ainda orava, fazendo a energia subir para os anjos. Queria que todo e qualquer vigor, que toda a sua energia, fluísse e fosse dada aos irmãos. Gregório, no limiar da consciência, chegava à maior clareza que podia ter tido em vida. Estavam todos conectados, desde sempre. Não existia o vazio. Eles sempre estiveram lá, lutando por nós, nos apoiando, a cada momento de fraqueza. Éramos nós, ainda na carne, que nos esquecíamos deles, que alimentávamos a lacuna, o oco, e nos apartávamos deles.

O médico abaixou os terminais de choque para o peito do paciente.

Gregório libertou toda a potência que veio até ele e toda a sua vontade passou a ser que seus irmãos fossem amparados, cada um deles. De seu peito, invisíveis aos olhos de carne, as serpentes elétricas de luz subiram ao céu, e o corpo de carne de Gregório entregou-se completamente à batalha. Seus irmãos de luz e de cascas poderiam contar com ele, de corpo e alma.

* * *

Thal sentiu a armadura de luz refulgir. Lágrimas cor de sangue desciam da face do guerreiro. *Maldito Khel!* Queria matá-lo mil e duzentas vezes. Uma vez para cada irmão. Encarou a turba de demônios. As tiras de eletricidade que se desprendiam de seu corpo voltaram a se intensificar. A armadura brilhou, e então aconteceu de novo. Um relâmpago potente desceu do céu, acertando o anjo em cheio, arrancando dele outro grito estrondoso.

Os anjos das trevas que teimavam em se aproximar foram queimados pela energia indômita. Os anjos do Oriente, que assistiam ao desfecho da batalha sem poder intervir, olhavam sobressaltados. Os tentáculos elétricos ganharam força e agora percorriam a Terra freneticamente. Pareciam ter o papel de assustar, de afastar os demônios, mas tomavam outro caminho. As serpentes elétricas envolviam o corpo dos anjos celestiais que estavam mortos, inertes. Giravam em torno deles e faziam chispas ariscas se desprenderem da pele acobreada. Um novo relâmpago chegou de surpresa, fazendo Thal incandescer.

– Gregório!!! – gritou o anjo, sentindo ainda o elo com o humano.

Os tentáculos elétricos intensificaram-se, cercando um número cada vez maior de anjos mortos. Thal sentiu a respiração ofegante. O que estava acontecendo? Mikaela, aquele que já tinha sentado nos ombros de Jeová enquanto o Deus de Guerra marchava, abriu os olhos, ardendo em energia elétrica. O ânimo voltava ao corpo. Virou-se, caminhando por uma caverna escura, e risadas funestas tomarem seu ouvido segundos terrenos antes. Aquilo era passado. Erguia-se, livre, peito estufado, corpo galante. Curvou-se uma única vez para apanhar a espada e empunhá-la com firmeza. Era um anjo do Senhor, como desde o primeiro dia que ganhara o céu e voara até os ombros do Criador; não tinha mais trevas ao redor. Estava de volta ao pasto verdejante, de volta à batalha no planeta Terra.

Um a um, para desespero do exército da escuridão, os guerreiros de Thal colocaram-se de pé. Estavam vivos, estavam fortes. E prontos para retomar a luta.

A túnica de Thal exalava uma névoa de água evaporada. O calor das descargas elétricas fora excessivo. A pele fumegava, os olhos ardiam. Mas o coração estava repleto de euforia. Seus homens estavam todos em pé. Mil, duzentos e um guerreiros. Eram inferiores em número ao Exército das Trevas, mas eram superiores em energia.

Estavam recarregados.

– Atacar! – gritou Thal.

Desesperados, os anjos do mal chegaram a ensaiar uma fuga, mas, talvez assustados com o cerco dos anjos do Oriente (que nada disseram, apenas se postaram com as espadas desembainhadas) ou talvez obedecendo aos gritos enlouquecidos dos generais infernais, mantiveram-se no campo.

Os anjos decolaram, abrindo asas e erguendo espadas. Chispas elétricas escapavam vez ou outra dos guerreiros ressuscitados. Um espectro de luz divina encobriu o pasto, rumando como uma onda para cima dos demônios. Tinham uma nova chance – e nenhum deles queria desperdiçá-la.

A luz e a euforia se esparramaram com rapidez. Espadas venciam tridentes, e a energia dos guerreiros de luz fendeu a cúpula vermelha, rasgando o mar de demônios e destroçando os inimigos um atrás do outro, implacável, milagrosa e devastadoramente.

Khel salivava de raiva. Thal golpeava com a espada, cortando e rasgando um alado após o outro, bem diante dos olhos do demônio. Khel tinha que detê-lo, acabar com a ameaça, mas o anjo era um pulso de energia, e a armadura de luz que o circundava zumbia e brilhava, fazendo a fera temer se aproximar. Khel girou sobre si mesmo, como um cão atrás do próprio rabo, vendo seus aliados desaparecem, tentar fugir, correrem pelo pasto, escapando da luz do general, mas sendo engolfados pelos tentáculos elétricos e sendo retalhados pelas espadas inimigas. O cão urrou de terror e virou-se para o general de luz que pousava à sua frente.

– Eu só quero matar você! – vociferou o cão demônio.

– Aquelas almas e todas as almas para quem elas falarão desta noite estarão salvas, Khel. Graças a você.

Khel tremia dos pés à cabeça. Os olhos amarelos e ferais olhavam para a beira do pasto. *Os humanos assistiam ao combate!* Os humanos estavam vendo a luz dos anjos sobrepujando o mar de sombras.

– Não! Não! – urrou o cão, vacilante e perdido. Então seus olhos se direcionaram mais uma vez ao general. – Eles me verão engolindo sua cabeça, Thal! Eles vão se ajoelhar para mim!

Khel, fora de controle, trotou de encontro a Thal. O general abriu ainda mais as asas e despregou-se do chão, erguendo a espada e virando o fio e as chamas de sua arma na direção do cão. Anjo e demônio chocaram-se. As presas pontudas e imensas do monstro encontraram a lâmina da espada do general. Thal caiu de joelhos ao final de seu golpe, e sua espada enterrou-se no gramado ao mesmo tempo que os humanos gritavam, empolgados com o que acabaram de assistir.

Khel, bipartido, evanesceu-se em uma imensa nuvem amarela que levou alguns segundos para se dissipar. Thal tinha vencido aquele combate começado num beco, tentando salvar apenas um homem que queria se religar ao Pai Celestial e lutava nas sombras. Os olhos do anjo, cheios de vida e energia, encararam os demônios que ainda rodopiavam acima de sua cabeça, tentando fugir de cada soldado da luz. Thal abriu as asas mais uma vez e segurou firme o cabo da espada. Era um anjo guerreiro, e a guerra ainda não tinha acabado.

* * *

A ambulância encostou na doca do pronto-socorro. A sirene chegou silenciosa. Não havia mais razão para pressa. Não havia mais luta. Somente o giroflex bailava, despejando luz azul e vermelha sobre a fachada do hospital.

O paramédico, empapado de suor, desceu, vencido. Tinha feito de tudo. O rapaz não resistira. Muitos traumas, pouco sangue. Aquela fora, sem dúvida alguma, a tentativa de RCP mais intensa de toda a sua carreira. Ele olhou para os enfermeiros que o acompanhavam. Como num trato tácito, quando perdia, a equipe não falava muito, mas os olhos... Estavam todos emocionados. Não tinham lutado só por alguém ali dentro daquela ambulância. Tinha tanta energia, tanta intensidade envolvida. Tinham lutado por alguma coisa imensa, mas a tal coisa tinha escorrido pelas mãos, como sempre escorria no fim das contas. Contudo, diferentemente das tantas vezes que eram vencidos pela visita da Dona Aranha, quando a pessoa não conseguia mais se conectar à vida, não tinha ficado um vácuo, aquela sensação de inutilidade e o vazio que morava no peito de alguns médicos. Naquela noite, tinham feito uma boa luta. Algo inexplicável tinha se desdobrado dentro da ambulância e na vontade daquele paciente, que resistira por tanto tempo quando já não era mais possível.

O paramédico adentrou o pronto-socorro, desanimado, mas resoluto. Tinha sido feito, forjado e estudado para momentos como aquele. Lutava por vidas. Qualquer vida. Não se envolvia muito quando perdia um paciente, mas nem sempre era fácil. Aquela noite estava cheia de significados. Cada pessoa era uma batalha em si mesma. Ele, que pensava em deixar o hospital e buscar uma clínica, um lugar melhor para destinar seus esforços, tomou a decisão de não partir. Não mudaria sua vida por culpa de uma paixão que queria viver em outro lugar. Ele amava lutar por aquela gente, e seu conflito chegava agora ao fim. Ficaria no pequeno hospital da cooperativa de Belo Verde.

Quando pediu os formulários de praxe à secretária e instruiu um funcionário a retirar o corpo e levá-lo para o necrotério, nenhum daqueles profissionais sonhava quantas batalhas tinham sido travadas dentro de cada pessoa por perto nos últimos minutos. A vida é cheia desses momentos. Cheia desses encontros. Cada pessoa ao seu lado pode estar, neste mesmo momento, vivendo seu turbilhão existencial. Escolhendo se vai ou se fica. Se aceita ou se luta. Se tenta mais um dia, se deve se levantar mais uma vez. A pessoa que está, agora, bem ao seu lado vive uma batalha com a qual você nem sonha. Ofereça um sorriso. Faça uma prece e emane boas energias. Pode ser essa a força e o apoio de que a alma dela precisa bem agora. Acreditar, ter fé e querer bem a todos. Querer que a unidade seja feita, que estejam seguindo seus caminhos.

CAPÍTULO 45

Vera tinha se desvencilhado do doutor Jessup, que insistia em levá-la ao hospital. Ela não queria ir e já sabia. A Energia da Vida também sabia falar da morte. Gregório não respirava e tinha sido a última perda. Enquanto ela caminhava rapidamente entre as hastes do milharal, escutando o cricrilar dos insetos, afundando o solado da pesada bota de lona de Samuel no barro molhado da plantação, deixando a voz falar dentro do seu coração e da sua mente, se dava conta de que tudo tinha acabado.

Samuel não era mais seu Samuel e estava desaparecido. A Energia da Vida tinha soprado coisas tristes em seus ouvidos. Caberia a ela suportar o fardo. Ela, que nunca quisera deixar a fazenda; ela, que amava aquele chão mais que qualquer um dentro daquelas cercas; ela, que se confundia com a plantação e com os animais que criavam; ela, que não conhecia outro lugar no mundo além de Belo Verde. Aquela era a cidade que ela conhecia como a palma da mão.

Tinha falhado em deixar a Energia da Vida falar. Toda aquela tragédia era culpa sua. Vera tinha tapado os ouvidos. Ela tinha se desligado e não queria mais interpretá-la. Agora que tinha compreendido que nada tinha restado na fazenda, também queria partir dali. Finalmente tinha entendido. Ninguém ficaria na fazenda. Nem Samuel, nem Gregório, nem ela.

Agora, Vera margeava a plantação, eventualmente tropeçando no barro. As botas do marido eram grandes e tornavam os passos entorpecidos e pesados, uma quebra de cadência. Relâmpagos riscavam o céu e trovões roncavam naquele hiato da chuva. Mesmo rodeada pela escuridão, ela sabia para onde queria ir, seus pés a guiavam mais uma vez, mas agora estava difícil seguir adiante. Não eram só as botas do marido que trazia com ela. Também pesada, empunhada pelas mãos, vinha a espingarda calibre doze do fazendeiro. A espingarda que se certificara de estar carregada. O transporte mágico que a levaria de Belo Verde para outro lugar.

Ela descia o morro com passos imprecisos em direção à capela. Notou que o negrume começava a se quebrar no horizonte. Apesar das nuvens carregadas, o céu ia rajando, prometendo a alvorada. Tantas e tantas vezes tinha assistido àquele espetáculo. Não tardaria para o sol fazer o que fazia todo dia. Não havia sinal melhor para o fim daquele capítulo. Uma revolução da Terra. O rosto lavado e manchado pelas lágrimas.

Vera levantou as costas das mãos para limpar o nariz, que também escorria. Caiu de joelhos no chão molhado, soltando um gemido. Faltava pouco agora. Já estava chegando à capela. O lugar onde, na infância, todos tinham sido felizes naquelas terras. O lugar onde, na infância, decidira que viveria para sempre ali, naquela fazenda, cheia de luz e de energia. Naquele lugar onde, pela primeira vez na vida, ouvira a voz dela.

A Energia da Vida sussurra em seu ouvido, e a avó apertou a mão da neta, erguendo a cabeça, nariz e queixo para o alto, um sorriso aberto, que foi imitado por Vera ainda criança, num dia muito diferente do de hoje – um dia cheio de luz radiante, cheio de abraços e sorrisos. Então Vera soltou-se da mão da vovó e ajoelhou-se na terra úmida. Colocou a mãozinha de menina no chão. A vó abaixou-se também, agora com um sorriso de comunhão e irmandade; eram confidentes e, juntas, uma só. A vó deitou-se sobre a terra e abriu os braços. Verinha, criança, imitou-a e deitou-se também, sorridente, olhando para a vó, que tinha uma joaninha dourada caminhando na ponta de seu dedo.

Vera abriu um sorriso no chão escuro. Conectada ao passado, lembrou-se claramente, como se estivesse vivendo aquele momento mais uma vez, revisitando um dia que tinha se revelado e que a fizera muito feliz, completa, percebendo que era um ente vivo e consciente quando a avó lhe disse:

– Nós somos daqui. Nós somos esta terra. Viemos daqui e ficamos aqui. Ela fala com a gente e a gente escuta, filha. Escuta a Vida falar com você. Se escutar a terra, Vera, colherá bons conselhos.

A Vera criança entendeu a avó. Elas eram daquela terra.

Exausta, com a mente convulsionando em um turbilhão de lembranças, Vera levantou-se e voltou a caminhar, parando em frente à capela. O poço com a mureta de pedras negras à direita. Ela queria ir embora antes que a luz do sol chegasse. Antes que a madrugada pusesse fim às trevas. Ela poderia fraquejar ao contemplar a paisagem de sua infância. A escuridão era a melhor companheira para o medo e o desespero trazidos pela solidão que a devastava. Caminhou trôpega, vacilante, até a beira do poço, arrastando a arma de fogo, puxando-a pela coronha com uma mão, fendendo a terra com a boca e a ranhura da mira. Ajoelhou-se junto ao poço e olhou lá para baixo. Era puro breu. Não havia nada lá. Vera debulhava-se em lágrimas e gemia de tanta dor. E seu choro chamou a noite. Seu pranto chamou a escuridão.

Vera, vivendo uma onda de pura discórdia interna enquanto destravava a arma e engatilhava, digladiando-se com uma força que não conseguia ver, levantou a boca da arma de fogo em direção ao queixo e baixou a mão, procurando o gatilho. Não seria fácil, mas seria rápido. Não havia mais razão para continuar naquela terra. Ela não viu o par de olhos vermelhos observando-a do milharal na colina acima. Não sentiu que era observada por alguém que não podia mais estar com ela. Mas sentiu a brisa vindo da plantação. Sua mão tremia. Ela resistiu à dor, ao conflito, respirou fundo, sentindo os fios de seus cabelos balançarem, vivos, emoldurando seu rosto pálido.

A brisa, repentinamente, virou vento, balançando as espigas e trazendo novamente as gotas da chuva. Nuvens corriam no céu e relâmpagos acendiam a barriga daquelas formas cinzentas que seguraram a alvorada mais um pouco. Gotas gordas, pesadas, e o vento tornou-se ventania. A água gelou a pele de Vera, que se arrepiou com o frio de repente tocando-a fundo. Tinha algo ali. Sentiu um afago junto à voz. A voz. Ela vinha da plantação. Era a voz dele. A voz do amor de sua vida. A voz que pedia que soltasse a arma.

Vera caiu de joelhos, pranteando ainda mais. A Energia da Vida vinha batalhar por ela, usando subterfúgios para embaralhar ainda mais a mente da mulher. Vera gritou, despedaçada, mas deixou os ouvidos abertos dessa vez. As mãos fraquejaram, e a espingarda caiu dentro do poço, ecoando enquanto batia contra as bordas e submergia no espelho d'água.

Vera gritou mais uma vez, libertando toda a dor, com a cabeça para dentro do poço, vomitando gemidos e o sofrimento para dentro daquela fenda que se entranhava na fazenda, rasgada pela tristeza e pelo peso sufocante da solidão. A voz pediu que ela continuasse em frente, que não desistisse. Então Vera girou o corpo e caiu sentada na lama que se represava ao redor do poço. A presença pedia que ela cuidasse de tudo e disse, ainda, que ela, a força que a acarinhava agora, estaria ali para fortalecê-la e mantê-la deste lado do manto. Aquela força continuaria como a Energia da Vida, invisível aos olhos, mas vigiaria Vera onde quer que ela estivesse. Alguém tinha que partir naquela noite, mas não seria a mulher que amava a terra.

Vera dobrou-se em posição fetal, envolvendo-se pelo barro. A chuva virou tempestade e trovões cantaram acima de sua cabeça. Ela ouviu a voz mais uma vez. Deixou que entrasse em sua mente. Despediu-se dele e soube que jamais voltaria a ver o amado novamente.

Vera inspirou fundo, juntou todo o ar que podia, toda a energia que lhe restava, e soltou a voz, seguida de soluços:

– Eu te amo, Samuel!

O par brilhante de brasas continuava no milharal, flutuando fantasmagoricamente.

– Adeus, meu amor... Adeus, amor da minha vida. Adeus – murmurou a mulher, entrecortada pelo choro persistente.

CAPÍTULO 46

Thal desceu veloz, cheio de vida, e bateu contra o chão. Enterrou a espada vitoriosa no pasto e olhou para seus guerreiros. Estavam todos lá, os mil e duzentos. Abriu um sorriso glorioso. A todos os inimigos tinham derrubado.

A chuva lavava o gramado extenso, levando embora os espectros dos demônios vencidos. O vento carregava o que restava das nuvens amareladas e do cheiro de enxofre. *Quanto tempo durara o último embate? Trinta minutos? Vinte?* Com os mil e duzentos guerreiros junto dele, energizados pelas orações e pela providencial corrente elétrica vinda do céu, a proporção de cinco demônios para cada anjo não foi problema. As feras foram espremidas e caçadas; a temível liberdade para capturar as almas humanas fora banida.

Alguns generais demoníacos, percebendo a derrota iminente, bateram asas e desapareceram no céu. Carregariam a vergonha da derrota para muito longe e tramariam novo ataque quando pudessem reaver suas hordas.

Thal encheu o peito de ar. Estava puro, nada de enxofre. *Mas o que queriam aqueles aviões pequeninos voando ao redor do conglomerado de anjos?* Certa energia negativa chegara a fluir daquelas aeronaves, cortando por um breve instante a concentração do guerreiro líder durante a batalha ao efetuar disparos contra o gramado, mas agora sentia-se bem em ver-se admirado pelos olhos humanos.

Fazia muito tempo, milhares de anos, que aquilo fora possível: uma multidão que os enxergasse. Thal podia ver a emoção estampada na face de muitos humanos. Certamente, depois daquela noite, os fiéis redobrariam a fé em Deus. *Que testemunho poderia ser mais contundente do que aquela reunião de anjos e humanos?* Cantariam glória e levariam a história daquela batalha para os quatro cantos da Terra.

Crianças corriam entre os guerreiros, que, calmos, não evocavam nenhum temor. O rosto dos anjos de luz resplandecia em bondade e serenidade. Os humanos podiam ver que as criaturas estavam felizes. Fosse o que fosse a razão daquela aglomeração, as orações tinham surtido o efeito esperado. Não havia mais agonia pairando no ar, nem mal-estar. A alma dos anjos tinha sido libertada do jogo maligno dos senhores das trevas.

Thal ergueu a cabeça para o céu. Da igreja, ainda escapava o facho de energia das orações. Muita gente estava dentro do templo, orando fervorosamente. Mas seu sorriso sumiu. *O humano... Gregório...* Thal estendeu as asas e rapidamente alçou voo. O rapaz estava morto, mas, de alguma maneira, mantinha-se sintonizado. Apressou a jornada. Gregório sentia medo.

Um homem, brincando de cavalinho com a filha, afastou-se, surpreso, ao observar aquela cena. *Que criatura magnífica! Que experiência viviam! Quem iria acreditar naquilo?!*

Enquanto isso, os anjos se agitavam com os aviões que alcançaram Belo Verde alguns minutos antes.

* * *

Ainda estavam a alguns quilômetros quando os pilotos, com auxílio de câmeras especiais, conseguiram visualizar os "invasores". Eram "coisas" de três metros de comprimento. Pequenas aeronaves, possivelmente, pois voavam com agilidade e desenvoltura. Mas, se conseguissem chegar bem perto, certamente eliminariam a dúvida. O radar estava cheio de apontamentos; captava centenas de pontos de luz evoluindo em todas as direções, o que deixava o sistema de mira enlouquecido.

Os Tucanos estavam, prioritariamente, em missão de reconhecimento e observação. Os pilotos ativaram os equipamentos, preparando uma bateria de exames e registros, pois o fenômeno deveria ser esclarecido e estudado minuciosamente. Poderiam ter o mais espantoso caso de contato extraterrestre acontecendo ali, bem debaixo do nariz deles.

O ronco dos motores dos aparelhos Tucano enfim chegou à igreja, fazendo a parede estremecer. O piloto olhava ora para a esquerda, ora para a direita. Era incrível. Estavam agora sobre o lugar.

– Piloto do Olho 1 para torre, câmbio – começou, provocando um ruído de estática no início da mensagem.

– Sim, Olho 1, estamos na escuta, câmbio – respondeu a voz anasalada pelo rádio.

– Senhor, eles existem mesmo, são milhares, estão por todos os lados lá embaixo.

– Como são?

– Parecem pequenas aeronaves...

– Estão interagindo com a cidade, atacando as pessoas?

– Acredito que não, senhor. Estão um pouco afastados do centro civil, numa espécie de clareira, de pasto, numa fazenda para gado. Fazem evoluções curtas, uma dança... coreografia... sei lá. Vou voar mais baixo.

– Positivo; quero vocês três o mais próximo possível. Tomem cuidado, rapazes.

– Olho 2 para torre...

– Prossiga.

– Primeira bateria de dados captada, senhor. Entrando na fase dois, partindo agora em direção à Mãe.

– Entendido.

Os pilotos manobraram as naves e afastaram-se alguns quilômetros, voltando num rasante em alta velocidade. Os civis, fora da igreja, assustaram-se. O ronco dos motores sobrepunha-se aos lamentos da tempestade.

O Olho 3 encontrou um corredor bem no meio do enxame de "criaturas" iluminadas, fazendo sensores e câmeras dispararem velozmente enquanto atravessava a nuvem fenomenal. Queriam captar de verdade "alguma" coisa, certificar-se de que não se tratava de mais um fenômeno natural, bastante frequente no Brasil. Agora tinham alguma coisa na mão. Não eram vaga-lumes, com certeza; vaga-lumes não aparecem no radar nem medem três metros de altura. O piloto manteve o olho fixo em uma das "naves" que, oportunamente, voava velozmente ao seu lado.

– Olho 3, aqui é Olho 1. Cuidado, tem um bem próximo a você. Saia daí agora.

– Eu sei... eu... estou vendo ele – balbuciou o piloto, perplexo.

O piloto do Olho 3 ficou abismado com o que privilegiadamente observou. Aquilo ali não era uma nave. "Aquilo" era um ser vivo. Tinha feições quase humanas. E voava... voava com...

– Olho 3, corrija o curso. Você está indo direto para um...

O piloto parecia desperto de um pacífico transe. Notou que a aeronave descia em direção a um morro baixo. Assustou-se, puxando o manche. A barriga do Tucano chocou-se contra inúmeras árvores, chacoalhando perigosamente o aparelho.

– Estou bem, torre. Estou controlando... só estou um pouco... extasiado.

– Torre, Matador 1, 2 e 3 chegando em formação na área, aguardando instruções para procedimento.

– Matador 1, afaste-se do perímetro; prepare-se para ataque em formação marginal.

– Não ataquem! – gritou o piloto do Olho 3.

– Piloto?

– Por favor, comando, suspenda a ordem de ataque. Olho 3 pede permissão para nova incursão de reconhecimento. Aquelas coisas lá não são naves.

– O quê?! Piloto, defina aquelas coisas.

– Impossível, senhor. Preciso de um rasante em baixa velocidade. Permissão para voltar, senhor?

– Olho 1, você captou algo parecido com Olho 3?

– Não, senhor, mas também gostaria de um rasante em baixa velocidade.

– Prossigam, Olho 1 e 3.

Novamente os caças se afastaram.

– Matadores, fiquem de prontidão, *standby*.

– Entendido.

Os Tucanos 1 e 2 começaram a voltar, após reduzir a velocidade ao máximo. Entraram na nuvem luminosa e, dessa vez, os dois conseguiram se colocar em boas posições. Atravessaram lentamente a nuvem "invasora", e os olhos se encheram. Era espantoso e inacreditável. Não poderiam permitir que os Matadores abrissem fogo contra aquelas magníficas criaturas de luz e paz. Eles... eles tinham asas! Por Deus! Seriam anjos? Pelo menos, pareciam! Pareciam lutar contra um inimigo invisível. Às vezes, de relance, tinham a impressão de ver alguma coisa atracada àqueles seres, mas logo sumia, como uma sombra. Deus! Como eram lindos! E enormes também!

– Você está vendo, Olho 3?

– Pode apostar que sim, Olho 1.

A torre manteve-se em silêncio, ouvindo os diálogos emocionados dos pilotos via rádio, maravilhados, hipnotizados.

– Olho 1 e Olho 3, descrevam o evento.

– Celso, cê não vai acreditar, cara – respondeu o piloto do Olho 1, esquecendo as formalidades.

– Prossiga, piloto.

– Não são naves! São criaturas! Seres vivos!

Silêncio na torre.

– Têm asas, são altos...

– Como anjos, senhor! Tenho certeza que são anjos – completou o Olho 3.

– Torre, pode me confirmar a posição da Mãe? – interrompeu o Olho 2, que partira em busca da Casa Celestial.

– Anjos?! Mas que merda é essa? – inquiriu a torre, ignorando o Olho 2.

– Se não são anjos, não sei o que são – arrematou o Olho 1.

– São anjos – afirmou o Olho 3.

– Anjos... anjos bíblicos? Com asinhas... – interrogou o comando.

– Eles têm pele cor de bronze, vestem túnicas, as asas são lindas e enormes... reluzentes... Santo Deus! Do que nós estamos falando? – espantou-se consigo mesmo o Olho 3, sentindo uma vertigem e batendo com a mão no capacete.

O brigadeiro Mendonça desligou o microfone antes de conversar com os oficiais.

– Pode ser uma nova tecnologia. Trajes. São brilhantes porque emitem calor. Acredito que sejam trajes que fazem voar; não são anjos bosta nenhuma.

– Torre, preciso da confirmação sobre a Mãe, você está copiando?

– Copiando, Olho 2. Um segundo, por favor – o comandante de operações checou os instrumentos. – Você está a vinte segundos da posição e seus instrumentos estão corretos...

– Então ela ainda está lá?

– Está, Olho 2.

– Bem... pelo tamanho da coisa, se ela estivesse aqui, eu já teria visto, concorda?

– Correto, Olho 2. Sua altura é suficiente para visualização sem aparelhos. Se a Mãe emite luz como as naves, você estaria sob ela agora.

– Torre, eu não vejo nada aqui. Nada anormal, exceto... – o piloto calou-se.

– Prossiga, Olho 2.

O piloto continuou calado, mas com o rádio aberto, pois ouviam claramente sua respiração controlada e pausada.

– Torre, Olho 1 e 3 pedindo permissão para nova incursão, senhor.

O brigadeiro balançou a cabeça negativamente.

– ... exceto... esta sensação...

– Negado, Olho 1 e 3. Retorno para a base imediatamente; isto é uma ordem, estão ouvindo?

– Positivo, controle. Olho 1 e 3 retornando.

– Matadores, tomem curso, nariz para duas horas, ataque com canhões de repetição, desativar mísseis ar-ar – instruiu o comando. – Civis reportados na área.

– Positivo, torre. Matadores 1, 2 e 3 procedendo. Nariz duas horas, velocidade baixa.

– Padrão de formação inimiga estável. Atirar à vontade. Quero o máximo deles no chão. Vamos estudar essa tecnologia.

– Entendido, torre. Matadores 2 e 3, atirar ao meu comando. Formação estendida, penetração do líder.

– Entendido – responderam os Matadores 2 e 3.

– Olho 2, repita sua última mensagem – ordenou o comando.

– Está tudo bem, torre. Só disse que tive uma sensação boa, uma paz imensa.

– Retorne para a base imediatamente, Olho 2. Cheque a mistura de seu oxigênio. Pode me passar a leitura, por favor?

– Está normal, controle, não estou ficando dopado, ainda.

– Retorne para a base, piloto, retorne agora.

– Entendido. Olho 2 abandonando posição agora, lamentavelmente. Não sei o que é isso, mas queria ficar mais aqui – o piloto soltou a nave num mergulho ligeiro, deixando o céu limpo e estrelado para ganhar as nuvens, sobrevoando a tempestade, com relâmpagos potentes iluminando o chão vaporoso que quase lambia a barriga do avião da FAB.

Com formação estendida, o líder do grupo Matador entrou antecipadamente na área de combate. Ouvira o espanto dos pilotos de reconhecimento. Era possível que estivessem sendo vítimas de alguma ilusão de ótica, por isso resolvera verificar ele próprio. Os parceiros o seguiam afastados. Teria tempo de identificar os alvos e instruí-los para um ataque preciso.

O piloto adentrou o campo com um rasante lento e aproximou-se. Estavam parados, muito mais calmos do que minutos antes, relaxados, como se descansassem na grama, a maioria próxima do chão. Observou um belo grupo voar até sua nave. O piloto não temeu.

– O que está acontecendo aí, major? Eles estão cercando sua aeronave – advertiu a torre.

Nenhuma resposta, apenas estática.

– Abra fogo, Matador 1. É uma ordem.

– Os reconhecedores estavam certos, torre... – a voz do líder chegava quase sumindo, criando um suspense avassalador na sala de controle.

– Abram fogo, Matadores.

– Essas coisas lindas... eles são anjos, torre. Têm espadas que parecem feitas de fogo... estão em paz.

– Abram fogo. Derrubem alguns. Não são anjos coisa nenhuma! Isto é uma ordem!

– Matador 1 para torre. Estou abandonando a missão agora. Estou consciente das implicações, mas não fui instruído para lidar com situações espirituais, senhor. Não vou atirar em criaturas enviadas por Deus; sou católico, senhor. Matadores, não abram fogo. Fechar formação...

– Abram fogo! – gritava Mendonça ao microfone. – Isso pode ser uma nova tecnologia inteiramente à disposição da nossa nação. Não tem nada a ver com Deus! Voltem e comportem-se como homens!

– Desculpe-me, brigadeiro, não posso – retrucou o Matador 1, abandonando o campo e uma experiência inesquecível.

Os Matadores 2 e 3 o seguiam bem próximos e calados. Em combate, deviam total obediência ao líder de esquadrilha.

– Voltem, rapazes. É uma ordem – insistia a torre.

Os pilotos verificaram o radar. Os pontos vermelhos estavam saindo completamente da tela. Entretanto, um novo ponto surgiu bem à frente, meio-dia, uma nave ligeira e armada.

– Torre, há um objeto não identificado às doze horas – informou o Matador 1. – É um objeto identificado, piloto. Desça seiscentos pés e deixe a área livre para nosso pássaro.

– Guerreiro 1 para torre. Alvos ao alcance das metralhadoras em dezoito segundos.

Uma nave rugiu acima deles, passando a toda velocidade, voltando para o campo.

– Disparar à vontade, Guerreiro.

– Presença de civis às quinze horas, torre.

– Disparar à vontade, Guerreiro.

O piloto levantou a proteção do manche, travou a mira em seu primeiro alvo e disparou centenas de projéteis por segundo.

– Vocês mandaram um outro caça para lá? – perguntou o Matador 1.

Ficou sem resposta.

Guerreiro 1 pediu uma checagem. Tinha certeza de que acertara na mosca, mas o alvo escolhido permanecia na tela.

– Volte e ataque novamente.

– Entendido.

Guerreiro 1 abriu fogo. Os projéteis atravessaram o alvo, como se o objeto fosse um fantasma, uma alma de outro mundo, um anjo.

– Torre. O alvo... ele permanece intacto... e juro por Deus que não errei.

Matador 1 abriu um sorriso largo. Estavam certos. Aquelas coisas não eram inimigas, eram criaturas de energia pura, eram anjos.

Depois de repetir a operação, mais uma vez sem sucesso, Guerreiro 1 recebeu permissão para voltar à base. O comando decidiu encerrar a operação. Os pontos continuaram nos monitores até 1h23 da manhã, quando desapareceram todos de uma só vez, como mágica. Como se nunca tivessem estado ali.

Seria mais um dos *eventos* que as Forças Armadas manteriam vedados a todo custo.

* * *

Meia-noite e quarenta e oito. A única preocupação que os anjos tiveram foi que as aeronaves não atingissem os humanos que se agruparam ao redor. As aeronaves desistiram, por fim, e o céu voltou a ficar silencioso e solitário. A chuva tornou-se agora uma garoa fina e compacta, irritante aos humanos. Alguns minutos após o término da batalha, muitos anjos começaram a se dispersar, retornando para a Casa Celestial.

Thal, após contemplar a vitória, apagou o sorriso e decolou, seguido por alguns companheiros. Rumava ao encontro de Gregório. Voou lentamente para o galpão e entrou pelo telhado, através do grande buraco feito antes, mas poderia tê-lo transpassado tranquilamente, como de costume; afinal, a energia vinda da Casa Celestial já tinha amainado em milhares de vezes após terem cumprido seu papel. Tornaram-se invisíveis novamente. A energia, vinda das orações, era canalizada agora para a Casa Celestial e seria usada para curar anjos que, porventura, permanecessem enfermos. A energia que pulsava no corpo de Thal vinha da alegria do contato com a chuva.

Thal olhou ao redor. O homem não estava. Tocou o solo, deixando o dedo absorver um pouco do sangue coagulado do mortal. Atravessou o galpão apressado.

CAPÍTULO 47

No necrotério do hospital, o corpo morto de Gregório não ouvia mais nada. O tilintar de uma goteira no canto da sala, caindo em um balde de metal, quebrava o silêncio. Gregório queria virar a cabeça, mas o corpo não obedecia. Queria abrir os olhos e não podia. O corpo estava morto, e a alma, enclausurada naquela casca falida.

Assustou-se. Subitamente, um clarão fabuloso atravessou as pálpebras e a luz normalizou-se aos poucos. O silêncio era ainda mais profundo. Uma pressão comprimia os tímpanos. *Como poderia ter aquela sensação? Estava morto!*

Gregório queria gritar. Era horrível ficar imobilizado dentro do corpo morto. *E se as criaturas viessem buscá-lo?* A luz atravessava sua pálpebra. O medo foi dissolvendo-se, fraco, irresistível. A luz penetrava sua carne e atingia o espírito. Paz.

A luz permitiu-lhe ver. *Estava vendo!* Estava em uma sala de hospital. Um necrotério. No canto de seu quadro visual, notou mais uma vez o amigo, aquele com asas. *Então isso era morte?* O amigo aproximou-se e estendeu a mão.

– Venha, Gregório. Não há mais nada para você aqui.

Gregório agarrou a mão do anjo, abandonando o corpo morto, e lançou um último olhar para trás. Nenhum som, apenas um corpo coberto por um lençol.

– Ei, amigo... não se arrependa – disse o anjo, docemente. – Tudo será diferente. Enxugue esta lágrima. É hora de alegria!

Gregório percebeu o corpo iluminado, como o do anjo, e a pele com a mesma cor de cobre. Thal conduziu Gregório pela mão através da parede e ambos foram se juntar aos anjos que escoltavam o general. Gregório inspirou fundo. *Seria verdade? Vida após a morte... após tanta confusão.* Enxugou as lágrimas com as costas das mãos. *Vera... Renan...* Olhou para o céu. As nuvens grossas rolavam, ligeiras, empurradas pelo vento. A garoa batia no rosto. Uma sensação muito boa.

– Você me ajudou muito, e tenho uma dívida que nunca poderei pagar – tornou a voz poderosa do anjo garboso.

– Mas vocês não podem tudo? – Gregório percebeu que a voz havia mudado e tinha agora um quê metálico. Uma voz sobrenatural.

– Não é bem assim.

Uma ambulância passou sem ver o grupo de anjos que andava com Gregório. O silencioso giroflex transmutou temporariamente a cor das criaturas de luz. Os anjos em volta deram a Gregório as boas-vindas e riam, animados.

Gregório notou que todos emudeceram repentinamente e fitavam o céu. Uma esfera de luz verde-esmeralda apareceu, iluminando o interior das nuvens, e veio até eles em velocidade. Era muito mais linda do que as vistas por Gregório na fazenda, mais até que a dos anjos.

Em verdade, poucos anjos haviam contemplado tão linda esfera em sua existência. Para eles, o fato tinha um significado, e, por essa razão, colocaram-se alertas. Gregório estranhou que, mesmo antes de a esfera aterrissar, os anjos se agitaram, desembainhando as armas de luz.

A esfera revelou um anjo alto e magnífico, o mais forte de todos ali, com asas cor de ouro e pele quase humana, sem nenhum tom de metal. Os olhos eram duas brasas azuis cintilantes. Ele mantinha a espada guardada e as mãos longe da bainha. A figura era impressionante.

– Você? – inquiriu Thal, com rispidez.

O anjo novo falou com voz que parecia trovão, tão possante e carregada que fez Gregório tapar os ouvidos, em vão, pois continuava penetrando seu ser como facas afiadas. Arrepiou-se, lembrando a voz dos cães que o ameaçaram no passado. Teve vontade de sair, mas estava perplexo demais.

– Nobres guerreiros, apesar da estranheza de minha visita, venho apenas para falar... Por ora, guardem as armas, pois respeito muito sua bravura.

Os anjos mantiveram as espadas chamejantes desembainhadas. Por alguma razão, temiam o lindo anjo.

– Felicito a vitória no campo hoje, mas reclamo quanto ao descumprimento das normas por parte do exército do Oriente. Como sabem, depois da apresentação dos números, nenhum homem pode ser incluído nas forças que se enfrentam. Ninguém pode interferir.

Thal permaneceu silencioso. Não convinha conversar com aquele anjo mau.

Os guerreiros entreolharam-se, fitando Gregório, e Thal lembrou-se de um ponto importante.

– Você, valente anjo, apesar de não valer a queixa, reclama por uma regra quebrada. Eu reclamo por outra.

O anjo inimigo soergueu uma sobrancelha.

– Qual seria a regra?

– Seu cão, Khel, tomou a alma de um mortal e o transformou em um vampiro antes do tempo devido. Nenhuma alma deve ser tomada antes que a Batalha Negra termine. Você, melhor do que eu, conhece a Lei.

O anjo das trevas calou-se.

– O que está feito não pode ser desfeito – disse o anjo de olhos azuis cintilantes.

– Devolvo a mesma resposta, guerreiro – arrematou Thal.

O anjo das trevas respirava ofegante, visivelmente enraivecido.

– Sabe que posso invocar nova batalha pela intromissão do exército do Oriente...

– Nada fizeram os homens de Vuhtiel, Satanael. Nada fizeram. Desceram ao campo e observaram. Contudo, seu cão sarnento tomou a alma antes de conquistar o anjo do Ponto. Se quiser levar esta discussão adiante, teremos uma nova batalha de luz... Acho que não deseja isso.

O anjo farfalhou as asas compostas por elipses de ouro. Um som agradável escapava a cada movimento do guerreiro. A carranca de contrariedade foi se dissolvendo.

– Está bem, nobre guerreiro. O que está feito está feito.

O anjo virou-se e abriu as asas, pronto para partir, mas hesitou.

– Antes que eu vá, deixe-me dizer. Pensei que hoje você estaria ao meu lado para a próxima batalha, Thal. Tornaria meu exército indestrutível.

Thal olhou para o anjo das trevas. Era verdade, não estava naquele exército por um triz.

– Prefiro continuar com a luz. Seu exército fede demais.

O anjo das sombras começou a gargalhar, partindo em seguida. A cem metros de altura, retomou a forma de esfera de luz. Os guerreiros guardaram as espadas.

– Meu irmão é um vampiro? – tornou Gregório, num murmúrio.

Thal o encarou, pousando as mãos nos ombros do rapaz.

– Sim, ele é um vampiro.

– Onde ele está?

– Nas sombras. Agora está destinado a vagar na noite, lamentando sua alma. Ele é um não vivo... um não morto... um vampiro.

– Posso ajudá-lo?

– Temo que não, nobre irmão. Só ele pode se ajudar... e, pelo que vimos hoje, no campo de batalha, ele teve um bom começo, empunhando uma espada de luz.

– E agora... quanto a mim? Meu corpo está morto... minha alma vaga solta... e agora?

– Agora... – disse Thal, sorridente.

Todos os anjos guardaram as espadas, sorrindo para a nova criatura.

– Agora vem a melhor parte – finalizou o anjo, ainda sorridente.

Os anjos abriram as asas e zarparam, deixando Gregório junto às árvores em torno do hospital. Tornaram-se esferas luminosas, colorindo as nuvens, desaparecendo, engolidos pelo vapor.

Gregório farfalhou as asas, imaginando que seria difícil usá-las, mas abriu-as. Desejou e decolou. Sentia a chuva queimando o peito nu. Em um piscar de olhos, uma túnica azul-clara cintilante cobriu seu corpo, surgindo de maneira encantada. Antes de chegar às nuvens, tornou-se também uma bola de luz violeta, desaparecendo no céu.